HISTORIA DEL PERÚ CONTEMPORÁNEO

HISTORIA DEL PERÚ CONTEMPORÁNEO

Desde las luchas por la Independencia hasta el presente

CARLOS CONTRERAS / MARCOS CUETO

Este libro corresponde al No. 27 de la Serie *Estudios Históricos* del Instituto de Estudios Peruanos.

ISBN 9972-51-044-1

Impreso en el Perú
Segunda edición, agosto del 2000
3,000 ejemplares

Hecho el depósito legal: 1501052000-2411

CONTRERAS, Carlos
Historia del Perú contemporáneo. Desde las luchas por la Independencia hasta el presente / Carlos Contreras y Marcos Cueto. -- 2da. ed.-- Lima: IEP / Red para el Desarrollo de las Ciencias Sociales en el Perú, 2000.

/HISTORIA/SIGLO XIX/SIGLO XX/INDEPENDENCIA/CIVILISMO/INDIGENISMO / GUANO/SALITRE/FUERZAS ARMADAS/MILITARISMO/PERÚ/

A José Carlos, Trilce,
Daniel y Bárbara, y
a Vicente, Alejandra y Rodrigo,
con amor

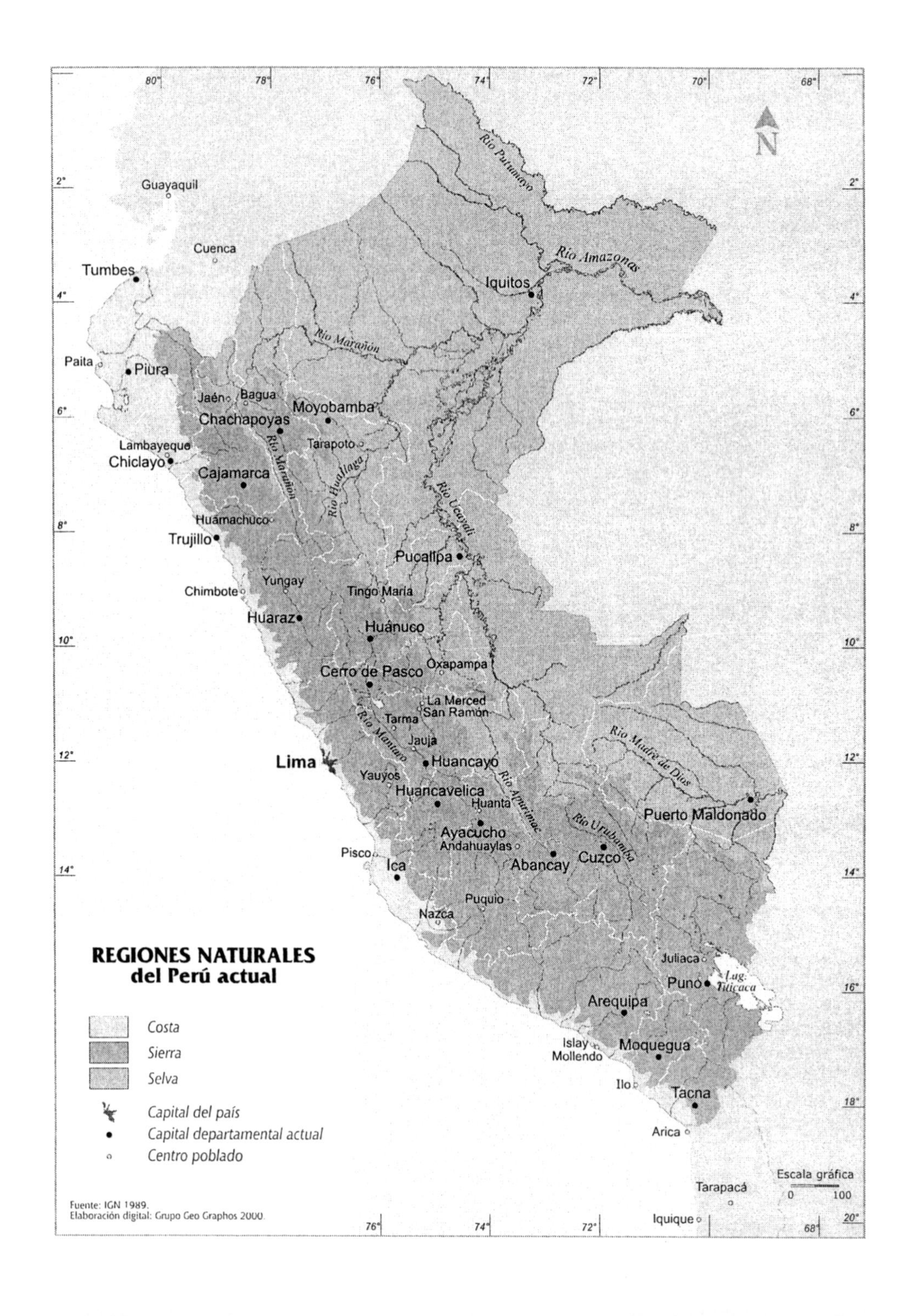
REGIONES NATURALES
del Perú actual
Costa
Sierra
Selva
Capital del país
Capital departamental actual
Centro poblado
Fuente: IGN 1989.
Elaboración digital: Grupo Geo Graphos 2000.
Escala gráfica
0 100
Guayaquil
Cuenca
Tumbes
Iquitos
Río Putumayo
Río Amazonas
Río Marañón
Paita
Piura
Jaén
Bagua
Moyobamba
Chachapoyas
Lambayeque
Chiclayo
Tarapoto
Río Huallaga
Cajamarca
Huamachuco
Trujillo
Río Ucayali
Pucallpa
Yungay
Chimbote
Tingo María
Huaraz
Huánuco
Oxapampa
Cerro de Pasco
La Merced
San Ramón
Tarma
Río Mantaro
Jauja
Río Madre de Dios
Lima
Huancayo
Yauyos
Huancavelica
Huanta
Río Apurímac
Río Urubamba
Puerto Maldonado
Ayacucho
Andahuaylas
Pisco
Abancay
Cuzco
Ica
Puquio
Nazca
Juliaca
Puno
Lag. Titicaca
Arequipa
Islay
Mollendo
Moquegua
Ilo
Tacna
Arica
Tarapacá
Iquique

CONTENIDO

Segunda parte
PROBLEMA Y POSIBILIDAD, 1899-1948

Tercera parte
EL ULTIMO MEDIO SIGLO, 1948-2000

ÍNDICE DE RECUADROS, MAPAS, FOTOGRAFÍAS E ILUSTRACIONES

RECUADROS

Capítulo 1

Capítulo 2

Capítulo 3

Capítulo 4

Capítulo 5

Capítulo 6

Capítulo 7

Capítulo 8

Capítulo 9

Capítulo 10

MAPAS

FOTOGRAFÍAS E ILUSTRACIONES

PREFACIO

PROPÓSITO Y PROPUESTA DE ESTE LIBRO

Poseer una perspectiva de su propio pasado es una necesidad vital, tanto para los individuos como para los países. Esta perspectiva permite reforzar la identidad y autoestima y comprender mejor la raíz de los problemas que se enfrentan; incrementa la capacidad de previsión sobre el futuro y disminuye la tensión entre los ciudadanos, al difundir vínculos de solidaridad y de convivencia nacionales.

Cada cierto tiempo, así como se proponen nuevos retos, las sociedades reelaboran la visión sobre su trayectoria y los orígenes de sus problemas. Para el Perú contemporáneo la necesidad de una nueva perspectiva histórica es particularmente intensa, luego de los varios años de violencia política que atravesó el sistema democrático creado en 1980, durante los cuales los lazos de solidaridad nacional llegaron a debilitarse peligrosamente. De otra parte, las abiertas diferencias en la evolución de las diferentes regiones del país, la profunda modificación del rol del Estado, la creciente injerencia de los factores internacionales en las dimensiones políticas y económicas locales y la emergencia de una gran variedad de manifestaciones culturales en la última década vuelve más imperiosa la necesidad de una nueva visión sintética de nuestro pasado.

También es cierto que cada generación reescribe su historia, en función de los nuevos hallazgos de la investigación, el cambio en los paradigmas teóricos o ideológicos y las nuevas necesidades surgidas de la evolución política, social y cultural del país. Estos aspectos han variado sustancialmente en el Perú en los últimos quince años. Gracias a esta nueva historiografía se ha prestado mayor atención a los procesos sociales. Ya no entendidos estrechamente en tanto "movimientos", sino también como prácticas culturales y como parte de corrientes ideológicas internacionales. Asimismo, los nuevos estudios de historia han resaltado la diversidad étnica de nuestra sociedad y la importancia de ciertas conductas y hechos políticos puntuales, antes desatendidos.

Han surgido nuevos temas históricos (como el de la metropolización de la cultura en la capital, los cambios en la cultura política de la población, rural o urbana, la historia de la mujer y la de la ciencia) y nuevos personajes (protagonistas de esos nuevos temas) que no habían sido considerados antes por los historiadores. Investigaciones monográficas han ayudado a precisar o corregir lugares comunes de la historia nacional y a enriquecer nuestra comprensión del pasado. Por ello la historia política tradicional, así como la historia "estructural" basada en cierto determinismo económico parecen ahora insuficientes para dar cuenta, no sólo del desarrollo del Perú en los últimos años, sino además de sus complicados orígenes republicanos, la diversidad de su desarrollo social o el protagonismo de una variedad de personajes e instituciones ubicadas dentro y fuera del Estado.

Todo ello, y —por qué no decirlo— el arribo de un nuevo milenio, hace más necesario que nunca la búsqueda de una nueva visión panorámica que trate de depurar y resumir lo que hasta ahora se sabía del pasado peruano, con la inclusión de los avances historiográficos recientes.

Otra motivación que nos impulsó a esta obra fue constatar la distancia que todavía existe entre las obras generales, que no incorporan las nuevas dimensiones del pasado rescatadas por la investigación más reciente, y los estudios específicos concentrados en el avance del conocimiento. Esto es especialmente patente en la docencia universitaria. Casi todas las carreras superiores, y no sólo las de ciencias sociales, humanidades y artes, incorporan cursos de Historia del Perú, de América Latina o Universal en sus programas, sin que se cuente, para el caso del Perú, con libros de texto que apoyen la labor del profesor y guíen el estudio de los alumnos. Sólo en los últimos años se ha hecho algunos esfuerzos por atenuar la tensión natural que existe entre la enseñanza y la investigación. La falta de resolución de este problema puede ser sumamente grave, ya que promueve la difusión de una visión histórica superficial del pasado, llena de lugares comunes e interpretaciones fáciles o maniqueas, que desalientan la reflexión sobre los orígenes de los problemas, diluyen las posibilidades de identidad y vinculación con grupos sociales y étnicos diferentes que habitan el mismo territorio, y reducen la capacidad para imaginar el desarrollo y aspirar colectivamente a un futuro mejor.

Este libro pretende llenar varios vacíos. En primer lugar quiere contribuir a la elaboración de una perspectiva social de la historia del Perú republicano que permita a cualquier lector contemporáneo comprender mejor nuestro país. Asimismo, quiere contribuir a una nueva síntesis de la historia peruana, construida por una generación emergida de la experiencia de la guerra fría y de la guerra interna, y que fue testigo del final de ambos conflictos, el uno mundial y el otro nacional.

Finalmente, quiere ser un texto claro, profundo, reflexivo, sugerente y útil para profesores y estudiantes involucrados en los cursos iniciales de la formación universitaria, especialmente para las facultades de ciencias sociales, educación y humanidades. Ello no obvia que el libro pueda ser muy bien utilizado para la orientación del docente de enseñanza secundaria, especialmente en la fase final de dicho ciclo y en el nivel que ahora pasará a componer el "bachillerato".

El volumen abarca los siglos XIX y XX; es decir el período conocido comúnmente como Independiente o Republicano. Somos concientes de que sólo estamos abarcando una parte reducida del pasado de los habitantes del territorio peruano, quienes vivieron la mayor parte del tiempo durante lo que se conoce como el período precolombino. Asimismo, sabemos del profundo legado colonial, que es patente hasta el día de hoy. Pero hubo justificaciones más bien prácticas que nos llevaron a aceptar el compromiso de tratar sólo el período republicano; a saber: primero, la necesidad de ofrecer una renovada visión social y política del pasado peruano se hace más manifiesta para la etapa inmediata de nuestra historia. Segundo, queremos contribuir a un período del que tratan separadamente, y en el que generalmente inciden, los cursos universitarios o postsecundarios antes mencionados. Finalmente, otra razón fundamental que justifica nuestra elección es que nuestra propia experiencia como investigadores y docentes ha estado generalmente ligada a los dos últimos siglos de la historia peruana y estamos convencidos de que podemos escribir con mayor autoridad y fluidez acerca de lo que mejor conocemos.

LOS GRANDES PROYECTOS POLÍTICOS

El hilo conductor de nuestra reconstrucción histórica es la propuesta y aplicación de los grandes proyectos políticos surgidos en la historia independiente del Perú. Entendiendo por ellos aquellos programas cuya ambición o envergadura los hizo alcanzar un carácter "civilizatorio"; vale decir, que estuvieron marcados por la promesa de una gran reforma orientada a cambiar el futuro del país. Estas grandes reformas no se limitaron a considerar cambios en la organización económica y política, sino que partieron de (o en todo caso las incorporaron) nuevas interpretaciones culturales acerca del país y de la transformación de los valores sociales de su población. Por lo mismo, emergieron de encendidos debates y luchas entre los diferentes actores, quienes consideraban que sus intereses, cuando no su misma existencia, resultaban afectados.

Entre esos principales proyectos que ordenarán la secuencia de nuestra narración histórica se encuentran: primero, el de los libertadores y la primera generación republicana. Este recogió varios elementos del programa reformista de la propia administración borbónica española de finales de la época colonial, y emprendió la tarea hercúlea de hacer del viejo virreinato andino una república liberal y viable. El entusiasmo con las ideas políticas liberales y republicanas importadas de Europa y los Estados Unidos, junto con la inexperiencia de gobierno de aquellos hombres, provocó serios desajustes entre los modelos aplicados y la realidad social, económica y política vigente, tal como Jorge Basadre lo anotara ya en sus clásicas obras sobre "la iniciación de la república". Aunque esta generación y este proyecto no logró alcanzar el éxito en la empresa de la transición de una colonia del antiguo régimen a una república democrática, tuvo por lo menos el logro de preservar la unidad territorial del Perú, que no estaba, ni mucho menos, asegurada con la declaración de independencia.

En segundo lugar, vamos a analizar el proyecto liberal del civilismo, cuyo nombre se debe a la larga vigencia del Partido Civil, entre 1870 y 1930. Este proyecto se origina y empieza a ejecutar en la segunda mitad del siglo XIX, para ser reimpulsado después, durante la recuperación del país de la Guerra con Chile. Se trató del proyecto de una nueva generación, educada en los valores del liberalismo europeo y desilusionada de los resultados inmediatos de la independencia: caos político y empobrecimiento económico. Su propósito era hacer del Perú un país a imagen y semejanza de los europeos: ordenado, estable, ilustrado y boyante.

Igual que en el resto de América Latina, este impulso reformista pasó por una polémica entre "conservadores" y "liberales", donde los primeros sostuvieron como remedio al caos que en mayor o menor medida sucedió a la independencia, el restablecimiento de un principio de autoridad, que la ideología jacobina de los libertadores habría socavado; mientras los segundos creyeron posible, en virtud de reformas liberales sagaces y apropiadas, el tránsito más o menos rápido hacia una república culta y próspera y donde las libertades del hombre fueran bien entendidas y mejor respetadas y practicadas. El proyecto civilista, que encarnó sobre todo a esta última postura, se estrelló contra la vigencia de una cultura política autoritaria entre la población, la presencia de severas exclusiones de amplios segmentos de ésta y una práctica caciquista entre gran parte de la elite. Debió hacer dramáticas concesiones a la realidad, como la del desastre de la guerra con Chile, y el proyecto terminó empantanado entre las presiones del mercado mundial y los grandes consorcios extranjeros y las protestas sociales y políticas de los nuevos grupos procreados por el desarrollo de una economía volcada hacia el exterior.

Este segundo gran proyecto no cumplió todas sus metas, y, si no empujó, por lo menos no evitó el desbarranco del país en la crisis de una guerra internacional desventurada, pero tuvo el mérito de conseguir la reconstrucción y reforma del Estado tras la debacle de la Paz de Ancón, e incluso el de alcanzar la relativa prosperidad y estabilidad de las primeras décadas del siglo veinte.

En tercer lugar estudiaremos el proyecto (aunque quizás sería mejor decir en plural: "los proyectos") populista, nacionalista e indigenista. Este comienza a manifestarse en la fase final de la época civilista, durante el Oncenio de Leguía, pero se acentúa hacia mediados del siglo veinte, para alcanzar su punto culminante durante la revolución militar de Velasco Alvarado, y su epílogo en los años ochenta, en medio de una insurrección armada que llegó a cobrar dimensiones de una auténtica guerra civil y a acentuar el clima de desbarajuste económico.

Iniciado como un nuevo abanico de ideas sociales e históricas, el indigenismo y el nacionalismo populista se propusieron la revaloración e incorporación de la raza indígena y de los pueblos del interior en la vida nacional. Alejados por la geografía y el idioma, esos pueblos habían quedado muy rezagados de las transformaciones económicas y sociales de la región de la costa o las grandes ciudades. El proyecto alcanzó sólo conquistas parciales durante los gobiernos de mediados del siglo veinte, dominados aún por una tibia alianza entre las Fuerzas Armadas y la clase propietaria. El Partido Aprista, representante de las nuevas corrientes ideológicas, logró convertirse, sin embargo, en un referente importante que jaqueó repetidas veces el poder, el que conquistó finalmente en limpias elecciones en 1985. Pero, tal como lo dijera un historiador acerca del Partido Civil en el siglo XIX, se trató de un ascenso tardío al poder. En el sentido de que las oportunidades y circunstancias que en otro tiempo tal vez hubieran favorecido el desempeño del nuevo proyecto, habían cambiado desfavorablemente.

Finalmente, este libro describirá el proyecto neoliberal actual, emergido en el contexto del derrumbe de los modelos socialistas en el mundo y del consecuente predominio de una economía de mercado fuertemente "globalizada". Este proyecto nació también del agotamiento interno de las ideas populistas redistributivas, del práctico colapso del Estado peruano a fines de la década de los años ochenta y de la fuerte campaña de una nueva generación liberal, que si bien no se impuso directamente en las elecciones de 1990, sí alcanzó lo que podríamos llamar una victoria "cultural", que hizo pasar su propuesta como la única viable. Este proyecto ha logrado recuperar la estabilidad y el crecimiento económico, sobre bases ciertamente tradicionales, así como la paz interna, pero al costo de incurrir en una agobiante centralización del poder. De cualquier modo, es todavía algo prematuro evaluar su significado por hallarse aún en plena marcha.

Así, a diferencia de versiones historiográficas anteriores, donde los hitos principales de la trama histórica eran los cambios en los regímenes políticos, clasificados en su carácter "militar" o "civil", los de la "estructura económica" o de la modalidad de la dominación externa o interna, será la propuesta, contexto, confrontación, resistencia y ejecución de los diferentes proyectos políticos, encarnados en actores sociales específicos, lo que ordenará este trabajo.

Una decisión consecuente con esta propuesta habría sido dividir las Partes y Capítulos del texto sobre la base de una nueva periodización, basada en esos grandes proyectos de reforma. Así hubiera resultado una primera etapa: 1810-1860, correspondiente al proyecto de los libertadores; una segunda: 1860-1920, ocupada por el proyecto civilista; una tercera: 1920-1990, por el proyecto nacionalista, y finalmente la década actual. No obstante, movidos por el deseo de conciliar nuestro planteamiento con el ordenamiento más usado en los sílabos de los cursos universitarios, hemos seguido una clasificación cronológica y en tal sentido más bien "neutral". Ella descansa en tres períodos: el siglo XIX (desde la independencia hasta 1899, cuando Piérola terminó su mandato), la primera mitad del siglo veinte (desde 1899 hasta 1948, cuando ocurrió el golpe de Odría) y la segunda mitad del siglo veinte (desde 1948 hasta hoy).

Esas tres Partes comprenden un total de diez capítulos. En ellos se trata de crear un contrapunto entre el debate de los proyectos políticos, los procesos económicos y sociales y las manifestaciones culturales. No proponemos una relación de jerarquía o causalidad entre estos aspectos, sino que tratamos de entender sus mutuas interrelaciones, por lo general complejas y no siempre previsibles. De esta manera, nuestra narración histórica no se limita a un debate de las ideas, sino que trata de abarcar los avatares de la aplicación y las resistencias a los intentos por reformar, desarrollar o evitar los grandes cambios sociales, políticos y económicos en el país.

LOS RECUADROS Y LA BIBLIOGRAFÍA

Por su efecto ilustrativo y por la utilidad que en sí misma puede tener la información cuantitativa, cada capítulo va acompañado de cuadros estadísticos que ordenan la información sobre diferentes aspectos económicos y sociales, así como de mapas, ilustraciones y recuadros con textos de la época, que, a la par que iluminan y complementan el texto central, pueden servir de material para la discusión en el aula. También se ofrece en ellos una ampliación sobre episodios o personajes arquetípicos que pueden brindar al lector, no sólo una mayor información, sino asimismo un acercamiento más vivencial a nuestra historia.

Asimismo, ofrecemos una bibliografía seleccionada al final de cada capítulo, que permitirá profundizar en algunos aspectos específicos de cada período estudiado. En ella hemos procurado incluir sólo textos en castellano (salvo una que otra excepción imprescindible) y más bien libros que revistas, por el hecho de la facilidad de su consulta y acceso. Por esta misma razón, hemos dado preferencia a las obras más recientes sobre las más antiguas. Queremos aclarar que no se trata, pues, de toda la bibliografía disponible, ni de toda la que hemos consultado y de la que ciertamente nos hemos servido, pero que por economía de espacio y de estrategia editorial no aparece citada aquí.

AGRADECIMIENTOS

La idea original de este libro nació en el área de Historia del Instituto de Estudios Peruanos. Por las razones antes dichas la exposición se ha reducido en esta ocasión al período republicano. Queremos agradecer a Cecilia Blondet, Carlos Iván Degregori y Carolina Trivelli, directivos del IEP, así como a la Red para el Desarrollo de las Ciencias Sociales en el Perú por la oportunidad concedida para plasmar en un volumen de este tipo nuestras ideas sobre la historia del Perú contemporáneo, un privilegio que cualquier historiador le gustaría tener. Un reconocimiento especial para Felipe Portocarrero, encargado de la sección de libros introductorios para las ciencias sociales dentro del proyecto de la Red, por su permanente apoyo, paciencia y consejos. Asimismo a Alfonso Quiroz, quien leyó una versión preliminar y nos hizo valiosas recomendaciones. También a Jorge Lossio, quien nos apoyó en la preparación de algunos recuadros. Desde luego, la responsabilidad sobre el contenido recae solamente en nosotros. Finalmente un agradecimiento a nuestros alumnos en la Pontificia Universidad Católica, la Universidad Nacional Mayor de San Marcos y la Universidad Peruana Cayetano Heredia, con quienes ensayamos muchas de las ideas que aquí figuran, y al equipo editorial del IEP, Aída Nagata y Rina Montjoy, por el producto conseguido.

Novedades de la segunda edición

Para la segunda edición hemos corregido las erratas que advertimos en la primera, hemos ampliado el número de mapas, por la falta que hace entre nosotros un auténtico atlas histórico del Perú, y añadimos algunos recuadros más, así como varias ilustraciones, que como se apreciará, no son sólo adornos, sino imágenes (pinturas, caricaturas de la época y fotografías) que ofrecen información, a veces novedosa y siempre sutil, sobre el pasado. Para la elaboración de los mapas contamos con el eficiente trabajo de María Luisa Mori y su equipo de "Geógrafos", mientras que para el de las ilustraciones, con el trabajo de fotografía de Nelly Plaza, María Cecilia Piazza y Ana Loli, así como con la colaboración del Archivo Histórico Riva Agüero (donde quedamos en deuda con Ada Arrieta), el Museo Nacional de Arqueología, Antropología e Historia (Enrique González Carré, Lorenzo Huertas y Merly Costa), el Instituto Illa (Rosa Sueiro), Editora Perú (donde reconocemos la cortesía de Manuel Jesús Orbegoso, Hermann Schwartz y Susy Gutiérrez), el Museo del Banco Central de Reserva (Cecilia Bákula) y el Museo de Arte de Lima (Natalia Majluf y María Luisa Fiocco).

También hemos incorporado o ampliado algunos temas, como el de la rebelión del Cuzco de 1814, las rebeliones sociales que marcaron la crisis de la "república aristocrática", las formas de articulación de la economía de exportación con las economías tradicionales del interior, y la historia de la selva. Finalmente, y cediendo a un atinado reclamo de quienes comentaron la primera edición, hemos incluido esta vez un índice de nombres y lugares, que facilitará la consulta de los temas tratados. Para este trabajo y la labor de diagramación de esta segunda edición, hemos contado con la colaboración de Mercedes Dioses y de Gabriela Santis.

Carlos Contreras y Marcos Cueto

Primera parte

EL DESAFÍO DE CONSTRUIR UN NUEVO ESTADO, 1821-1899

La Plaza de Armas de Arequipa en la década de 1860, tal como fue plasmada en un grabado publicado por G.E. Squier, viajero norteamericano. Arequipa fue sede de muchas revoluciones contra los gobiernos nacionales instalados en Lima.

INTRODUCCIÓN

El siglo XIX en el Perú, como en otros países latinoamericanos, fue el período donde se desenvolvió la lenta afirmación del nuevo Estado independiente y la promesa de nación que por entonces éramos. En términos históricos, y no en los estrictamente cronológicos, este siglo comenzó con el proceso de ruptura del Perú con la metrópoli española, de cuyo imperio había sido parte por casi trescientos años, y terminó con la revolución pierolista, que dio paso a un proceso de modernización inscrito en el gran proyecto de la oligarquía latinoamericana por encajar a sus países en el molde de la progresista e ilustrada civilización europea.

La primera empresa fue, desde luego, conseguir la estabilización del nuevo país, emergido de la apresurada desintegración del imperio hispano. Ello se consiguió tras algunas décadas de anarquía y guerras civiles, que llegaron a entremezclarse con las luchas que en pos de la definición nacional se libraban en países vecinos. Recordemos que entre 1820 y 1850 el mapa político de América Latina sufrió severas transformaciones, al punto que nadie podría vaticinar cuál sería el definitivo. Se desintegraron países, como el de la Federación Centro-americana; México perdió casi la mitad de su territorio del norte, que pasó a manos de los Estados Unidos, y vio alejarse al territorio de Guatemala hacia un destino propio; la Gran Colombia se partió en 1830 en tres países distintos; las Provincias Unidas del Río de la Plata, herederas del virrreinato del mismo nombre, dieron paso a la aparición de Argentina, pero separándose de su seno nuevas naciones, como Uruguay, Paraguay y Bolivia. Perú no fue la excepción, pero gracias al precoz auge del guano (precoz, en el sentido que fue un auge exportador temprano, que se adelantó al gran desarrollo "hacia afuera" que tuvo lugar en América Latina de manera nítida desde 1880) logró consolidar su aparato estatal, aunque sobre bases poco sostenibles en el largo plazo, como la guerra del salitre de 1879 lo demostraría dramáticamente.

En la década de 1860 hubo de enfrentarse los arrestos de España por reconstruir su imperio americano, y entre revoluciones que fueron y vinieron, se consolidó un orden constitucional que, aunque con algún divorcio de la realidad, logró mantenerse vigente hasta inicios del siglo veinte.

Después del conflicto del Pacífico (1879-1883) la crisis de la postguerra llevó a la reconstrucción de un proyecto nacional cuya formación habíase iniciado ya alrededor de 1870. Este proyecto proponía un orden liberal, en el sentido de abrir la economía al comercio mundial y en el de tratar de plasmar en documentos escritos, como la Constitución y el Presupuesto, una clara definición de los deberes y derechos de los ciudadanos. Pero tuvo que pagar el precio de la falta de un desarrollo económico y social interno que diera sustento a la ampliación de la ciudadanía.

La abolición de la esclavitud y del tributo indígena, junto con el arribo de los trabajadores asiáticos, no alcanzaron a componer un cuadro social que realmente renovara y mejorara la igualdad de oportunidades y la movilización social en una perspectiva liberal. La población alfabeta era escasa, la moneda y los bienes circulaban con exasperante lentitud y en cantidades ínfimas, los campesinos confiaban en los caciques locales, antes que en las autoridades del Estado. Estas carencias terminaron alentando un protagonismo estatal, sobre el que la elite civil acabó montada. Al concluir la centuria, empero, el proyecto liberal pareció hallar un punto medio entre los ideales doctrinarios y la realidad presente, que lo hizo finalmente viable, aunque al costo de perder sus ángulos más renovadores y de abrir la economía a la penetración extranjera, hasta un punto que afectaba un adecuado margen de autonomía nacional.

Para adentrarse en el conocimiento de estos procesos, así sumarizados, es importante, sin embargo, contar con un esbozo de la situación previa.

LOS ANTECEDENTES COLONIALES

El virreinato del Perú fue fundado en 1542 por el Estado español, aunque su existencia efectiva se inició como una década después. En 1532 un grupo de doscientos conquistadores españoles al mando de Francisco Pizarro había logrado apoderarse del Inca Atahualpa y tras hábiles alianzas con grupos indígenas desafectos al imperio del Tahuantinsuyu consiguió dominar el país. La hueste invasora fundó ciudades, como Lima (1535), Trujillo (1535), Chachapoyas (1538), Huamanga (1539), Huánuco (1540) y Arequipa (1540), entre las principales, que servirían en adelante como polos de colonización. La población indígena, bastante diezmada por las guerras de la conquista y una serie de epidemias desatadas a raíz de la presencia extranjera, fue dividida en "encomiendas" de unos cuantos centenares de tributarios, entregadas a los líderes de la gesta colonizadora.

Los encomenderos, como fueron denominados los beneficiarios de las encomiendas, cobraban tributos a los indígenas e iniciaron las primeras empresas agrarias y mineras con la mano de obra de sus encomiendas. Poco tiempo después, empero, la corona española organizó un aparato de gobierno que, naturalmente, venía a reducir la autonomía y prerrogativas de los encomenderos. Estos pretendieron entonces "alzarse con el reino" y rechazaron la intromisión de la corona, hasta que fueron derrotados al promediar el siglo XVI. El Estado colonial asentó entonces su poder, gracias a la presencia de los "corregidores" provinciales, quienes se harían cargo de la recaudación de los tributos conforme las encomiendas fueran "vacando" (una vez que moría el encomendero y su descendiente) y del gobierno civil y criminal de sus circunscripciones. En las ciudades se instalaron "corregidores de españoles", ya que desde muy temprano ellas se convirtieron en la residencia favorita de los colonos peninsulares. Por eso se entiende que a menudo en el Perú, la oposición europeo-indígena, se ha ya asimilado como un paralelo de la oposición más universal entre ciudad y campo. A partir de la década de 1570 el tributo de la población conquistada trató de ser cobrado sobre todo en moneda, reforzándose su circulación a través del comercio y la minería.

En la segunda mitad del siglo XVI el Estado colonial logró poner en marcha una producción minera en gran escala, productora sobre todo de plata, que así se convirtió en el primer producto exportable del país. El auge de la plata duró hasta mediados del siglo XVII; llevó a la aparición de ciudades mineras, como Potosí, Huancavelica y Castrovirreina y estimuló la producción agraria comercial, tanto de cultivos nativos como el maíz y la coca, cuanto de los introducidos por los europeos, como el trigo, el azúcar, los viñedos y los olivares. Aparecieron, además, los talleres de tejidos burdos de lana y algodón conocidos como "obrajes" y "chorrillos". A fin de organizar el abasto de trabajadores para las minas y otras empresas españolas, los indígenas fueron congregados en pueblos, bautizados entonces como "reducciones", aunque no toda la población nativa aceptó este encuadramiento. Las reducciones cumplían, asimismo, la tarea de facilitar las labores de evangelización cristiana, encargadas a numerosos, pero siempre insuficientes frailes españoles llamados "doctrineros".

Para cubrir las demandas laborales también se importó trabajadores esclavos africanos, quienes se desempeñaron básicamente en la agricultura de la costa (azúcar, algodón, arroz, trigo), en el servicio doméstico y en las panaderías urbanas.

En la segunda mitad del siglo XVII la minería comenzó a decaer y con ella también lo hizo el comercio, tanto interno como externo, descendiendo los ingresos del Estado a un nivel mínimo. Los descendientes de los conquistadores (los "criollos") consiguieron ocupar los cargos de gobierno, dándose una autonomía de hecho (ya que no de derecho) bastante grande frente a la metrópoli. Desde mediados del siglo XVIII la administración colonial procuró revertir esta situación, aunque sus esfuerzos tuvieron éxitos sólo parciales. Los criollos fueron desalojados de los principales cargos, los que fueron confiados en adelante sólo a españoles "peninsulares"; mientras tanto los tributos aumentaron, gracias a su centralización y administración directa por el Estado a partir de la década de 1770, y la producción minera logró recuperarse a partir de estas mismas fechas.

En el siglo XVIII se desmembraron del virreinato peruano los territorios que pasarían a constituirse como el Virreinato de Nueva Granada, cuya capital fue fijada en Santa Fe de Bogotá, y el del Río de la Plata, con capital en Buenos Aires. A este último se le agregó el territorio del Alto Perú (Bolivia), donde se ubicaba la importante mina de Potosí. La recuperación de la minería peruana a partir de 1770 tuvo por eso nuevos escenarios, como la sierra central y norte peruana, donde se ubicaban Cerro de Pasco y Hualgayoc, respectivamente.

Los corregimientos, que habían funcionado hasta el momento como gobiernos provinciales, fueron suprimidos en 1784 para introducir las Intendencias, divididas a su vez en Partidos. El Perú quedó así dividido en siete intendencias: Trujillo, Tarma, Lima, Huancavelica, Huamanga, Cuzco y Arequipa. La zona del oriente, escasamente colonizada, fue organizada en una circunscripción militar y eclesiástica llamada la Comandancia General de Maynas. En 1796 se agregó al Perú la intendencia de Puno, que veinte años antes había quedado incorporada en el virreinato del Río de La Plata. Los Intendentes y Subdelegados destinados al gobierno de las nuevas circunscripciones fueron escogidos entre el funcionarado español de la península y trataron de impulsar la modernización de sus regiones. Las Intendencias y los Partidos fueron la base sobre la cual la república constituyó luego los Departamentos y Provincias.

El reformismo asumido por el Estado español desde los mediados del siglo XVIII despertó, desde luego, reacciones de diverso tipo entre la población del virreinato peruano. Especialmente sensible fue la reforma fiscal que eliminó la figura de los rematistas o recaudadores particulares que celebraban contratos con el Estado para la recolección de los tributos, y el propio aumento de los impuestos. La alcabala (un impuesto a la compra-venta) subió del dos al seis por ciento del valor de las mercaderías, se gravó el aguardiente con un fuerte recargo del 12.5 por ciento; el comercio del tabaco, que comenzaba a despuntar promisoriamente, fue convertido en un "estanco", es decir, un monopolio del Estado, y el tributo indígena fue elevado en muchos casos. La población indígena reaccionó, desatándose importantes rebeliones como la de José Gabriel Condorcanqui, quien llegó a adoptar el sobrenombre de Túpac Amaru II.

Es importante tomar en cuenta que desde los inicios del siglo XVIII la población indígena había comenzado a recuperarse tras la grave crisis demográfica que la afectó desde el momento de la Conquista. Tras haberse reducido a menos de medio millón de habitantes alrededor de 1720, logró situarse en unos 650 mil al finalizar la centuria. Las autoridades coloniales organizaron nuevos empadronamientos destinados a aprovechar fiscalmente el crecimiento de los tributarios. Poco después se inició el proceso de la independencia.

LA HERENCIA COLONIAL

Es ya una práctica común comenzar cualquier historia de la República, con una mención a la "herencia colonial". ¿En qué consistía esta herencia, generalmente renegada? No es fácil responder a la pregunta, dado el hecho de que el Perú entero era una "hechura colonial". Dicha herencia significaba tanto la vida urbana, como las haciendas rurales; las elites feudales, como el derecho escrito; tanto la Iglesia, como el intento de recortar y definir sus funciones respecto de "lo terreno", como trató de hacerlo la administración borbónica en el último medio siglo del virreinato; tanto el arcaísmo de las técnicas productivas, como el ánimo de renovarlas, llevado adelante, con poca suerte, por esa misma administración; la explotación de los indios, como las doctrinas sobre su defensa y hasta el mismo aumento del mestizaje.

No obstante, ciertas instituciones y ciertas ideas y prácticas podrían ser llamadas propiamente "coloniales", en el sentido que los liberales del siglo XIX las denunciaron y atacaron (la crítica del "coloniaje", como fue motejado despectivamente el período de la dominación española, fue iniciada por ellos con especial vigor). Entre las primeras debemos mencionar a la Iglesia, las haciendas, las comunidades de indios y los gremios de artesanos. Más que "coloniales", se trataba en verdad de herencias de una sociedad de "antiguo régimen", y de hecho sobrevivieron en la mayor parte de los casos hasta el propio siglo veinte.

Debido al hecho de concentrar una gran cantidad de tierras, capitales y hombres ilustrados, la Iglesia era una poderosa institución corporativa; con seguridad, la más poderosa entre las muchas instituciones corporativas (los comerciantes agrupados en el "Consulado", los mineros, quienes tenían su propio "Tribunal", y los mismos indígenas, quienes también funcionaban como un cuerpo dentro de la sociedad, el más extenso de todos) presentes en la sociedad peruana de inicios del XIX.

Los liberales criticaron la división de la sociedad en "cuerpos" sociales, ya que ellos creaban una barrera para la integración de la población peruana en un conjunto más o menos uniforme. La vigencia de los "cuerpos sociales" hacía que un habitante, antes que como peruano, se identificara como un comerciante, un minero, un indígena, un sastre o herrero, o un miembro de la Iglesia. Tendían a defender, así, los derechos de su "cuerpo", a costa de los derechos de los miembros de los otros "cuerpos". Los gremios de los comerciantes y los mineros fueron siendo minados gracias a la llegada de comerciantes extranjeros y la decadencia de la actividad minera, pero el poder de la Iglesia lograba mantenerse en virtud del respaldo de que gozaba del poder internacional del Vaticano y en general de la Iglesia Católica en el mundo. Socavar y subordinar a la Iglesia dentro del nuevo orden, centralizado en el Estado, fue una de las tareas sobre las que se avanzó en el siglo XIX. Ayudó el hecho, ya mencionado, que esta empresa habíase iniciado ya antes de la independencia, por la propia corona española, y fue parte de una campaña internacional del liberalismo en muchos países católicos.

Las haciendas eran extensos predios agrícolas y ganaderos constituidos a partir del siglo XVI gracias a las "mercedes" de tierras hechas a los españoles que se avecindaron en las ciudades, en un tiempo en que la tierra fue abundante en relación a la población. Estas unidades, que llegaban a sumar miles de hectáreas cada una, aunque con límites imprecisos, funcionaban como un mundo propio, con su capilla, su hospital, su cementerio, sus pueblos y talleres. Gran parte de la población rural, en medio de un país que era esencialmente rural, vivía (y moría) dentro de las haciendas. Las comunidades de indios, por su parte, habían sido fundadas a finales del siglo XVI e inicios del XVII dentro de la gran campaña de las Reducciones llevada adelante por la administración colonial. Eran a su modo también latifundios y funcionaban, asimismo, como un mundo propio y aparte, con la diferencia que gozaban de un régimen colectivista mayor que el de las haciendas. Pero es importante anotar que ni las comunidades mantenían un orden tan colectivizado como normalmente se ha supuesto, ni las haciendas eran tan individualistas, como a veces se supone. Como típicas instituciones de la sociedad agraria tradicional, ambas se apoyaban en una dimensión colectivista muy robusta.

Los productores mineros y urbanos se hallaban encuadrados dentro de gremios, que creaban barreras para la entrada de nuevos miembros. En este sentido, dificultaban la competencia que promoviera una mayor eficiencia en la producción y la fluidez en el ascenso social y económico, ya bastante trabada por la jerarquización étnica entre blancos, indios, negros y "castas" de que sufría la sociedad colonial.

En la segunda mitad del siglo XVIII la administración borbónica (una nueva dinastía de reyes españoles) debilitó el poder de la Iglesia, decretando medidas como la expulsión de los jesuitas (1767), que llevó a redistribuir sus propiedades entre otros miembros de la elite terrateniente. Esta administración también intentó modernizar las técnicas mineras y mejorar la agricultura, a fin de que fuera menos dependiente de la mano de obra esclava, pero sin atacar el régimen corporativo.

Entre las ideas y prácticas sociales coloniales figuraron hechos como el que cada "cuerpo" tuviera sus propios ingresos fiscales, lo que atentaba contra la centralización y poder del Estado. La Iglesia, pero asimismo, los gremios de mineros y comerciantes, las universidades, los hospitales y otras instituciones, gozaban de bienes e impuestos propios, aunque a veces delegaran su recaudación en las autoridades del Estado. La idea de que la sociedad no estaba compuesta por hombres "iguales", sino por hombres agrupados, de acuerdo a sus diferencias, en distintos cuerpos, estaba profundamente enraizada. Ciertamente, los hombres de aquella sociedad (como los de cualquier otra) no eran iguales; el asunto estaba en si el propósito era aproximarlos progresivamente, o en cambio seguir un régimen que, a la vez que reconociese la desigualdad social y cultural, no hacía sino perpetuarla.

El ejemplo más saltante de esta concepción era el de la población indígena. Al ser considerados como menores de edad, trataban de ser "protegidos" del resto de la sociedad por una legislación especial, conocida como el "Derecho Indígena". No podían vender sus tierras ni entrar en tratos y contratos con españoles y mestizos sin autorización de la Real Audiencia. Funcionarios especiales, los "Protectores de Indios" (curas, por lo general), eran destacados para velar por los derechos de esta población desigualmente equipada.

La mayoría de las instituciones antes mencionadas tenía, como se dijo, su propio aparato de ingresos. Estos consistían en impuestos, pero también en negocios productivos, que funcionaban bajo el régimen de monopolio. Una economía liberal difícilmente podía abrirse paso en medio de un país donde los renglones más lucrativos (por ejemplo, el tabaco, o el comercio del azogue) se hallaban monopolizados, ya por el Estado, ya por alguno de los cuerpos sociales. El régimen vigente era comprensible, desde luego, si la meta de una sociedad no era el progreso económico, sino la preservación de las instituciones corporativas, en medio de las cuales transcurría la vida y de las cuales dependía el bienestar de sus hombres.

El gran temor consistía en que la destrucción de dichos "cuerpos", en aras del progreso económico, podía resultar, si las cosas no salían bien, en un fracaso general, en el que ni se consiguiese montar una nueva estructura social, más abierta y fluida, ni se mantuviesen los antiguos "cuerpos" sociales. Las consecuencias sociales de este fracaso, fácil es comprender, podían amenazar la existencia de la sociedad entera. Tal fue el dilema que debieron enfrentar los hombres del siglo XIX en el Perú, como en otras partes del mundo.

Capítulo 1

LA REVOLUCIÓN DE INDEPENDENCIA

Desde el siglo XVI hasta cumplida la segunda década del siglo XIX el Perú fue parte de los extensos dominios españoles en el continente americano. Ha sido motivo de debate si estas posesiones fueron tratadas por España como "reinos" (partes) de una monarquía mayor, o si lo fueron como colonias o "factorías" sometidas a un país *principal* o "metrópoli". Los defensores de la primera posición dicen que el nombre apropiado para denominar al período que sucedió a la conquista española es el de "Virreinato" y que los peruanos siempre tuvieron márgenes de autonomía para mantener sus prerrogativas y singularidades frente al centro del Imperio, aplicando el dicho de "se acata, pero no se cumple". Los defensores de la segunda idea consideran que después de la Conquista vino la "Colonia", que limitó cualquier maniobra que pudiesen hacer las clases dirigentes y más aún las clases subalternas.

La historiografía criolla dominante desde los mediados del siglo pasado, presentó el período colonial como una era oscura y de opresión, en la que los peruanos fueron larga y ominosamente oprimidos, como reza la letra del himno nacional. De este modo, la independencia apareció como un momento de "liberación nacional". Los peruanos "recuperábamos" nuestra independencia, después de trescientos años.

Esta concepción contiene, no obstante, varios puntos polémicos. Por un lado, supone que el Perú ya existía antes de la llegada de los españoles, así como que también ya existían los "peruanos". No era así, ciertamente. Cuando llegaron los conquistadores españoles, lo que existía era un imperio Inca, dividido, y sus habitantes no eran "peruanos", salvo en el muy amplio sentido de habitar un territorio sobre el que mucho tiempo más tarde se erigiría un país con el nombre de Perú. Pero nadie en el siglo XVI podía imaginar tal cosa. Se trataba de un conjunto de grupos étnicos diversos, con relaciones a veces conflictivas entre ellos.

Segundo, dicha concepción insinúa que quienes se emanciparon en 1821 del dominio español, fueron los descendientes de la raza conquistada tres siglos atrás. Ello no es exacto, ya que quienes rompieron el lazo con la "madre patria" fueron principalmente los colonos españoles y sus descendientes en el país: criollos y mestizos, y no la raza indígena, que continuó sujeta, y en algunos casos, al margen de los grandes cambios políticos.

El país que se emancipó en 1821 era muy distinto del que fue conquistado por los españoles en el siglo XVI. Fue un país que en buena cuenta habíase formado durante los siglos coloniales. La "herencia colonial" no sólo se hallaba presente entre la elite criolla, sino también entre la población indígena, cuya organización y cultura había sido alterada profundamente durante el dominio hispano.

En cualquier caso es claro que desde los mediados del siglo XVIII, con las así llamadas "reformas Borbónicas" impulsadas por el "déspota ilustrado" español Carlos III, se acentuó una política imperial en España que inclinó las cosas hacia un tratamiento desigual, "colonial" efectivamente, de las posesiones americanas. Un "efecto perverso" (no buscado) de ello, de acuerdo a varias interpretaciones (por ejemplo la del historiador inglés John Lynch), fue estimular en las colonias hispanoamericanas el deseo de independencia. Como lo manifestó una proclama de la Junta de Caracas en los inicios del siglo XIX, a raíz de la convocatoria para elegir diputados a las Cortes de Cádiz, los colonos españoles trasladados a América pensaron que ellos no eran menos o inferiores a los españoles que vivían en Europa, sostuvieron que debían tener los mismos derechos y consideraciones, y que en todo debían ser "pares" de los españoles de la península. Esta idea había sido traicionada por la política de Madrid en las décadas recientes, al reservar los principales puestos de gobierno en América a funcionarios peninsulares, relegando a los criollos.

Naturalmente aquellas colonias no eran todas iguales, ni en ellas el anhelo emancipatorio fue similarmente ferviente. El Perú era conocido como el centro de las posesiones más antiguas de la monarquía española en Sudamérica, y por lo mismo, su elite dirigente era más conservadora y estaba más ligada a Madrid. Este carácter se hallaba reforzado por las hondas diferencias sociales y raciales presentes dentro de la población del virreinato peruano, las que eran mayores que en otras partes de Sudamérica. La minoría criolla (sólo uno de cada ocho habitantes era de raza "española" a finales del siglo XVIII; véase recuadro) percibía,

Censo de 1812

El cuadro presenta cifras de la población peruana pocos años antes del inicio de la guerra de independencia; permite asimismo ver la demarcación política del país y la composición racial según las regiones. Tomado de José Agustín de la Puente Candamo, *La Emancipación del Perú en sus textos*, Vol. I, Lima: IRA.

Intendencia	Españoles	Indios	Mestizos	Pardos	Esclavos	Total	%
Lima	22,370	69,013	13,747	17,864	29,763	154,944	10.3
Cuzco	31,828	163,465	23,104	993	284	220,742	14.6
Arequipa	39,357	75,015	17,797	7,003	5,258	145,207	9.6
Trujillo	19,098	152,827	76,949	13,757	4,725	268,147	17.8
Huamanga	5,378	78,955	28,621	943	30	115,230	7.6
Huancavelica	2,431	55,808	4,537	0	41	62,916	4.2
Tarma	15,339	117,411	78,682	844	236	213,483	14.1
Puno	-	160,682	-	-	-	186,682	12.4
Guayaquil	-	-	-		-	72,000	4.8
Chiloé	-	0	-	0	0	62,000	4.1
Maynas	-	3,901	-	-	0	4,200	0.3
TOTAL	178,025	954,799	287,486		89,241*	1.509,551	100.0
%	11.8	63.3	19.0		5.9*		

* Corresponde al total de pardos y esclavos.

probablemente con cierta exageración derivada de experiencias como la rebelión de Túpac Amaru II, que su condición de clase propietaria y por lo mismo privilegiada, dentro del reino, descansaba en el imperio de la monarquía peninsular. En su estudio sobre las revoluciones hispanoamericanas, John Lynch llamó al virreinato peruano, la república "mal dispuesta", por su renuencia a sumarse al proceso que entre 1810 y 1825 casi terminó por completo con el imperio español en América.

Otras interpretaciones de la independencia americana (como la del historiador franco-español François Xavier Guerra) consideran que ella fue parte de lo que podríamos llamar "la revolución española" (especie de secuela de las más conocida Revolución Francesa), iniciada en 1808 con la reacción a la invasión napoleónica y concluida en 1823 con la restauración del absolutismo. Esta revolución levantó ideas como el derecho al autogobierno y la soberanía popular, y fomentó el nacionalismo. La propia España habría dado las ideas, la oportunidad (con las Juntas de Gobierno) e incluso los líderes (la mayor parte de los caudillos militares hispanoamericanos se formaron en España en la guerra contra los franceses) para la independencia de sus dominios.

Estas dos interpretaciones no se contraponen necesariamente. Mas aún señalan que es necesario considerar a la independencia del Perú no sólo como un proceso local, sino como parte de un proceso continental e inclusive mundial, y es dentro de su marco que resulta comprensible. Esto no opaca sus causas regionales, las batallas militares que definieron a quién pertenecía el territorio, ni el heroísmo de sus protagonistas. Por ello es válido acercarse a algunos de sus detalles particulares y revisar el debate suscitado entre los historiadores acerca de su significado. Al hacerlo comprenderemos plenamente cómo las dimensiones globales y locales de la historia se entrelazaron en la independencia del Perú.

1. EL DEBATE SOBRE LA INDEPENDENCIA

Hacia comienzos de la década de 1970, se volvió popular la tesis que negaba a la independencia del Perú de España un carácter de ruptura histórica en nuestro pasado. Esta tesis fue sustentada en un vigoroso artículo publicado por Heraclio Bonilla y Karen Spalding en 1972. De acuerdo a su punto de vista, 1821 significó "sólo" un cambio político, pero no una transformación integral de las bases económicas y sociales del país. La relación de subordinación de nuestra economía respecto de Europa se mantuvo sin alteraciones sustantivas, ya que se consideraba que se pasó de la dominación económica monopólica española, a la dependencia comercial y financiera de Inglaterra. Puesto que era el ámbito de la economía lo que constituía, de acuerdo a las premisas de dicha tesis, el sustrato de una sociedad, el cambio político que implicó pasar de ser una provincia del imperio español, a una nación formalmente independiente, era tomado como una transformación solamente superficial y sin mayores consecuencias prácticas. A la luz de nuevas investigaciones hoy, sin embargo, es difícil negar que la independencia de España se constituyera en un importante parteaguas de nuestra historia y que en muchos planos significara efectivamente una revolución. En términos sociales significó la virtual desaparición de la aristocracia colonial, y en términos económicos la cancelación de la actividad promotora del Estado sobre ciertos renglones de la producción.

Naturalmente ello no significa sostener que todo cambió desde 1821 y menos todavía que todo cambiara para bien. La independencia significó sobre todo el reto de hacer del Perú una nación, ya que ésta existía sólo débilmente al llegar a su ocaso el dominio hispano. La construcción de la nación peruana pasaba, en primer lugar, por levantar un Estado que fuera capaz de dirigir la formación de la nueva entidad política soberana. Asimismo de definir un proyecto para ésta, revertir la declinación económica arrastrada por las guerras de independencia, definir un perfil territorial preciso que enfrentase la partición de porciones del país que habían sido desmembradas en las últimas décadas, para adjudicarlas a nuevas circunscripciones territoriales coloniales, enfrentar la decadencia de la minería andina, la competencia de otros puertos sudamericanos, como los de Buenos Aires y Valparaíso, y el contrabando. En suma, el flamante país debía: 1. definir una forma de gobierno y organización política de la población y el territorio, 2. asumir una política de comercio y relaciones con el exterior, 3. formular una política económica interna coherente con el punto anterior, 4. erigir un sistema judicial, 5. establecer cuáles iban a ser sus relaciones con la Iglesia, y 6. difundir una cultura que se alimente de nuevas ideas e imágenes acerca de qué era "lo peruano".

Para ello no se partía de una "tábula rasa". Existía una "herencia colonial" de tres siglos, que no podía —si es que se quería— borrarse de la noche a la mañana, y un emergente pero ya influyente sistema mundial, que imponía de varias maneras límites y modas a las formas políticas y modelos sociales y económicos a adoptar.

Así como el significado de la independencia ha sido motivo de debate, también lo ha sido, naturalmente, su proceso: ¿el impulso provino del exterior, o tuvo una raíz interna? ¿se comprometieron en él todos los grupos sociales que componían el virreinato, o algunos permanecieron al margen, o en contra? ¿fue, o no, finalmente el virreinato peruano el más tenaz reducto fidelista en América? Retomaremos estas interrogantes al calor del recuento de sus principales hitos.

En el terreno militar, pero en verdad no sólo en él, la lucha definitiva por la independencia del Perú comenzó con el desembarco de la expedición libertadora del general argentino José de San Martín en la bahía de Paracas el 8 de setiembre de 1820, y concluyó en enero de 1826, cuando la última bandera española fue arriada en el fuerte Real Felipe del puerto del Callao. Durante esos cinco años y medio de lucha el partido independentista atravesó por avances y repliegues y hubo coyunturas, como la del año 1823, en que la causa patriota pareció casi perdida.

Dos hitos de gran simbolismo por lo que significaron como consolidación de la independencia, fueron la jura de la misma en la Plaza Mayor de Lima el 28 de julio de 1821, y la derrota del ejército realista en Ayacucho por obra de las tropas patriotas dirigidas por Antonio José de Sucre el 9 de diciembre de 1824, que dio paso el mismo día a la firma de una capitulación formal por parte del general José de Canterac. Las repúblicas latinoamericanas convencionalmente han adoptado como fecha simbólica de su independencia, la que recuerda el inicio de un levantamiento civil y popular contra el poder español (el célebre "grito de Hidalgo" en México, o la inmolación de los patriotas de Quito, en Ecuador); aun cuando tal rebelión haya específicamente fracasado.

Es verdad que en el Perú hubo algunos patriotas que quisieron sumarse a la ola de autonomía que recorrió parte del territorio latinoamericano alrededor de 1810. Sin embargo, sus intentos no sólo fracasaron, sino que tuvieron poco tiempo de duración. Este hecho, como otros que se produjeron en el país, vuelve a señalar la importancia simbólica del 28 de julio de 1821 como la fecha "oficial" y revela la falta de consenso en la memoria histórica del país respecto del movimiento social que llevó a la definitiva ruptura con España.

Bien puede ello deberse al hecho de que el origen del proceso emancipatorio fue en buena parte externo al Perú. Incluso doblemente externo, nos atrevemos a plantear, ya que si en toda América hispana el mismo partió de la crisis política española y de la ola liberal que sacudió Europa en los inicios del siglo XIX, en el Perú aún el resultado de esta crisis debió introducirse desde los países vecinos. Esto no quita legitimidad a la independencia peruana, aunque sí complicó la estabilización del nuevo Estado, al no existir un claro grupo social que pudiera reivindicar para sí su conducción.

Las tesis nacionalistas

Las tesis nacionalistas han puesto el acento en la labor precursora de ideólogos y rebeldes que desde los años finales del siglo XVIII habrían iniciado la lucha emancipadora. Incluso la rebelión tupacamarista de 1780, distante casi medio siglo de la independencia, trató de ser mostrada como un hito precursor. Planteamiento discutible porque de la rebelión del cacique cuzqueño, nacida a su vez de reclamos que debían resolverse *dentro* del orden colonial, poco o nada se recogió en 1821.

No dejamos de reconocer la labor efectiva de precursores intelectuales, como los de la generación del *Mercurio Peruano* (1790-1796) en forjar una conciencia nacional. Con sus estudios sobre el clima, la historia y la geografía económica del país mostraron un claro anhelo por definir la identidad peruana, pero la constatación de constituir un universo geográfico y social singular y propio, no equivalía a la forja de una conciencia nacional, sino más bien a un proto-nacionalismo. El modelo imperial español, como todas las monarquías del "antiguo régimen" europeo, toleraba la diversidad cultural en sus amplios y dispersos dominios, la coexistencia de muchas "naciones" bajo un poder centralizador que conjugaba las diferencias. La estructura de la monarquía era en ello muy diferente a la *república*, que sí reclamaba la premisa de una comunidad nacional homogénea.

En otras palabras, la idea de una búsqueda de la definición de la "identidad" peruana no empujaba necesariamente a la ruptura política con España; antes en cambio trabajaría por buscar una salida conciliada: una demanda de autonomía y relativa independencia sostenida en pactos coloniales más livianos, del tipo que los británicos implantarían en el siglo XIX con territorios como los de Canadá o Australia. Las mejores contribuciones peruanas a las ideas políticas del continente en estos años se dieron en la esfera del "reformismo moderado"; recordemos a propósito a Vicente Morales Duárez, quien llegó a ser Presidente de las Cortes de Cádiz en 1810, así como la del jurista Manuel Lorenzo Vidaurre, el clérigo Mariano José de Arce, el abogado José Baquíjano y Carrillo y el médico Hipólito Unanue, sobre los que volveremos más adelante.

El proceso desarrollado entre 1820 y 1826 puede subdividirse en cuatro etapas: 1. la de las *Conferencias*, desde el desembarco en Paracas hasta la declaración del 28 de julio de 1821 en la Plaza de Lima; 2. la del *Protectorado*, desde el 28 de julio de 1821 hasta el 20 de setiembre de 1822, cuando San Martín resignó el mando de la nación en el Congreso recién elegido; 3. la del *Congreso*, desde setiembre de 1822 hasta el primero de setiembre de 1823, cuando Simón Bolívar llegó al Perú, desplazó al Congreso y tomó el mando de la nación para concluir con la guerra de independencia; y 4. la *Bolivariana*, desde el arribo de Bolívar, hasta su salida del Perú, tres años después (setiembre de 1826).

2. DEBILIDAD Y VACILACIÓN INTERNAS

Dijimos antes que el origen de la independencia fue parte de un movimiento internacional y en cierta medida externo al Perú. En el país no hubo, antes de la llegada de San Martín, ninguna sublevación emancipadora capaz de desafiar seriamente el poder español establecido. La de Túpac Amaru II fracasó por no contar con el apoyo del sector criollo, ni del resto de la elite indígena de la región. Cuando se produjo la crisis política española de 1808 a raíz de la abdicación del rey en Bayona, en el Virreinato peruano no se erigió ninguna Junta de Gobierno que pudiera convertirse después en un foco autonomista frente al gobierno de la península ibérica; el virrey (Fernando de Abascal) siguió gobernando, incluso mejor que cuando había rey, y sólo uno que otro conspirador se atrevía a hablar de patria, autogobierno o nación peruana, como lo manifestó el virrey Pezuela en 1818 en carta a sus superiores.

Entre esos pocos rebeldes figuraron el coronel Francisco Antonio de Zela, los hermanos franceses Paillardelle y Juan José Crespo del Castillo (Huánuco), quienes terminaron sus días en la cárcel o el patíbulo, por organizar desafecciones. Zela, ensayador de las cajas reales de Tacna tomó la ciudad en 1811 tratando de sincronizar su insurrección con el avance de las tropas rioplatenses. Sin embargo en menos de una semana su insurrección se interrumpió por una grave enfermedad que aquejó a Zela y la derrota de las fuerzas independentistas. Algunos de estos movimientos, como el de Tacna, fueron, en todo caso, claras proyecciones de la revolución emancipadora del Río de la Plata, que buscaba extenderse por la región del Alto Perú (los Paillardelle que se levantaron, también en Tacna, en 1813 provenían de la actual Argentina).

Con la nueva Constitución de 1812, la gaditana, los liberales de España comenzaron a agitar el cotarro en toda América, inclusive en el pacífico Virreinato del Perú. La Carta de Cádiz creaba un sistema de monarquía constitucional, en el que muchas funciones políticas dejaban de reposar en funcionarios designados por el Rey y pasaban a manos de asambleas locales y centrales elegidas por sufragio popular. Las Audiencias eran disminuidas al papel de meros tribunales de justicia, perdiendo su carácter de "Consejo de Estado" que habían tenido hasta entonces. Los cabildos dejaban de ser organismos hereditarios y cerrados, para convertirse en Ayuntamientos Constitucionales, compuestos por miembros elegidos por el voto de los vecinos; además se crearon las Diputaciones Provinciales, a manera de asambleas locales, integradas también por personas elegidas por sufragio; estas diputaciones cobraban asimismo el derecho de elegir representantes ante las Cortes generales del reino.

En el nuevo escenario abierto con la vida, pasión y muerte (1812-1814) de esta primera Carta Magna de nuestra historia, se produjo la rebelión de los hermanos Vicente y José Angulo, Gabriel Béjar y Mateo Pumacahua en el Cuzco entre agosto de 1814 y marzo de 1815. Este movimiento, cuyas motivaciones se confundieron en un inicio con la defensa de la Constitución de Cádiz, terminó enarbolando proclamas separatistas, ya en sintonía con los patriotas de Buenos Aires, que desde Tucumán y Salta pugnaban por entonces en tomar el Alto Perú.

En el Cuzco el arribo de la nueva Constitución, al finalizar el año 1812, levantó, como en muchas ciudades americanas, las esperanzas de los criollos por recuperar el poder y preeminencia del que la política absolutista e imperialista de los Borbones los había alejado. Cuando ya habían conseguido la implantación de las nuevas instituciones, venciendo la resistencia del bando realista y peninsular, capitaneado por el regente español Manuel Pardo, abuelo de quien sería más de medio siglo después el primer presidente civil de la república, estalló el movimiento de los Angulo, quienes tomaron el control de la ciudad y apoyados por una muchedumbre apresaron al regente y a varios oidores de la Audiencia, supuestamente para hacer respetar los mandamientos constitucionales.

Los criollos de la ciudad vacilaron y se dividieron frente a este motín, en cierta forma inoportuno, pero terminaron por darle la espalda, cuando al mismo se unió el enigmático Brigadier Pumacahua, cacique de Chincheros, quien en 1780-1781 había sido el héroe del triunfo realista contra Túpac Amaru y apenas en 1812-1813 se había desempeñado como presidente interino de la Audiencia, cargo desde el cual se había opuesto a la implantación de las reformas políticas constitucionales que venían a favorecer a los criollos.

Así, aún sin haber logrado consolidarse en su ciudad de origen, la rebelión salió del Cuzco y se encaminó hacia la región del lago Titicaca, donde Pumacahua gozaba de simpatías entre los indios. Tomaron Puno y La Paz, engrosando sus huestes y saqueando las haciendas de la ruta, y más tarde Arequipa, donde capturaron al intendente. Otra columna se dirigió hacia el oeste, ocupando las ciudades de Huancavelica y Huamanga. Ya en esta fase de la rebelión sus aspiraciones se manifestaron abiertamente separatistas y a favor de la independencia. Las fuerzas del virrey se organizaron para la represión del movimiento y desde el mes de noviembre consiguieron derrotar en sucesivos encuentros a los rebeldes, rescatando las ciudades antes mencionadas. La batalla decisiva se libró el 11 de marzo de 1815 en Umachiri (Ayaviri, Puno). Dos intendentes muertos (Moscoso, de Arequipa, y Valdehoyos, de La Paz), los cabecillas ejecutados y algunos poemas de Mariano Melgar, el auditor de guerra de los rebeldes, que más prometían que daban, fue el saldo del más importante movimiento separatista peruano. Su derrota obedeció a que no consiguió la adhesión, ni de los criollos de las ciudades del sur, que rápidamente mostraron recelo, ni de los indígenas, que más bien terminaron apoyando las tropas del virrey: el cacique Pumacahua fue capturado por los propios naturales de Ayaviri; después sería ejecutado (véase recuadro, p. 40).

Debe reconocerse que, de la misma manera que ocurrió en otras partes del imperio español en América, la convocatoria a las Cortes de Cádiz supuso para los peruanos un curso acelerado en materia política. Los liberales españoles al intentar reformular las bases de "antiguo régimen" de la extensísima y heterogénea "nación" española, empujaron, sin proponérselo, a su propia desintegración. Fue en torno a la Constitución de Cádiz y a las elecciones que debieron realizarse para la formación de los Ayuntamientos, las diputaciones provinciales y la designación de los representantes peruanos a las Cortes (un tema que amerita mayor estudio), que se sacudieron las conciencias de hombres como Faustino Sánchez Carrión, Luna Pizarro y los propios rebeldes del Cuzco ya mencionados.

Las nuevas ideas y debates políticos involucraron incluso a la población rural, y entre ésta a la propia población indígena. Investigaciones recientes, como

La rebelión del Cuzco, 1814-1815

El movimiento dirigido por los hermanos José y Vicente Angulo, Gabriel Béjar y el brigadier (equivalente a lo que hoy sería General de Brigada) Pumacahua entre agosto de 1814 y marzo del año siguiente, es considerado con justicia como el más serio intento autónomo hecho por los peruanos para su emancipación de España. Con ocasión de la polémica acerca de la "independencia concedida" o "conseguida", desatada por el artículo de Bonilla-Spalding, el historiador Jorge Basadre no dudó en agitar la rebelión del Cuzco como la prueba de la voluntad separatista y la conciencia patriótica de los peruanos, antes de la llegada del ejército de San Martín. En la insurrección habrían participado criollos, como los Angulo y Béjar, de la mano con un noble indígena de la región, como el cacique Brigadier. La trayectoria personal de este último resulta fascinante, sino enigmática: ¿en qué momento, entre 1781 y 1814, o apenas entre 1813, cuando como Presidente de la Audiencia del Cuzco se puso del lado del virrey y el bloque de los "peninsulares", en el conflicto con los criollos, y agosto de 1814, fue ganado por la idea de la independencia? ¿Qué mutación se produjo en él (a los sesentiséis años), que al poder español le debía casi todo: propiedades, privilegios, cargos, títulos y honores?

La identidad social de los Angulo y Béjar, es, por su lado, confusa. El regente de la Audiencia, Manuel Pardo, los calificó de "unos cholos ignorantes y miserables", mientras el historiador Jorge Cornejo Bouroncle considera que se trataba de criollos del Cuzco, aunque quizás no de los más encumbrados. De hecho todos ellos eran oficiales militares aunque de graduación más bien baja: capitanes o tenientes; otro hermano más de los Angulo, Juan, era párroco en Lares, provincia del Cuzco.

La tesis de que la rebelión estalló por defender a la Constitución de la contraofensiva absolutista de Fernando VII, quien derogó la Carta de Cádiz en mayo de 1814, no se sostiene, si consideramos que esa noticia no arribó a Lima sino hasta cinco meses después, es decir en octubre; y a Cuzco seguramente más tarde aún; mientras el movimiento de los Angulo se produce el dos de agosto. Parece, así, que la defensa de la Constitución fue sólo una coartada para ganar el apoyo del partido criollo y despistar a las autoridades, mientras el movimiento cobraba fuerza y los patriotas del Río de La Plata avanzaban desde Tucumán y Salta.

Los criollos del sur, casi desde un comienzo, sin embargo, desaprobaron el radicalismo del movimiento y pidieron la liberación de los oidores. El concurso de Pumacahua, que de defensor del absolutismo se pasaba, sin estaciones intermedias, hasta el extremismo separatista, les supo a chicharrón de sebo. Aunque según él era "su naturaleza índica" la que les fastidiaba. Sea como fuere, la violencia que se desató en la marcha hacia La Paz, donde se señaló el cura Ildefonso Muñecas, y en la toma de las haciendas y ciudades, sancionó el definitivo divorcio de la rebelión con la clase criolla, aislándola hasta una rápida derrota. La propia plebe del Cuzco colaboró con las tropas del virrey para vencer a los insurrectos.

En el curso de la expedición de Pumacahua hacia La Paz, fue masacrada una familia de criollos, de la que por obra del azar y tal vez de la compasión se salvó un niño de cinco o seis años, quien fue recogido por unos pastores. Algunos años después se llevó a Lima al pequeño un viajero, que se sorprendió de hallar un niño blanco y rubio pastando ovejas en el altiplano. Este niño era nada menos que Rufino Echenique, quien en 1851 sería elegido Presidente de la República.

las de Charles Walker, Nuria Sala y David Cahill, han servido para desmentir, o al menos matizar, la imagen hasta hoy aceptada, de que estos sectores permanecieran al margen, indiferentes e ignorantes, de lo que se discutía entre los grupos dirigentes. Las sociedades pre-alfabetas tenían sus propios canales de transmisión de las ideas y noticias; en las puertas de los pueblos se apostaban gentes que recogían noticias de los viajeros y arrieros y los difundían oralmente con bastante eficacia; pascanas de trajinantes, bares y bodegas funcionaban también como cajas de difusión y resonancia de los sucesos.

No obstante, al finalizar la segunda década del siglo XIX volvióse evidente que el Perú carecía de un líder, sea éste un hombre carismático, un grupo regional o una clase social, que pudiera organizar la lucha contra el dominio español. Los criollos de Lima y de las otras ciudades, aunque podían tener motivos de descontento con el gobierno peninsular, veíanse finalmente más cercanos (en intereses económicos y comunión espiritual) de él, que de la mayoría indígena, que poco afecto les tenía. Quienes tenían la voluntad y conciencia adecuadas para la ruptura del pacto colonial, carecían del consenso necesario, como Pumacahua, por ejemplo. Quienes pudieran gozar de consenso, no tenían la motivación ni el deseo por la ruptura.

Los ideólogos reformistas más importantes, como Baquíjano y Carrillo, colaborador de la publicación periódica *Mercurio Peruano*, Mariano Alejo Álvarez, Manuel Lorenzo Vidaurre y José de la Riva Agüero, reflejaron en sus ideas el dilema y las dudas que frente a la ruptura con España envolvían a la clase criolla. Salvo el último, claramente inclinado en ese momento (después sería otra cosa) hacia la separación de la península, el esfuerzo de los otros se orientó a buscar medidas de conciliación que lograsen la sobrevivencia de la relación con España sobre la base de una mayor igualdad entre criollos y peninsulares.

3. LIBRES POR IMPOSICIÓN

Con la frase de este subtítulo el historiador canadiense Timothy Anna resumió su caracterización de la independencia peruana. Por razones geográficas, históricas y políticas el Perú sería finalmente el escenario donde el logro de la independencia requirió el concurso de las dos corrientes libertadoras sudamericanas: la del sur, dirigida por el argentino José de San Martín, y la del norte, por el venezolano Simón Bolívar. Los patriotas del extremo sur sudamericano, Río de la Plata y Chile, llegaron a la conclusión de que el Perú no se independizaría por sí mismo; aunque dudaban si ello era por voluntad propia o por la excesiva fuerza del ejército realista ahí concentrado. Pronto saldrían de dudas.

Tanto el Río de la Plata (fue mucho más tarde que esta región adoptó el nombre de República Argentina) como Chile, tenían mucho interés en la independencia del Perú. Aparte del asunto principista de liberar todo el continente, convergía el deseo de los rioplatenses de recuperar el Alto Perú (la actual República de Bolivia), que había sido parte de su Virreinato y donde se ubicaba la legendaria mina de Potosí. Desde el estallido de las guerras de independencia en Buenos Aires, este territorio fue ocupado por el ejército del virrey de Lima. El flamante gobierno de Chile, por su parte, se proponía el restablecimiento del comercio con la costa peruana, que aprovechaba mucho a los comerciantes y agricultores de su país.

En agosto de 1820 zarpó la expedición libertadora del puerto de Valparaíso al mando del general José de San Martín, con 4,118 hombres. Mil ochocientos cinco eran chilenos, mientras el resto era el "Ejército de los Andes", que componían básicamente rioplatenses. La expedición dependía formalmente del gobierno de Chile, quien la había financiado con grandes esfuerzos, pero cuando desembarcó en la bahía de Paracas (240 km. al sur de Lima) y durante todo su cometido en el Perú, careció de *Instrucciones* políticas que gobernasen su accionar.

Dichas Instrucciones habían llegado a ser dictadas por el parlamento chileno, pero como quiera que contenían cláusulas que al presidente O'Higgins, amigo de San Martín, le parecieron descomedidas con el Libertador (como, por ejemplo, que un comisario del gobierno chileno debía viajar en la expedición para supervisar el cumplimiento de lo establecido), las devolvió, con sus observaciones, al Congreso. Mientras éste resolvía el diferendo, la expedición se hizo a la mar. Las Instrucciones estipulaban, en cualquier caso, que el ejército libertador debía respetar la voluntad de la población peruana. Disponía que debían ser Juntas de Notables de las diversas ciudades, quienes eligieran a los jefes políticos de las regiones que irían liberándose, y no San Martín o sus comandantes. Asimismo, que no debía imponerse ninguna forma de gobierno, sino adoptar aquella que emanara de la "voluntad popular". También recomendaba la salvaguarda de la religión católica, el respeto a los títulos y jerarquías existentes y "no introducir novedad" en materia de esclavitud. Además, limitar al mínimo el "secuestro" (embargo) de bienes. Como dato curioso podemos añadir que las Instrucciones del senado chileno no fueron conocidas en el Perú hasta que Manuel Odriozola las publicó hacia 1870.

En el Perú ninguna corporación oficial o semi-oficial, llámese Junta de Notables, Cabildos o Gremios, había solicitado la venida de los libertadores, aunque sí lo habían hecho algunos personajes "notables" como Riva Agüero o el Conde de la Vega del Rhén. Careciendo de *Instrucciones*, San Martín se convertía, pues, en su propio jefe político y su ejército en un conjunto de soldados fieles a un caudillo, lo que tendría consecuencias en su actuación en el Perú.

4. LAS CONFERENCIAS DE PAZ

El Virrey Joaquín de la Pezuela decidió usar primero el arma de la negociación, proponiendo a San Martín un armisticio y una reunión en el pueblo de Miraflores, a la salida de Lima. Las conversaciones se llevaron a cabo a finales del mes de setiembre de 1820. La estrategia de los comisionados del virrey (la que integraba en calidad de secretario el criollo Hipólito Unanue, quien poco después sería Ministro de Hacienda de San Martín y posteriormente vicepresidente del consejo de gobierno, encargado del mando durante la ausencia de Bolívar entre fines de 1825 y comienzos de 1826) fue señalar que el reciente retorno de la Constitución de Cádiz en España, con la revolución del general Riego, resolvía todos los reclamos de igualdad de los americanos. La noticia de esta restitución no había llegado al alcance de San Martín por estar precisamente navegando hacia el Perú en una misión que ahora carecía de sentido. Era una lástima que hubieran hecho viaje tan largo, pero la renovada vigencia de la Constitución liberal volvía innecesaria la guerra y el proyecto de independencia mismo.

Los delegados de San Martín replicaron que dicha Constitución sancionaba una enorme desigualdad en la representación de los españoles peninsulares y los españoles americanos y propusieron en cambio la instauración de una monarquía constitucional en el Perú sobre la base de un príncipe español. Aunque los delegados del virrey vieron cercano un acuerdo, no estaban autorizados a reconocer la independencia del Perú en tales términos, por lo que las conversaciones terminaron y se reanudaron las hostilidades. Éstas, sin embargo, fueron muy pobres durante toda la etapa sanmartiniana en el Perú. El general Juan Antonio Álvarez de Arenales, del ejército de San Martín, se internó con un regimiento hacia Ica, donde batió la defensa realista; liberó esclavos de las haciendas del lugar, para de inmediato enrolarlos como los primeros "peruanos" de su ejército e impuso cupos a los hacendados. Luego marchó hacia el centro minero de Cerro de Pasco, en la sierra central, que ocupó tras una batalla. En suma, esas acciones, realizadas entre octubre y diciembre de 1820 fueron toda la campaña propiamente bélica de San Martín.

El general argentino basaba su estrategia en la idea de que la sola presencia del ejército libertador levantaría en rebelión a la población peruana contra sus opresores realistas. Más que para dar batalla, la labor de sus tropas debía consistir en brindar respaldo y apoyo logístico a las acciones de los propios peruanos. Este pensamiento se sustentaba en la correspondencia de algunos patriotas peruanos, como José de la Riva Agüero y el Conde de la Vega del Rhén, quienes, en tono muchas veces teñido de optimismo, le habían escrito meses atrás con la noticia de que el Perú ardía por la independencia y no esperaba otra cosa que la llegada de su ejército para levantarse en armas.

Si bien algunas ciudades de la costa, como Trujillo, en el norte, e incluso Guayaquil, hoy puerto ecuatoriano, lanzaron proclamas de independencia poco después del desembarco en Paracas (algunas incluso poco antes, como Supe y Tumbes), el resto del territorio se mantuvo en una indiferencia que desalentaba al más templado. Pronto San Martín cayó en la cuenta de que el Perú no era Chile y que el logro de la emancipación tenía aquí demasiadas espinas en el camino.

El año 1821 trajo desde el comienzo ciertos acontecimientos que alcanzaron, no obstante, a mejorar su ánimo. En enero hubo un golpe militar en el bando español. El general José de La Serna, al mando de militares jóvenes que criticaban la tibieza del virrey Pezuela frente a los insurrectos, tomó el mando del virreinato. Algunos historiadores, hasta hace algunos años, creyeron ver en los golpistas una corriente de ideas liberales, opuestas al conservadurismo de Pezuela, pero esta idea ha sido después desestimada por la investigación.

Siguiendo instrucciones reales, la nueva autoridad del virreinato peruano propuso nuevas conferencias de paz, las que se celebraron entre los meses de mayo y junio en la hacienda Punchauca, en el valle del río Chillón, en el camino de Lima a Canta. Esta vez el virrey y el general argentino, estuvieron frente a frente. Recordaron viejos tiempos (ambos habían peleado juntos contra los franceses en Bailén) y trataron de llegar a un punto de conciliación sobre la base de la anterior propuesta monárquica de San Martín.

El argentino, quien ya había tenido tiempo de desilusionarse en los meses transcurridos, llegó a ofrecer al virrey el gobierno provisorio del Perú, mientras España despachaba un príncipe europeo que quisiera hacernos suyos. Pero La Serna, quien sí abrigaba una ilusión: la de recibir pronta ayuda militar de la península, terminó rechazando el plan, puesto que implicaba a fin de cuentas el reconocimiento de la independencia del Perú.

La Serna tomó poco después una medida extraña pero que respondía a una profunda lógica basada en el conocimiento del país: abandonó la capital con su ejército para hacerse fuerte en la sierra, donde se concentraba el 70 por ciento de la población y las ricas minas de plata. Atravesó Huamanga y Abancay, para al fin instalarse en el Cuzco, la antigua capital de los Incas. Desde ahí, rodeado por las pétreas murallas prehispánicas y los grupos indígenas quechuas, gobernó por más de tres años los restos del dominio español en los Andes.

San Martín tomó el caballo de Troya: entró a Lima el 15 de julio. Era en ese momento una ciudad de sesenta mil habitantes, inerme y confundida. La aristocracia que no había seguido al virrey en su periplo andino, habíase refugiado en el fuerte del Callao o en los conventos, esperando lo peor, ya no de las tropas libertadoras, sino de los propios compatriotas: la plebe africana y los indígenas de los pueblos vecinos, que guardaban resentimientos históricos contra sus amos blancos.

El miedo al "haitianismo"

El 26 de junio de 1821, llegó a Lima el marino inglés Basil Hall, anotando sus impresiones. Con el término "haitianismo" se recordaba la gran sublevación de los esclavos negros en Haití, en 1804, que llevó a la independencia de esa isla, tras la masacre y expulsión de los colonos franceses que la habitaban. Tomado de Basil Hall, "El Perú en 1821". En: *Colección Documental de la Independencia del Perú*, Tomo XXVII, Vol. 1, pp. 225-227, Lima 1971.

Cuando fui a Lima la encontré presa de gran agitación. A la sazón todos sabían que los realistas pensaban abandonar la ciudad a su suerte y era claro que a cualquier cosa que aconteciese se produciría una reacción violenta; pero como nadie sabía o podía imaginar la magnitud que alcanzaría, todos creían la crisis llena de peligros y dificultades...

El 5 de julio el virrey publicó una proclama, anunciando su intención de abandonar la ciudad, señalando el Callao como refugio para quienes se creyesen inseguros en la capital. Esto dio la señal para la fuga inmediata y multitudes se precipitaban hacia el castillo, que, al ser interrogadas acerca de las razones que las determinaban a abandonar la ciudad, no daban otra que el miedo; y, ciertamente, la mayoría procedía por puro pánico que se esparcía entre ellos del modo más extraordinario...

Había ido a bordo por la mañana, pero oyendo que la capital iba a ser evacuada por los realistas el día siguiente y deseando estar cerca de los comerciantes británicos, a quienes había recomendado, sucediese lo que sucediese, permanecer tranquilamente en sus casas de Lima, desembarqué y tomé el camino del Callao. Sin embargo, no fue sin dificultad que pude avanzar contra la multitud de fugitivos que marchaban en dirección contraria; grupos de gente a pie, en carros, a caballo, pasaban presurosos; hombres, mujeres y niños, con caballos y mulas y numerosos esclavos cargados con equipaje y otros valores, transitaban confundidos, y todo era gritería y confusión. En la ciudad misma la consternación era excesiva; los hombres vacilaban en la terrible duda de lo que habría que hacer; las mujeres se veían por todas partes correr hacia los conventos; y las callejuelas estaban literalmente atestadas con carros y mulas cargadas y con jinetes. Toda la noche continuó la confusión y, al venir el día, el virrey salió con sus tropas, no dejando ni un solo centinela en el polvorín. Un terror vago de alguna terrible catástrofe era la causa de este pánico universal; pero había también una fuente definida de alarma que contribuía en gran manera al extraño efecto que he intentado describir. Esta era la creencia, de intento propagada, y acogida con el ansia enfermiza del terror, que la población esclava de la ciudad pensaba aprovechar la ausencia de las tropas para levantarse en masa y masacrar a los blancos. En cuanto a mí, no puedo creer que esto fuese posible; pues los esclavos nunca tuvieron tiempo para tomar tal medida; y sus hábitos no eran de unión y empresa, siendo todos sirvientes y diseminados en una vasta ciudad, con rarísimas ocasiones de trato confidencial.

El pánico de los acomodados y el odio de los desarrapados impresionó mucho al Libertador, quien acabó convencido que la debilidad de la cohesión nacional en el Perú hacía del país un continente inadecuado para regímenes avanzados, como el republicano (véase recuadro "La población de Lima en 1821"|).

5. EL PROTECTORADO

San Martín organizó el solemne juramento de la independencia en la Plaza Mayor, reuniendo algunos cientos de firmas que legitimasen la proclama. Declaróse a sí mismo "Protector de la Independencia del Perú", cargo con el que gobernó poco más de un año y formó un pequeño gabinete y un Consejo de Estado. Más tarde se ha criticado la conducta del libertador, quien, tal como procedió en Chile, debería haberse restringido a la conducción militar, dejando el mando político a un peruano. En Chile, en efecto, una Junta Provisional de Gobierno, nombrada por el Cabildo de Santiago, eligió a O'Higgins como Director Político. Pero debe reconocerse que aquí no existía un O'Higgins; es decir, alguien con el suficiente consenso para asumir el liderazgo.

La labor de gobierno de San Martín se empeñó, más que en hacer la guerra, en persuadir a la población en la idea de la independencia y en su proyecto de monarquía constitucional como el puente que salvaba el abismo entre la colonia y la libertad. Personaje clave de este plan fue su Ministro de Gobierno Bernardo Monteagudo, mulato tucumano e ideólogo brillante, a quien sin embargo su animadversión contra los españoles terminó volviendo impopular entre la clase dirigente de Lima.

Entre las medidas principales del Protectorado figuraron la libertad de vientres para los esclavos (es decir para los nacidos a partir del 28 de julio de 1821), la supresión del tributo indígena y de la servidumbre personal, el respeto a los títulos de nobleza otorgados durante la colonia, la definición de nuevos símbolos nacionales, la fundación de la Biblioteca Nacional, un nuevo reglamento de comercio, que puso fin, desde luego, al monopolio español y un Estatuto Provisorio que otorgaba la nacionalidad a todos los hombres libres (es decir, excluía a los esclavos), inclusive a los españoles peninsulares que se adhiriesen al nuevo régimen.

En el campo militar la situación permaneció estancada. Monteagudo impuso en Lima un control policiaco de los peninsulares y de las imprentas, ordenando confiscaciones de bienes, ejecuciones sumarias y destierros ominosos. En dos años la población peninsular de Lima descendió de diez mil a seiscientos habitantes. El cerco de las tropas del virrey sobre la capital, hizo escasear los víveres y aumentó la tensión social.

La población de Lima en 1821
Pasaje tomado de la obra del viajero Alexander Caldcleugh, "El Perú en víspera de la jura de la independencia". En: *Colección Documental de la Independencia del Perú* (CDIP), T. XXVII, Vol. I: *Relaciones de viajeros*; p. 185. Lima, 1971.

La población de Lima llega a las 70,000 almas, compuestas de las siguientes clases y proporciones: como 25,000 españoles; 2,500 monjes, monjas y clero secular; 15,000 mulatos; 15,000 esclavos; 7,200 mestizos y 5,000 indios. Los españoles son ahora casi todos criollos, pues los chapetones (nacidos en España) han salido del país en su mayoría. Los monjes y religiosas que tanto abundan disminuirán bajo el nuevo orden de cosas, y no hay duda que los patriotas ya habrán averiguado la cantidad a que ascienden sus rentas. Han pasado muchos años desde que el Perú ha importado negros, pues el número que tienen basta para el cultivo de caña de azúcar, café y cacao, productos que se les encomiendan. En cuanto a las minas, el trabajo lo hacen los indios, que soportan mejor el frío de las sierras que el negro, a quien casi no se emplea en ellas. Algunas haciendas azucareras cercanas a Lima, trabajan hasta con quinientos negros. Pero desde la entrada de San Martín, con su ofrecimiento de liberar a los negros que engrosaran sus filas, como también de liberar a todos los niños de esa raza que nacieran a partir de esa fecha, ha disminuido el número de peones negros, y dentro de algunos años, el negro de pura raza habrá desaparecido. En aquel tiempo los desmanes cometidos por los negros en la ciudad eran verdaderamente repugnantes, y en su mayoría iban dirigidos a sus anteriores amos. Se les había insinuado las medidas que se iban a tomar a su favor, y por lo tanto habían planeado cada uno su venganza.

Últimamente la raza de los indios descendientes de los súbditos del Inca había aumentado en número. En 1793 habían como 3,600 indios en la ciudad, que ahora tiene alrededor de 5,000. Este aumento se observa en todo el país, pero no se conocen las causas inmediatas, como no sean la atención que ahora se les presta y la abolición del trabajo forzado. La mita, que sumaba como un dólar por hombre anualmente, pero que a pesar de su insignificancia era difícil de cobrar, fue mantenida por los españoles hasta lo último. San Martín ha abolido este impuesto, y ha dictado un nuevo reglamento para mejorar las condiciones de vida de los indios. Estos son de genio tranquilo, pero de carácter indolente, y de haber recibido mejor trato de los españoles habrían llegado a ser fieles como súbditos, como también ciudadanos inteligentes y activos.

Dentro de los tropas virreinales tampoco las cosas eran agua de rosas. Faltaba el dinero y entre los hombres venidos de la península cundió cierta desmoralización. Uno de ellos escribió a su regreso a España la novela *Adela y Matilde*, propia del género romántico y ambientada en el Perú de estos años. Adela y Matilde eran dos muchachas peruanas, que tenían por enamorados a dos oficiales españoles del ejército realista. Ellas pasan por una gran tensión entre el amor a su patria y la causa que defienden sus parejas. A través de sus vacilaciones, el autor (Ramón Soler, quien luego destacó en las guerras carlistas en España) proyecta las que sus propios compañeros de armas sentían en medio de la guerra. La mayor parte del ejército la componían indígenas de cuya lealtad sobraban dudas y había que vigilarlos constantemente para evitar las fugas. Entre los oficiales había muchos hombres de ideas liberales que comenzaron a cavilar acerca de la justeza de su acción en América.

Un estado de ánimo como ese es el que puede explicar hechos como la deserción del batallón Numancia, en diciembre de 1820, que pasó a las filas de los patriotas, instigado por sus propios oficiales, así como la entrega, asimismo a los patriotas, del fuerte del Real Felipe en el Callao. Estos acontecimientos, además de su efecto militar, tendrían un hondo impacto psicológico en la población. Si los propios españoles terminaban pensando que la independencia de América era una causa justa, o al menos dudaban frente a ello, ¿qué duda podía ya caber sobre la legitimidad de este reclamo para el resto de la población?

El gobierno de San Martín envió una misión a Europa con dos propósitos, pero sólo uno de los cuales fue, en ese momento, público: conseguir un préstamo en Inglaterra para continuar la guerra de independencia. El propósito oculto y que sólo se conoció una vez que San Martín abandonó el Perú, fue conseguir para nosotros un príncipe en Europa, de preferencia católico, dispuesto a asumir la aventura de una monarquía americana.

6. LA POLÉMICA ENTRE MONARQUÍA O REPÚBLICA

Mucho se ha discutido posteriormente acerca del monarquismo de San Martín en esta etapa de su vida. ¿Era solamente suya esta idea, o tenía raíces dentro de la propia dirigencia y población peruana? No es fácil responder a esta pregunta por la represión generalizada de la imprenta en las décadas anteriores a la independencia. Dentro de la intelectualidad más activa en el país, la idea de una monarquía constitucional tuvo, sin embargo, fuertes asideros en los inicios del siglo XIX. José Baquíjano Carrillo podría ser un buen ejemplo de esta actitud.

Fundador del *Mercurio Peruano*, Baquíjano fue uno de los intelectuales más distinguidos del Perú entre 1780 y 1810. Sus opiniones políticas le impidieron ser Rector de San Marcos. Fue apresado en Sevilla, donde se había desempeñado como diputado peruano en las Cortes y donde murió en 1818. Este noble limeño (era el Conde de Vista Florida), al decir de Basadre, no negaba la justicia de la independencia de América, mas no veía los hombres adecuados para el gobierno ni las circunstancias propicias para lograr exitosamente la transformación.

Escenas emblemáticas del proceso de Independencia en el Perú. En el cuadro de arriba, José de San Martín proclama la Independencia en la Plaza de Armas de Lima (cuadro de J. Lepiani, 1904). En el de abajo se representa la batalla de Ayacucho (cuadro de Teófila Aguirre, s. XX). Pinacoteca del Museo Nacional de Arqueología, Antropología e Historia (fotografía de Juan Merino).

Manuel Lorenzo Vidaurre fue más explícito que Baquíjano. En 1810, en su *Plan del Perú*, luego de abjurar del republicanismo, cuyo desenlace mortal era, según su pensamiento, igual a la anarquía, proclamó que el sistema monárquico constitucional era "el puente que evita el abismo entre la Colonia y la libertad". Poco antes de la caída de Pezuela y cuatro meses después de las conferencias de Miraflores, el Cabildo de Lima con la adhesión de muchos vecinos hizo una exhortación al virrey para que se llegase a un arreglo en torno al proyecto de monarquía constitucional que proponía el Libertador.

De otra parte, dentro de la población indígena la idea del rey como un símbolo de bondad y justicia era todavía poderosa. El rey era para los campesinos el único referente que los articulaba al resto de la sociedad. Por él existían para los demás, y en sus conciencias era el único aliado que podía, y debía, protegerlos contra los nobles y los otros cuerpos sociales. "¡Viva el rey, muera el mal gobierno!" fue una proclama común entre los campesinos de América y la península ibérica.

Durante su breve *Protectorado* San Martín hizo esfuerzos por asentar la idea monárquica. Fundó la "Sociedad Patriótica de Lima", una asociación a medio camino entre un órgano cultural y un club político, cuya presidencia debía recaer en el Ministro de Estado, que a la sazón era Monteagudo. La dirigencia social e intelectual de la ciudad fue invitada a incorporarse a la Sociedad, pero los puestos directivos fueron ocupados por los partidarios de la idea monárquica de San Martín.

El certamen de Monteagudo

Nada más en la primera sesión de la Sociedad, Monteagudo propuso un concurso de ensayos en torno a tres temas, de los cuales sólo el primero era el que verdaderamente importaba: "¿cuál es la forma de gobierno más adaptable al Estado peruano, según su extensión, población, costumbres y grado que ocupa en la escala de la civilización?". Como veremos, la propia formulación de la pregunta estaba diseñada para que fueran los monarquistas quienes salieran airosos del debate.

Como las sesiones eran públicas, se esperaba que los resultados tuvieran amplio eco en los medios ilustrados de Lima. La prensa oficial se encargaría, además, de publicar las actas de las sesiones. Antes de que empezaran las exposiciones sobre el tema propuesto, algunos miembros de la Sociedad sostuvieron que el mismo debería ser discutido en el parlamento (que debía crearse) y no ahí, por las grandes consecuencias que del mismo derivarían y también porque los diputados podrían expresarse con mayor libertad, dada la inmunidad de que habrían de gozar (ya se ve que los republicanos recelaban del autoritarismo de Monteagudo). Monteagudo y Unanue (quien ya se había pasado a la causa patriota y militaba entre los simpatizantes del monarquismo de San Martín) lograron acallar esas inquietudes manifestando que el debate tendría sólo un significado académico y que todos podrían expresarse con entera libertad.

La polémica, como era previsible, centróse alrededor de dos posiciones: la monarquista y la republicana. En el curso de ella se demostró que la segunda no carecía de simpatizantes dentro de la Sociedad.

Los argumentos monarquistas

José Ignacio Moreno fue el encargado de defender la primera posición. Desarrolló su argumentación a partir de la idea de Montesquieu, que la difusión del poder político debería estar en razón directa del grado de ilustración y civilización del pueblo, y en razón inversa de la extensión del territorio que ocupaba. El modelo republicano implicaba una mayor dispersión del poder, mientras que el monárquico lo concentraba. Aplicados tales principios al Perú, Moreno concluía en que era la fórmula monárquica la que resultaría más conveniente. Ya que se trataba de un país sumamente extenso y donde sólo un pequeño número gozaba de educación.

Según Moreno la mayor parte de la población en el país "yace en las tinieblas de la ignorancia" a causa del pasado colonial. Reconocía que había algún "depósito de luz" en la capital y algunas ciudades, "pero se halla en manos de un corto número de hombres ilustrados". Añadió que debía considerarse asimismo: "la heterogeneidad de los elementos que forman la población del Perú, compuesta de tantas y tan diversas castas, cuyas inclinaciones y miras han sido hasta ahora opuestas, con los diversos matices del color que las señala, para deducir de este principio el inminente riesgo de la concordia, si se establece un Gobierno puramente popular, ...". Este carácter heterogéneo de la población era, según él, en el Perú "mayor que en los demás puntos de la América".

De acuerdo con Moreno, los hábitos y las costumbres en el Perú se hallaban largamente adaptados a la monarquía: "el pueblo se ha habituado (...) a las preocupaciones del rango, a las distinciones del honor, a la desigualdad de fortuna, cosas todas incompatibles con la rigurosa democracia". Dicho habituamiento era aún mayor dentro de la clase indígena: "No hay uno entre ellos todavía que no refresque continuamente la memoria del Gobierno paternal de sus incas, ... Pretender pues plantificar entre ellos la forma democrática, sería sacar las cosas de su quicio y exponer al Estado a un transtorno ...".

La democracia, según el pensamiento de Moreno, era adecuada para los espacios pequeños, donde la dispersión del poder no entorpeciese su necesaria comunicación. En el Perú, cuya extensión era más del doble que Francia, el poder debía concentrarse en una persona para que pueda ser eficaz. En medio de un espacio tan vasto la democracia se desvirtuaría, porque en la medida que los habitantes residiesen alejados del centro del poder tendrían cada vez menores posibilidades de ejercer sus derechos ciudadanos. El sistema representativo no remediaba esto porque la verdadera democracia reclamaba el sufragio personal y no uno delegado. Tampoco era una solución el sistema federal: "porque, ó depende de una autoridad común en el Gobierno interior, y entonces incide en los mismos inconvenientes, ó se gobierna cada uno por sus propias leyes y en tal caso nada es más fácil que dividirse".

Los argumentos republicanos

La causa republicana estuvo representada por Mariano Pérez de Tudela y después Mariano José de Arce. Llegaron también cartas del "Solitario de Sayán" (seudónimo usado por Faustino Sánchez Carrión), pero su lectura fue impedida por Monteagudo por tratarse de un anónimo. El primero partió de la idea del "contrato social" de Rousseau: los hombres nacen libres y se reúnen en sociedad "para socorrerse mutuamente", "la esencia de la libertad consistía en la libertad de los socios, en su seguridad e igualdad ante la ley". Los monarcas procuraban siempre acrecentar su autoridad disminuyendo la de los cuerpos; estos pretendían otro tanto, sin lograrse jamás un equilibrio. ¿Dónde quedaba entonces la estabilidad de las monarquías? Sólo en la mente de sus defensores. "En el Perú hay luces, y se puede decir sin temeridad que el que las niega perjudica al sistema y fomenta la división que sostiene el yugo de los tiranos", espetó. El debate adquiría ribetes ásperos.

El espíritu de la libertad, continuó Pérez de Tudela, era innato en el hombre, incluso en el más primitivo. El indígena, por ejemplo: "es patriota por naturaleza, ha procurado siempre recobrar la libertad en sus desgracias; ha conservado su idioma, un odio a sus opresores, y un vestido lúgubre por la pérdida de su libertad"; mientras que el africano: "sabe arrojarse al Senegal para perecer con su libertad, la ama por carácter." En el Perú había "heterogeneidad en los colores, pero no en los deseos y sentimientos. El alma es igual en todos", concluyó filosóficamente.

Arce, quien había estado presente en los debates de Cádiz, luego de señalar que el discurso de Moreno era digno de Bossuet y del siglo de Luis XIV, señaló que la idea de que la república correspondía a territorios pequeños y la monarquía a los grandes, se había demostrado falsa desde la invención del sistema representativo. Que los argumentos de Moreno "a pesar de su elocuencia no le convencían, tal vez por ser idénticos a los que muchas veces oyó para sostener el cetro de Fernando."

Monteagudo salió en defensa de Moreno, aclarando que nadie estaba defendiendo la monarquía absoluta. Que las opciones en discusión eran la monarquía constitucional o la democracia representativa, poniendo como ejemplo del primer modelo a Inglaterra, Francia u Holanda, y a Estados Unidos del segundo. Otros miembros de la Sociedad apoyaron los planteamientos de Moreno: Unanue, Cavero y Aguirre. Este señaló "que el Perú tenía costumbres proporcionadas a la Monarquía" y puesto que reiteradamente los republicanistas habían indicado a Estados Unidos de Norteamérica como la prueba de la bondad de su modelo, arguyó que no podía imitarse entre nosotros lo practicado en la nación del norte, ya que el régimen político de dicho país se formó a partir de colonos libres que formaron municipios políticamente autónomos. No era el caso del Perú, donde no existía ninguna experiencia de ese tipo. La monarquía se había vuelto detestable por el abuso del poder que hacían los reyes; en consecuencia era necesario moderar ese poder "y seremos libres y felices".

Aguirre recogió la idea del "poder moderador" de Constant. El rey arbitraría las disensiones entre los cuerpos sociales, mientras estos vigilarían que aquel no se extralimitase en su autoridad, mediante un parlamento donde nobleza, clero y "estado llano" tendrían representantes.

Jorge Basadre ha sintetizado adecuadamente este debate, sin duda uno de los más ricos en la historia política del país, señalando que mientras las consideraciones de los monarquistas fueron de índole sociológica, al basarse en las costumbres, hábitos, datos demográficos y territoriales; las de los republicanos fueron en cambio filosóficas, al sustentarse en las ideas de libertad e igualdad intrínsecas al espíritu humano.

El debate continuó, con mayor vigor inclusive, tras la caída del Ministro de Gobierno. Sánchez Carrión hizo públicas sus famosas "cartas", donde atacaba la monarquía en cualquiera de sus formas, ya que su resultado no era otro que "la servidumbre de los pueblos". La médula de su razonamiento, y que hace de sus cartas la más interesante defensa de la idea republicana contra la tesis monarquista de Moreno, fue sostener que si bien resultaban ciertas las apreciaciones de éste respecto de la población peruana: sus hábitos y su cultura; no se trataba de perpetuarlas instalando un sistema de gobierno adaptado a ellas; todo lo contrario: se necesitaba un impulso, "una chispa" que empujara a una transformación de tales condiciones. Según Sánchez Carrión: para qué se luchaba por la independencia, si no era precisamente para que la población se multiplique, las costumbres se descolonicen y la ilustración se difunda al máximo.

Sánchez Carrión pensaba que el carácter peruano era "blando"; es decir, proclive a consentir la autoridad y someterse dócilmente al poderoso, de modo

El "Solitario de Sayán" y la crítica a la monarquía

José Faustino Sánchez Carrión, uno de los principales ideólogos de la independencia, nació en Huamachuco en 1787. Fue hijo de un antiguo minero de la región que llegó a ser alcalde del pueblo en dos ocasiones. Estudió en el Convictorio de San Carlos, donde entró en contacto con Toribio Rodríguez de Mendoza, maestro de buena parte de los que en 1822 integraron el primer Congreso peruano. Fue testigo de los debates acerca de las conveniencias de la monarquía o la república. Envió cartas a la Sociedad Patriótica de Lima bajo el seudónimo que lo hizo conocido como el "Solitario de Sayán", atacando la postura monárquica. Sánchez Carrión integró la Comisión del Congreso para redactar la Constitución, siendo sindicado como uno de los principales autores de la Carta Magna de 1823. Luego de los desastres de la campaña militar que llevaron al motín de Balconcillo, el Congreso decidió llamar a Bolívar, idea que defendió ardorosamente el Solitario de Sayán. En febrero de 1825, Bolívar, al tener que ausentarse, lo nombró miembro del Consejo de Gobierno, junto con Unanue y La Mar. Pero Sánchez Carrión estaba ya muy enfermo. Se retiró a Lurín donde se había hecho de un fundo y pocos meses después la vida lo abandonó, cuando contaba con sólo 38 años.

que creaba una combinación nefasta con un régimen monárquico, puesto que al no generar un freno al poder del rey, éste se volvería tiránico: "Un trono en el Perú sería más despótico que en Asia". Su diagnóstico del Perú no era entonces muy diferente del que hacían monarquistas como Moreno o Unanue, pero mientras éstos sostenían que el régimen de gobierno debía adaptarse a las circunstancias, aquél pensaba que debía orientarse en cambio a neutralizarlas y combatirlas. Es decir, el eterno dilema entre la concepción de la política como "resultado" de una sociedad, o como "instrumento" de transformación de la misma.

El Solitario de Sayán ridiculizaba el principio de que los países de grandes extensiones se regían mejor por reyes: "¿tan grandes son los reyes que necesitan tanto espacio?". Todo lo contrario, según él, en un medio extenso el monarca apenas se enteraba de lo que pasaba en las provincias, y el poder efectivo lo tenía un enjambre de funcionarios intermedios. De otro lado, atemperó el concepto de los monarquistas acerca de que la mayoría de la población peruana carecía de ilustración y los conocimientos necesarios para un sistema republicano democrático: "¡Qué desgraciados somos los peruanos! Después de pocos, malos y tontos", satirizó. Replicó señalando que "nadie se engaña en negocio propio" y que la religión y la cultura de la ilustración morigeraban nuestra ignorancia. Su alegato incluyó variables de política internacional: si ya Colombia se había constituido en república, y Chile y Buenos Aires parecían encaminarse a dicho sistema, ¿para qué provocar recelos en nuestros vecinos?

Ya en su destierro en la apacible ciudad de Quito, Monteagudo se encerró para preparar una "Memoria" sobre su cometido en el Perú. El resultado fue uno de los mejores alegatos en defensa de la monarquía constitucional en América. La democracia era inadaptable al Perú, sentenció. Para demostrarlo se refirió a "la moral del pueblo", el "estado de su civilización", "la proporción en que está distribuida la masa de la riqueza" y "las mutuas relaciones que existen entre las varias clases que forman aquella sociedad". La moral del pueblo podía resumirse en "servir con sumisión para desarmar la violencia y ser menos desgraciado". El esquema moral estaba predispuesto para que la población se clasificase en esclavos o tiranos, pero todos arrastrados por una misma cadena. La educación del pueblo era del todo insuficiente para llenar los requisitos de un gobierno democrático, donde "cada ciudadano es un funcionario público" y todos deberían estar en capacidad de ejercer el poder regido por las leyes en un momento dado.

Según Monteagudo uno de los mayores defectos sociales era la desigualdad en la distribución de la riqueza: "después de las luces, nada determina tanto como las riquezas el gobierno de que es capaz un pueblo". Ahí donde hubiera hombres míseros, capaces de vender su voto para mitigar su mendicidad, se desvirtuaba la democracia. Ella sólo era posible donde los habitantes poseyesen capitales y en consecuencia se interesasen, no en el tumulto público y la esperanza de pescar en río revuelto, sino "en el orden, que es el principal agente de la producción". En el Perú la mayor parte de la riqueza estaba en las propiedades rústicas, que además de pertenecer a poquísimos individuos, se hallaban afectados a "manos muertas" (abandonadas o subutilizadas) en la mayoría de los casos. El número de propietarios, en consecuencia, era apenas un ínfimo porcentaje de la población; la "independencia individual" de los habitantes que reclamaba un régimen democrático no existía aquí.

En cuanto a las relaciones entre las clases sociales, Monteagudo observó que la variedad y multitud de castas era tan grande que sólo cabía compararla con "la fuerte aversión que se profesan unas a otras". Las costumbres e ideas de cada uno eran opuestas a las otras, y ello, junto con el cuadro "de antipatías e intereses encontrados (...) amenazan la existencia social, si un gobierno sabio y vigoroso no previene su influjo". El problema se había agravado después de la independencia y vaticinó que se agravaría aún más "a proporción que se generalicen las ideas democráticas, y los mismos que ahora las fomentan, serán acaso sus primeras víctimas". Monteagudo terminó su alegato con una cita del norteamericano Benjamin Franklin, tan caro a los pensadores democráticos y que resumía bien el pensamiento de la generación de San Martín, Unanue, Riva Agüero y él mismo, hombres ya maduros cuando ocurrió la desintegración del imperio español en América y que de iniciadores de la misma habíanse convertido ahora en unos moderados casi reaccionarios: "Hoy se teme conceder demasiado poder a los gobernantes, pero en mi concepto es mucho más de temer la poca obediencia de los gobernados."

7. EL PRIMER CONGRESO PERUANO

Mientras tales cosas se debatían, el aspecto militar no hacía progresos. San Martín controlaba la región del norte y la costa central, mientras el virrey, la sierra central y meridional. En este contexto el general argentino decidió marchar a la antigua Audiencia de Quito, donde se encontraba Simón Bolívar, el libertador del norte. También esta vez había un fin declarado y otro reservado. El primero era conseguir ayuda del general venezolano para proseguir la guerra de independencia en el Perú; el segundo, definir en favor del Perú la suerte de Guayaquil, puerto estratégico de entrada a la sierra de Quito y Popayán.

La célebre entrevista entre los dos campeones de la libertad americana tuvo lugar a finales del mes de julio de 1822. San Martín no logró conseguir ninguno de sus objetivos. Guayaquil quedó en manos de la Gran Colombia, a pesar de la simpatía de sus habitantes por la anexión al Perú, y Bolívar ofreció sólo el envío de ochocientos hombres, que no aseguraban nada. San Martín salió de la entrevista convencido de que lo que en el fondo pedía Bolívar para venir con su ejército al Perú, era su propia renuncia. El general argentino llegó incluso a ofrecer pelear él mismo bajo el mando de Bolívar, lo que lógicamente no fue aceptado por éste.

A su vuelta a Lima, San Martín se encontró con la ingrata nueva de la destitución de su leal ministro Monteagudo (desterrado a Quito, retornó más tarde a Lima, donde un puñal terminó con su vida en un callejón). Los criollos limeños no toleraban el antihispanismo de Monteagudo y recelaban del monarquismo de San Martín. Comenzó incluso a circular el rumor de que el General quería hacerse rey, o emperador, como Iturbide en México.

San Martín había postergado hasta entonces la realización de elecciones para un Congreso, puesto que gran parte del país se hallaba aún ocupado por los españoles y el clima político era de demasiada división como para soportar una pugna electoral, pero esta vez organizó la convocatoria en los territorios ya ganados para la patria, reuniéndose en el mes de setiembre de 1822 el primer Congreso peruano. Ante él San Martín renunció a su cargo de Protector y se marchó para siempre del Perú y más tarde de América.

Durante un año, entre los meses de setiembre de 1822 y 1823, el Perú quedó librado a sus propias fuerzas. Fue suficiente para mostrar la inoperancia de su clase dirigente en continuar la guerra de independencia. Una empresa que no se había iniciado a partir de un impulso nacional, difícilmente podía hallar fuerzas para su desarrollo. El Congreso se enfrascó en un debate constitucional acerca del modelo de gobierno a adoptar para este país cuya independencia en verdad no estaba todavía ganada. El modelo republicano finalmente se impuso y se redactó la primera Constitución, la del año 1823, que sólo duraría tres años. El espejismo de los Estados Unidos para la popularización de la república, y en algunos casos del federalismo, fue irresistible en América. Aunque las raíces del republicanismo peruano esperan todavía su investigador.

Primero se nombró un triunvirato para el Ejecutivo, después el motín de Balconcillo impuso a José de la Riva Agüero como primer Presidente del Perú. El nuevo régimen organizó en el plano militar las llamadas "expediciones de intermedios". La idea era desembarcar las tropas —un conglomerado de argentinos, chilenos y peruanos— en puertos menores o intermedios, entre Callao y Arica, a fin de atacar a las fuerzas realistas concentradas en la sierra. Los errores de estrategia militar y la anarquía política hicieron fracasar el proyecto. Así fue que se perdieron las batallas de Moquegua y de Torata. Los realistas, animados con sus triunfos, llegaron a retomar Lima y el puerto del Callao, aunque por pocas semanas. Sacaron al aire una copla cuyos versos no necesitan mayor comentario:

Congresito, ¿cómo estamos
tras el tris tras de Moquegua?
De aquí a Lima hay una legua.
¿Te vas? ¿te vienes? ¿nos vamos?

La independencia parecía a punto de perderse y sólo la carencia de una escuadra por parte del virrey La Serna impidió la derrota total. El Congreso hizo repetidos llamados a Bolívar para salvar la empresa libertaria.

Bolívar envió primero al general Sucre a fin de observar la situación y preparar el terreno. El joven general (contaba con sólo 28 años) palpó la desunión que reinaba en el Congreso y la desorganización militar. Tuvo la ocasión de participar en la última expedición a intermedios, en la que debutaba una división militar propiamente peruana: el "Ejército del Sur", de cinco mil plazas, comandado por el general Andrés de Santa Cruz. Pero el debut fue para las lágrimas. Después de una aparente victoria en Zepita, el ejército de Santa Cruz emprendió la retirada, pero ante el anuncio del avance de fuerzas realistas, fue dispersándose en el camino, sin control ni disciplina, al punto que al llegar a Arequipa sólo consistía ya de unos cuantos cientos de hombres. Fue imposible volver a reunir este cuerpo, de modo que no quedaba sino admitir que el Ejército del Sur se había perdido.

8. LA ETAPA BOLIVARIANA

Bolívar no podía llegar en medio de situación más dramática. El ejército, apenas si se podía decir que existía. El del sur, que era el propiamente peruano, había desaparecido con el desastre de Intermedios; el chileno había decidido volver a su país; el rioplatense se sublevó por falta de pago de sus haberes y entregó el puerto del Callao otra vez a los peninsulares. La escuadra se hizo humo el día que el almirante inglés Lord Cochrane, cansado de no cobrar su mesada, se hizo a la mar cargando con el último real que halló en el tesoro fiscal. El único cuerpo militar organizado era el que Sucre había traído de Colombia.

La anarquía política era tremenda, puesto que el presidente Riva Agüero, celoso de los plenos poderes que el Congreso había otorgado a Bolívar, formó un gobierno paralelo en Trujillo. El Congreso nombró un nuevo Presidente, José de la Torre Tagle, que aparte de promulgar la primera Constitución del país en 1823 —que tuvo un marcado corte liberal— resultó dirigiendo un gobierno más bien decorativo, salvo en los planes de conspiración hispanista que inició al poco tiempo. En otras palabras: sobraban mandatarios, pero escaseaban las tropas para consolidar la independencia.

El tercer agravante, y no el menor, era la falta de recursos económicos. En Lima abundaba todo, menos la plata y el gobierno no poseía sino deudas, se quejó el Libertador.

En febrero de 1824 se llegó al peor punto de la campaña peruana de la independencia: los realistas volvieron a tomar Lima; Bolívar se instaló en Pativilca, una pequeña caleta a doscientos kilómetros al norte de Lima, donde para colmo de males enfermó gravemente y permaneció postrado varias semanas mientras esperaba desesperado refuerzos militares de la Gran Colombia. En una anécdota conocida: "¿qué piensa usted hacer ahora?" le preguntó en esas circunstancias, compungido, un ayudante. "¡Triunfar"!, fue la respuesta de aquel hombre de aspecto cadavérico.

Acontecieron, en efecto, dos de esos golpes de suerte que catapultan a los triunfadores. Uno, fue que se descubrió planes conspiradores del presidente Riva Agüero con el virrey La Serna para expulsar a Bolívar, terminar con la influencia grancolombiana en el Perú e instaurar una monarquía hispana. Ello permitió desprestigiar a aquel hombre ante sus mismas tropas y enviarlo al destierro. Torre Tagle, temeroso de correr peor suerte, se encerró en el Real Felipe con sus nuevos amigos españoles y ahí moriría de escorbuto. Eliminados los mandatarios rivales, la unidad política quedaba restaurada.

El otro golpe de suerte que favoreció a los patriotas fue la división entre las fuerzas peninsulares. En el Alto Perú el general Olañeta desconoció el mando de La Serna y éste vio mermadas sus fuerzas y la moral de sus soldados.

El contexto internacional era, además, favorable a la independencia. La Doctrina Monroe, enarbolada por los Estados Unidos, convirtió a este país en garante de la independencia de las excolonias españolas. La "Santa Alianza" europea decidió no intervenir en América, rechazando el pedido hecho por España. A ésto se sumó la caída del régimen liberal en España (1820-1823), lo que hizo perder piso y esperanzas a los criollos que aún creían en la posibilidad de un reformismo moderado como alternativa a la independencia. La situación del ejército virreinal se convirtió en una de total aislamiento.

Alentado por todo ello, Bolívar inició su gobierno peruano, de tono bastante dictatorial; desconoció al Congreso que lo había llamado y ejerció el mando con un solo ministro: el peruano José Faustino Sánchez Carrión, el tenaz republicano enemigo del monarquismo de San Martín y Monteagudo.

La tarea prioritaria fue, naturalmente, la creación de un ejército sobre la base de la división colombiana. Para ello se necesitaba dinero. El préstamo de Gran Bretaña y la férrea (porque no respetó ni las rejas de fierro de los conventos) requisa de bienes que afectó los tesoros de los templos, las mulas y ganado de las haciendas y cuanto real andaba suelto o no muy bien asegurado, permitieron levantar con asombrosa rapidez una fuerza de casi diez mil hombres. Eran las cosas que el libertador caraqueño sabía hacer y que le habían dado los triunfos y la fama que hasta ahí lo habían acompañado.

Bolívar decretó cuotas de conscriptos entre las provincias del norte, que era la región ya liberada. La cuota mayor correspondió a los partidos de Cajamarca y Chota, con 1,560 hombres; Piura debía aportar 1,104, Huamachuco, 960 y sumas menores los partidos restantes. También se practicó levas en Trujillo, Huánuco y Jauja. Hace falta un estudio detenido que informe mejor acerca de la composición social de estas tropas.

Bolívar sabía que la batalla final debía darse en la cordillera, donde se concentraban las tropas de La Serna. El mal de altura o "soroche" en los soldados y animales era uno de los problemas con que debía contar. El otro era la actitud de la población nativa. Aunque se había llegado a organizar partidas de guerrilleros o "montoneros" patriotas que hostigaban a los realistas en la sierra de Lima, el sentimiento de los indígenas frente a los ideales patriotas era, por decir lo menos, tibio.

En varias regiones indígenas, como Huanta, Castrovirreina y Abancay, predominaba una posición fidelista (es decir, de fidelidad al rey), como se comprobaría fehacientemente tras la victoria de Ayacucho. Los realistas habían sabido explotar hábilmente esta actitud, llegando incluso el general Valdés a entablar negociaciones con un real o supuesto descendiente de los monarcas Incas para coronarlo Rey del Perú en alianza con Fernando VII.

9. JUNÍN Y AYACUCHO

En junio de 1824, una vez que se supo de la división del ejército del virrey por la actitud facciosa de Olañeta, el ejército del general Sucre, dividido en tres columnas que tomaron rutas distintas, se internó hacia Cerro de Pasco, cuyo control era clave por hallarse ahí las ricas minas de plata. Fue entonces que luego de pasar revista a sus tropas —seis mil colombianos y tres mil peruanos— Bolívar lanzó su conocida arenga, donde proclamó que la América libre era la esperanza del universo.

Las fuerzas realistas dirigidas por el general Canterac avanzaron hacia la defensa de Jauja, ciudad principal de la región central. Los ejércitos se enfrentaron el 6 de agosto en la llanura de Junín o meseta de Bombón, una puna inhóspita ubicada a 4,100 metros sobre el nivel del mar. No se disparó un solo tiro, pues la batalla fue de sables y lanzas. El triunfo favoreció a los patriotas. Canterac retiró su ejército rápidamente para evitar un descalabro mayor. La dispersión

Los montoneros patriotas
Tomado de Basil Hall, "El Perú en 1821". En: *Colección Documental de la Independencia del Perú*, Tomo XXVII, Vol. 1, pp. 239-240, Lima 1971.

A legua y media de la ciudad, pasamos una avanzada patriota, compuesta de montoneros, cuidando un depósito de caballos y mulas. Eran hombres agrestes, de apariencia audaz, más bien bajos, pero bien plantados y atléticos. Estaban desparramados en grupos sobre la hierba, en los campos, junto con los caballos. Los centinelas que paseaban sobre las murallas al lado del camino formaban en la línea del horizonte las figuras más pintorescas imaginables. Uno en particular atrajo nuestra atención: llevaba un alto gorro cónico hecho de un cuero íntegro de carnero, y sobre sus espaldas una gran capa blanca de tela de frazada que llegaba a las rodillas y colgaba suelta sobre sus brazos en jarra; su largo sable, algo tirado adelante, sangoloteaba por los tobillos, en los que tenía atados pedazos de cuero crudo de caballo, en vez de botas; con esa facha tranqueaba a lo largo del parapeto, con el mosquete al brazo, el bellísimo ideal del guerrillero. Al oír las pisadas de nuestros caballos, dio media vuelta y, viendo que éramos oficiales nos saludó con todo el respeto de un soldado disciplinado y al mismo tiempo con el aire de un libre hijo de los cerros. En cuanto a los demás; eran otros tantos escitas y nos clavaron la vista con un interés por lo menos igual al que ellos inspiraban.

Nada más de interés ocurrió en nuestra jornada, excepto que cuando llegamos a los alrededores de Lima observamos un cadáver al lado del camino, con una cruz puesta sobre el pecho. Averiguando se nos informó que era el cuerpo de un desconocido expuesto hasta juntar dinero bastante de los pasajeros caritativos para pagar la sepultura.

de las fuerzas de Bolívar impidió que pudieran darle alcance, de modo que la batalla final quedaba todavía por librarse.

Bolívar retornó a la costa con una parte menor del ejército y pudo recuperar Lima, ciudad que cambió cinco veces de manos entre 1821 y 1824. El virrey reunió sus fuerzas y decidió pasar a la ofensiva para batir el ejército de Sucre. Comenzó entonces, entre los meses de octubre y noviembre, una guerra de posiciones en la sierra, en la que las tropas realistas se desgastaron en marchas prolongadas, ya en época de lluvias, tratando de cercar a los patriotas.

Por fin, tras varias semanas de moverse en líneas paralelas, Sucre decidió encarar la batalla, finalmente librada en la pampa de Ayacucho (nombre que en quechua significa "rincón de muertos"), cerca de la ciudad de Huamanga. La opinión sobre la independencia aún estaba tan dividida en el Perú, que antes de la batalla hubo permiso para que hermanos y demás parientes que militaban en los dos ejércitos se saludaran y tal vez despidieran. Fue el caso, por ejemplo, de Ramón y Leandro Castilla, el primero de los cuales sería posteriormente Presidente del Perú, mientras su hermano regresó a España con las fuerzas realistas, donde posteriormente destacó en las guerras carlistas.

Los cerros del campo estaban coronados de indígenas fieles a la causa española, a quienes el virrey había dado órdenes para que no dejaran escapar a los patriotas en fuga. Los soldados de Sucre supieron que debían vencer o morir. Si lo de Junín fue calificado por el propio Bolívar como una escaramuza, la victoria fue esta vez completa. Sólo el Callao y el Alto Perú quedaban aún en manos realistas. Sucre entró triunfante al Cuzco el 24 de diciembre de 1824. La independencia del Perú era ya un hecho. Al año siguiente ingresó al Alto Perú y derrotó en el mes de abril al último ejército realista, el de Olañeta. El Alto Perú pasó a convertirse en Bolivia, un nuevo país, aunque esta división no se consolidó hasta dos décadas más tarde. En enero de 1826 los realistas del Callao, dirigidos por José Ramón Rodil y que inútilmente esperaron auxilios de España durante más de un año en medio de penalidades espantosas, optaron por la rendición.

Después de la victoria de Ayacucho, Bolívar llamó a elecciones para un nuevo Congreso. Este fue instalado el 10 de febrero de 1825, pero no hizo sino renovar el mando a Bolívar y autodisolverse hasta el año siguiente. El Libertador nombró esta vez tres ministros: José de La Mar, Sánchez Carrión y el colombiano Las Heras. El ascendiente del caraqueño sobre los hombres que lo rodeaban llegó a un extravagante punto de culto a la personalidad, que han destacado historiadores como Raúl Porras y Gustavo Vergara y de la que es ejemplo muy conocido la famosa proclama de Choquehuanca en Puno: "Excelentísimo Señor, le dijo, quiso Dios formar de salvajes un gran imperio: creó a

Miguel de San Román (Puno 1802 – Lima 1863) representó el típico caso de ascenso social de los sectores indígenas y mestizos después de la independencia, a través del ejército. Su padre peleó en Umachiri en la revolución de Pumacahua, al lado de los patriotas, y fue fusilado por orden de Pezuela. A pesar de ello, San Román sentó plaza en el ejército realista. Después de la llegada de San Martín se pasó a las filas patriotas, figurando en casi todas las acciones militares hasta Ayacucho. En las luchas entre caudillos de la postindependencia se alineó, primero tras Gamarra, y después, tras Castilla. En 1862 alcanzó a ser Presidente de la República, pero falleció al año siguiente. Cuadro de C. Ayllón, 1863. Museo Nacional de Arqueología, Antropología e Historia. Foto de Juan Merino.

Manco Cápac; pecó su raza y lanzó a Pizarro. Después de tres siglos de expiación ha tenido piedad de la América, y os ha enviado a Vos. Sois, pues, el hombre de un designio providencial: nada de lo hecho atrás se parece a los que habéis hecho; ...". "No quiero dar en mi vida un paso que le desagrade", le escribió, untuoso y servil, Santa Cruz. "Su carta, que he besado muchas veces..." anotó Agustín Gamarra, el fiero caudillo cuzqueño. La palma se la lleva Larrea y Loredo quien escribió que al despedirlo en el Callao: "se fue a Lima arrasado en lágrimas y casi enajenado de todos mis sentidos. Yo no he sentido en mi vida un dolor más vivo y penetrante que la noche fatal...". El gobierno de Bolívar se prolongaría hasta el 3 de setiembre de 1826, cuando retornó a Colombia, donde tormentas políticas lo reclamaban.

Bolívar frente a la cuestión indígena

Uno de los aspectos que más atención demandó al gobierno de Bolívar fue la situación de los indígenas. Estos componían aproximadamente el 60 por ciento de la población y sin su concurso la república sería una quimera. Dictó medidas liberales tendientes a poner a los indígenas en el camino de la ciudadanía, como la abolición de la propiedad corporativa sobre sus tierras y de los títulos de nobleza o cacicazgo. La primera disposición hubo de ser modificada poco después, puesto que se temió sirviera sólo para convalidar muchos despojos de tierras de las comunidades indígenas. Sólo podrían ejercer derechos de propiedad sobre sus tierras los indígenas alfabetos; como no se organizó la división individual de los territorios comunales, ni los comuneros se mostraron interesados en que así se hiciera, finalmente esta medida careció de efecto práctico.

Romper con la herencia colonial en los asuntos indígenas mostróse tarea difícil a lo largo de la república: si se pretendía igualar a esta población en materia de derechos y deberes con los restantes pobladores blancos y mestizos, resultaban engañados y engullidos, por su menor conocimiento de las reglas del mundo moderno; si se les "protegía" y apartaba de éstos, no se hacía otra cosa que perpetuar su aislamiento y postración y, en definitiva, volver a la práctica del régimen español. La situación legal de las tierras indígenas permaneció en el limbo. Formalmente se proclamó que en todo aquello que no fuera contrario a las leyes de la república, regían las antiguas Leyes de Indias. Como la república poco se interesaba por la situación de las comunidades, ni éstas reclamaban una transformación, ellas quedaron atadas a ese orden jurídico fundado por Francisco de Toledo, allá en el siglo XVI, que luego alcanzaría el estatuto de "costumbres ancestrales".

Otra de las medidas del régimen fue la promulgación de una nueva Constitución, la de 1826, llamada "la Vitalicia", ya que estipulaba un presidente con grandes poderes de carácter vitalicio y un Senado del mismo tipo. De hecho, significaba casi un regreso a la monarquía, aquella que el propio Bolívar reprochara a San Martín en Guayaquil. La salida de Bolívar llevó a que esta Constitución no llegara a ponerse en práctica, aunque no fue derogada sino hasta 1828.

10. SIGNIFICADO DE LA INDEPENDENCIA

Entre los historiadores peruanos ha habido un fuerte debate acerca del significado que tuvo la independencia en la historia peruana. Como dijimos al comienzo: una corriente cuestionó que ella realmente implicara una tranformación de las estructuras sociales y económicas del país. Únicamente habría significado un cambio político formal, que no hizo más que convertir una antigua colonia española en una "neocolonia" británica. La situación de marginación de los indígenas se mantuvo, así como la naturaleza dependiente de la economía.

En años recientes se ha revisado esta tesis, proponiendo que, aunque la independencia no realizara todas las promesas de libertad e igualdad que generó, sí trajo como consecuencia profundos cambios económicos, sociales y políticos.

La propia situación de guerra prolongada (cinco años y medio entre el desembarco en Paracas y la rendición del Real Felipe y casi quince si se incluyen las campañas en el Alto Perú) tuvo el efecto de una revolución en la economía, que quedó severamente transtornada. La interrupción de las comunicaciones, la requisa de ganado y cosechas, la leva de hombres y la incertidumbre política dejó una herida honda en el aparato económico. A ello debe sumarse la emigración del país de buena parte de su población alfabeta y con experiencia en la economía de mercado y el peso que significó para una economía frágil y relativamente pobre como la peruana de ese tiempo, la mantención de unos veinticinco mil hombres en campaña militar por espacio de quince años. Para una población que no llegaba al millón y medio de habitantes, ello debió resultar una carga terriblemente agobiante.

En el orden social la guerra de la independencia también creó serias convulsiones, al cuestionar los roles sociales tradicionales. Es un hecho que frente al dilema de la independencia la elite propietaria se vio dividida y, en consecuencia, debilitada. Quienes optaron por la emigración a España trataron de cargar con sus caudales, descapitalizando la economía. Hubo quienes se quedaron, resignados o como conversos de última hora, pero su misma dubitación (que por otra parte era totalmente comprensible frente a un proceso de tan grandes repercusiones) los llevó a perder hegemonía moral y social frente al resto de la sociedad. Ya el

Opinión de historiadores respecto a la independencia
a. Tomado de: José A. de la Puente Candamo, *San Martín y el Perú, planteamiento doctrinario*. Lima: 1948; pp. xx-xxii.

Cuando el Mercurio Peruano habla de la "Idea General del Perú", cuando se nota clarísimo el afán peruanista de sus miembros, cuando se observa que hay un motivo de afección distinto de España y de las gentes pre-hispánicas, entonces la emancipación política encuéntrase en estado potencial, pues se ha logrado lo más auténtico y lo más hondo que es la autonomía espiritual. Y ella ha venido no a pesar de España, sino por la acción de España.

La obra de creación ha dado sus frutos, ya hay algo distinto, que con su sola existencia es el mayor elogio de la labor anterior. Lo que se ha llamado con acierto, formación de la conciencia nacional, como causa determinante de la Emancipación, halla absoluta legitimidad. (...)

Y así nuestra Emancipación deviene lenta, pero segura y necesariamente, como resultado de un proceso de afirmación espiritual. Pues, contra lo que dice la historia sectaria, o los repetidores superficiales de segunda mano, nuestra emancipación no resulta de complejos subalternos o de adjetivas consideraciones de resentimiento o postergación, estos elementos inciden, mas no definen la esencia del problema, el cual se halla en la afirmación de una realidad distinta, que no niega a las que la generaron, sino que por el contrario afirma con su existencia la obra de las causantes.

Los hechos políticos de Bayona, complementos del desquiciamiento español, no pasan de ser en América meras y adjetivas ocasiones que actualizan en algunos casos, mas no en el peruano, el hecho de la emancipación ya logrado espiritualmente. (...)

Y así resulta nuestra emancipación como un movimiento afirmativo, que exige una autonomía política como consecuencia de su autonomía espiritual. Mas, esta autonomía espiritual, no indica rompimiento con los eternos e invariables lazos de la cultura común sino testimonia la existencia de la peculiar realidad espiritual americana, de sus singulares actitudes biológicas y de su original estructura social. Es, en suma, la singularidad, la imparidad, honda y filosóficamente entendida, lo que define nuestra emancipación.

antihispanismo de Monteagudo, o las proclamas libertarias de Bolívar y sus colaboradores, para no remontarse a los debates librados al abrigo de la revolución española desde 1808, cuestionaron los valores adscritos a la clase propietaria. La aristocracia mercantil fue golpeada con la pérdida casi completa de la flota con que antaño dominara el Pacífico sudamericano y la clase terrateniente y minera se vio forzada a experimentar una recomposición, con la expulsión y/o exilio voluntario de muchos españoles.

La entronización de las ideas republicanas llevó a la extinción de las jerarquías étnicas en la sociedad indígena y los privilegios de nobleza entre los criollos. La

Opinión de historiadores respecto a la independencia

b. Tomado de: Heraclio Bonilla y Karen Spalding, "La Independencia en el Perú: las palabras y los hechos". En: H. Bonilla, *et al.*, *La Independencia en el Perú*. Lima: IEP, 1981; p.73.

Entre las varias interpretaciones ofrecidas por la historiografía tradicional sobre la Independencia destaca, por su difusión y aceptación, la tesis que la considera como un proceso nacional, como el resultado de una toma de conciencia colectiva, la cual, a su vez, sería la manifestación más evidente de la mestización de la población peruana. Para sus defensores, la mestización indica un proceso que llevó a la uniformidad e igualdad de la población peruana. El Perú mestizo aparece así como el actor de la Historia y el agente de la Emancipación. (...)

No es muy difícil demostrar la debilidad de esta interpretación. Adolece, por lo menos, de dos defectos. No toma en cuenta, en primer lugar, la acción de las fuerzas internacionales, sin las que la independencia de Hispanoamérica, y más aún del Perú, no hubiera sido posible, por lo menos en las fechas en que se produjeron. Internamente, postula, abusiva y erróneamente, una unidad inexistente e imposible. El Perú colonial no estuvo compuesto de "peruanos". La sociedad colonial peruana fue altamente estratificada y diferenciada y sus líneas de separación y oposición fueron trazadas a partir de criterios económicos, raciales, culturales y legales. Cuando una historiografía puede deslizar errores tan gruesos no se puede sino reconocer su carácter ideológico: la manipulación del pasado en función de las exigencias del presente. El mensaje de esta ideología consiste en ocultar los intereses divergentes de los grupos y de los hombres, los conflictos y las luchas antagónicas que ellos generan para difundir la imagen de una sociedad homogénea y armónica.

propia esclavitud, aunque subsistiría por varias décadas, se vio cuestionada, creando graves problemas al sistema con el que se había desarrollado la agricultura en la costa.

El nuevo Estado nació marcado por una gran debilidad, al haber erosionado durante "el trabajo de parto" las bases del orden social antiguo y de la clase hegemónica en la que podría haberse apoyado. Se abrió paso así a un descentralismo de facto, en el que los territorios provinciales quedaron librados de la tutela de la capital, y a una suerte de liberalismo económico "virtual", en el sentido de que la capacidad del Estado para promover a uno u otro sector económico había desaparecido, con lo que el sector minero fue el principal afectado.

El comercio exterior se abrió tímidamente; con las casas comerciales inglesas y de otras naciones, llegaron nuevos hombres con nuevas ideas y hábitos económicos. Y también es cierto que se generó un nuevo tipo de dependencia, que no era tanto política, cuanto comercial y financiera. Aunque algunos bienes importados competían con la producción local, como en el caso de los textiles o los muebles, otros como los artículos de fierro o el mercurio eran de compra imprescindible en el extranjero por carecerse de producción nacional y resultar vitales para la agricultura y la minería. Por el lado financiero, ya en 1822, antes de que la independencia se hubiese consolidado, se contrató un préstamo en Londres por 1.2 millones de libras esterlinas para solventar, sobre todo, los urgentes gastos militares.

Pero si en la conciencia de los peruanos subsiste todavía la idea de la independencia como una ilusión frustrada, es porque la gran promesa que ella trajo consigo (una sociedad igualitaria y próspera) no alcanzó a plasmarse. No porque la independencia fuera un error, cuanto por el hecho de que la consolidación del nuevo Estado y la integración de la sociedad tenían que ser necesariamente lentas, y también por políticas económicas y sociales equivocadas tomadas durante el nuevo régimen republicano.

LECTURAS RECOMENDADAS

Jorge Basadre, "La serie de probabilidades dentro de la emancipación peruana". En: J. Basadre, *El azar en la historia y sus límites*. Lima: P. L. Villanueva, 1973.

Heraclio Bonilla. "Clases populares y Estado en el contexto de la crisis colonial". En: H. Bonilla (comp.), *La independencia en el Perú*. Lima: IEP, 2da. ed., 1981.

Heraclio Bonilla y Karen Spalding, "La independencia en el Perú: las palabras y los hechos". En: H. Bonilla (comp.), La independencia en el Perú. Lima: IEP, 2da. ed., 1981.

Alberto Flores-Galindo, *Aristocracia y plebe. Lima 1760-1830*. Lima: Mosca Azul, 1984. Caps. IV-VII.

—— "Independencia y clases sociales". En: A. Flores-Galindo (ed.), *Independencia y revolución*. Lima: INC, 1987, 2 ts. T. 1.

Brian Hamnet, *Revolución y contrarrevolución en México y el Perú. Liberalismo, realeza y separatismo, 1800-1824*. México: FCE, 1978.

Christine Hünefeldt, "Los indios y la Constitución de 1812". En: *Allpanchis Puturinqa* XI: 3. Cuzco: IPA, 1978.

John Lynch, *Las revoluciones hispanoamericanas, 1808-1826*. Barcelona: Ariel, 1976. Caps. 5 y 8.

Cecilia Méndez, "Los campesinos, la independencia y la iniciación de la República. El caso de los iquichanos realistas: 1825-1828". En: H. Urbano (ed.), *Poder y violencia en los Andes*. Cuzco: CBC, 1991.

Scarlett O'Phelan, "El mito de la 'independencia concedida': los programas políticos del siglo XVIII y del temprano XIX en el Perú y Alto Perú (1730-1814)". En: A. Flores-Galindo (ed.)., ob. cit. T. 2.

José Agustín de la Puente, La independencia del Perú. Madrid: MAPFRE, 1992.

Nuria Sala, *Y se armó el tole, tole: Tributo indígena y movimientos sociales en el Virreynato del Perú, 1784-1811.* Ayacucho: IER José María Arguedas, 1996.

Charles Walker, *De Túpac Amaru a Agustín Gamarra. Cuzco y la formación del Perú Republicano 1780-1840.* Cuzco: CBC, 1999.

Capítulo 2

APRENDIENDO A SER LIBRES: ENTRE BOLÍVAR Y CASTILLA

Tras la salida de Simón Bolívar en 1826 el Perú no era sino un proyecto de nación. La consolidación del nuevo Estado independiente y la forja de una comunidad nacional eran las tareas que quedaban por delante. Las dificultades para llevarlas a cabo con éxito se nos hacen ahora evidentes, aunque en aquel momento el entusiasmo y la confusión propias de la independencia tal vez las disimularon.

Aquellas dificultades pueden resumirse en:

—carencia de una clase o grupo social cuyo rol dirigente los demás aceptaran;

—desorganización de las finanzas públicas, sin las cuales todo gobierno era ilusorio;

—hondas distancias y resentimientos entre los grupos sociales, que dificultaban la formación de una comunidad nacional;

—escasa articulación del territorio, ya que los caminos eran pocos y la fragosidad del terreno terminaba por volverlos difícilmente viables.

Esta última dificultad fue comentada por varios escritores. No hubo viajero europeo que al recorrer el Perú durante el siglo XIX, dejara de hacer constar en sus descripciones, una mayúscula impresión acerca de la agreste geografía del suelo. El francoalemán Charles Wiener, hacia 1875, llegó a preguntarse por qué los hombres habían decidido habitar región tan difícil de comunicar entre sus partes. En la región de la costa el uso de la vía marítima aliviaba las distancias, pero incluso en este caso la naturaleza parecía también volvernos las espaldas. La "corriente de Humboldt", que corría de sur a norte, hacía a los veleros difícil la navegación en sentido contrario.

1. LA SOCIEDAD PERUANA EN LOS ALBORES DE LA REPÚBLICA

El país contenía aproximadamente un millón y medio de habitantes, la mayor parte de los cuales (unos novecientos mil) eran indígenas que se comunicaban en lenguas distintas al castellano. La proporción indígena de la población variaba, empero, desde un 45 por ciento en el departamento de La Libertad (que por entonces incluía además del mismo los actuales de Amazonas, Cajamarca, Piura y Lambayeque), hasta un 94 por ciento en el de Puno (que tenía su delimitación actual).

El compromiso de esta población mayoritaria con la nueva realidad política era ambiguo. Parece que era algo más firme en el norte que en el sur. En los años finales de la década de 1820 se produjeron varias sublevaciones campesinas en contra del régimen republicano, reclamando los rebeldes los fueros y jerarquías que el régimen colonial, mal que bien, les había concedido. La más prolongada fue la de los indios iquichanos, quienes mantuvieron la zona norte del departamento de Ayacucho fuera del control de la república hasta 1830 y episódicamente en ocasiones posteriores, que se han prolongado hasta el siglo veinte.

Aunque en la rebelión de los iquichanos hubo participación de algunos oficiales realistas que permanecieron en el campo tras la batalla de Ayacucho, así como de comerciantes de origen europeo, como el vasco francés Soregui, su dirigencia, composición y requerimientos fueron indígenas, destacando José Antonio Navala Huachaca, antiguo General de Brigada del ejército realista. Durante la época colonial muchos caciques indígenas se habían ocupado, y beneficiado, como agentes auxiliares en el cobro de impuestos como el del diezmo eclesiástico. Con la república esta recaudación pretendió ser centralizada en nuevas manos, despojando a la dirigencia étnica de este recurso. En Huanta y en otros lugares los indígenas captaron bien que el orden liberal que pretendían implantar los jefes bolivarianos, desconociendo las jefaturas cacicales y el estatus de protección sobre las tierras de las comunidades, iba en contra de sus intereses como cuerpo social. La "nación indígena" (en el sentido que el *Antiguo Régimen* daba a este término) no se veía identificada con el reciente orden, en el que carecía de garantes en el poder y en el que sus representantes "naturales" eran desconocidos, para ser reemplazados por autoridades mestizas nombradas por el Estado.

Estas rebeliones, sólo recientemente revisadas por la historiografía (véase los trabajos de Cecilia Méndez), no deben interpretarse solamente como una defensa del orden colonial, sino asimismo como la demanda por un tipo de Estado, independiente sí, pero que a su vez reconociera las particularidades presentes dentro de la población. La denominación de "indios" o de "indígenas" había sido proscrita por la república, quien señaló que en adelante sólo debía hablarse de "peruanos".

Esto era muy bello en la letra, pero la realidad era que los famosos "peruanos" se hallaban fuertemente diferenciados en cuanto a cultura, lengua, hábitos económicos y políticos, así como era muy cierto que las primeras Constituciones restringían el ejercicio de la ciudadanía "activa" a la población propietaria y alfabeta, formada naturalmente por una pequeña minoría, sobre todo criolla.

En descargo de quienes formularon tales disposiciones podemos anotar que la distinción entre ciudadanía "activa" y "pasiva" (carente esta última de derechos que sí tenía la primera, como la de elegir y ser elegidos) era común en el mundo de la época. Incluso en Inglaterra la masificación del voto no se consiguió sino hasta finales del siglo XIX.

La población indígena se hallaba agrupada en su parte más grande en comunidades agrarias colectivistas compuestas de unos cuantos cientos de familias. Se dedicaban a una economía agraria de autosubsistencia; sembraban cereales, como el maíz, y tubérculos, como la papa, y criaban animales: ganado vacuno y caprino en el norte; más bien ovino y de camélidos andinos (llamas, alpacas) en el sur. Algún excedente de esta producción era conducido a pequeñas ferias dominicales, donde se trocaba maíz por ollas de barro, papas por ovejas, o huevos de aves por sombreros, todo ello fabricado en las propias comarcas campesinas.

La moneda circulaba de forma muy limitada y principalmente por la necesidad de pagar la contribución de indígenas que fuera reintroducida en 1826. También para la adquisición de aguardiente y algunos bienes exóticos, como la pólvora, que empleaban con profusión en sus fiestas patronales, o el añil de Guatemala, que servía para dar color a sus tejidos. Para conseguir la moneda los indígenas hacían algunas ventas de su producción, inclusive de su mano de obra, para lo que migraban por temporadas a centros mineros aledaños.

Una parte menor pero importante de la población indígena (aunque las proporciones pudieron sufrir variaciones a través del tiempo) vivía en haciendas, bajo un régimen conocido como "yanaconaje". Los yanaconas eran una suerte de siervos de un terrateniente, que recibían un lote de terreno dentro de la hacienda, donde practicaban una economía de autoconsumo y solían tener derecho a los bienes comunes propios de las sociedades agrarias de antiguo régimen: pastos, bosques, ríos. A cambio de ello estaban obligados a trabajar en las tierras del hacendado algunos días de la semana. No recibían salario, pero el hacendado solía hacerse cargo del pago de su contribución. En la medida que la presión demográfica aumentó en los siglos XIX y XX, las condiciones se volvieron cada vez peores para los yanaconas, y su manejo también más difícil para el hacendado.

La población peruana en 1827

El cuadro permite también ver la demarcación política de la época. Tomado de Paul Gootenberg. *Población y etnicidad en el Perú republicano*, p. 24. Lima: IEP, 1995.

Provincia	Población
Lima	**160,828**
Cercado	58,326*
Callao	6,516
Chancay	18,712
Canta	13,932
Cañete	13,892
Huarochirí	16,549
Yauyos	12,276
Santa	2,594
Ica	18,031
Junín	**263,111**
Pasco	37,050
Jauja	61,023
Huánuco	14,534
Huamalíes	13,172
Cajatambo	18,464
Huaylas	49,667
Huari	25,091
Conchucos Bajo	44,110
La Libertad	**245,762**
Cajamarca	41,993
Piura	53,818
Chota	44,953*
Lambayeque	43,202*
Huamachuco	43,058*
Jaén	6,706*
Trujillo	12,032
Puno	**200,250**
Azángaro	43,416
Huancané	36,569
Carabaya	18,936
Chucuito	52,451
Lampa	48,878

Provincia	Población
Ayacucho	**177,671***
Huamanga	18,167
Huancavelica	20,272
Parinacochas	31,354*
Cangallo	16,325*
Lucanas	13,843*
Huanta	22,847*
Andahuaylas	22,850*
Castrovirreyna	11,857*
Tayacaja	20,156
Cuzco	**250,447**
Cercado	40,000*
Quispicanchi	26,865
Urubamba	14,918
Paucartambo	12,929
Paruro	12,216
Abancay	34,738
Calca y Lares	13,097
Aymaraes	18,638*
Cotabambas	21,979*
Chumbivilcas	19,048*
Tinta	36,109*
Arequipa	**160,450**
Arica-Tacna	20,185
Cercado	50,769*
Caylloma	18,676*
Camaná	10,661*
Condesuyos	20,658*
Moquegua	30,330*
Tarapacá	9,171*
Amazonas	**58,174**
Chachapoyas	14,508
Maynas	26,101*
Pataz	17,565*
Total Nacional	**1.516,693**

* Cifras tomadas de fuentes distintas al censo de 1827.

Alrededor de una cuarta parte de la población eran mestizos, que vivían sobre todo en la costa y algunas ciudades serranas. Eran agricultores, arrieros o artesanos. Esta población se ensancharía en el siglo veinte. Con el sacudón de la independencia muchos mestizos se introdujeron en las comunidades, como sucedió en el valle del Mantaro y en la región del Cuzco, de acuerdo a investigaciones recientes. Monopolizaron los cargos en los cabildos de los pueblos y valiéndose de la función de recaudadores de tributos consiguieron extender sus tierras. La expulsión o emigración de los españoles dejó tierras vacías, sobre las que avanzaron las comunidades o campesinos mestizos. El Estado pudo aprovechar el temor de los indígenas a las intrusiones de mestizos y forasteros para asegurarse el pago de la contribución, planteándose así lo que ha venido a llamarse el "pacto" Estado-población indígena, que sancionaba el respaldo del primero a la posesión de las tierras de la segunda, a cambio del tributo.

La población blanca la componían los criollos, descendientes de los colonos españoles, quienes fungían de comerciantes, hacendados y mineros. Virtualmente a ellos se reducía la población alfabeta del país; gracias a este control de la escritura los criollos monopolizaban los altos puestos militares y los principales cargos de la burocracia civil y eclesiástica. La mayor parte de esta población, que representaba poco más de un diez por ciento, habitaba en las ciudades.

Las ciudades, sin embargo, eran relativamente pequeñas. Sólo Lima superaba los cincuenta mil habitantes; Arequipa, Cuzco y Trujillo tenían alrededor de la mitad y una decena más (Piura, Lambayeque, Callao, Jauja, Huamanga, Cerro de Pasco, Tarma, Cajamarca, Huánuco, Puno), entre cinco mil y diez mil.

Además existían unos cuarenta mil esclavos negros y otro número parecido de libertos y mulatos. Estos se desempeñaban básicamente en las haciendas de la costa, cuya producción se centraba en el azúcar, el algodón, el arroz y productos de panllevar. Tres cuartas partes de la mano de obra esclava vivían en el departamento de Lima (que por entonces abarcaba también la costa de Ancash y el actual departamento de Ica). Después de la independencia fue difícil realizar nuevas importaciones de esclavos negros. Gran Bretaña perseguía el "infamante" tráfico y los cargamentos de africanos se dirigieron más bien hacia el área del Caribe o Brasil. La esclavitud devino en el Perú en una forma de servidumbre, de modo que el esclavo llegaba a practicar una agricultura campesina dentro de la plantación.

Importante era asimismo la esclavitud urbana, en panaderías, molinos, talleres y residencias acomodadas. Algunas personas de medianos ingresos compraban un esclavo como medio para obtener una renta. Este salía a emplearse en talleres, panaderías o en el comercio al menudeo y regresaba a la casa del amo con el dinero para el diario.

2. LA ECONOMÍA SOBREVIVIENTE

El azúcar era exportada a Chile desde tiempos coloniales y los hacendados de la costa trataron por todos los medios de mantener este mercado, incluso aceptando una independencia de España en la que no creyeron firmemente, hasta que se hizo inevitable. Era producida en las haciendas de la costa central y norte, con la ayuda de trapiches y mano de obra esclava; pero también se podía encontrar producción azucarera en valles cálidos del interior, como en los departamentos de Cuzco y Cajamarca. Durante la década de 1830 los precios del azúcar decayeron y se presentaron problemas en el mercado exterior. La producción azucarera serrana enfrentaba, además, el problema de los malos caminos y debía limitarse al exiguo mercado local, al que proveía también con derivados de la caña, como la chancaca, el aguardiente y con productos ganaderos.

Otros cultivos comerciales en la costa eran la vid, de la que se obtenían aguardiente (el "pisco") y vino, el algodón y los olivos. Para el consumo local se sembraba menestras, frutas, cereales y alfalfa, y se mantenía también una pequeña ganadería. Las mulas para el transporte eran traídas del norte argentino, como en el tiempo de la colonia.

La emigración y los embargos por los que pasaron muchos españoles provocaron una renovación en la clase terrateniente. La supresión de conventos que carecían de un número mínimo de religiosos (medida dada durante el período bolivariano) también significó un traspaso de tierras a manos del Estado, para ulteriormente ser entregadas a militares, comerciantes que habían hecho préstamos al Estado y a los propios arrendatarios de las tierras.

A Chile se exportaba también tabaco, que era producido mayormente en la región de Chachapoyas y Jaén. Pero en realidad el principal producto exportable del país seguía siendo la plata, como en la época colonial. La plata se exportaba a Europa; a cambio de ella el país podía comprar loza, ferretería, papel, aceites, cera, harinas, textiles y otros bienes que no tenían producción local. Valores mucho menores mantenían la exportación de cascarilla (una corteza medicinal muy apreciada en Europa), algodón, cueros y lanas de ovinos y camélidos (vicuñas y alpacas).

Una de las unidades económicas que sucumbió con el advenimiento de la independencia fue el obraje. Los obrajes fueron centros de producción textil para el consumo popular, que operaban con aparatos de madera y mano de obra semejante a la de las haciendas, a las que los obrajes solían estar integradas. Ubicábanse sobre todo en Cuzco y Ayacucho, más unos pocos en Cajamarca. No pudieron competir frente a los textiles ingleses importados. Las "bretañas" de lana y algodón, las "cotonias" y el "fustán" (un tejido con mezcla de lino y algodón) dominaron la demanda de la elite ya desde antes de la independencia; después llegó el turno del tocuyo y las bayetas ("franelas"), provenientes más bien de los Estados Unidos, que se dirigieron hacia el consumo popular. De modo que quince años después de la independencia los obrajes ya no sobrevivían, lo que seguramente agradecieron los indígenas que durante siglos trabajaron hasta el agotamiento en esos talleres rurales.

La situación de la minería

La minería se concentraba en dos plazas principales: Cerro de Pasco y Hualgayoc, cuyo auge se había iniciado en las últimas décadas del siglo XVIII, y su producción principal era la plata. Las minas de Huancavelica ya eran sólo un recuerdo, por lo que la minería debió depender de la importación de azogue europeo, y norteamericano desde la década de 1850. El azogue o mercurio era un ingrediente indispensable para la refinación de los minerales de plata, de acuerdo a la tecnología imperante. Hubo varios proyectos después de la independencia por reflotar Huancavelica, cuyas minas habían sido llamadas antes "joyas de la corona" española, y en algún momento de la era colonial habían abastecido de azogue toda América, pero por razones que recién comienzan a ser investigadas (véase los trabajos de José Deustua), ellos no llegaron a prosperar.

Uno de los serios problemas técnicos que enfrentó la minería fue el del desagüe. Una vez que las galerías alcanzaban cierta profundidad, las labores se anegaban, al haberse traspasado la capa freática. En Cerro de Pasco habíase llegado a instalar máquinas de vapor inglesas para la operación del desagüe pocos años antes de la independencia, pero varias de ellas fueron destruidas durante los varios cambios de mano que tuvo dicho asiento en el curso de las guerras. En 1828 estalló el caldero de la última sobreviviente, con lo que se puso fin a la breve historia de la tecnología del vapor en la minería peruana. Un socavón de desagüe iniciado en Cerro de Pasco en 1811, el de Quiulacocha, fue terminado en 1836 con dinero de los mineros que el Estado les retenía junto con el pago de sus impuestos, provocando un fugaz aunque importante repunte de la minería hacia 1840.

En la minería se advirtió mejor que en otros sectores la difícil transición del Estado colonial al independiente en términos de la política económica. El apoyo administrativo y financiero brindado por el Estado durante el período colonial se esfumó por la desorganización en que cayó el nuevo Estado. Los mineros debieron despedirse del aprovisionamiento puntual de azogue, maderas, pólvora y otros insumos, que hasta 1821 estuvo a cargo de las oficinas fiscales del Estado. Ahora debían depender del "mercado" para conseguirlos. Pero el famoso mer-

La distribución de la riqueza

José Domingo Choquehuanca (1789-1858) provenía de un linaje de caciques del departamento de Puno. Hombre ilustrado y conocido por su "elogio a Bolívar", se desempeñó como autoridad política por varios años en su departamento natal y escribió varios trabajos acerca de la situación del indígena y la realidad económica y social de su región durante las décadas de 1820 a 1850. El texto que sigue ha sido tomado de su obra *Complemento al Régimen Representativo*. Cuzco: 1845.

Siendo las riquezas todas aquellas cosas que tienen valor por su utilidad, y que están en circulación se debe decir: que la república peruana a pesar de que es un país privilegiado por la naturaleza, capaz de toda especie de riquezas, y de una numerosa población, está desierta y pobre.

Ningún producto del país se puede exportar con ventaja al mercado europeo, por falta de capitalistas; y si hay exportaciones de ciertos artículos, los peruanos no son más que dependientes de los comerciantes extranjeros. Las importaciones de los efectos de Europa son muy desfavorables al país; por que consumiendo el Perú más mercaderías extranjeras, que lo que produce, tocará infaliblemente a su última ruina. La industria fabril que consistía en tejidos de lana, algodón, y otras manufacturas de diversas materias, está enteramente destruida; por la concurrencia de mercaderías extranjeras, que han reemplazado aquellas especies.

La agricultura en razón de la despoblación del país, y de la casi ninguna exportación al extranjero, no necesita más productos que los que bastan para el consumo de la pequeña y miserable población de las provincias. Los productos de los viñedos han sufrido una grandísima baja en sus valores, por el excesivo consumo de licores extranjeros.

Los predios urbanos y rústicos no producen en su máxima parte lo necesario para enriquecer a sus propietarios. La mayor parte de los dichos predios pertenece a manos muertas y otra parte está gravada con censos a favor de estas mismas manos y al de los capitalistas.

La minería, principal industria de la riqueza peruana, ha sido del todo desatendida sin embargo de sus antiguos privilegios: sin capitalistas, desprovista de azogues y así mismo de otros artículos para la explotación, y beneficio de los minerales, está en el mayor atraso. El dinero, que es un capital necesario para aumentar toda especie de productos, mediante las industrias que se conocen, está acumulado en pocas manos improductivas.

De todo lo referido se concluye: que la distribución de las riquezas, por la escasez de ellas, es nada favorable a la libertad e independencia individual de los ciudadanos del Perú, en las Asambleas populares, y en las Cámaras legislativas: en las primeras venderán sus votos a vil precio y en las segundas no obraran con libertad ciertamente; para conservar un carácter republicano, además de las luces es necesario cierta riqueza que sea capaz de garantizar la libertad de sus acciones en las augustas funciones del Poder Legislativo; y en las ocurrencias que se ofrezcan para hacer frente a los que abusasen de los poderes conferidos por la ley. El escaso de bienes siempre es un mercenario: esto es, trabaja solamente por un interés particular cuando carece de virtudes.

cado, o no aparecía cuando más se le necesitaba, o lo hacía a unos precios exhorbitantes y erráticos. El quintal de azogue subió, por ejemplo, alrededor de 1830, de 50 pesos a más de 100 y en épocas de escasez llegaba a 150 o 200 pesos. Con la minería también se ensañó la mala fortuna: desde 1830 España entregó las minas de azogue de Almadén a la Casa Rotschild, con la que estaba endeudada hasta el cuello. Como esta firma tenía ya el control de las minas de Idria, pudo imponer precios de monopolio, hasta que en 1850 surgió la competencia del azogue de California.

De otra parte, ya no existía la Caja de Rescate del Estado, que pagaba un precio fijo a los mineros por sus barras de plata. Si éstos se ilusionaron pensando que el precio pagado por la Caja era uno de monopolio, y en consecuencia, por debajo del valor de mercado, pronto probaron que con la libertad las cosas empeoraron. Los únicos dispuestos a comprar plata eran comerciantes, quienes dados los riesgos que tenía el negocio minero en el recurrido sistema de "habilitaciones", terminaban pagando precios que hacían extrañar a los mineros los tiempos de la dominación colonial. La propia Casa de Moneda de Cerro de Pasco, que había venido comprando plata a los mineros, cerró sus puertas en 1844, dejándolos inermes frente al capital mercantil.

Vale la pena explicar el sistema de las "habilitaciones", ya que muestra las hondas dificultades que encaraba la construcción de una economía de mercado en el país en esos tiempos. Los mineros normalmente carecían de capital propio. Se trataba de aventureros dispuestos a pasar las privaciones de la vida alejada de la "civilización", en parajes situados a cuatro mil metros de altura, aislados de todo. Un comerciante pactaba con el minero un contrato de habilitación, lo que significaba que lo "aviaba" (por lo que esos comerciantes eran llamados también "aviadores") con insumos, como barretas, pólvora, azogue, sal y otros ingredientes, que llegaban a incluir víveres para la subsistencia del minero. El minero quedaba comprometido a pagar los "habilitos" con la plata producida. Los inconvenientes o transtornos en la producción eran, no obstante, la regla. Ya podía haber pasado algún contingente alzado en una revolución y requisaba las mulas o la plata misma; ya podían haber escaseado las lluvias, con lo que los ingenios de molienda (movidos por fuerza hidráulica) no tenían agua para operar; ya podía haber desaparecido el azogue o la pólvora, imposibilitando la producción; o ya los operarios habían desertado del trabajo, enrolados en alguna milicia, generalmente por la fuerza, o por haberse desengañado del trabajo en los socavones, prefiriendo retornar a sus aldeas campesinas, donde la tierra todavía era un recurso abundante.

El minero incumplía el contrato y el comerciante debía iniciar un juicio largo y difícil para poder recuperar su dinero. De hecho muchos comerciantes

Las fotografías muestran, arriba a Cerro de Pasco, la ciudad minera más importante del siglo XIX; abajo, los "circos" de beneficio de los minerales de plata, que muestran la poca tecnificación de los procedimientos metalúrgicos. Las fotos son de la década de 1870 y pertenecen al Álbum Gildemeister del Museo de Arte de Lima.

terminaron de mineros al haber embargado minas que sus deudores hubieron de entregarles. Estas circunstancias, que lamentablemente eran la norma y no la excepción, explican por qué la tasa de interés de las habilitaciones era por lo general muy alta, creándose un clima de animadversión entre dos agentes económicos —el minero y el comerciante— que debían complementarse. El primero necesitaba el capital que, dada la carencia de un sistema financiero, sólo podía aportarle el segundo, y éste, del ensanchamiento de la producción de plata a fin de poder incrementar su comercio. Como el país mantenía una balanza comercial desfavorable con el exterior, debía saldar el déficit con plata física, que fungía de medio de pago internacional.

Otro de los males que agobió a la minería y que no hallaría solución hasta bien entrado el siglo veinte fue la escasez de operarios. La mita minera fue abolida por las Cortes de Cádiz, lo que fue santo y bueno, pero desde entonces también el mercado debía proveer de trabajadores a los mineros. Pero parafraseando un refrán popular "¡oh mercado, dónde estás, que no te veo!". En posesión de sus medios de reproducción agrarios, o enclaustrados en haciendas feudales, los hombres de las áreas rurales no concurrían a emplearse en las minas. Mientras subsistió el tributo indígena la necesidad de pagarlo empujó a algunos campesinos al trabajo minero, pero sólo las semanas necesarias para cumplir con la obligación fiscal, que no eran más de unas cuantas. El viajero suizo Juan Jacobo Von Tschudi relató que en uno de sus viajes, realizado hacia 1840, conoció en la sierra de Jauja a un indio muy pobre que habitaba una miserable choza. Con más confianza que la que hubiera sido de esperar, le confesó, sin embargo, que tenía una rica mina de plata, pero a la que sólo acudía cada vez que tenía que pagar su semestre de contribución.

Todo ello explica por qué la minería, después del apogeo fugaz en Cerro de Pasco de 1840, no levantó cabeza. Era un sector que la política económica colonial había encumbrado; obligado a valerse por sí mismo en un mercado apenas emergente, la mediocridad en que se vio sumido demostró que quienes hicieron la política de la época sobreestimaron la capacidad de la economía "civil" del país para lograr sustituir la acción del Estado. Los hombres de la independencia habían confiado en la llegada de inversión extranjera (sobre todo inglesa) para la renovación de la minería, y en efecto, algún interés de ese tipo hubo. Pero los malos caminos, la carencia de seguridad política e institucional para hacer cumplir los compromisos comerciales, la escasez de trabajadores y la propia crisis londinense de 1825 ahogaron dichos proyectos de inversión; algunos, antes de que llegaran a iniciarse. Sintomático fue, por ejemplo, que personajes como Francisco Quiroz y Mariano de Rivero, dos peruanos que habían trabado amistad en Londres, donde cursaron estudios, alcanzando el segundo una apreciable formación en mineralogía, terminaron dedicados al negocio del guano, cuando habían procurado a su regreso al Perú, en la década de 1820, incursionar más bien en la minería, en la zona de Pasco.

3. EL SABLE, EL DINERO Y LA PLUMA

En la medida que la independencia había sido más bien impuesta que buscada, el país careció, por varias décadas, de un grupo social cuyo rol directriz los demás aceptaran en virtud de haber sido el conductor de la ruptura con el viejo régimen. Personajes tan dispares como los comerciantes criollos, los ideólogos bolivarianos y los generales patriotas (algunos de la última hora) disputaron en los años iniciales el control del Estado. Los militares tenían el sable, pero los comerciantes el dinero y los ideólogos (o lo que hoy llamaríamos los "políticos") los programas y manifiestos.

Gracias a la fuerza militar, los hombres de armas estaban en mejor situación que nadie para tomar el poder, y de hecho muchas veces lo hicieron. Pero una vez apeados del caballo y sentados en el despacho presidencial, constataban que, debilitado el aparato fiscal heredado de los tiempos coloniales, las posibilidades de contar con ingresos económicos regulares y suficientes para poder mantener a la burocracia civil y militar, eran muy exiguas. La situación empeoraba todavía más por el hecho de que debían enfrentar los arrestos de otros caudillos militares, deseosos de llegar al poder, lo que terminaba creando una situación de guerra casi permanente. Buscaban entonces el concurso de comerciantes, nacionales y extranjeros, que podían aliviar con su dinero, los endémicos apremios económicos. Los comerciantes, desde luego, no daban puntada sin nudo, o mejor dicho no soltaban dinero a cambio de nada. Obtenían privilegios de diverso tipo para sus negocios (descuentos, monopolios, favoritismos) o la cesión de bienes públicos como tierras y fincas. La revolución de independencia había dejado en manos del Estado una importante cantidad de propiedades, entre haciendas, minas y residencias urbanas.

De otro lado, el concurso de los ideólogos resultaba asimismo crucial para el manejo de la política exterior y la formulación de planes de gobierno verosímiles. Resulta claro que este esquema determinaba un Estado precario, organizado en torno a un hombre fuerte. En el que la fuerza militar no estaba subordinada al poder público, sino que lo copaba, y en el que resultaba imposible operar con presupuestos para el manejo económico, cayendo el Estado en manos de "agiotistas" que hicieron de las urgencias del erario un medio de vida y de enriquecimiento. Durante el primer cuarto de siglo de vida independiente hubo por ello un período de interminables revoluciones que reflejaron las cambiantes alianzas establecidas entre estos personajes.

Constituciones y caudillos

Esa situación tornó más difícil la definición de una serie de aspectos que debía encarar el nuevo país. En cuanto al modelo de organización política triunfó desde temprano el ideal republicano. Cosa hasta cierto punto extraña, ya que la sociedad peruana, como los del partido monarquista habían probado con elocuencia, difícilmente se adecuaba a los supuestos sociales que requería el modelo republicano. Pero tampoco era sencillo adoptar la monarquía constitucional, siguiendo el modelo de Europa occidental. No existía internamente un linaje real que pudiera erigirse en conductor de la monarquía; estaban los presuntos descendientes de los Incas, ciertamente, pero los criollos nunca los tomaron en serio y el incaísmo, por otra parte, no era ya fuerte incluso entre los propios indios. Para la decisión republicana hubo también un efecto "dominó": todos los gobiernos vecinos se habían decidido por la fórmula republicana; cualquier forma de monarquía hubiera recordado el régimen colonial, con el que quería cortarse amarras, de modo que una monarquía peruana habría sido rechazada externamente. Extraño y cruel destino el de los peruanos: para lo que parecíamos hechos (la monarquía) nos estaba negado; y para lo que deseábamos y algunos anhelaban con frenesí (la república), no estábamos hechos.

Constituida la república, debía decidirse si ésta sería unitaria o de tipo federativo. Aunque el federalismo no ha tenido a lo largo de la historia independiente del Perú apego suficiente, debe reconocerse que en la etapa inicial de la república llegó a pensarse en él como una fórmula política adecuada para contrapesar el rol de la capital. Los Estados Unidos funcionaban, además, como un modelo que muchos deseaban imitar. Sin embargo, tanto la carencia de burguesías regionales sólidas capaces de organizar aparatos estatales con un mínimo de autosuficiencia económica, como el temor al desmembramiento, en una época en que las fronteras nacionales recién se estaban dibujando, hicieron pensar a los fundadores de la república que el modelo federal debía esperar mejores tiempos para su implantación.

El modelo republicano se organizaba idealmente sobre la base de una asociación de hombres políticamente libres y económicamente autónomos. Lo primero suponía que su voluntad no debía estar sujeta a la de otros hombres por vínculos de señorío, vasallaje o tradición. Lo segundo, que al tener medios propios de subsistencia, en virtud de una propiedad o el ejercicio de una profesión u oficio, no se vería en la necesidad de vender su opinión por un mendrugo, o

Los ejércitos de los caudillos
Tomado de A. Botmiliau; en E. de Sartigues y A. de Botmiliau, *Dos viajeros franceses en el Perú republicano*. Lima: Editorial Cultura Antártica. Prólogo de Raúl Porras. Traducción de Emilia Romero, 1947, p. 144.

Nada más curioso que la partida de un ejército peruano que entra en campaña. Mujeres y niños caminan en medio de la larga fila de soldados, la cual se despliega confusamente en la dirección indicada por los jefes. Asnos y mulas cargadas con los bagajes siguen a la columna o se arrojan a cada paso entre las filas. Por lo demás nada se ha previsto. Falta todo: las provisiones, los cuidados, hasta la paga. De este modo viven casi siempre a expensas de la región que atraviesan y las compañeras ordinarias del soldado, conocidas con el nombre de rabonas, reemplazan para él la administración militar. La costumbre de llevar a las mujeres a la guerra es de origen indio. Si no se acatara esta costumbre sería imposible retener a un solo hombre bajo las banderas. Esposas o concubinas del soldado, las rabonas están con él en todas partes y lo siguen en sus marchas más penosas, llevando a veces un hijo sobre los hombros y otro suspendido a sus vestidos. Se ha visto al ejército peruano comandado por el general Santa Cruz recorrer hasta veinte leguas por día, entre las montañas, sin que jamás lo abandonaran las mujeres. Esta perseverancia es en realidad notable. La rabona es, con todo, más bien la esclava que la mujer del soldado. Golpeada, maltratada muy a menudo, no toca ni siquiera los alimentos que ella misma ha preparado, mientras que su rudo compañero no tenga a bien compartirlos con ella. Por dura y fatigosa que sea esta vida, la rabona parece hallarse a su gusto. Cuando el soldado entra en el cuartel, ella le sigue y aún allí se encarga de los cuidados domésticos. Si de nuevo se da la orden de partir, se pone alegremente en camino. La marcha de un ejército peruano escoltado por esas mujeres intrépidas se asemeja a una de esas migraciones de los antiguos pueblos indios arrojados de su territorio por las usurpaciones de la raza blanca. No son regimientos, son poblaciones íntegras las que un general peruano arrastra tras de sí.

de permanecer contra su deseo en un determinado lugar o empresa. La autonomía económica y política se apoyaban mutuamente.

Estos hombres libres y autónomos estaban preparados entonces para asociarse *racional y voluntariamente* siguiendo intereses comunes. Su libertad, así como el hecho de fundar su autosuficiencia económica en una propiedad debía darles independencia de criterio e interés en la cosa pública, a la vez que prudencia en sus decisiones. Según los ideales republicanos, se asumía que la carencia de propiedad podía estar reemplazada por una adecuada *ilustración*, plasmada en la posesión de una profesión o arte. Así se entiende por qué las primeras cartas constitucionales peruanas excluyeron de la ciudadanía a los léperos o pordioseros, sirvientes domésticos y esclavos, además de las mujeres y niños (quienes, se entendía, estaban sujetos a los jefes de familia y en consecuencia despojados de independencia económica y de opinión).

Entre 1821 y 1840 se dieron cinco constituciones, a saber: las de 1823, 1826, 1828, 1834 y 1839. Cristóbal Aljovín ha tratado de explicar en una tesis reciente, la extraña vocación constitucionalista durante este período de apogeo del caudillismo. Los caudillos persiguieron con las nuevas Constituciones alguna legitimación de su poder. Todas estas Cartas Magnas instituyeron un organismo intermediario entre el poder ejecutivo y el legislativo, llamado Consejo de Estado, una especie de herencia de la Audiencia colonial. Su labor era de tipo consultivo y no estaba facultado a dar leyes, pero obraba como una instancia supervisora del Ejecutivo. Sus miembros (alrededor de una quincena) eran elegidos por el Congreso.

En un período de menos de cinco años (1841-1845) gobernaron al Perú seis presidentes. La anarquía militar dejaba poco espacio a los grandes debates doctrinarios, como los que a comienzos de la independencia había enfrentado a los partidarios de la monarquía constitucional, como José de la Riva Agüero, con los liberales como Toribio Rodríguez de Mendoza y José Faustino Sánchez Carrión. Siempre fue un punto controvertido si el derecho al voto debía extenderse a los indígenas. Quienes se oponían a la concesión de este derecho se amparaban en la poca o nula ilustración de esta población, así como en el hecho de que al vivir frecuentemente dentro, o al lado, de una gran propiedad (la hacienda) se hallaban sometidos a una servidumbre de hecho. Pero la mayor parte de los indios vivían en comunidades teóricamente libres, donde tenían una propiedad territorial; en consecuencia debían tener derecho al voto. La ilustración ya la irían ganando y en todo caso era deber del Estado procurársela. Además, pagaban una contribución al Estado: la contribución de indígenas y de castas.

Según las coyunturas, se impuso uno u otro temperamento. Fueron célebres los debates desarrollados en el Congreso y la prensa en los años 1849, y 1855-1860 entre Bartolomé Herrera, impulsor del Convictorio de San Carlos y enemigo del voto analfabeto, y liberales como Pedro y José Gálvez y Benito Laso, quienes se apoyaban en el Colegio Guadalupe para difundir sus ideas, las que al fin lograron imponerse en las votaciones en las cámaras. Herrera llegó a ser Ministro de Justicia e Instrucción Pública durante el gobierno de Echenique. El voto analfabeto, y en consecuencia el voto indígena, llegó a practicarse durante el período 1849-1895.

Uno de los puntos en debate en las primeras décadas de la república tuvo como centro las cuotas de poder repartidas entre el poder ejecutivo, o Presidencia, y el poder legislativo, o Congreso. Hombres como Bartolomé Herrera y Francisco

Sátira contra la idea del "pueblo soberano"

Felipe Pardo y Aliaga (1806-1868) fue un escritor costumbrista que combatió, con poemas, comedias y décimas algunas ideas que consideraba extravagantes de los liberales. Fue colaborador de Salaverry y más tarde del gobierno de Ramón Castilla. El reemplazo de la monarquía por la república le inspiró este soneto:

El Rey nuestro señor

Invención de estrambótico artificio,
existe un rey que por las calles vaga:
Rey de aguardiente, de tabaco y daga,
a la licencia y al motín propicio;

Voluntarioso autócrata, que oficio
hace de la tierra, de ominosa plaga:
Príncipe de memoria tan aciaga,
que a nuestro Redentor llevó al suplicio;

Sultán que el reino de la ley no sufre
y de cuya injusticia no hay reintegro;
rey por Luzbel ungido con azufre;

Zar de tres tintas, indio, blanco y negro,
que rige el continente americano,
y que se llama - Pueblo Soberano.

F. Pardo y Aliaga, *Poesía y artículos*. Ed. Universo. Lima, 1977, p. 40.

de Paula Gonzales Vigil defendieron las prerrogativas del segundo poder, como única forma de evitar el despotismo político y como una vía necesaria para consolidar la república. Otros, como José María Pando y Felipe Pardo y Aliaga, estaban en cambio convencidos de que la anarquía militar que atravesaba el país exigía de gobiernos fuertes y de la supremacía del poder ejecutivo, bajo la premisa que la unidad y la autoridad la podía garantizar mejor una persona concreta, antes que una institución difusa; defendieron también el establecimiento definitivo de una república centralizada.

Posteriormente Herrera se identificó más con ideas conservadoras, preocupado por el orden social y la necesidad de un "gobierno de la inteligencia". En su célebre "Oración Fúnebre" del 4 de enero de 1842, pronunciada con ocasión del sepelio del presidente Gamarra, muerto en la batalla de Ingavi, reflexionó como así: *"Después del fuerte sacudimiento que sufrió nuestra sociedad al desmembrarse de la vasta monarquía de que era parte, fue inevitable se experimentaran deconcierto i desgracias, hasta fijar el nuevo centro de orden, la autoridad que debía reemplazar al Soberano Español. Pero establecida una vez esta autoridad; distribuidos los poderes políticos; fijadas las garantías de los ciudadanos; saludada la joven República por los reinos de Europa, que vieron llenos de esperanza su opulencia y sus encantos, ¿por qué experimentamos tanto mal? ¿por qué nos hemos ido hundiendo en un abismo?"*. Hallaba la respuesta en la crisis de la autoridad y en el hecho de que: *"El principio de la obediencia pereció en la lucha de la emancipación"*.

4. EL CACIQUISMO

No es necesario elucubrar demasiado para percatarse de que los ciudadanos virtuosos: premunidos de propiedad, independencia e ilustración, eran en el Perú de la postindependencia una desesperante minoría, con poca tendencia al crecimiento. ¿Cuál fue entonces el resultado de la implantación del modelo republicano en esa sociedad cuya población no se ajustaba a los requisitos exigidos por el? Una república imperfecta, donde la democracia no hallaba asideros estables, con presidentes tanto o más autócratas que los monarcas del absolutismo. Un desenlace más o menos palpable de ese "quiero pero no puedo" en que se sintetizó la introducción de la república en un país sin ciudadanos, fue la difusión del caciquismo político.

Los "caciques" eran hombres fuertes en sus regiones, que se erigían como mediadores entre el Estado central y las sociedades provinciales. El cacique podía ser un hacendado, un funcionario público (juez o prefecto, por ejemplo), un comerciante importante, un jefe militar o varias de estas cosas a la vez. A mediados del siglo XIX apareció en el Perú la palabra "gamonales" para referirse a estos personajes, que persistirían en la vida de la república hasta bien entrado el siglo veinte. Gracias a su control de la vida política local, conseguida en virtud de una red de clientes, chantajes y reparto de prebendas arrancadas al Estado, conseguían ser nombrados gobernadores o prefectos, o ser elegidos repetidas veces diputados o senadores por sus circunscripciones. Eran una suerte de pequeños monarcas en sus regiones, lo que hizo exclamar a algunos, que tras la independencia habíamos pasado de tener un rey, a depender de veinte reyezuelos.

Aunque pueda resultar paradójico, el voto de los analfabetos favorecía la vigencia de estos personajes, dada la facilidad que se daba para la adulteración de los resultados, o la presión y manipulación de la voluntad de los votantes. El indio

La geografía peruana y las revoluciones según un viajero francés (1848)
A. de Botmiliau fue vicecónsul de Francia en el Perú entre 1841 y 1848. A su regreso a Francia publicó sus apuntes en una revista local. Tomado de E. de Sartigues y A. de Botmiliau, *Dos viajeros franceses en el Perú republicano*. Lima: Editorial Cultura Antártica. Prólogo de Raúl Porras. Traducción de Emilia Romero, 1947; p. 138-139.

La misma configuración del Perú basta para explicar en gran parte la multiplicidad de revoluciones que se han sucedido. Las ciudades, separadas unas de otras por grandes distancias, enterradas en las montañas o perdidas a orillas del océano, pueden difícilmente llevar vida común. Esos grandes centros de población, capitales poderosas de provincias rivales y envidiosas, apenas están unidas entre sí por malas vías de comunicación. Más de una vez Arequipa y el Cusco soñaron en erigirse en capitales independientes. Entre estas capitales de provincia, otras ciudades menos considerables servían de satélites de su ambición más bien que de obstáculos para sus proyectos. Eran Tacna, Puno, el Cerro y en fin, los numerosos puertos del Océano Pacífico, cuya importancia aumenta cada día: Arica, que exporta casi todos los productos de Bolivia, Iquique, que nos da sus nitratos; Islay, por donde se embarcan las lanas del Collao, Callao que es el puerto de Lima; Paita, no lejos de la cual se cosechan los algodones que se solicita del Perú. Por lo demás, esas ciudades y un radio limitado entorno de ellas, son los únicos puntos habitados en el Perú. El resto del país está desierto, y, salvo algunos grupos de chozas a orillas de los ríos y pueblecitos que no vale la pena nombrar, no se encuentra en el antiguo territorio del imperio de los Incas más habitaciones que las oficinas del correo, aún bastantes escasas, en donde algunos malos caballos bastan mal que bien para el servicio del correo y las necesidades de los viajeros. En efecto, es a caballo como se recorre el interior del Perú. No hay que buscar caminos trillados, es menester contentarse con algunos senderos mal trazados, suspendidos a menudo al borde de un precipicio cuya profundidad no se atreve a sondear la mirada, y a lo largo de los cuales sólo el casco de la mula puede aventurarse. Por la noche tampoco se debe esperar otra posada que las pobres chozas indias y no siempre hay seguridad de encontrarlas al final de una jornada de fatigas. Imaginemos ahora lo que puede ser una insurrección en un país en donde la capital y las principales ciudades están aisladas tan por completo y en donde las relaciones de la autoridad central con las provincias está dificultadas por tales obstáculos. Se puede afirmar que muchas de las revoluciones que han agitado al Perú habrían sido sofocadas o prevenidas sin esfuerzo, si el gobierno hubiese podido actuar con la celeridad necesaria. A falta de esa facilidad de acción ha visto a menudo volverse en contra suya a los jefes militares que con el nombre de prefectos, administran cada departamento. Esos jefes pueden, si quieren, hacerse casi independientes; una multitud siempre numerosa de descontentos está allí para apoyarlos. Una vez que su plan está bien decidido reclutan soldados, crean impuestos y, con el eterno pretexto de que la constitución ha sido violada, marchan sobre la capital. Y así tenemos una revolución, a veces una guerra civil, y casi siempre la lucha no tiene más resultado que la sustitución de un jefe por otro.

se dirigía ciegamente a depositar en el ánfora el papel que alguien había puesto en su mano, como denunciaba vívidamente Bartolomé Herrera. Una pieza maestra del poder de los caciques era el control que, en un contexto de aguda escasez de trabajadores libres, detentaban sobre la mano de obra indígena. Para ello establecían pactos con las comunidades campesinas (el dominio de las lenguas indígenas era fundamental para los "caciques") y los hacendados. Si un empresario minero, un terrateniente o un contratista de obras civiles, necesitaba mano de obra para sus afanes, normalmente no tenía más alternativa que entendérsela con el cacique de la región. Este venía a ser una suerte de sucedáneo de los antiguos corregidores del tiempo de la colonia.

El caciquismo entró en una fase de relativa estabilización desde mediados de siglo, con la primera presidencia de Castilla, como veremos en el siguiente capítulo. Y aunque sus principales protagonistas no gocen de la simpatía de los historiadores, hay que reconocer que de alguna manera salvaron ese temido puente entre la colonia y la libertad, que los nostálgicos del sistema colonial auguraron que no podría cruzarse. Su "orden" no era el ideal, pero era un "orden" al fin y al cabo, y consiguió evitar el desmembramiento de la república, con la salvedad de las provincias que pasaron a Chile con la guerra del 79. En contra de lo que podría pensarse, además, los caciques solían adoptar posiciones indigenistas y nacionalistas en los grandes debates nacionales. El descentralismo fue, naturalmente, otra de sus banderas. Figuras emblemáticas del caciquismo del siglo XIX fueron hombres como Domingo Choquehuanca, Juan Bustamante, Miguel Iglesias o Andrés Cáceres. La semblanza que hizo Flora Tristán de su tío Pío Tristán, en *Peregrinaciones de una paria*, podría acercarnos al conocimiento más cercano de unos de estos personajes, aun cuando en el contexto de una región más bien mestiza que indígena.

5. LA ORGANIZACIÓN DE LAS FINANZAS

Otra de las tareas que debió enfrentar la nueva república fue la organización de un sistema fiscal, cuyo rol principal hemos destacado ya. En sus últimos años el virreinato peruano dependió para sus ingresos, fundamentalmente de tres tipos de impuestos: los impuestos al comercio, tanto externo (el derecho de aduanas o "almojarifazgo") como interno (las alcabalas); las capitaciones que pagaban los indígenas y "castas" (el llamado tributo indígena); y los "estancos". Estos eran monopolios estatales sobre la producción y/o comercialización de bienes claves, como el tabaco, el azogue, la pólvora o los naipes. Cada uno de estos grandes rubros rendía aproximadamente un tercio de los ingresos, aunque se complementaban con un variopinto añadido de casi medio centenar de otras imposiciones.

Delicada labor implicó reorganizar estas finanzas. Una de las primeras novedades introducidas fue la supresión de las alcabalas, antecesoras de lo que hoy se conoce como el impuesto general a las ventas. Al final del régimen colonial el monto de la alcabala equivalía al seis por ciento del valor de la transacción, elevándose para el aguardiente al doble. La alcabala sólo quedó en pie para la compra-venta de inmuebles. La medida supresora se encaminaba a facilitar la apertura del mercado en el Perú.

Interesante es comparar, al respecto, la evolución de países de densa población indígena que habían sido colonias españolas en América, como México, Ecuador, Bolivia y Perú. En el primero se respetó la abolición del tributo indígena impuesto por las Cortes de Cádiz, pero se mantuvo la alcabala; mientras en éstos la alcabala fue abolida, pero se reinstauró el tributo. La disyuntiva para el sistema fiscal estaba entre alcabala, o tributo indígena. Ahí donde la mercantilización había avanzado más profundamente, como en México, se prefirió el impuesto a la compra-venta (es decir, la alcabala); donde el mercado era más pequeño y menos activo la alcabala rendía poco y se prefirió la capitación campesina.

El impuesto de aduanas tuvo una trayectoria más agitada. Era claro que si el país quería mejorar el rendimiento de las aduanas, los impuestos de internación de mercaderías debían ser rebajados, a fin de promover el ensanchamiento del comercio internacional. La primera tarifa, dictada por el Protectorado de San Martín, significó una liberalización del comercio, ya que el impuesto se redujo a un 20 por ciento para la mayor parte de bienes; se abrió el mercado peruano a la producción de todas las naciones y se mantuvo muy pocas prohibiciones. Pero el mercado muy pronto se saturó, demostrándose que la capacidad de consumo local era reducida. En 1826 se dio una drástica elevación de las tarifas, que llegaron al 80 por ciento para varios productos que resultaban competitivos con la industria local (aceites, aguardiente, cueros, muebles, manteca, ropa hecha, tocuyos, tabaco y velas). Los ingresos de aduana, naturalmente, se redujeron.

¿Qué convenía entonces? La polémica entre librecambistas y proteccionistas quedó abierta y llegó a envolver al Perú en la guerra civil que fue la Confederación Perú Boliviana. Mientras los primeros argumentaban que era la integración al mercado mundial el camino que conducía a la prosperidad económica, señalando como ejemplo a Inglaterra; los segundos sostenían la tesis de la "industria naciente", necesitada de protección para su consolidación, y mostraban a los Estados Unidos como ejemplo. Una nueva tarifa, en 1833, apenas redujo los impuestos, pero en 1836 las reducciones fueron más importantes.

Una polémica entre el libre comercio y el proteccionismo

Flora Tristán, quien estuvo en el Perú entre 1833 y 1834, rememora en su famoso libro *Peregrinaciones de una paria* (París, 1838), el siguiente diálogo entre ella y el coronel San Román, en Arequipa. El texto representa bien los argumentos del librecambismo y el proteccionismo, encarnados por Tristán y San Román, respectivamente. Tomado de la edición de 1946 hecha por Cultura Antártica, Lima. Traducción de Emilia Romero; pp. 350-351.

—Nuestro sistema, señorita, es el de la señora Gamarra. Cerraremos nuestros puertos a esa multitud de barcos extranjeros que vienen a infestar nuestro país con toda clase de mercaderías que venden a tan bajo precio, que la última de las negras puede pavonearse adornada con sus telas. Usted comprende, la industria no podrá nacer en el Perú con semejante concurrencia. Y mientras sus habitantes puedan conseguir en el extranjero, a vil precio, los objetos de consumo, no intentarán fabricarlos ellos mismos.
—Coronel, los industriales no se forman como soldados y las manufacturas tampoco se establecen como los ejércitos, por la fuerza.
—La realización de ese sistema no es tan difícil como usted lo cree. Nuestro país puede proporcionar todas las materias primas: lino, algodón, seda, lana de una finura incomparable, oro, plata, hierro, plomo, etc. En cuanto a las máquinas, las haremos venir de Inglaterra y llamaremos obreros de todas las partes del mundo.
—¡Mal sistema coronel! Créame, no es aislándose, como harán nacer el amor por el trabajo, no excitarán la emulación.
—Y yo, señorita, creo que la necesidad es el único aguijón que obligará a este pueblo a trabajar. Observe también que nuestro país se halla en una posición más ventajosa que ninguno de los de Europa, pues no tiene ejército gigantesco ni flota que sostener, ni una deuda enorme que soportar. Se encuentra así, en circunstancias favorables para el desarrollo de la industria. Y cuando la tranquilidad se restablezca y hayamos prohibido el consumo de mercaderías extranjeras, ningún obstáculo se opondrá a la prosperidad de las manufacturas que establezcamos nosotros.
—¿Pero no cree, usted, que por mucho tiempo todavía la mano de obra será más cara aquí que lo es en Europa? Ustedes tiene una población muy escasa y ¿la ocuparán en la fabricación del tejidos, de relojes, de muebles, etc.? ¿Qué sucederá con el cultivo de las tierras, tan poco avanzado y con la explotación de las minas que se han visto obligados a abandonar por falta de brazos?
—Mientras estemos sin manufacturas, los extranjeros continuarán llevándose nuestro oro y nuestra plata.
—Pero coronel, el oro y la plata son productos del país y más que otra cosa, perderán su valor si no los pueden cambiar con los productos del exterior. Le repito, la época de establecer manufacturas no ha llegado todavía para ustedes. Antes de pensar en ello hay que hacer nacer en la población el gusto por el lujo y por las comodidades de la

(sigue)

vida, crearle necesidades a fin de inclinarla al trabajo, y sólo por la libre importación de mercaderías extranjeras lo conseguirán. Mientras el indio camine con los pies descalzos se contentará con una piel de carnero por todo vestido, con un poco de maíz y algunos plátanos para alimento y no trabajará.

—Muy bien señorita, veo que defiende con celo los intereses de su país.

—¡Oh! No creo olvidar en esta circunstancia que pertenezco a una familia peruana. Deseo ardientemente ver prosperar a esta nación. Instruyan al pueblo, establezcan comunicaciones fáciles, dejen el comercio sin trabas, y verán entonces cómo la prosperidad pública marchará a pasos de gigante. Sus hermanos de América del Norte han admirado al mundo por la rapidez de sus progresos empleando los medios muy sencillos que le propongo.

En el interín los representantes de las grandes naciones exportadoras hacia América (Gran Bretaña, Francia y los Estados Unidos) presionaron para la apertura de la economía, hallando como aliados internos a ideólogos del libre cambio y a los comerciantes importadores. Los proteccionistas tenían el apoyo de naciones vecinas, como Chile, país con el que en la práctica funcionaba una suerte de pacto binacional de libre comercio, excluyente de las grandes naciones del norte.

Resultan interesantes los estudios del historiador Paul Gootenberg, quien comprobó que hasta que no se produjo el advenimiento de la era del guano, en 1850, el Perú no se doblegó frente a los requerimientos de las potencias económicas del mundo, manteniéndose una actitud pendular entre una política u otra, predominando en líneas generales el proteccionismo. Las naciones fuertes no se imponían fácilmente sobre las débiles; aunque para ello resultaba decisivo el desorden político local, así como una actitud nacionalista como reacción al pasado colonial.

La mayor parte de estancos fueron abolidos, permaneciendo en pie sólo el de los naipes, que era el menos importante. Se aplicaba así el principio de que la acción económica del Estado no debía invadir el espacio de la sociedad civil, pero en contrapartida se restauró en 1826 la capitación indígena. La justificación de este tributo, además de la razón práctica de asegurar ingresos fiscales al Estado, se basaba en que los indígenas, al carecer de títulos de propiedad individuales sobre sus tierras, escapaban al impuesto predial; como tampoco consumían importaciones (lo que no era plenamente cierto, aunque sí en términos generales), tampoco contribuían con derechos de aduana. El tributo indígena funcionaba para ellos como una "contribución única" y se entendía como la contraprestación por el respaldo que el Estado daría a la posesión de sus tierras.

Vaivenes entre librecambismo y proteccionismo

Las tasas arancelarias equivalen a los impuestos que se cobran por el internamiento de mercadería extranjera. Van expresadas en porcentajes sobre el valor calculado de la mercadería. Tomado de Shane Hunt, "Guano y crecimiento en el Perú del siglo XIX", p. 83. En: *HISLA* IV. Lima: 1984.

	1826	1828	1832	1833	1836	1839	1852	1855	1864	1872
Telas de algodón										
Tocuyos	80	Prohibido	Prohibido	Prohibido	20	25	15	20	20	20
Tejidos ordinarios y crudos	30	Prohibido	90	45	20	25	15	20	20	20
Tejidos que no sean blancos	30	30	30	25	20	25	15	20	20	25
Telas de lana										
Telas toscas (bayetones)	80	Prohibido	Prohibido	Prohibido	20	Prohibido	40	30	30	35
Otros	30	30	30	45	20	25	25	20	20	25
Sedas	30	30	30	15	_	18	28	20	20	25
Prendas de vestir	80	Prohibido	90	50	50	40	30	30	30	35
Calzado	80	Prohibido	90	50	50	40	30	30	30	35
Harina	48	Prohibido	75	67	38	50	30	30	33	27
Trigo	30	30	86	93	57	43	-	-	43	17
Maquinaria y herramientas	Libre	Libre	Libre	28	-	Libre	1	Libre	Libre	Libre
Bienes metálicos	30	30	30	28	10	12	15	25	25	30
Residuos no especificados	30	30	30	28	-	25	25	25	25	30

Ya durante el gobierno del virrey Abascal se había incorporado al pago del tributo a las denominadas "castas" (quienes no eran indígenas, sino sobre todo mestizos, pero se hallaban inscritos en el mismo régimen económico de aquellos). Durante las décadas iniciales de la república se realizó esfuerzos por empadronar a esta población tributaria, para que su tributo fuera efectivamente una "capitación" individual y no un impuesto a un sujeto colectivo (la "comunidad"), bajo la mediación de las jefaturas étnicas. Fue así que se realizaron los censos de 1827, 1836 y 1850, cuyas gruesas inexactitudes han sido, sin embargo, criticadas. De cualquier manera, estos censos mostraron que la población crecía a un ritmo poco menor al uno por ciento anual, que era bajo si lo confrontamos con la demografía europea de la época, pero era crecimiento al fin. La *recu-*

peración demográfica habíase iniciado ya en la época colonial. En 1850 la población peruana era más o menos el doble de la de un siglo atrás, llegando a alcanzar en esa fecha los dos millones de habitantes.

La individualización del tributo de indígenas y castas tuvo como resultado la privatización de hecho (ya que no siempre de derecho) de las antiguas tierras y bienes comunales que se habían separado en cada comunidad para afrontar el tributo, lo que debilitó seriamente a las comunidades campesinas como instituciones corporativas de la sociedad rural.

La república no se atrevió a alterar los montos del tributo, manteniéndose vigentes los que rigieron hasta 1820. Estos, a su vez, tenían un origen mucho más remoto y respondían a la presunta capacidad económica de las comunidades en los siglos anteriores. Como resultado de esta decisión, los indígenas del sur pagaban montos significativamente mayores a los de la sierra central, y éstos, a su vez, mayores que los de la sierra norte. Tal vez ello pueda explicar el mayor crecimiento demográfico de esta última región a lo largo del siglo XIX.

La política de mantener los montos coloniales en el pago del tributo de indígenas y de castas pudo obedecer —además del temor de introducir novedades en un tema tan delicado— al hecho de que, según el censo de 1827, era claramente el sur la parte más poblada del país. Los departamentos de Puno, Arequipa (que englobaba los actuales de Moquegua y Tacna, además de Tarapacá), Cuzco (que incluía Apurímac) y Ayacucho (que incluía Huancavelica) representaban el 52 por ciento de la población nacional. La región del centro (departamentos de Lima, Ica, Junín —que incluía Pasco y Huánuco— y Ancash) representaba el 28 por ciento; correspondiendo al norte (departamentos de La Libertad y Amazonas) sólo el 22 por ciento.

6. EL PROYECTO DE LA CONFEDERACIÓN PERÚ BOLIVIANA

Una de las cosas que la república había de establecer eran los confines territoriales. ¿Qué territorios iba a comprender la nueva república? Según la doctrina del "uti posidetis", Perú debía heredar los límites de lo que fuera el virreinato de Lima en 1810. Pero esos límites eran vagos y fueron por largo tiempo motivo de controversia y de guerras (hasta 1998 el Perú arrastró una disputa de límites con Ecuador en la amazonía). El problema se agravó cuando, inspirados en el propio pensamiento bolivariano, hubo proyectos de fusionar países, a fin de garantizar la independencia sobre la base de naciones más extensas: "aunque no ande, caballo grande".

Fue en ese contexto que surgió, primero, el conflicto con la Gran Colombia por la posesión de Guayaquil y la amazonía, y luego la cuestión de la Confederación Perú Boliviana.

Luego de la salida de Bolívar, se eligió como Presidente de la república a un general de la órbita del libertador caraqueño, José de La Mar. Este se encontraba en esos momentos en Guayaquil, como gobernador, y su elección fue una solución de compromiso para evitar tener que decidir entre uno de los tres temibles caudillos del sur: los generales Santa Cruz, Agustín Gamarra y Gutiérrez de La Fuente.

Como muchos de los generales de la independencia, La Mar había iniciado su carrera en el ejército español; gozaba del apoyo de Francisco de Luna Pizarro, sacerdote que fungía como la eminencia gris del Congreso, donde promovía la posición liberal, según la cual al Perú le convenía un gobierno republicano con división de poderes. Pero La Mar carecía del espíritu de intriga, la energía y el autoritarismo necesarios para valerse en la política del momento. Apenas dos años duró su gobierno, puesto que ante la derrota en la guerra contra la Gran Colombia (batalla de Portete de Tarqui, en 1829), La Mar perdió su ejército y se vio desacreditado, pesando además la propaganda sobre su origen "extranjero" (había nacido en Cuenca, al sur del actual Ecuador, que formaba parte de la Gran Colombia, precisamente). Perú debió resignarse a entregar Guayaquil, puerto que había sido ocupado por la escuadra peruana al mando de Guisse. El Convenio de Girón, que sucedió a la derrota de Tarqui, no fue reconocido por el Congreso peruano. Al año siguiente, con la muerte de Bolívar, la Gran Colombia se desmembró en tres repúblicas distintas, quedando la frontera con Ecuador y Colombia sin ser delimitada hasta entrado el siglo veinte.

La Mar fue derrocado por el cuzqueño Agustín Gamarra, quien también estuvo presente en el desastre de Tarqui y fue acusado después de interesada inacción, a fin de salvar su ejército y provocar la caída de La Mar. Una vez en el gobierno, pretendió instaurar un régimen proteccionista en cuanto a comercio exterior (a fin de salvaguardar los obrajes de su terruño) y descentralista en cuanto hacía a la distribución del poder entre la capital y el interior. Naturalmente, la elite terrateniente costeña reaccionó en contra y en el mes de diciembre de 1833, cuando Gamarra terminó su gobierno, consiguió hacer elegir a uno de los suyos, Luis José de Orbegoso. "Hasta ese día —anotó el viajero francés Botmiliau—la mayor parte de los hombres que ascendieron al poder por la revolución no pertenecían siquiera a la raza blanca."

Orbegoso trató de implantar una política de libre comercio exterior, lo que desató una larga guerra civil entre la elite del norte y la del sur. El Presidente era secundado por un joven general cuyo entusiasmo no paró hasta deshacerse de

Mariano de Vivanco
Archivo Histórico Riva Agüero

La "tapada" fue un personaje típico de Lima en los años que sucedieron a la Independencia. En la imagen de la derecha la dama se retrató acompañada por su criada o esclava. Foto de mediados del s. XIX del Archivo Histórico Riva Agüero.

su jefe y tomar la presidencia, Felipe Salaverry; mientras Gamarra era apoyado por Santa Cruz, caudillo del Alto Perú, quien abrigaba el proyecto de reunificar Perú y Bolivia.

La guerra se libró por todo el sur, inclusive Bolivia, con la secuela de requisas de hombres, dineros y ganado, afligiendo la actividad económica. El triunfo de los sureños dejó abierta la puerta al establecimiento de una asociación con Bolivia. La Confederación se hizo realidad en 1836, creándose tres estados: Bolivia, Sur Peruano y Nor Peruano, bajo la presidencia general de Santa Cruz. No se sabe si pensando en ganar la simpatía británica o porque así fueran sus más íntimas convicciones, los confederacionistas adoptaron el libre comercio como política económica exterior.

El libre comercio significaba la adopción de bajos impuestos de internación de mercadería y la libertad para recibir comercio de todo el mundo. Era defendida por los comerciantes extranjeros establecidos en Lima y Arequipa, los mineros (cuya producción ganaría aprecio con el ensanchamiento del intercambio) y los agricultores sureños. Recibía finalmente el beneplácito de los cónsules extranjeros, representantes de las potencias económicas del momento (Gran Bretaña, Francia y Estados Unidos), quienes presentaban dicha política como sinónimo de civilización y progreso.

La elite del norte y la costa central, que se distanció de Orbegoso e hizo de Salaverry su brazo armado, defendía en cambio el proteccionismo, con argumentos de nacionalismo económico. Debía protegerse la agricultura y producción nacional de la nefasta competencia extranjera. Su aliado era Chile, puesto que la apertura comercial significaba desalojar del mercado peruano el trigo de este país, reemplazándolo con las harinas norteamericanas.

La guerra de la Confederación Perú Boliviana, aunque ha sido presentada por la historiografía como una guerra internacional entre la Confederación y Chile, fue en verdad una guerra civil, con la injerencia de países vecinos cuyas identidades nacionales aún no se dibujaban nítidamente. Paul Gootenberg, evocando la guerra civil entre el norte y el sur de los Estados Unidos en el siglo XIX, la rebautizó acertadamente como la "guerra de secesión en los Andes".

Chile apoyó al partido del norte y de la costa central, mientras Bolivia hizo lo mismo con el del sur, partidario de la Confederación. Al comienzo los confederados tuvieron la victoria, sorprendiendo y derrotando al partido chileno, sin celebrar batalla, en Paucarpata (Arequipa, 1837), pero la batalla decisiva la ganaron los últimos en los campos de Yungay (Ancash). Ocurrió en 1839, terminando con tres años de funcionamiento de la Confederación.

La disolución de la Confederación Perú Boliviana abrió paso a los peores años de anarquía política del Perú. Se sucedieron en el mando medio docena de

Santa Cruz pide ayuda a la reina Victoria

La intervención de las potencias mundiales en los asuntos políticos era a veces reclamada por los propios dirigentes de las naciones menos desarrolladas. Tomada de Celia Wu, *Generales y diplomáticos*. Lima: PUCP, 1993: pp. 234-235.

24 de octubre de 1838

Señor J.J. de Mora:

He tenido el honor de recibir su carta del 13 del presente que venía acompañada de otra carta de M. de La Cruz Méndez, secretario de Estado de la Confederación Perú-Boliviana, en donde su excelencia, M. de La Cruz Méndez solicita al gobierno de Su Majestad que exprese con cierta firmeza, su desagrado ante la negativa del gobierno chileno en ratificar el Tratado de Paz firmado en Paucarpata, el 17 de noviembre, entre el plenipotenciario Perú-Boliviano y el general chileno.

Usted puede asegurar a M. de La Cruz Méndez que el gobierno de Su Majestad continua manteniendo un vivo interés en el bienestar de la Confederación Perú-Boliviana, y en los esfuerzos del general Santa Cruz en consolidar y reforzar su gobierno.

Sin embargo, por más que el gobierno de Su Majestad está interesado en contribuir con sus buenos oficios a la terminación de la guerra entre Chile y el Perú y Bolivia; el gobierno de Su Majestad Británica no podría concebir que la negativa del gobierno de Chile a aceptar el Tratado de Paucarpata ofreciera razón justa alguna a Gran Bretaña para emplear la fuerza contra Chile.

Informe usted asimismo a M. De la Cruz Méndez, que el Tratado consideraba la garantía de Gran Bretaña, pero ésta no ha sido concordada por los gobiernos de Chile y el Perú y Bolivia, y esa garantía jamás fue aceptada de hecho por Gran Bretaña, porque jamás le fue propuesta a Gran Bretaña, en la única forma en que podía haberse tomado en consideración por el gobierno británico. Quiero decir: a través de un pedido o solicitud que emanara por común acuerdo de ambas partes: Perú-Bolivia y Chile.

Si los dos gobiernos hubiesen ratificado el Tratado de Paucarpata, y hubiesen solicitado la garantía conjuntamente, y Chile, después hubiese roto su compromiso; en ese caso, existiría desde luego razón sobre la cual el Perú y Bolivia pudiesen haber demandado la interferencia de Gran Bretaña. Pero el mero hecho está en que el gobierno chileno se niega a ratificar el Tratado, en general, en aceptar el Tratado, se niega a pedir la garantía de Gran Bretaña. Esto no le concede a Gran Bretaña una causa justa para querellar con Chile. Desde el momento que Chile procede de esa manera, está ejercitando una discreción que corresponde justamente a todo estado independiente.

Palmerston (Primer Ministro Británico)

presidentes, que en ocasiones apenas mantuvieron el poder unas semanas. Entre la salida de Bolívar (1826) y la primera presidencia de Castilla (1845), un período de diecinueve años, se contaron doce presidentes, con un promedio de año y medio de gobierno por cabeza. En menos de veinte años el Perú se dio seis Constituciones. Cada caudillo parecía luchar, no por hacer realidad una causa o un proyecto, antes en cambio por contentar a sus seguidores con las prebendas que la conquista del Estado implicaba. Era el modelo del Estado patrimonial, en el que el gobernante identificaba los negocios y bienes del Estado como asuntos personales de los que podía disponer con amplia libertad quien tuviese la maña de conquistarlo.

El Presidente venía a ser un cacique de caciques y en cierta forma la concepción del Estado como patrimonio del vencedor recordaba premisas de la monarquía anterior a la *Ilustración*, con la diferencia de que ahora no existía una clase nobiliaria ni una casta religiosa que contuviesen el poder del Presidente. Ni el Consejo de Estado ni el Congreso alcanzaron a cumplir un eficiente papel de contrapeso al poder presidencial.

Una figura interesante de esa hornada de caudillos fue el general Mariano Ignacio Vivanco, quien contaba con una educación intelectual desusada entre los militares de su tiempo. Como muchos políticos de la época, debió pasar varios destierros en Chile, donde tal vez se inspiró para construir una organización estatal que se asemejara al estado del ministro sureño Diego Portales: la república autoritaria. Dirigió entre 1843-1844 en el Perú un "Directorio", que dio los primeros pasos hacia la modernización del Estado: reconocimiento de la deuda pública, confección de un presupuesto, sistematización del poder judicial e implantación de escuelas. En 1865 fue quien firmó el Tratado Vivanco-Pareja con España, considerado infamante por la opinión pública.

Del caos político resultó al fin triunfante un caudillo llamado a ejercer profunda influencia en el Perú del siglo XIX: Ramón Castilla. Con él el Estado caudillista elevóse a su expresión más institucionalizada y se inició un proceso de tímidas reformas liberales.

LECTURAS RECOMENDADAS

Carlos Aguirre, *Agentes de su propia libertad. Los esclavos de Lima y la desintegración de la esclavitud*, 1821-1854. Lima: PUCP, 1993.

Carlos Aguirre y Charles Walker (eds.), *Bandoleros, abigeos y montoneros en el Perú republicano*. Lima: IAA, 1990.

Cristóbal Aljovín, *Caudillos y Constituciones: Perú 1821-1845*. Lima: Instituto Riva Agüero - Fondo de Cultura Económica, 2000.

Heraclio Bonilla, *Gran Bretaña y el Perú. Los mecanismos de un control económico*. Lima: IEP, Banco Industrial, 1977.

Carlos Contreras, "Estado republicano y tributo indígena en la sierra central peruana en la postindependencia". En: *Histórica* XIII. Lima: PUCP, 1989.

José Deustua, *La minería peruana y la iniciación de la república*, 1820-1840. Lima: IEP, 1986.

Alberto Flores-Galindo, *Arequipa y el sur andino*, ss. XVIII al XX. Lima: Horizonte, 1977. Cap. II.

Paul Gootenberg, *Caudillos y comerciantes. La formación económica del estado peruano, 1820-1860*. Cuzco: CBC, 1997.

——, *Población y etnicidad en el Perú republicano*. Lima: IEP, Documento de Trabajo 71, 1995.

Christine Hünefeldt, *Mujeres, esclavitud, emociones y libertad. Lima 1800-1854*. Lima: IEP, Documento de Trabajo 24, 1988.

Cecilia Méndez, "Pactos sin tributo: caudillos y campesinos en el nacimiento de la República: Ayacucho, 1825-1850". En: Rossana Barragán, Dora Cajías y Seemin Qayaum (comps.), *El siglo XIX. Bolivia y América Latina*. La Paz: IFEA, Embajada de Francia y Coordinadora de Historia, 1997.

Víctor Peralta, *En pos del tributo. Burocracia estatal, elite regional y comunidades indígenas en el Cuzco rural (1826-1854)*. Cuzco: CBC, 1991.

Alfonso Quiroz, "Estructura económica y desarrollos regionales de la clase dominante, 1821-1850". En: Alberto Flores-Galindo (ed.), *Independencia y revolución 1780-1840*. Lima: INC, 1987. T. II.

——, "Consecuencias económicas y financieras de la independencia en el Perú". En: Samuel Amaral y Leandro Prados de la Escosura (eds.), *La independencia americana: consecuencias económicas*. Madrid: Alianza Editorial, 1993.

Celia Wu, *Generales y diplomáticos: Gran Bretaña y el Perú 1820-1840*. Lima: PUCP, 1993.

Capítulo 3
LA REPÚBLICA DEL GUANO

1. RAMÓN CASTILLA Y EL ESTADO CAUDILLISTA

Ramón Castilla fue en muchos sentidos un caudillo típico de la postindependencia. Su origen no era aristocrático ni acomodado; su padre fue un pequeño minero, criollo o mestizo, perdido en los arenales del sur; mientras su madre descendía por línea materna de uno de los caciques de la región de Tacna. Sin fortuna personal ni virtudes de ideólogo, logró su ascenso en la escena política mediante la carrera militar, a la que ingresó como soldado del ejército del rey en tiempos del virreinato. Distaba de ser un hombre ilustrado, pero supo rodearse de intelectuales, a quienes premiaba con viajes, nombramientos y pensiones. El viajero alemán Karl Scherzer lo describió como "un mestizo de cara indígena muy marcada, con pómulos salientes, nariz curva, pelos erizados, grises y muy cortados y de enérgicos pero crudos rasgos,... (...) sin cualidades intelectuales ni culturales, ...". Gobernó entre 1845 y 1851, siendo el primer Presidente en completar los seis años de mandato que la Constitución de 1839, promulgada en Huancayo tras la derrota de la Confederación, había establecido. Tuvo un segundo período de gobierno entre 1855 y 1861.

Entre sus ideólogos más efectivos figuró el sacerdote Bartolomé Herrera. En un célebre discurso enunciado con ocasión de los veinticinco años del juramento de la independencia, Herrera recusó el planteamiento que la soberanía residiera en "el pueblo", y proclamó la doctrina providencial del poder. El pueblo es quien "consiente" la soberanía del que manda, pero no es su origen ni quien la "delega". La idea republicana de que todos los hombres son iguales y capaces de aspirar a los puestos de mando de la nación, era una falacia, para este pensador. Dios había predestinado a hombres para el mando; en situaciones críticas señalaba a un salvador de la patria: el así llamado "hombre providencial". Las tareas de gobierno correspondían a la clase ilustrada: la aristocracia de la inteligencia. Las demás clases no debían sino obedecer (y tratar de ilustrarse). Fue la justificación más sofisticada del caudillismo caciquista y el intento de reinstaurar un pacto Estado-Iglesia, resquebrajado desde las últimas décadas del siglo XVIII por la propia monarquía borbónica. Pensadores liberales como los hermanos Lazo y Gálvez le salieron al paso a Herrera, desembocando la polémica en los célebres debates de los Congresos Constituyentes de 1855 y los años siguientes.

En estos debates los liberales defendieron el otorgamiento del voto a los analfabetos, bajo el argumento de que "nadie se engaña en negocio propio". Si el hecho de que uno u otro grupo político gane el control del Estado, viene a afectar, para bien o para mal, mis intereses, no necesito de ilustración ni de que nadie me enseñe cuáles son éstos, ya que forman parte de mi experiencia cotidiana. La concesión de este derecho al voto (que la reforma electoral de 1895 luego eliminaría), junto con medidas como la abolición de la contribución de indígenas y la de la esclavitud, llevó a la historiografía a bautizar la guerra civil de 1854-1855 en la que Castilla derrocó a Rufino Echenique, como "la revolución liberal" peruana.

De hecho la década de 1850 fue sumamente convulsionada en toda América Latina. Una nueva generación, nacida, o en todo caso educada, ya después de la independencia, desplazó a la anterior, trayendo consigo la influencia de las revoluciones de 1848 en Europa. Ella fue testigo del caos político que sucedió a la ruptura con España; había tenido el tiempo y la experiencia para constatar que la independencia por sí sola no resolvía los problemas de las naciones latinoamericanas y lanzó propuestas de reforma en la línea del liberalismo europeo: desamortización de la tierra, abolición de los gremios y del proteccionismo económico y desplazamiento de la Iglesia de ámbitos como el de la educación pública. Varios de estos planteamientos fueron expresados en Códigos Civiles como el peruano, que fue promulgado en 1852. Probablemente México es el país donde este proceso cobró mayor fuerza.

Pero Ramón Castilla no era un Benito Juárez, ni sus gobiernos pueden llamarse francamente liberales. Llegó a formular lo que se conoce como "el primer presupuesto" peruano (el de 1846), que en verdad no llegó a reunir los requisitos de un documento de ese tipo, y abolió impuestos de antiguo régimen como el tributo indígena y el diezmo agrario, pero sin reemplazar esos gravámenes por otros más acordes al pensamiento liberal, como impuestos a la propiedad territorial o a las ganancias, por ejemplo.

Sus gobiernos hicieron la parte grata de la reforma liberal, como fue abolir las cargas "feudales" que afectaban al campesinado y la tierra, así como extender el derecho al voto a los analfabetos, pero no el complemento necesario de dicha reforma, como era promover la igualdad de oportunidades a través de la educación pública, convertir la tierra en una mercancía, mediante procesos de desa-

Bartolomé Herrera contra la idea de la "soberanía popular"

Bartolomé Herrera (1808-1864) nació en Lima y quedó huérfano a la edad de cinco años. Luego de estudiar en San Carlos, se ordenó de sacerdote. Son célebres su "Oración fúnebre" en las exequias del Presidente Gamarra, en enero de 1842 y su Sermón del 28 de julio de 1846 en la catedral de Lima por el veinticinco aniversario de la independencia. Es tenido como el principal ideólogo del conservadurismo peruano después de la independencia. El texto que sigue está tomado de "Anotaciones de Herrera al Derecho Público Interno y Externo de Silvestre Pinheiro", que B. Herrera tradujo especialmente para los alumnos del Colegio de San Carlos. Lima: 1848. Tomado de B.H., *Escritos y discursos*. T. II; pp. 26-27. Lima: 1929.

¿Qué persona tiene el derecho de gobernar? Tiene ese derecho y es lejítimo soberano el que gobierna habitualmente conforme á los principios reconocidos de justicia, que nacen del destino común de las sociedades y del particular de la nación. Es el único que está en posesión de los medios necesarios para hacer cumplir á la sociedad las leyes naturales, y las hace cumplir: luego tiene el derecho de hacerlas cumplir —el derecho de mandar— la soberanía; pues donde quiera que vemos una facultad y un designio racional vemos derecho. (...)

¿A quién se debe declarar lejítimo soberano? Esta es la verdadera e importante cuestión. No pueden ser todos; porque si todos mandan ya no hai quien obedezca; y basta esta sola reflexión para apartar la vista de tan chocante absurdo. Aunque repugne á las preocupaciones, difundidas por los exajerados escritores del último siglo, es indudable que unos hombres han nacido para mandar y otros para obedecer. Si solo para la función de un juez, para un juicio que no es más que la averiguación de un hecho y la percepción de su relación con la lei, se requiere tanta superioridad mental, ¿cuántas dotes no serán precisas para todas las funciones del mando? Los que las posean, los que á una razón elevada, firme y de vastas miras reúnan uno de esos enérjicos corazones que arden de amor á la patria y á lo justo, están destinados á mandar, tienen derecho á la soberanía.

Pero ¿quién tendrá entre ellos el derecho de la soberanía? O lo que es lo mismo, ¿qué se requiere para que se constituya el soberano? Una indispensable condición: el consentimiento del pueblo expresado por su obediencia. El derecho de soberanía supone la capacidad de ejercerla actualmente [efectivamente]: y esta capacidad no existe cuando el pueblo opone su fuerza á los preceptos.

mortización agraria, ofrecer acceso a la modernización tecnológica y reincorporar a la población indígena al sistema fiscal y económico, como lo había sido al político.

La causa de ese liberalismo abortado puede hallarse en la fiebre del guano que comenzó a vivir el país precisamente durante el castillismo. Este significaría la consolidación del Estado independiente, pero sobre bases económicas y sociales sumamente frágiles, en la medida que descansaba en una mera inyección de dinero, que no provenía del crecimiento del mercado y la producción internas, sino de una renta convertida en patrimonio del Estado en virtud de la prolongación de principios fiscales coloniales. El largo ciclo de prosperidad económica que trajo consigo las exportaciones de guano tenía un origen claramente externo y una naturaleza absolutamente coyuntural.

2. LA REVOLUCIÓN DEL GUANO

Durante los años bolivarianos había desembarcado de vuelta en el país el arequipeño Mariano de Rivero y Ustariz, quien fue co-director del *Memorial de Ciencias Naturales*. Venía de realizar en el viejo mundo, al lado de eminentes sabios como Alejandro de Humboldt, estudios de botánica y mineralogía. Los científicos, naturalistas e intelectuales peruanos de entonces como Rivero de Ustariz tuvieron que enfrentar dificultades como la escasez de recursos, la falta de apoyo de los gobiernos, el predominio de los militares y los abogados en los puestos públicos, y la falta de un ambiente propicio para las actividades culturales y educativas. A pesar de ello muchos estudiosos, como Rivero y Ustariz, persistieron en su esfuerzo por hacer ciencia en la adversidad. Entre los trabajos de investigación que realizó el arequipeño a su regreso, estuvo el de las propiedades fertilizantes del guano (excremento) de las aves del litoral en la agricultura. Estos trabajos fueron publicados y conocidos en Europa. Los embarques iniciales que se hicieron en 1841 a Inglaterra, a manera de ensayo, resultaron tan alentadores, que pronto desatóse una gran demanda en el mundo por el guano del Perú.

El guano convertía en realidad el milagro de la multiplicación de los panes. La tierra incrementaba su producción tras la inyección del poderoso fosfato de origen marino. Durante unos pocos años hubo de soportarse la competencia del abono de Madagascar, en la costa oeste africana, más próximo al mercado europeo, pero agotado el mismo, el Perú tuvo el monopolio mundial del fertilizante por varias décadas. Y no lo desaprovechó.

El guano fue declarado patrimonio del Estado, procediéndose en una primera etapa (1841-1849) al arrendamiento de las islas guaneras a diversas compañías.

Estas pagaban una suma al Estado, a cambio del derecho a extraer y vender el guano. Con el vertiginoso aumento de precio que sobrevino, se decidió abandonar este sistema, por el de consignación. Mediante éste, el Estado mantenía la propiedad del producto hasta el momento de su venta final, aunque la labor de extracción y venta corría a cargo del consignatario. Este trataba de lograr el mayor precio posible por el guano en el mercado; descontaba sus gastos y comisión (la que subía conforme conseguía mejores precios) y entregaba la diferencia al gobierno. Este venía al final a quedarse con un 60 por ciento del precio bruto, una ganancia enorme y meramente rentista, por cuanto resultaba del hecho de una propiedad y no de una inversión.

Al comienzo, los contratos de consignación se hicieron con comerciantes peruanos asociados con casas mercantiles extranjeras. Esta asociación era indispensable para los primeros, ya que el negocio del guano, aunque sencillo en apariencia, requería capital que debía ser adelantado para las labores de extracción y embarque, operaciones de flete y seguros, una red de almacenes en Europa y otros mercados, donde el producto debía ser depositado a la espera de su venta, y contactos con bancos europeos y casas comerciales que pudieran conceder los créditos necesarios. En suma, una organización y capacidad de financiamiento que excedía las posibilidades de los hombres de negocios del país.

El gobierno pronto encontró que bien podía prescindir de los comerciantes nacionales, que al fin y al cabo no cumplían más que un rol de testaferros, y pasó a tratar directamente con las casas comerciales extranjeras. Estas ofrecían mejores condiciones económicas al Estado y tenían menos mañas para inflar los costos que se descontaban al gobierno, los que habían sido una fuente de corrupción. Entre ellas destacó nítidamente la firma inglesa *Gibbs and Sons*, que dominó el negocio del guano durante la década de 1850. Según las investigaciones de Shane Hunt, entre 1849 y 1861 esta firma realizó ventas brutas por un total de 89.055 millones de soles. En ese período sus costos fueron tasados en 20.665 millones (23%), la comisión que ganó fue de 10.687 millones (12%), quedando la suma restante: 57.703 millones (o el 65%) para el gobierno.

El presupuesto estatal comenzó a crecer y a financiarse cada vez más con los ingresos del guano. Hasta 1850 los ingresos del Estado se habían mantenido estancados desde el tiempo de la independencia en unos cinco millones de pesos por año. En 1854 llegaron a bordear los diez millones de pesos, constituyendo la renta del guano un 43 por ciento. En 1861, el último año de gobierno de Castilla, los ingresos totales ya sumaban 21 millones de pesos, correspondiendo al guano el 79 por ciento. Éste se había convertido en sinónimo de presupuesto nacional. En adelante el guano, esa especie de maná bendito caído literalmente del cielo, representó unas dos terceras partes de los ingresos fiscales. En 1874 éstos fueron de 34 millones de soles (en 1863 los pesos habían pasado a llamarse soles), momento en que comenzaron a decaer.

Otros ingresos del Estado, como el de las aduanas, que era el que seguía en importancia al guano, aunque con gran diferencia, pendía a su vez de la marcha de las exportaciones guaneras. A mayor venta de guano, mayores posibilidades de realizar importaciones y en consecuencia mayores rentas para las aduanas. Algo similar puede decirse de los pequeños impuestos que afectaban a la propiedad territorial y al ejercicio de oficios e industrias. Ahí donde el dinero del guano llegaba, la propiedad mejoraba su valor y los artesanos sus ventas.

En 1862, después de la salida del gobierno de Castilla, la presión de los comerciantes peruanos consiguió que éstos recuperasen el negocio. La demanda entonces ya había rebasado el ámbito europeo, extendiéndose a lugares tan diversos como Cuba, los Estados Unidos y la China. Fueron los años dorados de la plutocracia limeña y en los que la Ciudad de los Reyes recuperó el fasto y boato perdidos en el tiempo de la independencia. Pero fue también una época convulsionada por revoluciones políticas y por el estallido de "la cuestión española" (en abril de 1864 la escuadra de Pinzón izó el pabellón de España en las islas de

Las exportaciones peruanas durante el siglo XIX

Tomado de Shane Hunt, "Guano y crecimiento en el Perú del siglo XIX". En *HISLA IV*, p. 70. Lima: 1984.

ÍNDICES DEL QUANTUM DE EXPORTACIÓN, 1830-1900
(a precios de 1900; total de exportaciones de 1900 = 100)

	1830	1840*	1850*	1860*	1870*	1878	1880	1890	1900
Azúcar	0.4	0.4	0.5	0.2	3.5	17.6	15.6	11.7	30.1
Algodón	0	0.6	0.1	0.3	2.1	2.0	2.4	4.2	7.3
Lana	0	3.7	3.8	5.6	7.0	7.1	2.7	7.3	7.1
Guano	0	0.3	22.3	33.1	69.0	55.8	0	1.9	1.3
Salitre	0.1	1.4	3.5	9.3	17.4	38.1	0	0	0
Plata	5.4	11.1	10.0	7.6	9.6	8.5	7.1	9.1	25.1
TOTAL	10	24	49	65	115	145	35	48	100

* Promedio para tres años.

Chincha, importantes yacimientos de guano, bajo el pretexto de deudas impagas desde el tiempo de la independencia). Siete años duró el "reinado" de la oligarquía del guano, puesto que en 1869 el régimen del presidente José Balta le puso fin al pactar un monopolio del guano con la casa francesa Dreyfus. Artífice de este contrato fue el ministro de Hacienda, Nicolás de Piérola, igual que Castilla, proveniente de la estirpe de los caudillos del sur. El hecho de que Piérola fuera entonces un joven de treinta años con apenas vinculaciones, nos muestra claramente el poco control que la elite económica del país tenía del aparato del Estado. La marcha del mismo se había hecho, sino de espaldas, por lo menos con independencia de sus intereses. La economía había crecido y el consumo, al menos en la región de la costa, se había sofisticado. Los asuntos financieros y comerciales, y no la propiedad de la tierra o las minas, eran la base de los negocios y el sustento del poder económico, pero la política seguía en manos de "hombres fuertes" que dirimían a balazos su supremacía.

Aunque los ingresos fiscales habían crecido con rapidez, el pliego de gastos del presupuesto había corrido más rápido, incurriendo el tesoro en crónicos déficits. Las revoluciones (al ritmo de casi una por año) y la guerra con España agravaron aún más la situación. Los déficits eran saldados con empréstitos o adelantos que los consignatarios avanzaban al Estado a cuenta de guano futuro. Los intereses que cobraban los consignatarios eran elevados y además se daban maña para atar los préstamos a futuros contratos. En buena cuenta el esquema tripartito del sable, la bolsa y la pluma, o lo que es lo mismo: el caudillo, el comerciante y el ideólogo, descrito en el capítulo anterior, se mantenía vigente: los comerciantes proveían de dinero a los caudillos para contentar a "su gente", y éstos les devolvían el servicio dispensándoles favores para sus negocios. Los contratos guaneros no hicieron sino ampliar y mejorar esta articulación entre economía y política.

3. ROMÁNTICOS Y LIBERALES

Fue el tercer personaje de este juego de tres bandas, el intelectual, quien sufrió una metamorfosis. Dejaron de ser los ideólogos "puros" del tiempo de la independencia, enlazados antes con las modas universales que con los intereses locales, para volcarse a la atención de una nueva clientela. Esta estaba representada por un Estado con espacio en el bolsillo para el mecenazgo artístico, pero asimismo por una elite civil que se aburguesaba, si no en los hábitos de la producción, al menos sí en los del consumo, y demandaba sus servicios. Entre la misma plutocracia sería ahora que surgirían los ideólogos que vinieron a cumplir el antiguo rol de los intelectuales del tiempo de la independencia (el ejemplo más destacado sería el de Manuel Pardo y Lavalle).

Sin embargo, en el interior no dejó de haber escritores e intelectuales que siguieron trabajando como mejor les parecía. Entre ellos estuvo Narciso Aréstegui autor de una novela anticlerical e indigenista *El Padre Horán*, publicada en 1848. Había nacido en el Cuzco en los últimos años del virreinato. Estudió en esa ciudad, llegando a ser Rector del Colegio Nacional de Ciencias, pero también se desempeñó como militar y más tarde como Prefecto de Puno, muriendo en 1869 trágicamente ahogado en el lago Titicaca durante una celebración de carnavales. En su novela denunció los maltratos que sufrían los indígenas del sur por parte de caciques, curas, terratenientes y autoridades. Hizo un vívido retrato, además, de la sociedad del Cuzco, en una época en que ésta vivía en un gran aislamiento.

De semejante estilo fue la obra de Juan Bustamante, un presunto descendiente de la estirpe incaica, quien desarrolló su labor en Puno y llegó a fundar en 1867 la "Sociedad Amigos de los Indios" (véase recuadro).

Juan Bustamante (1808-1868)

Intelectual, político y comerciante puneño que destacó en la defensa de la raza indígena. Se le señala como promotor de la rebelión indígena de Huancané, Puno, en 1867. Hijo de Mariano Bustamante Jiménez, arequipeño de origen español, y de Agustina Dueñas Vera, natural de Cabanillas, Puno, y descendiente, según su bisnieta Consuelo Ramírez de Torres, de Túpac Amaru, famoso líder de la gran rebelión de 1780.

Durante las décadas de 1840 y 1850 fue diputado al Congreso, figurando entre quienes redactaron la Constitución liberal de 1856. Entre marzo de 1841 y febrero de 1844, según parece, por encargo del ministro de Estado, realizó un largo viaje a Europa. Estuvo en España, Inglaterra, Italia, Hungría, Grecia y también en Estados Unidos, Cuba, Panamá, Jamaica, Trinidad, Egipto, Israel, India y China. En Roma fue recibido por el Papa Gregorio XVI, quien le concedió indulgencia hasta su tercera generación; en Jerusalén obtuvo un diploma de Caballero del Santo Sepulcro. Con las experiencias de esta aventura escribió el libro *Viaje al viejo mundo por el peruano Juan Bustamante*, publicado en 1845. Realizó un segundo viaje después, que lo llevó a un nuevo libro: *Apuntes y observaciones civiles, políticas y religiosas con las noticias adquiridas en este segundo viaje a Europa* (1849). En éste relató su discurrir por el sur peruano (Puno, Cuzco, Ayacucho y Huancayo) y por Bélgica, Dinamarca, Suecia, Rusia, Polonia, Alemania y Francia.

Junto con otros intelectuales, entre los que estaban Narciso Aréstegui, Baltazar Caravedo, José Casimiro Ulloa y José Manuel Amunátegui, fundador de *El Comercio*, fundó en los años sesenta la "Sociedad Amigos de los Indios".

(sigue)

1867 fue un año clave en la vida de nuestro hombre. Era un tiempo de convulsión política, a raíz de la revolución de Diez Canseco en Arequipa contra la dictadura de Mariano Ignacio Prado, que dio paso a una guerra civil generalizada. Bustamante se erigió como personero de las comunidades de Huancané para pedir protección a sus propiedades y la rebaja de la contribución. Parece que los reclamos de las comunidades de Huancané se mezclaron con los bandos en pugna en la guerra civil. Bustamante habría estado del lado de Prado y trató de controlar la sublevación de los indios de Huancané, encauzándola del lado del gobierno. Luego de varios enfrentamientos, el 30 de diciembre de 1867 las huestes de Bustamante consiguieron tomar la capital departamental. Surgieron entonces divergencias con otros dirigentes del gobierno a raíz de los desmanes "de la indiada" en Puno. El desborde de ésta era un peligro para el régimen.

Se produjo el contraataque de Recharte en Pusi el 2 de enero de 1868. Bustamante fue derrotado y hecho prisionero. Al día siguiente, luego de ser obligado a cargar cadáveres, fue entregado a la furia de los indios seguidores de Recharte, quienes lo ultimaron con lanzas, palos y piedras. Nació entonces la leyenda de Juan Bustamante. Dícese que llegó a tomar el nombre de Túpac Amaru III, su presunto antepasado y que su cadáver fue hallado varios días después en una gruta en buen estado de conservación (lo cual dado el frío y la sequedad del lugar era posible). Luego comenzaron las romerías al lugar, aunque su cuerpo fue sepultado en el cementerio de Pusi.

Bustamante, al igual que Teodomiro Gutiérrez Cuevas, el célebre "Rumi Maqui", era un liberal que veía la recuperación de la raza indígena tarada por tres siglos de coloniaje, en su integración a la economía moderna y bajo la tutela del gobierno. Su figura ha sido ubicada, sin embargo, en ocasiones en el lado de quienes se propusieron desafiar a la república criolla, reivindicando el Tahuantinsuyo y un orden atávico, lo que, bien visto, estuvo lejos de su propósito.

Al igual que en las postrimerías del período colonial, llegaron expediciones científicas, geográficas y naturalistas, algunas de ellas contratadas por el gobierno peruano para identificar recursos naturales o rutas de transporte más rápidas. Un caso importante fue el del botánico y médico alemán Eduardo Poeppig, quien visitó el Perú por cerca de tres años. Poeppig se dedicó a estudiar la flora y fauna de las regiones amazónicas y formó valiosas colecciones. Su itinerario lo llevó a Yurimaguas, donde construyó una balsa y llevado por el Amazonas, llegó al Brasil y finalmente a Europa en 1832. Asimismo, el viajero científico Hugo Weddell visitó los Andes como parte de la expedición del francés Castelnau para estudiar la quina y la coca. Regresó definitivamente a París hacia 1852 y publicó varias obras importantes como la *Chloris andina*.

Otro naturalista importante fue el inglés Richard Spruce (1817-1893), amigo y colega de Alfred R. Wallace, el codescubridor, junto a Charles Darwin, del principio de la selección natural. Spruce llegó a Sudamérica en 1849 y estuvo en el Perú y en el Ecuador entre 1855 y 1864. Spruce fue un botánico inglés que estudió el caucho, la quina, e identificó miles de plantas nuevas para uno de los centros botánicos del mundo: Los Jardines botánicos de Kew de Londres. Asimismo reunió valiosa información sobre las costumbres, los idiomas y las características de las poblaciones con las que se encontraba. Spruce llegó a vivir por cerca de dos años en Tarapoto. Su trabajo sirvió para conocer una gran cantidad de especies nuevas para la ciencia y los fundamentos botánicos del género Hevea, la fuente actual de la goma o el caucho amazónico. Hacia el final de su estadía en Sudamérica colaboró con Clements R. Markham en el traslado de semillas de la preciada planta de la quina a las plantaciones británicas.

La intelectualidad peruana no dejó de estar presente en la vida cultural, intelectual y política del país. Fue un grupo que empezó a crecer al compás de la bonanza económica que generó el guano. Becas de estudio en Europa, la reorganización de la Universidad de San Marcos, puestos públicos y contratos para elaborar obras, produjeron una generación que tuvo un efecto importante en la vida nacional. Los destierros en Chile, como el de la familia Pardo, trajeron nuevas ideas, y aun nuevos hombres, desterrados a su vez de aquel país, como el enérgico anticlerical Francisco Bilbao, su hermano Antonio, José Vicuña Mackena, José Victorino Lastarria y Manuel Amunátegui, fundador del periódico *El Comercio*. Con ellos convergieron figuras del arte literario y pictórico como Ricardo Palma, Felipe Pardo y Aliaga, Manuel A. Segura, Francisco Laso, Ignacio Merino, Luis Montero y los hermanos Paz Soldán, por citar algunos. Ellos podrían ser considerados como nuestra "generación romántica", en el sentido que cumplieron la tarea de "inventar" la nación. Las pinturas de Pancho Fierro y Francisco Laso plasmaron los personajes y paisajes "típicos" del país; otros recrearon las escenas primordiales o emblemáticas de nuestra historia, siguiendo en ello los patrones de la pintura europea ("Los funerales de Atahualpa" de Luis Montero, o "La muerte de Pizarro" de Ramón Muñiz, son un buen ejemplo). Estos trabajos denotan la formación foránea de los artistas, pero también la aparición de una sensibilidad local para dicha producción.

Mateo Paz Soldán bosquejó la primera geografía "nacional", presentándose en el Atlas que hizo publicar en París en 1865 el primer mapa del territorio patrio. Mariano Paz Soldán comenzó a publicar a finales de esa misma década la *Historia del Perú Independiente* y trazó ahí la gesta de nuestra emancipación. También el emigrado español Sebastián Lorente, director del Colegio Guadalupe (fundado por Vivanco), publicó diversos bosquejos históricos de las grandes épocas de nuestro pasado. Mariano de Rivero, de quien ya nos hemos ocupado antes, hizo varios trabajos de rescate y estudio en los yacimientos prehispánicos y publicó,

El mapa del Perú de Paz Soldán, 1865

Aunque la mayor parte de las fronteras estaban aún sin delimitar y por lo menos una mitad del territorio sin explorar, ya los peruanos comenzamos a tener un "perfil" del mismo.

junto con Juan J. Von Tschudi, viajero suizo, *Antigüedades Peruanas* (Zurich, 1851), el primer libro de arqueología peruana. Ricardo Palma (1833-1919) es probablemente el más emblemático de toda esta generación. Fue un colaborador cercano de Ramón Castilla durante su segundo gobierno y comenzó a publicar sus series de *Tradiciones Peruanas* hacia 1870. Aparecían en periódicos, como *El Comercio* y en diversas revistas, peruanas y extranjeras (la *Revista de Lima*, aparecida entre 1859 y 1863 fue un órgano representativo de esta intelectualidad); sus relatos combinaban la historia (de hecho, la obra de Palma ha sido una de las más poderosas fuentes de imágenes y personajes de la historia peruana), el costumbrismo y el manejo del castellano en el país: los "peruanismos". A estos trabajos se suman las contribuciones de Manuel Mendiburu, Manuel Atanasio Fuentes, Luis Benjamín Cisneros, entre otros.

Esta generación, con su variedad de obras históricas, literarias y plásticas, trazaron una imagen del Perú y de lo peruano, y con ello proporcionaron herramientas para la forja de una comunidad nacional. Seguramente puede discutirse si dicha imagen era demasiado parcial: volcada a lo "criollo", por ejemplo, o si daba predominio a la vertiente hispánica y no a la indígena, pero cumplió la tarea de hacer imaginable la nación a un sector de sus habitantes y al resto del mundo.

En parte gracias a los beneficios de la explotación del guano y a la estabilidad política de los gobiernos de mediados del siglo XIX, la situación universitaria mejoró y las actividades científicas gozaron de mayor continuidad. Esto a la larga favoreció la concentración de la formación en derecho, ciencia y en medicina en la Universidad de San Marcos. En 1856 el doctor Cayetano Heredia, excirujano del ejército, atrajo a la cátedra a algunos de los mejores practicantes médicos de la ciudad y envió a sus mejores discípulos a entrenarse a la meca de la medicina, París. Concentró en un solo cuerpo, llamado la Facultad de Medicina de Lima, el entrenamiento y la vigilancia de la profesión médica. En ese entonces los médicos estaban dominados por el debate entre los defensores de las ideas miasmáticas, que consideraban a la enfermedad como producto de materias orgánicas en descomposición que envenenaban la atmósfera, y los contagionistas que pensaban que la enfermedad era transmitida siempre de un hombre enfermo a uno sano. Estas ideas les permitieron hacer algo de saneamiento ambiental para enfrentarse a las terribles epidemias que azotaron a diferentes localidades del país como la que atacó Lima en 1868 y 1869. Como producto de esta última epidemia, donde tuvo una actuación destacada Manuel Pardo al frente de la Sociedad de Beneficencia Pública de Lima, fue que se decidió construir el Hospital Dos de Mayo, que sólo pudo ser inaugurado en 1875.

Ese mismo año, 1875, se creó la Facultad de Ciencias Políticas y Administrativas en la Universidad de San Marcos, cuyo inspirador y primer Decano fue

Francisco Laso (1823-1869) fue uno de los pintores que, tras una larga y fructífera estadía en Europa, plasmó en sus óleos paisajes y personajes "típicos" del país, como en el caso de "La lavandera". Museo de Arte de Lima.

"Los funerales de Atahualpa" de Luis Montero (1826-1869) es uno de los cuadros más representativos del ánimo de los pintores de la segunda mitad del siglo XIX por escenificar episodios decisivos de la historia peruana. Museo de Arte de Lima.

Las acuarelas de Pancho Fierro (1807-1879) representaron también a personajes típicos y populares de la ciudad de Lima, en vena un punto sarcástica. En las vistas figuran "La vendedora de pescado en burro" y "El soldado y la rabona". Museo del Banco Central de Reserva.

el francés Pradier Foderé. Ahí comenzaron a dictarse las primeras materias económicas y de ciencia mercantil, formándose los intelectuales que luego cumplirían destacada labor en la postguerra con Chile.

El guano también permitió desarrollar los estudios naturalistas en la Universidad de San Marcos. El principal naturalista del siglo XIX fue Antonio Raimondi, quien desarrolló una impresionante labor en geografía, botánica y mineralogía. Raimondi fue un inmigrante italiano que llegó muy joven al Perú, en 1850, huyendo de las revoluciones que agitaban a su país y atraído por los misterios de la naturaleza americana. Cayetano Heredia le encomendó clasificar las colecciones de geología y mineralogía de la Facultad de Medicina. Poco después, Raimondi empezó a dictar las cátedras de Historia Natural y de Química Analítica en la misma Facultad. Al mismo tiempo recorrió diversos lugares del país para herborizar, recopilar minerales, y medir la longitud, latitud, la altura y las variaciones climáticas de diversos lugares y realizar observaciones etnológicas. Sus primeros resultados aparecieron en artículos y libros escritos con elegancia como *Elementos de Botánica aplicada a la medicina y la industria* (1857) y *Apuntes de la Provincia Litoral de Loreto* (1862). Posteriormente inició la publicación de su notable obra *El Perú*. Los diversos intereses de Raimondi coincidieron con la escasez de talento científico en el Perú del siglo pasado, con el estilo enciclopédico de los estudios naturalistas de entonces y con los proyectos modernizadores de una elite civil que vio en la exportación de materias primas y en la construcción de caminos, dos de las principales avenidas del progreso económico.

4. EL CONTRATO DREYFUS

Con el contrato Dreyfus, Piérola, en buena cuenta, procuró emancipar al tesoro de las maniobras de los agiotistas, que además de costosas, minaban la soberanía del Estado. Evocando el combate del Callao de tres años atrás, él mismo le llamó por eso "el dos de mayo de la Hacienda Pública".

Por el contrato de 1869 la casa Dreyfus se comprometía a vender dos millones de toneladas de guano —lo que representaba aproximadamente unos seis años de venta— por cuenta del Estado peruano. Según el precio que consiguiera para la venta, quedaba fijada su comisión. Mensualmente Dreyfus enviaría al Estado peruano setecientos mil soles, con lo que éste tendría una entrada regular y suficiente para sus gastos ordinarios. Además cumpliría la función de agente financiero del gobierno peruano y se haría cargo del pago de los intereses de la deuda externa del país. En buena cuenta, el Ministerio de Hacienda se había trasladado a la casa francesa. El Estado se había emancipado de la elite plutocrática limeña, como era el proyecto de Balta y Piérola, pero al precio de pender de una casa de negocios extranjera.

Al amparo del contrato Dreyfus el Estado concertó tres grandes empréstitos en el mercado de Londres, entre 1869 y 1872, que llevaron a que prácticamente todos los ingresos del guano no tuvieran más destino que el servicio de esa deuda. Tal fue el legado que el presidente Balta dejó a su sucesor, Manuel Pardo.

La multiplicación por siete de los ingresos del Estado: de cinco a treinticinco millones de soles, en un lapso de dos décadas (1850-1870), produjo naturalmente una revolución en la vida económica y política de la nación. La pregunta que ha obsesionado a generaciones de peruanos es por qué esa inyección de dinero fresco no pudo servir para transformar la economía de la nación, poniéndola en el camino del desarrollo.

Durante un buen tiempo los economistas señalaron que la pobreza de los países convertíase a menudo en un círculo vicioso. Puesto que eran países pobres, no disponían de capital para modernizar y potenciar su economía; y como no podían hacerlo, pues entonces eran pobres.

Sin embargo, el Perú del siglo pasado ha representado para el esquema de los requisitos necesarios para el desarrollo un real desafío, y creemos que también un desmentido. Durante varias décadas dispuso de un ingreso de dinero que, literalmente, era caído del cielo. Ese dinero, además, iba en su porción más importante a las manos del propio Estado. Es decir, a la institución que, al menos sobre el papel, representaba el interés común de la nación y por ende debía darle el uso más provechoso para la felicidad pública. Según los cuidadosos estimados de Shane Hunt, economista norteamericano a quien debemos importantes trabajos sobre nuestra historia económica, el Estado peruano retuvo un promedio de 60 por ciento del valor de las ventas del fertilizante, lo que en cifras contantes y sonantes montó durante el ciclo guanero unos 80 millones de libras esterlinas o 400 millones de soles al cambio de la época.

Sin duda era una suma enorme. Es difícil hacernos hoy una idea de ella, cuando la inflación, la devaluación, incluso de divisas como el dólar y la libra esterlina, y los cambios en la canasta de consumo, vuelven cualquier intento de actualización un acto estéril. Bástenos decir, que para 1850 esa suma representaba aproximadamente ochenta veces el presupuesto de la república y que superaba largamente el valor del oro y la plata extraído de las minas del país durante toda la época del virreinato. Es cierto, y es algo que debemos tomar en cuenta para hacer un juicio de la política de la época, que no fue un dinero que llegara de golpe, como quien gana la lotería. Sino que fue un flujo irregular y difícilmente predecible. Nadie sabía cuánto duraría, lo que hacía difícil su uso racional y

Usos del dinero del guano
Compulsando los presupuestos de la República, Shane Hunt preparó este cuadro donde da cuenta de los distintos usos que tuvo el dinero que el Estado obtuvo de la venta de guano. Tomado de su estudio: "Guano y crecimiento en el Perú del siglo XIX". En *HISLA IV.* Lima, 1984; p. 51.

	%
Reducción de la carga tributaria a los pobres	7.0
Expansión de la burocracia civil	29.0
Expansión de la burocracia militar	24.5
Pago de transferencia a extranjeros	8.0
Pagos de transferencia a los peruanos	11.5
Inversión en ferrocarriles	20.0
Total	100.0

planificado. Cuando, hacia 1860, se cobró conciencia de que no estábamos ante una bonanza coyuntural, de unos pocos años, sino ante un hecho más duradero, los pesimistas argüían que ya era demasiado tarde.

El dinero del guano se empleó principalmente en el ensanchamiento de la burocracia civil y militar. El Estado pudo montar por fin un aparato efectivo de gobierno. Prefectos, jueces y gendarmes volviéronse parte del paisaje humano del interior. Ello supuso un freno a la autonomía de los caciques locales; no su desaparición, ya que éstos, aunque consiguieron ser subordinados por el poder central, mantuvieron cuotas de poder importantes dentro de sus regiones.

Las Fuerzas Armadas se institucionalizaron, convirtiendo al país en una potencia sudamericana. Perú fue una de las primeras naciones en contar con vapores acorazados en el continente. Ellos resultaron importantes para la derrota de la flota española que con afanes de reconquista se presentó en el Callao en 1866.

Subprefectos, jueces, policías y militares fueron los misioneros de la economía monetaria. Con frecuencia eran las únicas personas que percibían un salario en metálico y conformaban un pequeño mercado en las provincias del interior. El ensanchamiento de la burocracia fue una vía por la que el dinero del guano alcanzó un impacto en todo el país, aunque principalmente se concentrara en Lima. En otras palabras, el uso del dinero del guano para la expansión de la planilla del Estado, sirvió para la formación de un mercado interno. El problema fue que la débil producción nacional, hizo que el consumo de este mercado se orientase más bien hacia el consumo de bienes importados.

La Iglesia fue subordinada al poder político, pasando a ser sostenida por el presupuesto de la república, en lugar de tener ingresos propios como hasta entonces los había gozado, a través de los diezmos, que gravaban la producción agraria. Sea porque la Iglesia no disponía ya entonces de un gran patrimonio en haciendas y fincas urbanas, o porque el dinero del guano servía para contentar tanto al Estado como a los particulares, en el Perú no hubo entonces, como sí en otros países latinoamericanos, un ataque a las propiedades de la Iglesia bajo la forma de una vigorosa desamortización eclesiástica. Muchos conventos y órdenes religiosas continuaron administrando o entregando en arriendo extensos latifundios, sobre todo en la sierra, que recién la reforma agraria de 1969 expropiaría.

El proyecto de país, fundado en el régimen republicano tres o cuatro décadas atrás, pasaba a ser algo real. Los gobiernos locales estaban ahora controlados por el Ejecutivo; las Fuerzas Armadas y la Iglesia eran instituciones más disciplinadas y orgánicas; se verificaban elecciones más masivas de lo que corrientemente se ha supuesto y las cámaras se reunían a debatir las leyes. Incluso se elaboraron los primeros mapas del territorio y se organizó expediciones de exploración y colonización de la región amazónica, que comprendía la mitad de la extensión del territorio dibujado en el mapa. En 1841 un grupo de colonos sobrevivientes del ataque de los huambisas a Borja, fundó Iquitos. Diez años después el viajero norteamericano Herndon halló en el sitio unos doscientos habitantes viviendo muy primitivamente. Sin embargo, en ese mismo año, 1851, un acuerdo con Brasil para la libre navegación por el río Amazonas hasta el Atlántico, abrió las puertas al despegue de este puerto fluvial. El viajero norteamericano James Orston, que visitó Iquitos en 1873, describió una población floreciente, de más de dos mil personas.

Las colonias de San Ramón (1847) y La Merced (1869) iniciaron la apertura hacia la selva central, con la ciudad de Tarma como cabecera. Agricultores tarmeños y colonos italianos iniciaron en esa región, conocida como Chanchamayo, la producción de aguardiente para su venta en la sierra. También comenzó a explotarse el caucho en Loreto y se trajo vapores para la navegación por los ríos amazónicos. Colonos alemanes fundaron el pueblo del Pozuzo en el oriente de Cerro de Pasco en 1857. La falta de medios de transporte impidió, no obstante, el despegue de estos establecimientos y el propio incremento de la inmigración europea.

Pero todo ello tenía una base precaria en lo económico y social. En cuanto a lo primero, porque los ingresos fiscales estaban atados a la exportación de un recurso primario agotable y sustituible. Ya en 1853 una comisión francesa contratada por el gobierno efectuó mediciones en los yacimientos guaneros, que concluyeron que al ritmo que venía extrayéndose el fertilizante, éste se agotaría en unos veinticinco años. Desde aproximadamente 1860, el salitre comenzó a competir con el guano en el mercado de los fertilizantes. Aunque el Perú disponía también de yacimientos de salitre, no tenía el monopolio de este producto, por lo que no podía manejar apropiadamente la sustitución.

En cuanto a lo social, la vigencia de prácticas laborales serviles en la agricultura, como el yanaconaje, así como la importación de coolíes asiáticos en reemplazo de los esclavos, no era un marco adecuado para la emergencia de los ciudadanos que el régimen republicano reclamaba.

5. LA CONSOLIDACIÓN DE LA DEUDA INTERNA: UN PROYECTO SOCIAL

Otro destino del dinero del guano fue el proyecto de forjar una clase empresarial. Era una manera, además, de contentar a los "hijos del país" (los comerciantes nacionales resentidos con la preferencia del Estado por los extranjeros). Para ello se apeló al mecanismo de la consolidación de la deuda interna, que terminaría en escándalo político.

Dicha consolidación significaba la unificación de la deuda contraída con particulares desde la época de la independencia, bajo la forma de bonos o títulos, expresados en una sola unidad monetaria y bajo un solo tipo de interés. Los bonos podían negociarse mientras llegaba el turno de su amortización, que no demoró mucho.

La ley de consolidación fue dada en 1850 y el Estado comenzó a redimir los bonos ocho años después, cuando estos ya se habían concentrado en pocas personas. Una enorme suma de dinero fue puesta en manos de un grupo relativamente reducido, de quien se esperaba iniciasen las inversiones y negocios que el Estado, o no era capaz, o no estaba llamado a efectuar. Siguiendo el estudio de Alfonso Quiroz, conocemos que 2,028 personas recibieron vales de consolidación, cantidad que ya es pequeña, pero sólo las primeras 126 acumularon ya dos tercios del valor de la deuda consolidada. Era, pues, el proyecto de formar una burguesía nacional que pusiese a la nación en el camino del progreso.

El proyecto no tuvo sino resultados menores. Nacieron algunos bancos y fábricas de poca envergadura (bebidas, textiles) y se inició la modernización de la agricultura de la costa, cada vez más orientada a la exportación de azúcar y algodón. La guerra civil en los Estados Unidos (1861-1865) y la revolución de 1868 en Cuba perturbaron en estos países la producción azucarera, a la vez que el poblamiento de California ayudó a crear un mercado externo diferente al chileno para la agricultura peruana. Pero la mayor parte del dinero fue en verdad

Los principales "consolidados"
Relación de las personas que recibieron mayor cantidad de vales de consolidación (miles de pesos). Tomado de Alfonso Quiroz, *La deuda defraudada*. Lima: INC, 1987, pp. 76-77.

Nombre	Cantidad consolidada	Ocupación
Antonio Leocadio Guzmán	1,000	Apoderado de los familiares de Simón Bolívar residentes en Caracas
Ignacia Novoa, vda. de Arredondo	948.5	Propietaria rentista
Fernando Carrillo Albornoz	900.0	Hacendado
Felipe Coz	731.2	Consolidado
Gregorio Videla	662.3	Comerciante chileno
Nicanor Gonzáles	516.3	Perito tasador
Juan José Concha	478.4	Comerciante chileno
Ejército Chileno Restaurador	400.0	Deuda externa peruano-chilena
José Castañeda	397.9	Comerciante limeño
Miguel Winder	299.0	Comerciante inglés
Beneficiencia de Lima	276.7	Institución estatal
Andrés del Castillo	276.3	Hacendado español
Domingo Solar	250.0	Sargento mayor del Ejército Consolidado
Convento de la Concepción	212.9	Institución eclesiástica
José Pérez Vargas	198.7	Coronel del Ejército Consolidado
Manuel Aparicio	196.5	Hacendado de Chancay y comerciante mantequero
Lorenzo Lequerica	189.0	Comerciante español. Compañía Filipinas
Pedro Gonzáles Candamo	183.9	Comerciante y financista de Lima
Manuel Bahamonde	176.8	Comerciante
Rollin Thorne	172.3	Compañía comercial inglesa
Juana Rosa Heros	171.6	Viuda de Manuel Heros, comerciante
Manuel Gonzales	158.8	Comerciante de Lima

empleado en especulaciones financieras con el propio gobierno, por el mecanismo de enjugar los déficits fiscales ya mencionados. Prestarle al gobierno resultaba un negocio menos riesgoso y con mejores ganancias que invertir en industrias de incierto mercado.

Los principales beneficiarios de la consolidación fueron, según el estudio de Alfonso Quiroz, comerciantes, hacendados, rentistas y funcionarios públicos.

La deuda reconocida llegó a alcanzar los 24 millones de pesos, unas cinco veces el presupuesto de la república de 1850. Las denuncias de corrupción menudearon y encendieron los ánimos en la opinión pública. La palabra "consolidado" es citada entre los "peruanismos" de Juan de Arona, como un término despectivo para calificar a gente enriquecida ilícitamente. La investigación realizada por una comisión nombrada por la triunfante revolución de Castilla en 1855, detectó que aproximadamente la mitad de la deuda reconocida era cuestionable (lo que no implica necesariamente que fuera fraudulenta, pero sí que no se había cumplido con todos los requisitos fijados por la ley), a pesar de lo cual el gobierno no declaró el "repudio" de esa deuda, y cumplió con su pago.

Se ha especulado luego por qué Castilla terminó reconociendo toda la deuda, en lugar de repudiar aquella mitad que era "observable". Pudo ser una manera de esquivar un enfrentamiento con quienes resultarían afectados, pero más importante pudo ser la consideración de que, después de todo, la ley de 1850 había nacido con el espíritu de transferir riqueza pública a los particulares. Éste era finalmente el objetivo; la consolidación de la deuda interna únicamente un medio para lograrlo. Así lo recordó el ex-presidente Echenique en su "Vindicación" emitida en Nueva York: *"Se dice que se enriquesieron (sic) unos pocos y que sólo para ellos fue la ley. Yo quiero suponer que esos tres o cuatro, o que sean cinco o seis, sobre que se fija la atención pública, que supieron negociar, como se negoció en todas partes, se hubieran hecho dueños de dos o tres millones de pesos, o cuatro que sean. ¿Y el resto hasta veinte y tres millones, dónde está? ¿No se ha repartido entre millares de individuos que tenían legal derecho? ¿No se han visto desahogarse mil familias y empezarse a poner en movimiento nuevos capitales?"*.

En muchos países europeos la deuda pública fue, junto con la expoliación de las colonias, uno de los mecanismos principales para activar lo que el marxismo bautizó como "la acumulación originaria de capital". Es decir, una manera de dotar rápidamente a una potencial clase burguesa con el capital necesario para lanzarse a la inversión económica. Poner el ahorro público en manos privadas. Esa transferencia tenía que ser selectiva: no podía repartirse el dinero público a todos, ya que las cantidades en cada caso resultarían diminutas y serían rápidamente licuadas en el consumo, antes que orientadas a la inversión.

En el debate historiográfico desatado alrededor del guano, se ha postulado que la plutocracia enriquecida con el dinero de la consolidación, y en general con el dinero del negocio de la consignación del guano, incumplió la tarea que el Estado, con la operación de la consolidación, había puesto en sus manos: poner las bases para la modernización e industrialización de la economía. Terminó "traicionando" su "rol histórico", al decir de Heraclio Bonilla.

"Señores!!! No soy ladrón de Camino Real. Estoy consolidado, es verdad". El ministro de gobierno de Echenique, José Gregorio Paz Soldán, estuvo entre los acusados de enriquecimiento ilícito con la Consolidación. Caricatura de Williez.

Las elecciones del siglo XIX. Los votos se compran en la puerta de las mesas de elecciones. Caricatura de Williez, titulada sarcásticamente "Libre ejercicio de la ciudadanía". Ambas caricaturas han sido tomadas de A. Quiroz *La deuda defraudada*.

Aunque esta condena a esa oligarquía del guano tiene su justificación hasta cierto punto, transpira un sentido moral del que el historiador debería alejarse. Si el capitalista del guano prefería usar el dinero en prestar al Estado en lugar de poner una fábrica de zapatos, no era (solamente) por oportunismo, falta de nacionalismo o de audacia empresarial. El problema radicaba en la presencia de un sistema económico donde las mejores ganancias (entendiendo por ello una combinación de rendimiento y seguridad) se lograban con la compra de bonos de la deuda pública, antes que con la inversión en nuevas industrias. El apogeo del guano constituyó un tipo de "enfermedad holandesa", en el sentido de que estorbó el despegue de otros sectores económicos. La abundancia de dinero abarataba las importaciones y encarecía el precio del trabajo, mientras la altísima rentabilidad del guano, elevaba, a su vez, el costo del dinero (es decir, la tasa de interés de los préstamos).

Simeón Tejeda, en 1852, denunció además las barreras que se alzaban contra "la libertad de industria": gremios cerrados al ingreso de nuevos industriales, cuotas de producción, inestabilidad en las tarifas de aduana, y la presencia de una inmensa población inmersa en una economía de autoconsumo.

Otro ángulo de la consolidación de la deuda interna explorado recientemente por Alfonso Quiroz, fue su papel positivo de sentar las bases para la creación de un sistema de crédito interno, que hiciera posible evitar el endeudamiento externo, más riesgoso para nuestra economía. En la medida de que la deuda interna fuera consolidada y atendida, el "crédito interno de la nación", como se le llamaba, aumentaba, y la población confiaría más en la compra de bonos de la deuda pública como una forma de conservar sus capitales. La falta de continuidad en esta política impidió, lamentablemente, consolidar dicho sistema. En épocas posteriores, quienes hicieron préstamos al Estado, sean forzados o voluntarios, fueron pagados mal, tarde o nunca.

6. LA ABOLICIÓN DE LA ESCLAVITUD Y EL ARRIBO DE LOS "COOLÍES"

Con el dinero del guano también se dictaron medidas populares. Los impuestos, o desaparecieron, o se mantuvieron en montos cada vez más irrisorios. La medida más importante de este tipo fue la abolición del tributo indígena enarbolada por la revolución de Castilla en 1854-1855.

En 1851 el propio Castilla había organizado las cosas para que el Congreso eligiera como nuevo presidente a un leal lugarteniente suyo, el general Rufino Echenique, veterano también de las guerras de independencia y activo participante en las revoluciones posteriores. Su régimen hubo de arrastrar el costo político de la consolidación de la deuda interna. Cuando se hizo evidente que la intranquilidad pública podía estallar en alguna revolución, Castilla optó por adelantarse encabezando la suya propia.

La abolición de la esclavitud y el tributo indígena y poner freno al fraude desatado en la operación de la consolidación de la deuda, fueron armas políticas claves con las que Castilla consiguió la adhesión popular y pudo ganar el decisivo encuentro militar de La Palma, en las afueras de Lima, el 5 de enero de 1855. El seis de enero repitiéronse en la capital las escenas de violencia y pánico de julio de 1821. Turbas de todo color asaltaron las casas de los "consolidados", y también otras, poniendo nuevamente en evidencia las profundas brechas sociales que fragmentaban a la sociedad peruana.

Los dueños de los esclavos fueron indemnizados con el dinero del guano. En ese momento el número de esclavos ya había descendido con respecto a la independencia, siendo manumitidos unos 26 mil. Se trataba, además, de un sistema laboral en completa crisis, por la dificultad de importar nuevas "piezas de ébano" y las constantes fugas y sublevaciones de la mano de obra negra que se producían, como la de Trujillo, en 1851. Los antiguos propietarios de esclavos fueron indemnizados con bonos por valor de 300 pesos por esclavo, por lo que se sintieron bien servidos por la medida. A lo largo de los años los mismos esclavos habían ensayado diversas formas de resistencia y negociación a su condición de marginación, las que lograron erosionar las bases económicas y sociales de la esclavitud. Entre ellas estaba la compra de su libertad, la huida de las haciendas, y la manumisión. Todo ello contribuyó a sentar las bases para la final abolición. Carlos Aguirre investigó el destino de los negros manumitidos con la ley de 1854. La mayoría permaneció en las mismas haciendas donde habían sido esclavos, pero trabajando ahora como jornaleros, pero no faltaron quienes optaron por emigrar a las ciudades. También ocurrió la dramática situación de quienes quisieron permanecer en las haciendas donde habían nacido y había transcurrido toda su vida, pero fueron expulsados por los hacendados, por tratarse de hombres viejos, de quienes la coyuntura de la abolición les dio la ocasión de deshacerse. Algunos libertos se dedicaron también al bandolerismo, asaltando a desprevenidos viajeros que cruzaban los arenosos caminos de la costa, aunque esta fue una situación que, temida y agitada por los enemigos de la abolición, fue en realidad bastante menor de lo previsto.

Desde 1849 se había iniciado la importación de "coolíes" asiáticos, procedentes de la China, quienes vinieron a sustituir la mano de obra africana ocupada en la agricultura de la costa y para trabajar en las islas guaneras. El aislamiento, la hediondez del ambiente y el peligro de contraer la sarna que afectaba a las aves, desanimaron a los peruanos para contratarse en estas labores. La oferta de

Principales dueños de esclavos en 1855

Tomado de Alfonso Quiroz, *La deuda defraudada*. Lima: INC, 1987, p.161.

PRINCIPALES INDEMNIZADOS POR LA MANUMISIÓN DE ESCLAVOS EN 1855

Nombres	Cantidad reconocida en vales (pesos)	Número de esclavos manumisos
Convento de la Buena Muerte	155,100	517
Carrillo de Albornoz, Fernando	116,700	389
Elías, Domingo	110,925	370
Convento de San Agustín	106,800	356
Congregación de San Felipe Neri	106,200	354
Fernández Prada, Antonio	85,950	286
Mariátegui, Francisco	73,350	244
Lavalle, José Antonio	72,450	241
Osma, Mariano	64,125	213
La Torre y Urraca, Agustín	54,900	183
Concurso de la Molina	53,100	177
Reyes, Andrés	46,575	155
Ramos, Antonio Joaquín	43,650	145
Miranda, Martín	41,400	138
Salinas de Salas, Isabel	40,000	133
Denegri, Pedro	37,575	125
Paz Soldán, Pedro	36,675	122
Salinas, Luis	36,000	120
Mendoza, Andrea	34,650	115
Sayán, Pedro	34,425	114
Moreno, Juan de Dios	33,975	113
Ramírez de Zuloaga, Rosa	32,400	108
Urquiaga de Sarratea, Josefa	31,500	105
Carrillo, Domingo	31,275	104

trabajadores era en general muy escasa en el Perú de esos años. Hasta 1874 ingresaron casi cien mil coolíes, llegando a representar entre un 3 y 4 por ciento de la población. Los asiáticos se establecieron en las haciendas de la costa, atados a contratos tan o más largos, como el viaje que habían hecho desde el lejano oriente. La enorme deuda que habían contraído con el viaje desde China y el hecho de que no pudiesen cambiar de patrón hasta cancelarla, volvieron sus condiciones laborales muy próximas a la esclavitud.

En América Latina del siglo XIX hubo varios casos de naciones, como Argentina, Brasil o Venezuela, que demandaron trabajadores extranjeros para la expansión de sus economías, ante la inexistente o nula oferta interna de mano de obra. Aunque los trabajadores de otros países estaban dispuestos a acudir al llamado, el problema en estos casos, como en el del Perú con los trabajadores chinos, fue quién pagaba el pasaje. Un pasaje intercontinental, incluso en vapor de tercera clase, era en esos tiempos carísimo, por lo que salvo casos excepcionales, esos viajes se hacían una sola vez en la vida, y al precio de una casa, si es que llegaban a hacerse.

Si se decidía que el viaje lo pagaba el trabajador, era claro que alguien tenía que adelantarle el dinero, porque si estaba dispuesto a ir a América era porque los bolsillos le quedaban anchos. Con lo que el problema volvía a repetirse: ¿quién le prestaba el dinero al trabajador? Una respuesta natural era que el viaje lo financiara el empresario que iba a contratarlo, y fue lo que generalmente se hizo. El resultado, sin embargo, era una larga deuda que volvía muy penosas las condiciones del inmigrante, ya que el descuento de su salario para amortizar la deuda, lo reducía apreciablemente. Mientras trabajaba para pagar el viaje, tenía que comer y vestirse; el patrón le volvía a adelantar, y la deuda, así, difícilmente menguaba.

Por ello en ciertos países, como Brasil, se adoptó la práctica de que fuera el Estado quien pagara, o al menos financiara (es decir, adelantara el dinero) el viaje. La deuda del trabajador ya no sería con el patrón, sino con el Estado. Es cierto, que en estos casos el Estado terminaba subsidiando la operación, porque le era difícil cobrar la deuda. Pero las condiciones laborales mejoraban sustancialmente, puesto que el inmigrante podía cambiar de patrón. El Estado obtenía los recursos necesarios mediante un impuesto a los empresarios agrarios, quienes eran los beneficiarios del arribo de trabajadores. La experiencia probó que se trató de una política más sana de la que se siguió en el Perú,

La llegada de los coolíes al Perú se produjo en medio de un gran debate. Se oponían a ella quienes defendían la llegada de inmigrantes europeos. Este partido sostenía que estos inmigrantes, además de su capacidad de trabajo, traerían virtudes ciudadanas enriquecedoras del orden republicano. Los defensores del trabajador asiático destacaban su costo más bajo y mayor docilidad para el trabajo y el orden social. La polémica entre "chinescos" y "europeístas" se prolongó hasta los años iniciales del siglo veinte, imponiéndose en los hechos los primeros.

Defensores del trabajador asiático eran los terratenientes, quienes señalaban que lo que necesitaban eran "brazos" y no virtuosos ciudadanos. El bando europeísta lo componían principalmente intelectuales liberales, quienes veían en Europa (o su rozagante criatura en América: Los Estados Unidos) un modelo de

La inmigración china
Tomado de Javier Tantaleán, *Política económica financiera y formación del Estado en el Perú*. Lima, CEDEP, 1983. Cuadro 13, sobre la base de los datos de Wilma Derpich.

Años	Coolíes que llegaron al Perú	Años	Coolíes que llegaron al Perú
1849	75	1862	1,459
1850	669	1863	3,904
1851	800	1864	6,522
1852	945	1865	6,243
1853	1,739	1866	5,929
1854	526	1867	2,184
1855	1,000	1868	4,266
1856	1,000	1869	3,017
1857	405	1870	7,544
1858	270	1871	15,461
1859	289	1872	14,634
1860	1,413	1873	6,571
1861	1,440	1874	3,825
		Total	**92,130**

EUROPEOS RESIDENTES EN EL PERÚ EN 1876*

Procedencia	Número	Procedencia	Número
Alemania	1,672	Italia	6,990
España	1,699	Otros países	1,691
Francia	2,647	**Total**	**18,078**

* Tomado de G. Bonfiglio, "Introducción al estudio de la inmigración europea en el Perú". *Apuntes* 18. Lima: 1986.

civilización a seguir. Los europeístas criticaban el latifundio agrario, cuya vigencia en el Perú era el obstáculo mayor para el arribo de los europeos. Era claro que éstos no iban a ser atraídos por el destino de convertirse en un peón de hacienda; eso hubiera supuesto para ellos retroceder siglos en su evolución; su ambición era ser agricultores independientes, aceptados como iguales por las comunidades nacionales que los absorbieran.

El Perú debía, pues, una vez más, tomar una opción: o continuar siendo el país de poderosos terratenientes criollos valiéndose de una mano de obra servilizada, o pasar a convertirse en una república de medianos agricultores de origen europeo trabajando con su propia unidad familiar. Sin embargo, la opción era casi solamente teórica, porque para el modelo terrateniente, justo es reconocerlo, el Perú lo tenía todo: la clase terrateniente ya constituida en costa y sierra (es cierto que no tan cuajada como lo fue después), un derecho agrario de tipo señorial/comunitario, que volvía difíciles las transacciones de tierras, un territorio agreste donde la expansión de la frontera agraria era costosa o imposible, una ubicación geográfica alejada de Europa, y una tradición de servidumbre en las relaciones laborales de ciudad y campo.

Una pregunta que surge al estudiar estas importaciones de trabajadores desde tan larga distancia es por qué los terratenientes de la costa, quienes eran los principales demandantes de brazos, no recurrieron a los campesinos de la sierra aledaña, mucho más próximos. Para explicar ello, es importante mencionar que, de un lado, hubo barreras sanitarias, como la fiebre amarilla y el paludismo, que se cebaban en los inmigrantes serranos cuando bajaban al litoral; de otro, la ausencia de una presión demográfica sobre la tierra que empujara a los campesinos de la sierra a la emigración. Cuando ésta se producía era sólo por períodos de tiempo reducidos (tres meses, por ejemplo): la llamada migración "estacional" o "pendular". Si bien ella servía para aliviar la demanda de mano de obra en las coyunturas de cosecha, no llenaba todas las necesidades de los hacendados.

Por último, podemos señalar que el régimen de propiedad de la tierra, consistente en latifundios privados y comunitarios, impedía que el migrante pudiera vender su parcela, ya sea que estuviera situada dentro una hacienda o de una comunidad, lo que constituía un freno a la migración. Los campesinos de la sierra estaban, pues, virtualmente inmovilizados en sus provincias. La abolición del tributo indígena reforzó aún más el aislamiento campesino.

7. LA CANCELACIÓN DEL TRIBUTO INDÍGENA

La contribución de indígenas tuvo una vida accidentada hasta su abolición. Había sido abolida por las Cortes de Cádiz en 1812; fue repuesta en el virreinato peruano en 1814; abolida por San Martín en 1821, fue nuevamente reinstaurada en 1826. Durante los años de la postindependencia este impuesto alimentaba una cuarta parte del presupuesto nacional y se utilizaba básicamente para la atención de los propios gastos departamentales.

El tributo funcionaba como una capitación o impuesto personal, de modo que todos los indígenas de 18 a 50 años debían pagarlo de acuerdo al monto establecido para su provincia. A cambio de ello quedaban exonerados de los impuestos que pagaban los demás miembros de la sociedad. Los mestizos que se habían introducido en las tierras campesinas, así como los artesanos de los pueblos, debían pagar la contribución "de castas". Como quiera que las castas pagaban montos generalmente menores, en los años previos a la abolición se produjo un desplazamiento de la población rural hacia la inscripción como castas.

Cuando en 1854 fue abolido el tributo, fue con la idea de reemplazarlo por un tipo de contribución más moderna o equitativa. Pero los Congresos que se sucedieron hasta 1879 desaprobaron los proyectos presentados. Ninguno quería poner el cascabel al gato ni cargar con la impopularidad que supondría una imposición universal. En 1866, la revolución de Mariano Ignacio Prado contra el gobierno de Pezet, trajo consigo un régimen sin Congreso; su ministro de Hacienda, Manuel Pardo, no desaprovechó la oportunidad, e implantó la "contribución del jornal", que venía a ser una capitación universal (es decir, un impuesto por cabeza), sin distinciones étnicas. Cada peruano varón entre los 21 y 60 años debía contribuir al Estado con doce días de jornal al año. Para el efecto, el Perú fue dividido en seis regiones, según el nivel del jornal prevaleciente en ellas. El más alto correspondía a Lima y Callao, con ochenta centavos de jornal; casi todas las provincias de la sierra cayeron en las dos últimas categorías, de treinta y veinte centavos de jornal.

Una nueva revolución, bajo el estandarte de suprimir la ominosa contribución del jornal, terminó, en enero de 1867, con la dictadura de Prado y su programa de reforma fiscal. Los peruanos, como lo dijera un Ministro de Hacienda de la época, eran el recipiente, pero no la fuente de la riqueza pública. Mientras cada peruano le costaba al Estado la suma de diez soles anuales, éstos contribuían escasamente con algo más de dos soles. La diferencia la ponía la renta del guano. En términos fiscales el Perú era algo así como un emirato petrolero de nuestros días.

La abolición del tributo indígena produjo cambios en la sociedad rural. Los centros mineros y las haciendas de la sierra encontraron más difícil conseguir trabajadores, al desaparecer sobre los campesinos la necesidad de obtener moneda para el pago de la contribución. Los mineros debieron valerse de "enganchadores" especializados, quienes con nociones de antropología práctica, recorrían los pueblos campesinos, estudiaban el calendario de fiestas patronales legado de la era colonial, ubicaban a quienes podían estar necesitados de dinero (un próximo contrayente matrimonial, o futuro "mayordomo" o "capitán" de la fiesta) y los seducían para recibir adelantos y regalos (a veces eran bagatelas, pero que

Ramón Castilla

Manuel Pardo

El difícil equilibrio de la política es mostrado en esta caricatura de alrededor de 1860, donde aparecen Evaristo Gómez Sánchez, Manuel Pardo, Rufino Echenique, Manuel Toribio Ureta y San Román. Archivo Histórico Riva Agüero.

conseguían impresionar su imaginación) a cuenta de ir a trabajar a las minas. Cuando incluso toda esta ciencia fallaba, los enganchadores recurrían a sus relaciones de amistad o parentesco con los subprefectos o gobernadores, quienes presionaban a los campesinos a aceptar los contratos de enganche. En no pocas ocasiones las propias autoridades locales ofrecían a los empresarios sus servicios como enganchadores.

El enganche fue la respuesta a la inexistencia de un mercado laboral; resultó una forma de reclutamiento de mano de obra costosa para el empresario, y plagada de abusos para el trabajador (una vez en la mina o hacienda, el empresario trataba de retener al trabajador por todos los medios posibles, incluso los vedados). Tan cierto es esto, que incluso para el trabajo en las guaneras y para la construcción de los ferrocarriles debió importarse trabajadores: chinos, bolivianos y chilenos y hasta los nativos de la isla de Pascua, episodio, este último, que provocó la enérgica intervención de Gran Bretaña. La formación de un mercado laboral en el campo, recién se daría en el siglo veinte (y no en sus primeras décadas).

De otra parte, las comunidades indígenas se encerraron más firmemente en una economía autárquica. Sólo productos como el aguardiente, el añil, algunos instrumentos de fierro y en ciertas regiones, la sal, significaban su incursión en el comercio monetario. Los esfuerzos de las autoridades por levantar la contribución del jornal provocaron algunas convulsiones campesinas. Estas también se produjeron al enrolarse a los indígenas en las luchas de caciques del interior. Fue el caso de la rebelión dirigida por Juan Bustamante en Puno en 1867, producida en el contexto del enfrentamiento entre pradistas y diezcansequistas. Lo interesante de estas sublevaciones es que las huestes campesinas solían terminar rebasando a su dirigencia y se planteaban objetivos propios, sobre los que han polemizado los estudiosos.

Algunos, como Alberto Flores-Galindo, consideraron que la movilización campesina respondía a una "utopía andina", cuyo objetivo sería de carácter étnico: la reinstauración del Tahuantinsuyu; otros señalan que se trataba de una defensa de sus recursos agrarios, amenazados por la expansión latifundista mestiza. Pero en realidad el "asalto" a las tierras indígenas se produjo recién hacia el final del siglo XIX y no antes. El estudio de la *política campesina* en el siglo XIX figura, en todo caso, como uno de los temas de mayor debate hoy en día. Los investigadores han abandonado la antigua premisa de que los campesinos eran simplemente manipulados por los caciques o "mistis" regionales, adoptando en cambio la idea de que ellos tenían nociones y proyectos respecto a qué debería ser el Estado peruano y qué lugar debían ocupar en la república (como lo muestran, por ejemplo, los trabajos de Mark Thurner). El hecho de que las fuentes para conocer su pensamiento se hallan muy mediatizadas por los redactores mestizos de los documentos, complica y aviva la polémica.

La abolición dio también paso a un férreo centralismo fiscal, puesto que era ahora el tesoro central quien disponía de todos los fondos, con absoluta prescindencia de lo que ocurría en la economía del interior. Antes de que existiera el dinero del guano, Lima era pobre y las provincias ricas, señaló Emilio Romero, historiador puneño. En las provincias con más densa población indígena, como Puno precisamente, el tributo rendía apreciables montos y su recaudación ponía en juego un tinglado de apoderados fiscales, fiadores y cobradores que manejaban el excedente campesino mercantilmente. Las provincias tenían autosuficiencia fiscal e incluso remitían excedentes a la capital. La medida abolicionista del 54 invirtió las cosas; provocó la pobreza fiscal de las provincias, las que, incluso para una pequeña obra, como construir un puente o levantar una escuela, debían ahora depender de la capital.

Qué hacer con el dinero del guano se convirtió en un tema del debate público. Entre quienes tenían una respuesta surgió la figura de Manuel Pardo, un nuevo tipo de personaje en la política peruana.

8. LOS FERROCARRILES: EL GRAN PROYECTO DE INVERSIÓN PÚBLICA

Pardo provenía de la aristocracia sobreviviente de la colonia (su abuelo había sido Oidor de la Audiencia de Lima y Regente de la del Cuzco). Su familia hubo de acomodarse a los nuevos tiempos, deviniendo hacia las artes y la alta burocracia. Se educó en Europa, como muchos de su clase; a su retorno se volcó a los nuevos negocios: el comercio externo y las finanzas. Era un nuevo tipo de personaje porque unía la actividad empresarial a la ilustración económica y política.

Una enfermedad (que pudo ser la tuberculosis) lo confinó en el año de 1858 en la ciudad de Jauja, enclavada en el valle interior del río Mantaro. Pasó un año dedicado al descanso, la observación y el estudio. Chocó a su ánimo que un valle tan fértil y donde abundaba el trigo, no colocara su producción en el mercado limeño, avivado por el negocio del guano; debiendo Lima abastecerse más bien del trigo chileno, como desde hacía un siglo. El problema era la carencia de vías de comunicación capaces de acercar a productores y consumidores. Según Pardo, mientras ello no se resolviese el Perú no sería una nación y menos una nación próspera y civilizada.

¡Qué mejor manera de invertir el dinero del guano, temporal al fin y al cabo, que en erigir dichas vías de comunicación! Convertir el guano en ferrocarriles fue desde entonces su lema. El caballo de hierro estaba transformando Europa, dando valor a tierras que antes no tenían ninguno. El silbido de su locomotora haría despertar de su letargo milenario a la raza indígena, mientras el humo de su chimenea se duplicaría en chimeneas industriales.

El Perú no contaba por entonces (1860) sino con el ferrocarril de Tacna a Arica y con una pequeña línea ferroviaria de veinticinco kilómetros que unía Lima con el puerto del Callao, de un lado, y con el balneario de Chorrillos del otro. El resto del territorio dependía de caminos de herradura, aptos a veces sólo para llamas que a duras penas conseguían cargar un quintal o 45 kilogramos. La minería se había sumergido en un letargo técnico, sino milenario, al menos sí centenario, ante la dificultad de movilizar sus insumos y maquinaria más sofisticada.

Pardo publicó sus artículos en *El Comercio* y *La Revista de Lima*, y logró sensibilizar a muchos por su propuesta. "Era casi un fascinador", dijo de él Pedro Dávalos y Lissón, singular mezcla de hombre de empresa, historiador y literato. "Imposible era oírle sin participar de sus entusiasmos sin sentirse atraído por él (...) Sabía hacer de la voluntad de los hombres lo que quería. Sus propios enemigos salían trastornados después de oírle. (...) Era imposible mostrarse reservado con él. A los diez minutos de entrevista no había manera de ocultarle nada." expresó en su semblanza de aquel hombre.

Pero el rugoso territorio de los Andes era un desafío mayúsculo para hacer realidad tanta belleza. Las locomotoras aún no estaban tan evolucionadas como para poder trepar cuatro mil metros en trechos menores de cien kilómetros. Desembarcó en el Perú, empero, un constructor ferroviario tan hábil en su oficio como en la venta de ilusiones. Henry Meiggs, empresario estadounidense, había construido los ferrocarriles de Chile y terminó de convencer a tirios y troyanos que la empresa era factible. Los ferrocarriles pasaron a ser el gran proyecto de inversión pública en el Perú del siglo pasado.

Pero, o los servicios de Meiggs eran muy caros, o el dinero del guano ya se había entretenido en otros asuntos, puesto que hubo de concertarse gruesos empréstitos en Londres para iniciar las obras. Tres operaciones sucesivas, entre 1869 y 1872 por un monto total de 36 millones de libras esterlinas, con la garantía del guano, convirtieron al Perú en uno de los principales deudores del mundo. El entusiasmo por "el caballo de hierro" fue tan grande que no se empezó con una línea, sino con diez a la vez; aunque algunas, como las de Lima-Chancay, Pimentel-Chiclayo y Pisco-Ica, fueron obra de empresas particulares, y no del Estado. Las líneas iniciadas con los fondos públicos fueron, de norte a sur: 1. la que partiendo de Paita, debía pasar por Piura, Jaén y alcanzar el río Marañón, desde donde, por navegación, se alcanzaría el Amazonas. Sin embargo, la línea

Manuel Pardo, profeta de los ferrocarriles

Manuel Pardo y Lavalle nació el 9 de agosto de 1834 en Lima. Fue hijo del famoso escritor Felipe Pardo y Aliaga. Recibió una educación tanto liberal, mientras estudiaba en el Colegio Guadalupe dirigido por el español Sebastián Lorente, como conservadora, en su paso por el Convictorio de San Carlos, regentado por el sacerdote Bartolomé Herrera. En 1857 debió retirarse por un año a Jauja por motivos de salud. Tuvo ahí largas tertulias con Bartolomé Herrera, el obispo Manuel Teodoro del Valle y el ingeniero polaco Malinowski, un apasionado de los ferrocarriles. Su calidad intelectual y su temprana y terrible muerte (fue asesinado en 1878, cuando se disponía a ingresar al Senado) convirtieron a Pardo en una suerte de héroe civil. En *Estudios sobre la Provincia de Jauja* (Lima: 1862), lanzó su campaña por los ferrocarriles como medio de redención del Perú.

...Hemos perdido quince años de guano, pero nos quedan diez o doce todavía. Hemos derrochado 150 millones pero quizá nos quedan otros tantos. Abramos pues los ojos: no malgastemos, no derrochemos como locos. No pretendamos que se cambie totalmente de conducta, eso sería mucho pretender, pero salvemos algo del naufragio: salvemos tres o cuatro millones del temporal que corremos y con tres o cuatro millones solamente durante un decenio podrá responderse de la prosperidad eterna del Perú.

Crear retornos que suplan el guano, crear rentas fiscales que reemplacen las del guano: he aquí el problema. Fomentar la producción nacional; he aquí la resolución: ella nos dará retornos para el comercio; ella nos dará rentas para el Estado. En la producción nacional, en la riqueza pública será donde encontremos las entradas para nuestro Tesoro, cuando la actual renta desaparezca. El aumento de valores en todas las ramas de la actividad nacional permitirá el aumento de las contribuciones sobre la tierra que sólo pueden pagarse cuando la tierra produce, sobre la industria, que sólo se obtiene cuando la industria florece, sobre la propiedad urbana, consecuencia del aumento de la población y por último y más que todo de las contribuciones indirectas, como las de aduanas, que crecen sólo donde hay movimiento industrial y comercial.

Y qué medio más fácil, más rápido y más poderoso de aumentar con la producción nacional a un mismo tiempo la riqueza de los particulares y del Estado ¡Qué medio más expedito y más sencillo que las vías de comunicación? Ya hemos dicho: si en las naciones europeas el papel de un camino de hierro se reduce a facilitar y activar las comunicaciones entre dos puntos del territorio, en el Perú su misión es de crear esas relaciones que no existen entre lugares que están incomunicados unos de otros; en Europa ellos facilitan el tráfico y el comercio, fomentan así la industria y dan mayor valor a la propiedad; en el Perú lo crearán todo: comercio, industria y hasta la propiedad, porque darán valor a lo que hoy no tiene.

De otra parte el aumento de riqueza material que los ferrocarriles producen se traduce también en un verdadero aumento de civilización, en la mejora moral e intelectual de la nación cuyos territorios han sido enriquecidos súbitamente por la locomotiva.

únicamente llegó a Piura; 2. la que enlazaba Lambayeque con Eten y Ferreñafe, un proyecto modesto que llegó a ser concluido; 3. la que saliendo del puerto de Pacasmayo, debía alcanzar Cajamarca y luego también el río Marañón. Nunca llegó a Cajamarca, sino únicamente a un pueblo llamado La Viña, y quedó sin utilidad; 4. la que salía del puerto de Salaverry y debía cruzar por Ascope hacia las regiones mineras de Huamachuco y Pataz; 5. la que partiendo de Chimbote, debía pasar por Huallanca y alcanzar la ciudad de Huaraz; 6. la que partiendo del Callao, atravesaba el valle del Rímac, debía cruzar la cordillera y entonces bifurcarse en dos: un ramal hacia Cerro de Pasco, y el otro hacia Jauja y Huancayo; 7. la que salía de Mollendo y luego de pasar por Arequipa, cruzaba también la cordillera y tras atravesar el altiplano, debía llegar a Puno; y 8. la línea Ilo-Moquegua. Más adelante se planeaba unir estas líneas transversales, longitudinalmente (extendiendo, por ejemplo la que culminaba en Huancayo, hasta Ayacucho, y avanzando la de Juliaca hasta Cuzco y Ayacucho).

Aunque en el lapso de una década (1868-1878) llegaron a tenderse unos mil quinientos kilómetros de líneas férreas, los ferrocarriles no llegaran a cumplir la promesa que en ellos se depositó. En parte porque las líneas estuvieron mal diseñadas y guiadas por móviles políticos, empeñándose en abrirlas en regiones donde poco provecho podían tener. Tal fue el caso de la ruta Mollendo-Puno, inexplicablemente preferida para los trabajos, sobre la línea a Cerro de Pasco, y cuya única justificación podía ser el comercio de las lanas, que no tenía todavía suficiente envergadura, y la esperanza en la revitalización de la minería boliviana. Esperanza fallida, porque cuando esta minería renació, lo hizo después de la guerra con Chile, y entonces sacó su producción por Arica y no por Mollendo. La única línea de importancia que se concluyó antes de la guerra con Chile fue la de Mollendo-Puno, precisamente.

Por otra parte, las esperanzas puestas en los ferrocarriles no llegaron a cumplirse porque los presupuestos de Meiggs se quedaron cortos y cuando se acabó el dinero, las obras se paralizaron en puntos donde la costosa inversión no prestaba servicio útil alguno. El viajero francoalemán Charles Wiener quedó impresionado cuando, tras recorrer las varias decenas de puentes y túneles del ferrocarril central, hacia 1875, que eran una verdadera proeza de la ingeniería, descubrió que toda esa maravilla quedaba trunca en un villorrio sin importancia. El silbido de la locomotora entrando a la estación no es el grito de triunfo de la civilización que llega, exclamó, sino el gemido de la civilización que se siente extraviada. La vida del propio Meiggs se acabó, en 1877, dejando una maraña ininteligible de planos, cuentas y derechos hereditarios. Y finalmente los ferrocarriles fueron una promesa fallida porque no se realizaron las reformas de la propiedad en la minería y la agricultura que la introducción del ferrocarril reclamaba y la exten-

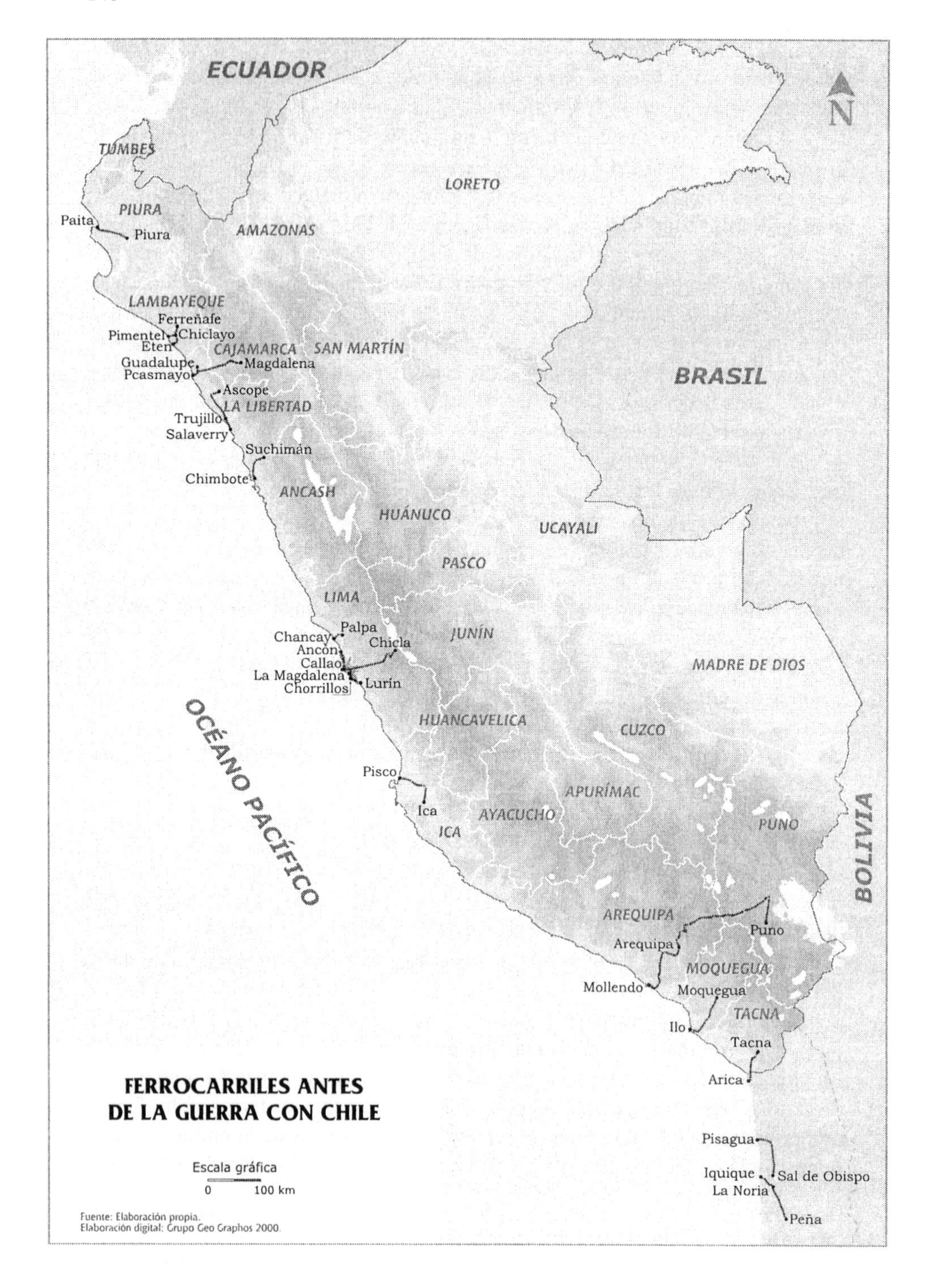

FERROCARRILES ANTES DE LA GUERRA CON CHILE

Fuente: Elaboración propia.
Elaboración digital: Grupo Geo Graphos 2000.

sión del comercio suponía. Un ferrocarril atravesando comarcas controladas por comunidades campesinas de autosubsistencia era como llevar barcos a las cordilleras.

La crisis económica desatada en la década de 1870 llevó a la paralización de los trabajos ferroviarios en 1876. La derrota en la guerra con Chile pocos años después, interrumpió el proyecto de los ferrocarriles por varias décadas.

9. LAS ELECCIONES DE 1872 Y EL PARTIDO CIVIL

La revolución de Castilla plasmó una nueva Constitución, la de 1860, a medio camino entre el liberalismo y el antiguo régimen. Esta otorgaba el derecho al voto a los contribuyentes, los propietarios, los alfabetos o a quienes fuesen jefes de taller. Las elecciones eran de tipo indirecto. Cada quinientos ciudadanos hábiles para votar, elegían en cada provincia un "elector". Estos se agrupaban luego en un Colegio Electoral, donde se votaba ulteriormente para presidente y congresistas.

El Congreso se dividía en dos cámaras: la de diputados y la de senadores. Los primeros eran elegidos por provincias, en un número que dependía de la población de las mismas; mientras los senadores lo eran por departamentos, y su número variaba según su cantidad de provincias. Para ser diputado debía contarse con una renta no menor de quinientos pesos; para ser senador, con una no menor de mil pesos. Esta disposición reservaba la entrada al Congreso solamente a medianos o grandes propietarios, comerciantes de regular cuantía y funcionarios de mando medio o superior.

Es posible que el procedimiento indirecto de la elección, por colegios electorales, en vez de hacerse por votación directa, nos resulte extraño. Pero en verdad se ajustaba a las condiciones del momento, que volvían muy difíciles las posibilidades de realizar una campaña electoral a nivel nacional.

Las elecciones de 1872 fueron un hito importante en la historia política del Perú, ya que para ellas se organizó la Sociedad Independencia Electoral, base del que sería después el partido más importante de la oligarquía: el Partido Civil. Su jefe era Manuel Pardo, el profeta de los ferrocarriles. Este partido fue en verdad el primer partido moderno de la vida política nacional; en el sentido que tuvo una organización y una ideología claramente formuladas. Ello le permitió sobrevivir por más de medio siglo, convirtiéndose durante ese lapso en el principal conductor del debate y el quehacer político. En torno a él se agruparon algunos terratenientes, los grandes comerciantes y financistas de la costa y muchos profesionales e intelectuales ganados por el liberalismo.

El Partido Civil debía su nombre al hecho que se proponía terminar con el desorden político introducido por los caudillos militares. Cierto era que de la generación de militares de la independencia ya casi no sobrevivía ninguno: Castilla murió en el desierto de Tiliviche (Tarapacá) en 1867, cuando cabalgaba hacia otra revolución. El respeto a la ley, la búsqueda del orden, la paz y el progreso económico, fueron las banderas del nuevo partido, que no sólo encandiló a la plutocracia, sino a una amplia clase urbana de Lima y el interior. De acuerdo a Carmen Mc Evoy, el Partido Civil se propuso relanzar la "utopía republicana"; es decir, la construcción de una comunidad nacional de ciudadanos en congruencia con los ideales antes citados.

La campaña electoral fue larga, ya que se inició en abril de 1871, con el lanzamiento de la candidatura de Pardo, y no terminó hasta mayo del año siguiente,

Las relaciones Estado – Iglesia y la cuestión del Patronato

Una de las bases del modelo republicano y de las ideas liberales era la separación entre Estado e Iglesia, lo que en la práctica significaba confinar a esta última a un ámbito que no interfiriera con la acción del Estado, desplazándola en consecuencia de áreas como la fiscal, económica y administrativa, así como también conseguir la proclamación de la "libertad de cultos", de modo que nadie dentro del territorio pudiera ser molestado por sus creencias y prácticas religiosas. El proceso de esta separación, según ha sido investigado por Pilar García Jordán, se inició durante la era del guano, pero no concluyó sino en las primeras décadas del siglo XX.

Durante las décadas de 1840 y 1850 la Iglesia fue privada de sus impuestos "propios", como el diezmo, y sufrió la clausura de conventos y la pérdida de bienes. El número de religiosos entre 1847 y 1878 descendió de 2,436 a 1,716, estando la mayor parte concentrada en Lima. Los sacerdotes pasaron a ser asalariados del Estado y se componían mayormente de extranjeros. Sin embargo, la Iglesia logró mantener hasta la guerra con Chile el control del registro de la población, ya que los registros civiles se crearían recién en la década de 1880. Asimismo, la Constitución de 1860 estableció que la nación profesaba la fe católica y aunque toleraba la existencia de otros cultos, prohibía su manifestación pública. Esto fue combatido por muchos liberales, quienes además de rebelarse contra dicha profesión de fe por una comunidad compuesta por hombres supuestamente libres para decidir sobre un asunto como la fe religiosa, que ellos consideraban estrictamente personal, argumentaban que ello bloquearía la llegada de inmigrantes europeos provenientes de naciones no católicas.

En 1874 el Vaticano concedería al Perú el ejercicio del Patronato; es decir, el derecho del Estado a nombrar a los obispos de las Diócesis y a ratificar el nombramiento de los párrocos, y sería recién en 1915 que se modificó la Constitución a fin de permitir el ejercicio público de otras religiones.

cuando los Colegios Electorales elegidos en octubre del año anterior, votaron para la presidencia. Un candidato civil —aunque antes lo habían sido el hacendado e importador de chinos, Domingo Elías, y el jurista Manuel Toribio Ureta— despertó suspicacias, acrecentadas por sus ideas liberales y la propaganda de sus opositores. Estos provenían del ejército, algunos sectores de la Iglesia y el pierolismo. Señalaban que un personaje civil, que además era un plutócrata vinculado en algún momento al guano, gobernaría siguiendo intereses de grupo, ya que no tenía, fuera de un partido que él dirigía, ningún cuerpo institucional (como, por ejemplo, el ejército) ante quién responder.

Se acusó a Pardo de tendencias monárquicas y aristocratizantes, por lo que su régimen habría de significar un retorno al pasado; de querer liquidar el ejército; de ser enemigo de la iglesia y participar de ideas de la francmasonería.

En las elecciones de octubre de 1871 para designar los miembros de los Colegios Electorales, triunfó el Partido Civil, contra otras candidaturas como la del general Echenique y los civiles Ureta y Gómez Sánchez. El presidente Balta, presionado por los militares y los pierolistas, lanzó para lo que sería la "segunda vuelta" a otro candidato civil: el doctor Antonio Arenas, de las filas del pierolismo.

Del pierolismo —aunque faltan estudios más profundos de su pensamiento y programas, que vayan más allá de las directrices trazadas por Jorge Basadre— podemos decir que era el partido que reunía sentimientos provincianos y católicos contrarios a la plutocracia costeña; defendía al mediano agricultor y al pequeño comerciante y se alzaba con color nacionalista contra la injerencia extranjera y sus aliados locales. Uno de los más famosos actos de Piérola fue su famosa "hombrada" contra las fragatas inglesas, a las que presentó batalla en el llamado combate del Pacocha (1877).

El pierolismo era una reacción y un sentimiento contra el cariz plutocrático de los civilistas. Las contiendas entre el civilismo y el pierolismo dominaron la política peruana hasta los inicios del siglo veinte.

Pardo logró ganar las elecciones de abril-mayo de 1872. Antes de la transferencia del poder hubo, en los últimos días de julio, un frustrado intento de los militares por impedirla. Fue la rebelión de los coroneles (y hermanos) Gutiérrez dirigida por el Ministro de Guerra, Tomás Gutiérrez, quien fue proclamado efímeramente Jefe Supremo de la República. Sin el apoyo de la Marina, que cerró filas con los civilistas, y con la hostilidad de las clases populares limeñas y chalacas, la rebelión fracasó y sus líderes, exterminados a palos por la plebe, terminaron colgados de las torres de la Catedral de Lima.

Pardo inició en 1872 su expectante gobierno. Introdujo la descentralización administrativa alrededor de los concejos municipales y la educación, especialmente la primaria, para lo cual dio un Reglamento de Instrucción Primaria

Evolución de la población peruana en el siglo XIX

Tomado de Bruno Lesevic, *La recuperación demográfica en el Perú durante el siglo XIX*. Lima: INANDEP, 1986, p. 17.

Región	1791		1850		1876	
Norte	271,699	(23.64%)	484,144	(24.55%)	851,798	(32.12%)
Centro	414,697	(36.08%)	622,001	(31.54%)	854,581	(32.23%)
Sur	437,688	(38.07%)	819,364	(41.55%)	833,805	(31.44%)
Selva	25,398	(2.21%)	446,634	(2.36%)	111,656	(4.21%)
Total	1.149,482		1.972,143		2.651,840	

Regiones Norte, Centro, Sur y Selva:

Región norte: Para 1791, se consideró a la Intendencia de Trujillo, más los partidos de Conchucos y Huaylas. Para 1850, se tomó a la población de los departamentos de Ancash, Piura y La Libertad. Para 1876, se tomó los departamentos de Ancash, Piura, Lambayeque, La Libertad y Cajamarca.

Región centro: Para 1791, se consideró a la región centro como las Intendencias de Lima, Huancavelica, Tarma y Huamanga. Para 1850, se tomó los departamentos de Lima, Junín, Huancavelica, Ayacucho y el Callao. Para 1876, se consideró a los departamentos de Lima, Ica, Junín, Huancayo, Huancavelica, Ayacucho, Huánuco y el Callao.

Región sur: Para 1791, se consideró a la región sur como las Intendencias de Cuzco y Arequipa, y los partidos de Puno y Andahuaylas. Para 1850, se tomó la población de los departamentos de Arequipa, Cusco, Puno, Moquegua y Andahuaylas. Para 1876, se tomó los departamentos de Apurímac, Cusco, Puno, Arequipa, Tacna, Moquegua y Tarapacá.

Selva: Para 1791, se consideró al partido de Chachapoyas. Para 1850, se tomó al departamento de Amazonas y la provincia de Jaén. Para 1876, se tomó a los departamentos de Amazonas, Loreto y la provincia de Jaén.

(que hizo que este primer grado de educación fuese obligatorio para los peruanos) y un Reglamento General de Instrucción Pública. Asimismo quiso, más que logró, impulsar la inmigración europea. Una medida importante de su gobierno fue la organización del primer censo de la república, en 1876 (en años anteriores: 1827, 1850 y 1862, se realizaron otras operaciones censales, pero sus resultados solo fueron publicados resumidamente), que señaló que vivían en el país dos millones setecientos mil habitantes. Un hecho importante registrado por el censo fue la vitalidad demográfica de la región del norte, y el estancamiento, en cambio, de la del sur (ver recuadro). Un 58% de la población fue calificada como indígena, lo que contrastado con el último censo colonial, revelaba un leve aumento del

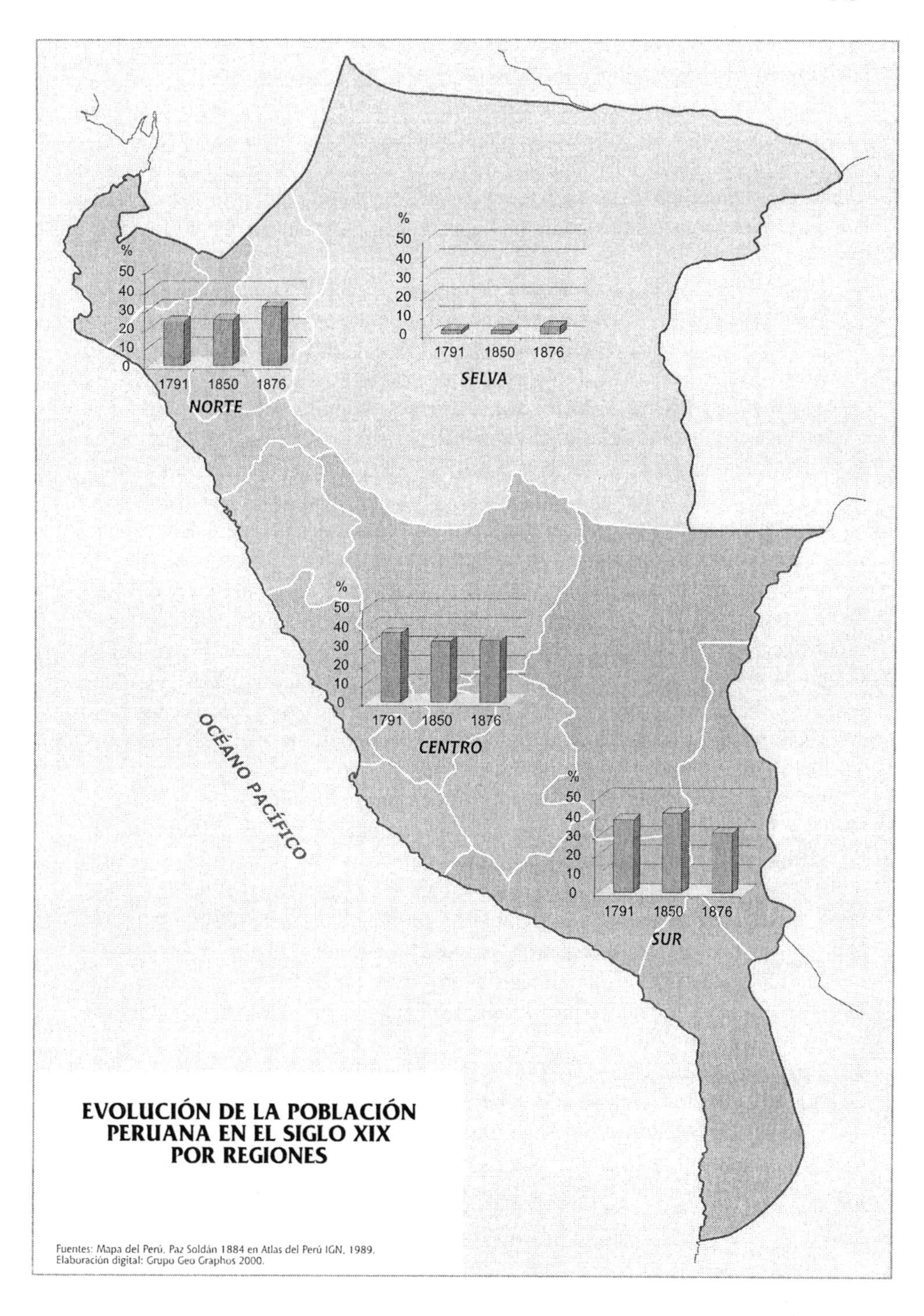

EVOLUCIÓN DE LA POBLACIÓN PERUANA EN EL SIGLO XIX POR REGIONES

Fuentes: Mapa del Perú, Paz Soldán 1884 en Atlas del Perú IGN, 1989.
Elaboración digital: Grupo Geo Graphos 2000.

mestizaje a lo largo del siglo XIX. El censo registró, además, la existencia de 4,400 haciendas, donde residía la cuarta parte de la población rural.

El primer régimen civilista impulsó, naturalmente, los ferrocarriles y adoptó una política de comercio exterior moderadamente librecambista. Pero le tocó enfrentar serios problemas financieros, derivados de la baja de precio del guano y el enorme servicio de la deuda externa. Asimismo debió encarar brotes de rebelión en el interior, azuzados por la herencia de la red caciquista del castillismo y por los pierolistas.

El guano sufría la competencia del salitre, otro fertilizante explotado por empresas particulares y muchas de ellas extranjeras, en la costa sur. Surgió un gran debate nacional alrededor de cómo manejar dicha competencia. En el Congreso dos legislaturas completas se abocaron a la cuestión del salitre. De un lado estaban los liberales doctrinarios, quienes defendían la idea de dejar la explotación y comercio del nitrato en manos particulares, cobrando el Estado un fuerte impuesto de exportación. Esta postura gozaba de las simpatías de potencias como la Gran Bretaña, abanderada del liberalismo económico en el mundo. De otro, la corriente estatista, que reivindicaba para el Estado el manejo del negocio, prolongando el patrimonialismo fiscal heredado desde la época colonial.

En el Congreso se impuso finalmente la segunda corriente, creándose en 1873 el Estanco del Salitre. Sólo el Estado quedaba autorizado a comercializar el producto, quedando los particulares obligados a venderle su producción. Así se trataba de regular la sustitución del guano por el nuevo nitrato. Dos años más tarde se radicalizó la política y se procedió a ordenar la expropiación de las "oficinas salitreras". Lo que parecía iba a convertirse en el "primer gobierno liberal" del Perú, terminó adoptando políticas del antiguo régimen.

La necesidad de pagar la expropiación empujó a la emisión inorgánica de "billetes fiscales" que devaluaron la moneda nacional. En 1876, el Perú, afectado además por la crisis mundial iniciada tres años antes, declaró la moratoria de su deuda externa. Desde 1873, precisamente, la Casa Dreyfus había dejado de enviar las remesas mensuales al gobierno peruano, puesto que, según informó, el pago de la deuda externa consumía ya todas las entradas del guano. El régimen de Mariano Ignacio Prado, que sucedió al de Pardo, consideró disuelto el contrato Dreyfus y celebró uno nuevo para la venta del guano con la casa inglesa Raphael e hijos, quienes entraron en sociedad con algunos peruanos, creándose la firma *The Peruvian Guano Company* (1877). Las cláusulas eran muy similares a las del contrato Dreyfus, variando en el hecho de que la preferencia para el reparto de las ganancias la tendría la mesada fija mensual que debía recibir el Estado peruano, y no pago el de la deuda exterior. Las enormes existencias de guano que aún conservaba la casa Dreyfus y la baja de su precio por la competencia del salitre hicieron fracasar, sin embargo, esta operación, más precozmente que el contrato de 1869.

Un serio problema para que el Estado peruano consiguiera el monopolio de los fertilizantes radicaba en que también Bolivia disponía de territorios salitreros, los que eran explotados por capitales principalmente chilenos y empresas europeas. Esto creó una competencia que terminaría desencadenando la llamada guerra del Pacífico entre 1879 y 1883.

La era del guano permitió la estabilización del Estado independiente, al dotarlo de recursos económicos que le permitieron una efectiva centralización del poder y la ampliación territorial de su ámbito de acción. Pero dicha estabilización tuvo una base frágil por la naturaleza patrimonialista de las rentas fiscales. El Estado se consolidó, no sobre la base de una sociedad civil más estable, sino al margen de ella. Lo que permitió una estabilización que esquivaba una revolución liberal que cancelara más drásticamente el carácter de "antiguo régimen" de gran parte del sistema social del país. La guerra con Chile cumpliría en cierta forma el rol de esa postergada revolución liberal.

LECTURAS RECOMENDADAS

Carlos Aguirre, *Agentes de su propia libertad. Los esclavos de Lima y la desintegración de la esclavitud, 1821-1854*. Lima: PUC, 1993.

Enrique Amayo, *La política británica en la guerra del Pacífico*. Lima: Horizonte, 1988. Cap. VI.

Heraclio Bonilla, *Guano y burguesía en el Perú*. Lima: IEP, 1974.

Carlos Contreras, "Modernizarse o descentralizar: la difícil disyuntiva de las finanzas peruanas durante la era del guano". En *Boletín del IFEA* No. XXV. Lima: IFEA, 1996.

Pilar García Jordán, *Iglesia y poder en el Perú contemporáneo, 1821-1919*. Cuzco: CBC, 1992. Parte II.

Margarita Giesecke, *Masas urbanas y rebelión en la historia. Lima 1872*. Lima: CEDHIP, 1977.

Christine Hünefeldt, "Contribución indígena, acumulación mercantil y reconformación de los espacios políticos en el sur peruano 1820-1890". En: Jorge Silva Riquer, Juan Carlos Grosso y Carmen Yuste (comps.), *Circuitos mercantiles y mercados en Latinoamérica, siglos XVIII-XIX*. México: Instituto Mora y UNAM, 1995.

Shane Hunt, "Guano y crecimiento en el Perú del siglo XIX". En: *HISLA* No. IV. Lima: CLAHES, 1984.

Pablo Macera, "Las plantaciones azucareras andinas". En: *Trabajos de historia*. Lima: INC, 1977. Tomo IV.

Carmen MacEvoy, *La utopía republicana, Ideales y realidades en la formación de la cultura política peruana (1871-2919)*. Lima: PUCP, 1997. Partes I y II.

Natalia Majluf, *Escultura y espacio público: Lima 1850-1879*. Lima: IEP, 1994.

Alfonso Quiroz, *La deuda defraudada. Consolidación de 1850 y dominio económico en el Perú*. Lima: INC, 1987.

Javier Tantaleán, *Política económico financiera y formación del Estado en el Perú, siglo XIX*. Lima: CEDEP, 1983. Caps. 2-3.

Capítulo 4
GUERRA Y REFORMA, 1879-1899

Si el medio siglo que corrió entre la independencia y el encumbramiento del civilismo fue el de una lenta estabilización del Estado independiente; marcada en lo político por la asunción del modelo republicano, pero facilitada en lo económico por el fenómeno del guano, las últimas dos décadas del siglo XIX significaron un viraje decisivo hacia la conformación del Perú moderno.

La atroz guerra del Pacífico trajo el devastamiento de los campos de cultivo de la costa, los saqueos a la propiedad, pública y privada, el desmantelamiento de las instituciones educativas, culturales y médicas como la Universidad de San Marcos y la pérdida de los territorios del sur. Pero trajo también la secuela de una enérgica liquidación del pasado. Con la desaparición del guano y el salitre se esfumaron —probablemente para bien— los sueños de levantar un Estado fiscalmente autónomo, al margen de la sociedad civil. El ánimo patrimonialista, que había arrastrado incluso a antiguos liberales como los fundadores del Partido Civil, perdió todo asidero real. El Estado peruano debió aprender a vivir de los impuestos que pagaban sus ciudadanos, como en cualquier país normal.

Bien se dice, por ello, que las guerras hacen las veces de revoluciones sociales. La "reconstrucción nacional", como bautizó Basadre el período 1885-1899, significó un conjunto de reformas que cambiaron el rostro del Perú y sentaron las bases para la estabilidad y prosperidad de la "República Aristocrática" (otra etiqueta de Basadre). Durante este período la clase propietaria cerró filas y sus intereses se perfilaron mejor, logrando asegurar el control del Estado por varias décadas.

1. LA GUERRA DEL SALITRE: 1879-1883

En 1878 el gobierno boliviano constató que si el Estado quería realizar una labor efectiva en un país que había quedado tan retrasado en la carrera del progreso, debía contar con suficientes ingresos fiscales. La economía de esa nación era, sin embargo, pobre, como para poder exprimir de ella algunos impuestos de significación. Pero alguien recordó que allá, en el apartado litoral de Antofagasta, empresarios y trabajadores venidos de otros lares venían explotando (y con mucho éxito para los primeros) los caliches del desierto, para convertirlos en salitre y exportarlos.

Aunque el Estado no había tomado ninguna acción en favor de esa actividad (incluso el puerto de Cobija había sido habilitado por los chilenos), podía legítimamente imponer tributos a la producción y exportación de salitre, siguiendo la doctrina medioeval española que daba al rey (y en este caso al Estado) la posesión de todos los tesoros naturales descubiertos o por descubrirse, en el territorio bajo su dominio. ¿No había el Estado peruano, incluso estatizado, los yacimientos de salitre, reivindicándolos totalmente para sí? ¿No había procedido, antes, de la misma guisa con el guano?

El impuesto que el Estado boliviano introdujo fue moderado (diez centavos por quintal de salitre); cierto es que rompía un acuerdo de estabilidad tributaria firmado años atrás y que aún estaba vigente, pero un gobierno decidido a hacer historia como el de Hilarión Daza, no se iba a dejar atar las manos por un acuerdo internacional. Si un clavo saca otro clavo; un acuerdo internacional podía neutralizar otro. En 1873 el Perú había firmado un Tratado de Alianza Defensiva con Bolivia. Se sabía, o por lo menos se sospechaba, que éste era de conocimiento del gobierno de Chile, que así lo pensaría dos veces antes de tomar injerencia en el asunto del salitre.

Pero en política es muy difícil predecir el futuro y los cálculos de los bolivianos fallaron. Daza efectivamente hizo historia, pero de modo muy distinto al que meditara un año antes de la catástrofe. Las empresas chilenas (con quienes estaban asociadas también empresas británicas y de otras naciones europeas) rehusaron el pago del impuesto y pidieron el apoyo de su gobierno ante la inminente expropiación boliviana. Hasta ahí todo discurría como se podría haber previsto; lo que no era fácil preveer en 1878 (a menos de que se conociera muy bien la situación fiscal y política del gobierno de Montt) fue el rotundo éxito que las empresas salitreras chilenas consiguieron, al lograr que el Estado chileno identificase sus intereses con los de ellas.

El impuesto de los diez centavos se convirtió, en el curso de unos meses, ya no en el problema particular de unas empresas privadas, sino en un problema nacional en Chile; la dirigencia de este país entrevió que los agobios fiscales que su nación venía padeciendo (el agobio fiscal era algo así como un mal de época, y entendible, dado que con los adelantos de los vapores para la navegación, el telégrafo y los ferrocarriles, los gastos de inversión de los gobiernos se habían multiplicado en todas partes) podían resolverse si el país conseguía dominar solo el mercado del salitre.

Desatado el conflicto, con la ocupación chilena del litoral boliviano, Perú se puso del lado de Bolivia; fuera en cumplimiento del Tratado de 1873, según la historiografía peruana; o porque también ambicionaba el salitre del territorio boliviano, a fin de reconstruir su ansiado monopolio de los fertilizantes, según la chilena. He aquí a tres gobiernos contemplando el salitre como miraría un hambriento viajero un trozo de carne tierna. La guerra, vista a la distancia de más de un siglo y dado el esquema económico y fiscal en que se movían los tres Estados implicados, era inevitable. En efecto, ante el dilema de elegir entre una profunda reforma fiscal que lograse en el largo plazo aumentar los ingresos del Estado, tarea de suyo delicada y que acarreaba grandes costos y riesgos políticos, o intentar ganar el monopolio de un recurso como el salitre, que tenía una demanda garantizada por mucho tiempo en el mercado mundial, es fácil comprender, dada la historia anterior de Perú, Chile y Bolivia y la manera como se habían formado sus Estados, que optaran por la alternativa del monopolio. Sobre todo si no consideraban, como en el caso peruano, que la guerra fuese para ello un costo inevitable. Pero finalmente sí lo fue y ella estalló en abril de 1879.

Aunque el Perú contaba con una población de 2.8 millones, mayor a la de Chile (dos millones), no disponía, como tampoco Bolivia, de un ejército cohesionado. Los oficiales eran criollos que provenían del mundo urbano y la clase propietaria, mientras las tropas eran indígenas que hablaban otro idioma. Gran Bretaña apoyó a Chile, cuya causa se identificaba más con la libre empresa y la libertad de comercio que ella defendía. La suerte de los aliados parecía, si no condenada a la derrota, al menos sí, harto complicada.

Los grupos dirigentes peruanos no cobraron, sin embargo, conciencia de ello. Al contrario: elites exportadoras, especuladores de las finanzas, militares y caudillos se volcaron a una campaña belicista en la que todos esperaban ganar algo. Las primeras, por cuanto la caída de la moneda nacional frente a la libra esterlina, corolario previsible de una guerra, iba a multiplicar sus ganancias; los segundos, porque el conflicto iba a ser una magnífica oportunidad para emprender negocios de toda clase (ya con el Estado, urgido de fondos, ya con el acaparamiento de productos de primera necesidad), y los últimos porque una guerra era una oportunidad para aumentar los galones y ganar una popularidad que luego tendría premios políticos.

El conflicto bélico puede dividirse en tres momentos: la campaña marítima, la campaña del sur y la campaña de Lima. En la primera, los acorazados chilenos consiguieron deshacerse de los principales navíos peruanos en sendos combates (Iquique y Angamos). Si esta campaña se prolongó por seis meses fue por la pericia del contralmirante peruano Miguel Grau, quien al mando del "Huáscar" impidió hasta octubre de 1879 el control del mar por la flota chilena. La captura del Huáscar en Angamos dio inicio a la campaña del sur.

En esa campaña los ejércitos aliados del Perú y Bolivia no alcanzaron a coordinar esfuerzos. No se trataba de ejércitos profesionales, que pudieran, por ejemplo, realizar maniobras conjuntas y ordenadas. En una demostración estéril de activismo y valor personal, los Presidentes se trasladaron al teatro de operaciones, en vez de permanecer en las ciudades capitales organizando el gobierno en una situación de emergencia; mientras los generales en las batallas marcharon arma en mano a la cabeza de sus hombres, en lugar de quedarse en la retaguardia con unos binoculares, ordenando las maniobras y el uso de las fuerzas de reserva.

El traslado por tierra significaba el peligro del desbande de las tropas, al amparo de la noche o aun en pleno día. Cuando el presidente boliviano Campero inspeccionó el ejército en vísperas de la batalla de Tacna (o "Alto de la Alianza"), concluyó que éste no podía ser movilizado sin peligro de disolverse. Otra buena ilustración de este punto podría ser la suerte que corrió el ejército de otro presidente boliviano, Hilarión Daza, cuando debía marchar de Arica a San Francisco para encontrarse con el ejército aliado. Tras la tercera jornada de agobiante camino por el desierto, los soldados se rebelaron a proseguir la marcha y hubo de ordenarse el regreso (existen otras versiones, más terribles aún, de dicha deserción, vinculadas a una posible traición de Daza). A veces los batallones se perdían en la "camanchaca" (neblina) del desierto, las órdenes no llegaban a tiempo y así se perdieron las batallas de San Francisco (19 de noviembre de 1879), Tacna (22 de mayo de 1880) y Arica (7 de junio de 1880). Únicamente la batalla de Tarapacá (27 de noviembre de 1879, ver recuadro, p. 146), librada en el curso de la retirada de San Francisco, significó una victoria peruana; impidió la liquidación de su ejército y pemitió retrasar por unos meses la caída del sur.

El desorden político en que se sumergieron los aliados también propició la derrota, aunque debe reconocerse que el mismo expresaba la incompetencia de sus clases dirigentes por presentar un programa coherente frente al conflicto que habían desatado. El presidente peruano Mariano Ignacio Prado, que al inicio de la guerra habíase trasladado a Arica para dirigir personalmente las acciones, no halló mejor forma de encarar las primeras derrotas que marchándose a Europa a comprar armamento. Nicolás de Piérola, el forjador del contrato Dreyfus, encabezó un golpe de estado contra el vicepresidente La Puerta en diciembre de 1879 y tomó el mando de la república. El ejército acató la nueva situación, pero desconfiando profundamente de Piérola, con lo que las posibilidades de enderezar militarmente el rumbo de la guerra no eran las mejores.

En enero de 1881 se produciría la toma de Lima por las fuerzas enemigas. La defensa de la capital comprometió esta vez incluso a la clase acomodada y a gentes de todas las edades, en las sucesivas acciones de San Juan y Miraflores. La improvisación y la falta de armamento no pudo ser contrarrestada sólo por el entusiasmo y tras el sacrificio de miles de vidas, Lima quedó inerme frente a las fuerzas del general chileno Baquedano, quien contó con el apoyo de su armada.

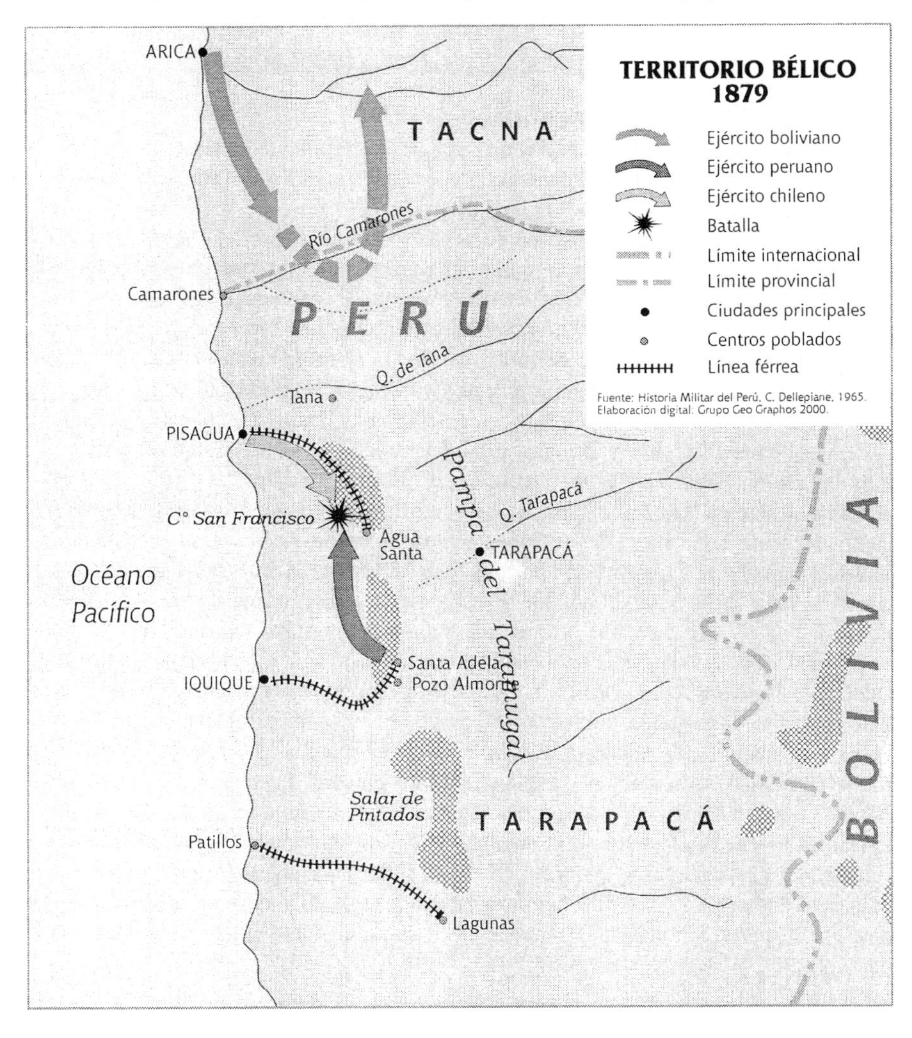

El 17 de enero entró a la ciudad el ejército chileno. Hicieron cuarteles de los locales públicos y en el viejo palacio de Pizarro se izó la bandera del país del sur. Al día siguiente se cumplía un aniversario más de la fundación de Lima por el conquistador extremeño. Parafraseando lo dicho por el historiador mexicano Lucas Alamán con ocasión de la caída de la ciudad de México en manos de las tropas estadounidenses en 1847, podríamos decir: ¡Quién iba a pensar en 1535 que tres siglos y medio más tarde Lima sería ocupada por el ejército de una nación que entonces no había tenido ni el menor principio!

La ocupación chilena se prolongó por tres años y medio. Los hacendados de la costa y los comerciantes de las ciudades debieron pagar cupos a los inva-

La batalla de San Francisco (19 de noviembre de 1879)

Producido el desembarco de los chilenos en Pisagua, el presidente Prado reunió de inmediato una Junta en Arica, el día 4 de noviembre, a fin de coordinar el ataque al invasor antes de que se haga fuerte. Eran los inicios de la campaña terrestre y una oportunidad para voltear el curso de la guerra, ya que el escenario era nuestro propio suelo, con las ventajas de abastecimiento y conocimiento del terreno que ello supone y la todavía debilidad del ejército chileno, que aún no había logrado desembarcar fuerzas mayores y podía ser, quizás, devuelto al mar. Los propios chilenos habían fortificado el puerto de Pisagua, previendo la necesidad de reembarcarse si las cosas les iban mal.

En la reunión de Arica se dispuso atacar masivamente a los chilenos, quienes desde Pisagua se habían internado unos veinticinco kilómetros hacia adentro en busca de pozos de agua, entre Jazpampa y Dolores. El ejército aliado, al mando del general Buendía, acantonado en Santa Adela, marcharía hacia el norte, mientras el dirigido por el presidente boliviano Daza (eran tiempos de caudillos, en los que los presidentes se ponían, físicamente, a la cabeza de las tropas), en ese momento en Tacna, se encaminaría hacia el sur, para atacar a los chilenos por dos flancos. Las fuerzas de Daza llegaron por ferrocarril a Arica el día ocho, donde inexplicablemente se detuvieron tres días antes de iniciar la marcha a pie hacia el sur, a fin de presentarse en un punto llamado Tana (a 150 kms. de Arica), el día 16. Buendía había enviado mensajes al general boliviano Campero, ubicado en la frontera con Tarapacá, para conseguir su apoyo. Campero ofreció presentarse recién en la segunda quincena de noviembre y Buendía también perdió días preciosos a la espera de la respuesta. El día 16 inició su marcha al norte.

Las avanzadas de observación y espionaje de los chilenos detectaron la marcha de Buendía y, equivocadamente, pensaron que también se encontraba ya en Tana el ejército de Daza. "El enemigo lo tenemos encima" telegrafió alarmado el general chileno Sotomayor a sus superiores. Se parapetó en el cerro de San Francisco, junto a Dolores, a la espera del ataque. Eran 6,500 hombres, apoyados por 34 piezas de artillería. Los aliados, por su parte, sin contar las fuerzas de Daza, que finalmente no llegaron a la

(sigue)

batalla, sumaban unos 7,300 hombres, compuestos por 4,000 peruanos y 3,300 bolivianos, más 18 piezas de artillería. Buendía alcanzó a emplazarse frente al enemigo el día 19. La Junta de guerra, realizada a las 11 de la mañana, recién tomó noticia de que las fuerzas de Daza habían interrumpido su avance hacia el sur el día 14 y retrocedido hacia Arica. Cundió la desmoralización y el desorden; algunos jefes bolivianos quisieron retirar sus fuerzas, considerando rota la alianza, e imprudente el ataque (en lo que tenían, ciertamente, razón) ante la poca o nula superioridad con que se haría en hombres y equipo. Sus tropas quedarían luego condenadas a errar por el desierto, en un país extranjero, como los israelitas. Finalmente se optó por postergar el ataque para el día siguiente y dedicar la tarde sólo a avanzar posiciones.

Durante estas operaciones se escapó, sin embargo, algún tiro entre las filas aliadas; respondió la artillería de los chilenos y a las tres de la tarde el fuego se generalizó. Los jefes aliados entendieron que, contra lo acordado en la Junta, Buendía había iniciado la ofensiva y cada uno puso en marcha su cometido. Dos contingentes iniciaron el ataque hacia el cerro: el dirigido por el general boliviano Villegas, directamente contra los cañones del enemigo, y el del coronel peruano Suárez, por el otro flanco. Mientras tanto Buendía avanzó para tomar el pozo de Dolores (tenía la convicción de que quien se adueñara del agua sería el amo de la situación). Las tropas de Suárez fracasaron en el ataque. Ante la recia resistencia chilena, las tropas bolivianas se desbandaron e iniciaron una pública retirada, cuyo efecto psicológico sobre sus compañeros es fácil intuir. Buendía no consiguió dominar Dolores, rechazado por la más numerosa artillería enemiga. Úni-camente las fuerzas de Villegas parecieron estar a punto de capturar los cañones de la cima, al pie de los cuales pereció heroicamente el comandante Ladislao Espinar. Las tropas de apoyo que debían secundarlos, disparaban hacia el cerro, sin caer en la cuenta que sus balas, a más de mil metros de distancia, no caían sobre los chilenos, sino sobre sus propios compañeros que avanzaban hacia la cumbre. Después de tres esforzados intentos, Villegas retrocedió. La caballería de los aliados, al ver el mal resultado, no entró en batalla y decidió retirarse. Eran las cinco de la tarde cuando los aliados suspendieron el ataque. Reunidos los jefes, optaron por replegarse hacia el norte, notificando a las fuerzas acantonadas en Iquique que partieran hacia la ciudad de Tarapacá, para no quedar aisladas.

El repliegue fue penoso, ya que se tomó caminos extraviados por la pampa del Tamarugal, en un estado psicológico deprimido; las piezas de artillería, previamente inutilizadas, fueron abandonadas en el desierto. Murieron 300 soldados aliados y los desertores sumaron más de tres mil. A la mañana siguiente los chilenos, que esperaban el reinicio del ataque, contemplaron, ya a lo lejos, la huida del ejército aliado. Bajaron al llano, donde encontraron seis cañones abandonados y cerca de un centenar de heridos que no pudieron partir. Tarapacá, con sus riquísimos yacimientos de salitre, estaba en sus manos.

Elaborado a partir de Carlos Dellepiani, *Historia militar del Perú*. T. II. Lima: 1965.

Los cupos chilenos a la población de Lima

Producida la ocupación de Lima, los chilenos trataron de que el ejército de ocupación se financiase desde el propio territorio ocupado. Para el efecto dictaron un bando el 7 de marzo de 1881, por el cual 50 personas designadas de Lima y Callao debían pagar una cuota mensual de 20 mil pesos plata (lo que equivalía a seis sueldos mensuales del Presidente de la República, o tres años de sueldo de un General), hasta completar entre todos un millón de pesos. Las empresas y personas de la relación que sigue abajo tenían ocho días para entregar la suma requerida, bajo amenaza de destrucción de sus propiedades por el triple de lo adeudado. Era la elite económica de la capital. Además se dispuso la prohibición de salir de Lima y Callao a los ciudadanos peruanos, sin previo permiso del ejército chileno. Sólo algunas personas llegaron a pagar el cupo, ya que el gobierno de Francisco García Calderón consiguió negociar un préstamo para el efecto.

1. Ceferino Elguera
2. Canevaro Hnos.
3. Dionisio Derteano
4. Roca y Boloña Hnos.
5. Swayne Hnos.
6. Julio Tenaud
7. José Albarracín
8. Manuel Rubio
9. Pflucker Hnos.
10. José Sevilla
11. Domingo Los
12. Felipe Barreda
13. José María Químper
14. Melitón Porras
15. Goyeneche Hnos.
16. Enrique Canaval
17. José A. García y García
18. Pedro Diez Canseco
19. Francisco Diez Canseco
20. Manuel La Torre
21. José Muro
22. Pedro Elguera
23. Navarrete y Caballero Hnos.
24. Bresani Hnos.
25. Aurelio García y García
26. Manuel Elguera
27. Gerónimo Sánchez
28. Calderoni Hnos.
29. Fernando Soria
30. Ignacio Ramos Larrea
31. Manuel Arízola
32. José Manuel Cantuarias
33. Pedro Correa y Santiago
34. Manuel Irigoyen
35. José de la Riva Agüero
36. Vicente Silva
37. Bernardino León
38. Bernardo Núñez
39. Juan Revoredo
40. Luis Cisneros
41. Carrillo y Albornóz
42. José Gregorio Basagoitia
43. Cox Hnos.
44. Pedro Villavicencio
45. Juan Mariano Cosío
46. Antonio Lalgache
47. Enrique Ayulo
48. Toribio Elguera
49. Manuel Candamo
50. Manuel Arrieta

sores, bajo la amenaza de la destrucción de sus estancias y negocios. Muchas propiedades pasaron a manos de extranjeros, quienes amparados en su condición de neutrales no podían ser atacados por los chilenos.

En Lima los notables eligieron a un Presidente con quien los chilenos pudieran negociar la paz, el jurista Francisco García Calderón, quien condujo el breve gobierno de "La Magdalena" (por ubicarse ahí la sede su gobierno). Chile pretendía la anexión del territorio de Tarapacá, pero García Calderón se cerró en la postura de un acuerdo de paz sin cesión territorial. El Perú podía reconocer una indemnización de guerra, como era de uso en la época. El guano y el salitre podían ser tomados por Chile hasta recuperar el gasto desembolsado en el conflicto, pero según García Calderón no procedía el despojo territorial perpetuo ya que no había una cuestión de límites entre Perú y Chile. Al comprobar que García Calderón no les servía, los chilenos lo enviaron preso a Santiago. Piérola permanecía rebelde en la sierra, pero luego abandonó el país, igual que su antecesor; para no ser un obstáculo para la paz, según dijo, o en todo caso para no tener que firmarla él. El contralmirante Lizardo Montero fue designado Presidente de la resistencia en 1882, mientras el general Andrés Cáceres organizaba guerrillas en la zona central de los Andes con el concurso de los campesinos de la región.

2. LA CUESTIÓN NACIONAL DURANTE LA RESISTENCIA

Uno de los temas más debatidos por la historiografía con ocasión del centenario de la guerra del salitre, fue el de la participación de los sectores populares en ella. Hubo quienes consideraron que la derrota militar provocó la descomposición de la sociedad peruana, manifestada en los saqueos y hasta masacres en los que participaron grupos de trabajadores asiáticos y negros, que tomaron venganza de décadas de explotación, o sacaron a relucir sus propias rencillas internas, apoyándose en el ejército invasor (como, por ejemplo, en los sucesos de Cañete relatados con dramática elocuencia por Juan de Arona, véase recuadro).

Los campesinos indígenas, por su parte, habrían optado por situarse al margen de lo que entendían como una contienda "entre mistis". Según esta postura, sesenta años de vida independiente no habían servido para soldar vínculos nacionales en el Perú, manteniéndose el país como un conglomerado disperso de grupos étnicos enfrentados, tal como lo describiera Monteagudo en 1823. No éramos una nación, sino apenas "un territorio habitado", apostrofó ácidamente Manuel Gonzales Prada. Este planteamiento se vería corroborado por el hecho de que los oficiales chilenos recibieron órdenes de su comando de no molestar a los grupos indígenas, haciéndoles entender que la guerra no era con ellos.

El Carnaval de Cañete de 1881

Descripción de Juan de Arona del levantamiento negro en Cañete, contra la población china, en el contexto de la guerra con Chile. Los chinos fueron convertidos en varios lugares en el chivo expiatorio de la difícil situación. Tomado de Heraclio Bonilla, *Un siglo a la deriva*. Lima: IEP, 1981, pp. 210-211.

La acción más heroica y original de nuestra colonia china en esos aciagos días, y que se quedaría en el olvido si no la sacáramos ahora a la luz, fue el sitio improvisado que resistió por tres meses contra las fuerzas sublevadas del valle de Cañete. Los negros y cholos de ese lugar, llevaban 30 años de odio gratuito por esos infelices inmigrados; y aprovechando de la acefalía en que quedaron los pueblos con la ocupación de Lima por los chilenos efectuada el mes anterior, se levantaron en febrero de 1881 a matar chinos. El fútil pretexto inmediato fue una reyerta habida entre un chino y una negra, por haberla mojado ésta a aquél en el juego de carnaval. El carnaval fue de sangre, y el Miércoles de Ceniza, de cenizas sin cuento, porque los negros y cholos al mismo tiempo que mataban chinos, incendiaban los cañaverales de las haciendas escuetas, en las que ellos habían seguido viviendo manumisos y parásitos desde 1855. La primera operación quedó terminada poco menos que en un día, la segunda fue larga: acabar con los vastos cañaverales de ocho haciendas, mucho de los cuales seguían creciendo después de quemados (...).

La turba de negros y cholos armados, montados y sin pueblo que los contrarrestara, porque ellos solos habían sido siempre en realidad toda la población del valle, se precipitaron sobre las haciendas una por una. Los asiáticos sorprendidos, indefensos, ignorantes de su culpabilidad, eran muertos a palos, a machetazos, a pedradas, a cuchillo, de mil maneras. Algunos dependientes subalternos, únicos que por entonces tenían a su cargo los abandonados fundos, al ver llegar las hordas, creyendo cargarse de razón, encerraban a los perseguidos en sus grandes galpones; los asaltantes quemaban, echaban abajo las puertas y ejecutaban a discreción a los inocentes.

A los que buscaban su salud introduciéndose en los albañales más o menos largos, los esperaban en los registros de entrada y salida y conforme iban apareciendo les daban muerte. Otros infelices, creyendo todavía en el tradicional sagrado, se asilaban en la Escuela Casagrande, en la que ya no se velaba la sombra de los ausentes años; allí también eran ultimados por los forajidos, ávidos de venganza y de rapiña, pues de paso se llevaban de encuentro muebles, vidrios, puertas, papeles, destruyendo todo y haciendo con los fragmentos autos de fe en hogueras que encendían en el centro mismo de las habitaciones de sus antiguos y al parecer queridos amos.

Los cadáveres de los chinos eran arrojados fuera, al medio del pasto señorial, en donde antes que de pasto a las aves, servían de profanación báquica y canivalesca a las mujeres y a los muchachos. Las mismas negras que habían compartido el contubernio regalado de las víctimas, escarnecían sus cuerpos mutilándolos y poniéndolos por irrisión en la boca entreabierta, figurando un cigarro, los miembros sangrientos y palpitantes que les amputaban...

Este enfoque fue replicado por quienes, estudiando la campaña de "La Breña" de Cáceres, advirtieron un firme compromiso campesino, aunque aparecido recién en el curso de la ocupación enemiga, con la defensa del territorio patrio. Para estos autores la guerra "abrió los ojos" a los campesinos, quienes participaron decididamente en la Resistencia contra los chilenos bajo el método de las guerrillas. Tras la desocupación, los antiguos guerrilleros tomaron posesión de las haciendas de los terratenientes colaboracionistas, entendiendo que ellos y no éstos tenían ahora el derecho a detentar tales fundos. Dicho de otro modo, habían ganado un derecho de ciudadanía con su entrega militar y exigían el castigo a los terratenientes "traidores".

Aunque hacen falta más estudios de caso y seguramente las situaciones pudieron variar de una región a otra, no cabe duda de que en la sierra central operó un cambio en la conciencia campesina en la dirección sustentada por este segundo enfoque. Se trataba de una zona bastante penetrada mercantilmente, en la que los campesinos de las comunidades migraban periódicamente a las minas de Pasco o a los fundos de Chanchamayo, entrando en contacto con la moneda y con otro tipo de gentes del país. En este sentido era una región poco representativa de la sierra peruana.

En el último día de agosto de 1882 el coronel Miguel Iglesias lanzó el "Manifiesto de Montán", en Cajamarca, en el que aceptaba que había llegado ya la hora de pactar la paz, aun cuando ella implicara cesión territorial (véase recuadro "Miguel Iglesias (1830-1909) y el Manifiesto de Montán"). Luego se ha enjuiciado negativamente esta actitud y el propio Iglesias hubo de asumir el costo político del manifiesto. Algunos se esperanzaban en la ayuda internacional, corriendo rumores acerca de una posible intervención norteamericana en favor del Perú; otros, en un milagro militar (que Cáceres pudiera voltear el curso de la guerra); otros más, se asían a la posibilidad de un hartazgo de los chilenos de la situación, ilusionándose con que éstos, mientras más se prolongase la ocupación, podrían desesperarse y resignarse a celebrar la paz en condiciones menos onerosas para el Perú. Pero hubo también quienes, como los miembros de la clase propietaria, que era la que más tenía que perder, pensaron que el país no podía desangrarse indefinidamente y que debía apoyarse al llamado de Iglesias.

El 20 de octubre de 1883 se firmó el Tratado de Ancón. Chile ganaba a perpetuidad la provincia de Tarapacá y por diez años las de Tacna y Arica. Estas quedaban como una suerte de "prenda" del cumplimiento del Tratado, aunque al poco tiempo fue evidente la aspiración chilena de ganar para siempre también esos territorios. Al término de los diez años un plebiscito debía decidir la suerte de las provincias "cautivas". Pero lo más ominoso fue que la entrega territorial del riquísimo territorio de Tarapacá no eximió al Perú del pago de una indemnización

Miguel Iglesias (1830-1909) y el Manifiesto de Montán

Nació en Cajamarca; hijo de Lorenzo Iglesias Espinach, por lo que debía descender del riquísimo minero español Miguel Espinach, dueño de minas en Hualgayoc. No fue un militar de carrera. Inició estudios universitarios, pero los interrumpió para dedicarse a la agricultura, puesto que su familia era dueña de tierras en la región.

Al iniciarse la guerra con Chile, organizó un batallón con el que marchó a Lima. Ahí se unió a la revolución de Piérola que derribó al gobierno de La Puerta, quien se había encargado del mando tras el viaje a Europa del presidente Prado. El 31 de agosto de 1882 lanzó el "Manifiesto de Montán", de controvertido juicio en la historia peruana. En éste su autor señalaba que era necesario conseguir la desocupación del territorio, aún a costa de hacer concesiones territoriales. Era la opinión de la clase propietaria, juzgan los historiadores, que querían evitar una mayor destrucción y descapitalización de sus fundos. Los chilenos acogieron positivamente el Manifiesto y buscaron consolidar a Iglesias como Presidente, para poner término a la guerra. Antes debían deshacerse de Cáceres, quien sin acatar el llamado de Iglesias, seguía dando guerra en la sierra central. Tras la derrota de Huamachuco, el 10 de julio de 1883, las esperanzas peruanas parecieron esfumarse. Aunque para algunos, Iglesias representó la claudicación frente al enemigo, para otros, fue la cordura que llamó, aun con el sacrificio de su imagen y futuro político, a poner fin a una guerra que estaba ya perdida. Alguien tenía que hacerlo y soportar el peso de las consecuencias.

"El Manifiesto de Montán" (1882)
(Extractos. Tomados de Mario Barros Arana, *Historia Diplomática de Chile*. Santiago: Andrés Bello, 1970)

No me he cuidado de cubrir con un solo velo engañoso el triste estado del país por mucho que los espectadores de farsa censuren mi conducta. Creo que han perdido al Perú los engaños de que constantemente le han hecho víctima sus hombres públicos. Con seguridades siempre fallidas, al día siguiente, le han mantenido la fiebre de una guerra activa o la esperanza de una paz ventajosa, imposible desde todo punto, después de nuestros repetidos descalabros.

Se habla de una especie de honor que impide los arreglos pacíficos, cediendo un pedazo de terreno y por no ceder ese pedazo de terreno, que representa un puñado de oro, fuente de nuestra pasada corrupción, permitimos que el pabellón enemigo se levante indefinidamente sobre nuestras más altas torres desde Tumbes al Loa; que se saqueen e incendien nuestros hogares, que se profanen nuestros templos, que se insulte a nuestras madres, esposas e hijas. Por mantener ese falso honor, viudas y huérfanos de los que cayeron en los campos de batalla, hoy desamparados y a merced del enemigo, tienden la mano en demanda de un mendrugo.

de guerra. Chile explotaría el guano de las islas hasta extraer un millón de toneladas o la cantidad que hiciera falta para el pago. Esta cláusula fue luego atacada por los países europeos cuyos ciudadanos eran titulares de la deuda exterior peruana, quienes obligaron a Chile a compartir las ganancias del guano con ellos.

De acuerdo al argumento de los acreedores, ellos habían adelantado préstamos al gobierno peruano bajo la garantía del guano y el salitre. Si estos recursos eran ahora expropiados por Chile, este país tenía que asumir el pago de la deuda. Desde luego, los chilenos replicaron que el dinero de los préstamos fue recibido por el Estado peruano, quien había hecho inversiones en su territorio con el dinero. ¿Tendrían entonces los chilenos que levantar los rieles y los muelles de los puertos construidos con los préstamos y trasladarlos a su país? Aunque el argumento chileno era razonable, la fuerza de las naciones a las que pertenecían los acreedores (y el propio apoyo que habían prestado a Chile en la guerra) obligaron al gobierno chileno a contemporizar con ellos.

En el mes de agosto de 1884 se embarcaron por el puerto de Mollendo los últimos efectivos chilenos, dando fin a la ocupación. El Perú había perdido el guano (¡qué iba a quedar de los depósitos naturales una vez que los chilenos sacaran su millón de toneladas y qué iba a ser de su valor ante la competencia que el salitre, ahora chileno, le haría!) y el salitre. Era como la parábola de la gallina de los huevos de oro. El Estado patrimonial, aquel que quiso hacer suyos todos los manantiales de riqueza, con las leyes del estanco y la expropiación del salitre, se había quedado sin nada, víctima de su desmedida ambición. Fue el gran derrotado en la Paz de Ancón.

Secuela de la guerra internacional fue la guerra civil entre Cáceres e Iglesias. Éste era formalmente el Presidente, pero Cáceres, erigido como héroe de la resistencia, desconoció su mandato, bajo el argumento de que había sido impuesto y apoyado por el ejército invasor. El conflicto se prolongó hasta diciembre de 1885, cuando, acorralado en la plaza de Armas de Lima, el autor del Manifiesto de Montán hubo de aceptar su derrota y salir de Lima. Habían terminado casi siete años de guerra, sumados los del conflicto internacional y los del interno. Un gobierno provisional llamó a elecciones, las que ganó Cáceres, naturalmente, quien inició su gobierno en junio de 1886. La "reconstrucción" debía comenzar.

3. LIQUIDANDO EL PASADO

Los años de la postguerra fueron duros en lo económico, pero de relativa estabilidad en lo político, ya que no había plata por la cual pelear. Un tema de candente debate era, desde luego, qué rumbo debía darse a la república tras el desastre bélico. Todos concordaban en la necesidad de profundas reformas, si el Perú había de sobrevivir. Hubo amargos y punzantes análisis del pasado, al punto de considerarse que el país había desperdiciado sesenta años de vida independiente. Quienes, como Alejandro Deustua, argumentaban que el problema del Perú era la presencia de una abultada población indígena, que se erigía como un peso muerto para la nación, eran replicados por otros, como Manuel Gonzales Prada, que señalaban que la marginación del indígena de la vida política era la causa de nuestros males (véase recuadro "La condena del pasado"). Varios, como Mariano Amézaga, no dudaban en señalar al civilismo como el causante de la desgracia.

Haciendo de la flaqueza, virtud, se consideró que el momento era el mejor para regenerar la república. Si uno de los problemas había sido el agobiante centralismo, debíamos adoptar el federalismo, como Estados Unidos, México o Brasil. También se señalaba, sin embargo, que dadas las circunstancias de extrema precariedad de la república, el federalismo entrañaba el peligro de la desintegración.

No todo el pasado podía ser cancelado, claro. Una enorme deuda externa debía ser atendida si el Perú quería reincorporarse a la vida internacional. El servicio de la deuda había sido suspendido en 1876 a causa de la crisis económica. Entre "principal" e intereses atrasados el monto sumaba unos 51 millones de libras esterlinas (aunque hubo discusiones en torno a la cifra, a raíz de las ganancias del guano que los acreedores habían comenzado a compartir con el gobierno de Chile) y su "servicio" (el pago de intereses) anual unos 2.5 millones de libras. El presupuesto de la nación había quedado reducido a 6 millones de soles (equivalentes a un millón de libras esterlinas), una quinta parte de la década anterior. Era evidente que la deuda era impagable, a menos que se hiciera uso de la imaginación.

La economía interna afrontaba el problema de una masa de billetes devaluados que nadie quería recibir. Su origen estaba en las emisiones hechas en los años de 1875 en adelante, con el fin de pagar la expropiación de las salitreras y tapar con monedas de papel el déficit fiscal. Durante la guerra hubo más emisiones (los billetes denominados "Incas"), algunas de las cuales fueron robadas por las tropas del ejército invasor. Durante la ocupación la administración chilena se negó a recibir los billetes para el pago de impuestos, lo que aceleró el repudio de dicho circulante. Sólo tenía curso fácil el sol de plata, que llegó a cambiarse a razón de uno por veinte soles billete, o la propia moneda inglesa. ¿Qué actitud debía tomar ahora el Estado? Declarar sin valor el billete, negándose a recibirlo, hubiera significado hacer desaparecer de un plumazo la riqueza y los ahorros de muchas familias. Además del hecho terriblemente incoherente de rechazar un billete que había sido promovido por el propio Estado, con las obvias consecuencias posteriores para su credibilidad.

La condena del pasado

Del ánimo de amarga mirada al pasado que siguió a la derrota de 1879, no hay duda que Manuel Gonzales Prada (1848-1918) fue probablemente el escritor más punzante. Se reproduce abajo, respetando su peculiar ortografía, pasajes de dos discursos pronunciados en 1888. El primero en el Teatro Olimpo, el segundo en el Politeama. Tomados de *Pájinas libres*. Lima: 1894.

¿Contra qué resistencias vamos a luchar?

Esceptuando la Independencia i el 2 de Mayo, en el Perú no se vertió una sola gota de sangre por una idea ni se hizo revolución alguna por un principio; las causas fueron partidos; los partidos, luchas subterráneas de ambiciones personales. Las novísimas agrupaciones de conservadores o clericales confirman hoi la regla; se presentan como cuerpos amorfos, sedimentarios, formados por el detritus de nuestros malos partidos. Todos los pecadores en política, todos los hijos pródigos de la democracia, todos los hombres que sienten ya en su carne el olor a polvo de tumbas, acuden a buscar perdón i olvido en quien olvida y perdona, se refujian en esas casas de misericordia llamadas partidos retrógrados (...)

La nobleza española dejó su descendencia dejenerada i despilfarradora; el vencedor de la Independencia legó a su prole de militares i oficinistas. A sembrar el trigo i estraer el metal, la juventud de la jeneración pasada prefirió atrofiar el cerebro en las cuadras de los cuarteles i apergaminar la piel en las oficinas del Estado. Los hombres aptos para las rudas labores del campo i de la mina, buscaron el manjar caído del festín de los gobiernos, ejercieron una insaciable succión en los jugos del erario nacional i sobrepusieron el caudillo que daba el pan i los honores a la patria que exijía el oro i los sacrificios. Por eso, aunque siempre existieron en el Perú liberales i conservadores, nunca hubo un verdadero partido liberal ni un verdadero partido conservador, sino tres grandes divisiones: los gobiernistas, los conspiradores i los indiferentes por egoísmo, imbecilidad o desengaño. Por eso, en el momento supremo de la lucha, no fuimos contra el enemigo un coloso de bronce, sino una agrupación de limaduras de plomo; no una patria unida i fuerte, sino una serie de individuos atraídos por el interés particular i repelidos entre sí por el espíritu de bandería. Por eso cuando el más oscuro soldado del ejército invasor no tenía en sus labios más nombre que Chile, nosotros, desde el primer jeneral hasta el último recluta, repetíamos el nombre de un caudillo, éramos siervos de la Edad media que invocábamos al señor feudal.

No forman el verdadero Perú las agrupaciones de criollos i estranjeros que habitan la faja de tierra situada entre el Pacífico i los Andes; la nación está formada por las muchedumbres de indios diseminadas en la banda oriental de la cordillera. Trescientos años há que el indio rastrea en las capas inferiores de la civilización, siendo un híbrido con los vicios del bárbaro i sin las virtudes del europeo: enseñadle siquiera a leer i escribir, i veréis si en un cuarto de siglo se levanta o no a la dignidad de hombre.

De otra parte, una gran masa de campesinos indígenas armados como guerrilleros durante la campaña de "resistencia" a los chilenos, habían tomado haciendas y ganados de terratenientes colaboracionistas con el invasor (por colaboración entendieron, incluso, haber pagado los cupos), como señalamos antes, y se habían levantado contra las autoridades criollas divididas durante los años de guerra. Bien se dice que las guerras hacen las veces de revoluciones sociales.

Todos estos problemas debieron ser afrontados por el gobierno de Cáceres (1886-1890). En cuanto al régimen político, optóse por una solución conciliada entre el centralismo y el federalismo, que fue la *descentralización fiscal.* Cada departamento, de los dieciocho en que estaba dividido el Perú, cobraría sus impuestos y organizaría su gasto, aunque de acuerdo a una ley general de presupuesto sancionada por el Congreso.

4. LA DESCENTRALIZACIÓN FISCAL

En cada departamento se formaron Juntas Departamentales para la organización y ejecución de cada presupuesto departamental. El experimento terminó en un fracaso. Pero en buena cuenta por el carácter ambiguo de la reforma. Las Juntas carecieron de la necesaria autonomía, al estar dirigidas por los prefectos, que eran designados por el Ejecutivo, y al depender del Congreso para la aprobación de nuevos impuestos. Aunque lo primero fue corregido más tarde, excluyéndose a los prefectos de las Juntas, surgieron perennes disputas entre las autoridades nombradas por el gobierno central y las elegidas por los vecinos locales. La descentralización hubo de ser reformada en 1895 y finalmente se extinguió en 1919.

La pobreza de los recursos fiscales obligó a la reinstauración de una "contribución personal", que inevitablemente recordaba el abolido tributo indígena. El cáncer del billete fiscal, la movilización campesina operada durante siete años de guerra y la crisis en que ella sumió por varios años a la economía terrateniente volvieron incobrable la contribución. Esta sólo sirvió para desgastar el gobierno de Cáceres y alejarlo de sus aliados campesinos. Únicamente en el departamento de Puno la contribución pudo ser levantada en un monto significativo. De cualquier modo no deja de ser interesante la pregunta de por qué una contribución que pudo cobrarse por varios siglos, por un gobierno colonial y con una suma inclusive mayor, no podía recogerse ahora por un gobierno nacional y semidescentralizado y con una suma menor. En las transformaciones de la sociedad rural desarrolladas en la segunda mitad del siglo XIX, tendrá que hallarse una respuesta.

La guerra, la ocupación y la resistencia habían deteriorado la hegemonía terrateniente en la mayor parte de la sierra. En consecuencia no existían "interlocutores" en la sociedad rural que vinculasen al Estado con la sociedad campesina. Los caciques habían perdido preeminencia (aunque pudieron haberla recuperado más tarde) y los señores étnicos habían desaparecido. De la red social que hasta 1854 organizó e hizo factible el cobro de la contribución indígena, no quedaban sino escombros. Su lugar comenzaba a ser ocupado por nuevos personajes: tinterillos o militares mestizos cuya conciencia había sido impactada por la experiencia bélica. También conspiró contra el éxito de la contribución personal la labor de zapa del pierolismo y la carencia de moneda metálica en el interior, ya que sólo circulaban los devaluados billetes fiscales.

En los departamentos serranos la contribución personal llegaba a representar alrededor de un 70 por ciento de los ingresos del presupuesto departamental, demostrándose con ello el sumo retraso de sus actividades mercantiles y productivas. Mientras en el conjunto del país quedaba fijada en un 50 por ciento. El éxito de la descentralización fiscal quedaba pues muy atado al de esta capitación.

El relativo fracaso de la descentralización fiscal llevó a que gran parte de la organización del Estado se convirtiera en el interior en una inmensa ficción, devolviendo al país a la situación anterior al auge guanero. Entre el Perú plasmado en el Presupuesto y el Perú real había una enorme distancia. Según aquel, funcionaban Cortes Superiores en cada capital departamental, Juzgados de Primera Instancia en cada capital de provincia y Juzgados de Paz en cada capital de distrito; colegios secundarios en las primeras y escuelas primarias en las segundas; así como una red de puestos médicos igualmente jerarquizados. Pero la realidad era que las cortes permanecían cerradas por falta de fondos, las escuelas carecían de maestro y las postas de enfermero. Fue en este contexto que en el departamento de Loreto, que gozaba de una autonomía bastante grande en materia fiscal gracias a la aduana de Iquitos y al boom del caucho, surgió un movimiento secesionista. Este logró ser conjurado, aunque a costa de mantener en él un régimen fiscal particular, que lo convirtió en un área liberada del centralismo al que se volvió en 1896.

5. EL CONTRATO GRACE

La deuda externa fue resuelta mediante el Contrato Grace, firmado en 1889, tras tres años de tensos debates. Michael Grace, quien negociaba en representación de los acreedores ingleses, planteaba que sus representados eran en verdad los dueños de aquello, como los ferrocarriles, las obras de irrigación y los edificios públicos, que había sido construido con el dinero de los préstamos, ya que éstos no habían sido reembolsados. Su propuesta era que, puesto que el país carecía de un flujo de riqueza suficiente para ir cancelando lo adeudado, debía entonces transferir a los acreedores el goce de los "activos", como minas, tierras, ferrocarriles, hasta que mediante su aprovechamiento, pudieran recuperar su dinero. El razonamiento era impecable. El asunto es hasta qué punto podía considerarse al Perú una nación soberana después de esto. Y qué posibilidades de recuperación económica quedarían para sus habitantes.

Los civilistas y el propio gobierno cacerista defendían la propuesta de Grace, bajo la idea de que el Perú debía reincorporarse a la economía internacional si es que quería reconstruir sus finanzas y atraer la inversión extranjera que modernizara el aparato productivo. Si bien ello significaba la cesión de los ferrocarriles por varias generaciones (Grace planteaba 99 años), era claro que tal como ellos se encontraban (inconclusos y con locomotoras y puentes destruidos durante la guerra) eran sólo monumentos de hierro que recordaban tiempos mejores. Su reparación demandaba unos 50 millones de soles, que ni existían en el presupuesto, ni nadie querría prestarnos mientras no se arreglara la deuda. Después de todo, lo que importaba era que los ferrocarriles funcionaran y las tierras produjeran y fueran fuente de empleo, aunque se administraran por extranjeros.

Pierolistas y otros grupos, como el flamante Partido Liberal fundado por José María Químper, se oponían al contrato por considerarlo lesivo a la soberanía nacional. Defendían la idea de que los ferrocarriles eran un recurso estratégico, que no podía cederse a una compañía extranjera. Por las mismas razones, tampoco podía negociarse con las tierras de la ceja de selva, donde quizás estaba la redención futura del Perú; ni con la aduana de Mollendo (la segunda en importancia), que también ambicionaban los acreedores, ni con minas. ¿En qué tipo de nación iba a convertirse el Perú si entregaba sus ferrocarriles, puertos, minas y tierras a una empresa manejada desde Londres?

El Congreso fue uno de los escenarios del debate. Dos legislaturas rechazaron el contrato Grace, por lo que Cáceres optó por disolver el Parlamento, a fin de reunir uno nuevo donde los civilistas y constitucionalistas (el Partido Constitucional era el partido de Cáceres) tuvieran mayoría. Finalmente los acreedores de la deuda peruana consiguieron la entrega de los ferrocarriles por 66 años, dos millones de hectáreas en la amazonía, la libre navegación por el lago Titicaca y una cuota anual de 80 mil libras esterlinas (más o menos un 10 por ciento del presupuesto nacional) durante 33 años, a cambio de la extinción de la deuda.

Cabe reconocer que el controvertido arreglo finalmente resultó beneficioso para el Perú. Aunque sobre ello las interpretaciones de los historiadores han sido

Salitreras de Tarapacá en la década de 1870. Museo de Arte de Lima, Álbum Gildemeister.

diversas. Los ferrocarriles fueron reparados y concluidos por la *Peruvian Corporation,* la empresa que organizaron los acreedores, y pudieron prestar un servicio útil a la economía. En 1904 la línea férrea que partía del Callao, llegó a Cerro de Pasco, y la de Mollendo-Puno, a Cuzco, en 1908. De las tierras en la ceja de selva sólo llegó a entregarse unas 450 mil hectáreas. La falta de mano de obra y de vías de transporte hizo que la propia *Peruvian Corporation* no insistiera con esas tierras, donde comenzó a cultivarse café, azúcar y tabaco, aunque sin lograr hacerse un lugar importante en el mercado mundial. La cuota de 80 mil libras sólo fue cumplida el primer año, lo que llevaría más tarde (durante el Oncenio de Leguía) a que las líneas férreas construidas con los préstamos fueran cedidas a perpetuidad.

Resuelto el asunto de la deuda y superada la crisis mundial sufrida en los primeros años de la década de 1890, las inversiones extranjeras comenzaron a arribar al país, modernizando los puertos (para el uso de la navegación a vapor y los ferrocarriles) y las instalaciones mineras. La Escuela de Ingenieros de Minas, fundada en 1876, así como una ley de 1878 que autorizaba la pertenencia de minas a extranjeros, favorecieron la modernización técnica de la producción de plata y cobre. En la sierra norte empresarios nacionales como los Santolalla, introdujeron la lixiviación y construyeron grandes hornos de fundición. Aunque el ferrocarril no llegó en su auxilio, puesto que la línea de Pacasmayo terminaba sólo en Chilete. En la sierra central y sur mineros nacionales y empresas extranjeras también pusieron en marcha nuevos métodos metalúrgicos, como los barriles de Freyberg, las tinas americanas o los hornos de camisa de agua.

Los billetes fiscales fueron erradicados, tras algunos esfuerzos del Estado por defender su valor. La devaluación de este medio de pago favoreció enormemente a los deudores, quienes habían pactado préstamos en esta moneda en los años anteriores a la guerra. Gran negocio era por entonces vender al extranjero a cambio de libras esterlinas o soles de plata, y pagar a los trabajadores o proveedores nacionales con billetes. Pero si el Estado quería afrontar sus compromisos con la *Peruvian*, no podía recibir billetes fiscales a título de impuestos, y si se negaba a recibirlos, no podía obligar a la población a que sí lo hiciera, por lo que en 1888 anunció que el billete no tendría más curso forzoso, lo que significó su pena de muerte.

Con ello se perjudicaron personas vinculadas a los antiguos bancos, quebrando casi todos ellos, rentistas y ahorristas anónimos. Por algún lado tenía que cortarse la cuerda. Era evidente que el cáncer de los billetes fiscales debía ser extirpado, si se quería la recuperación del crédito y el comercio interno. La muerte del billete fiscal tuvo el efecto de una depuración en el sector propietario, sucumbiendo la fracción más tradicional o rentista.

En 1897 el Perú sintonizó con la tendencia mundial de abandono del patrón plata, cuyo precio se había venido abajo ante la inmensa producción de plata de países como México, Rusia y los Estados Unidos, y adoptó el oro, traspaso que se concretó finalmente en 1903. Desde 1897 sólo el Estado podía ordenar la acuñación de monedas, terminando con la antigua libertad de acuñación vigente desde la Colonia. La nueva unidad monetaria pasó a ser la libra peruana, equivalente a diez soles plata y con igual valor a la libra inglesa. El financista cubano José Payán, quien residía en el país desde hacía dos décadas, desempeñándose como un alto funcionario bancario, fue el artífice de esta transición y se convirtió por esos años en "el mago de las finanzas".

También la deuda interna, estimada en unos cincuenta millones de soles sin contar los billetes fiscales, fue levantada a raíz de la creación de la Dirección del Crédito Público en 1887. Para poder atender esta deuda fue creado el Estanco de alcoholes, que gravaba el consumo de bebidas alcohólicas. El rendimiento del estanco fue tan bueno, que al cabo de unos años de funcionamiento el Estado centralizó su renta, quitándosela a la Dirección mencionada.

6. EL POSITIVISMO Y EL DARWINISMO SOCIAL

Todas estas reformas de corte económico y fiscal fueron promovidas, aplicadas y a veces criticadas en el país gracias a un nuevo tipo de intelectual. Ya no eran los literatos, historiadores, naturalistas y artistas de la era del guano, sino en cambio médicos, geógrafos y sobre todo economistas y sociólogos. Nombres representativos son los de José Manuel Rodríguez, Carlos Lissón, Luis Carranza, Pedro Emilio Dancuart, Alejandro Garland y Joaquín Capelo. Hombres de credo positivista y sentido práctico, que hicieron de la economía un asunto a la vez técnico y público. Lo primero, porque persuadieron a muchos que la economía se regía por leyes que no podían transgredirse a voluntad, de modo que el gobierno de la economía debía entregarse a los conocedores de dichas leyes y no a empíricos, como había ocurrido hasta el momento. Lo segundo, porque, gracias a la estadística, consiguieron que los datos principales de la economía (o que ellos creían eran los principales) pudieran ser de dominio común. A partir de la elaboración de estos indicadores (comercio exterior, recaudación fiscal, gasto público, emisión monetaria, etc.) la sociedad civil tendría un nuevo instrumento de evaluación de la política del gobierno.

Una de las instituciones más importantes que reflejó la asociación entre los intelectuales y el poder fue la Sociedad Geográfica de Lima, creada en 1888 como una dependencia del Ministerio de Relaciones Exteriores. Esta Sociedad se formó a semejanza de otras sociedades europeas y americanas y publicó una revista trimestral llamada el *Boletín de la Sociedad Geográfica*, que difundió informes de exploradores, geógrafos y autoridades locales. La Sociedad Geográfica promovió un verdadero nacionalismo científico, las exploraciones naturalistas, la explotación de los recursos naturales, y la demarcación interior y exterior del territorio peruano.

En esos años se reconstruyó la Escuela de Ingenieros, que no había podido funcionar adecuadamente durante los años de la ocupación chilena de Lima. El director de la Escuela fue el ingeniero polaco, entrenado en Francia, Eduardo de Habich, quien llegó contratado al Perú por el gobierno a fines de la década de 1860. Los laboratorios de la escuela servían, tanto para formar ingenieros, cuanto para asesorar a mineros, industriales y funcionarios del gobierno.

Importantes intelectuales de este período ocuparon cargos en el Ministerio de Hacienda y el flamante Ministerio de Fomento, creado en 1896 para promover el progreso económico. La administración pública mejoró notablemente; los presupuestos dejaron de ser sólo buenas intenciones y comenzaron a cumplirse. En la década de 1890 podemos decir que el Perú entró recién en la era del presupuesto, un documento que era la premisa para la delimitación de los derechos económicos de los individuos, puesto que establecía con precisión cuál era el ámbito de acción del Estado (de dónde recogería sus ingresos y en qué los gastaría) y cuál el de la sociedad civil. Con razón se decía que el Presupuesto era a la vida económica, lo que la Constitución a la vida política.

En cuanto a la cuestión campesina, Cáceres se limitó a un gran acto simbólico, amnistiando y recibiendo en el salón de su residencia al cacique Atusparia, líder de la rebelión de Huaraz de 1885 (ver recuadro "La rebelión de Atusparia"). Platicaron en quechua y el abrazo de despedida fue escenificado como la gran reconciliación nacional entre criollos e indígenas. El "problema indígena" —entendido por los grupos dirigentes criollos como la escasa integración de esta población a la "vida nacional"— quedaría, sin embargo, latente. Se vio agravado en los años posteriores con la expansión de las haciendas ganaderas en la sierra sur y central a costa de las comunidades campesinas, y la reforma electoral de 1895, que privó del voto a los analfabetos. En adelante fueron sobre todo los habitantes de la costa, región donde se concentraban los hombres alfabetos y que reunía apenas a una cuarta parte de la población nacional, quienes decidirían las elecciones presidenciales y del senado.

La "redención de la raza" nativa fue un asunto que comenzó a inquietar a la opinión ilustrada. En 1888, en el "Politeama" de Lima, Manuel Gonzales Prada lanzó su famosa arenga diciendo que el verdadero Perú no era la estrecha costa poblada de criollos y extranjeros, sino la muchedumbre de indios habitando

La rebelión de Atusparia

Tras la firma de la Paz de Ancón, en octubre de 1883, se inició el enfrentamiento entre Iglesias y Cáceres. Esta lucha civil, percibida por muchos como un enfrentamiento, entre mestizos y criollos, propiciaría las reivindicaciones campesinas.

Iglesias, apoyado en sus fuerzas, luego de tener controlada la ciudad de Huaraz, nombró a Francisco Noriega como prefecto del departamento. Noriega trató de activar la cobranza de impuestos, entre los cuales se encontraba el de la contribución personal. Asimismo, trató de restaurar los trabajos de "república", que eran una especie de faenas comunales. Los indígenas de la provincia rechazaron el pago de la contribución. Por su parte, Noriega concedió un plazo de tres días para el pago de la primera semestralidad, pero los indígenas asesorados por Manuel Mosquera, abogado y antiguo prefecto cacerista, redactaron un memorial pidiendo una rebaja en el impuesto y la suspensión de los trabajos de república. Atusparia fue el encargado de dar la cara y presentar el documento. Luego, sería apresado y torturado para que confesara el nombre del verdadero autor del memorial.

Los demás alcaldes indios acudieron a pedir la libertad de su varayoc, y en ausencia de Noriega, el subprefecto José Collazos mandó apresar a todos los demás alcaldes y como signo de escarmiento les hizo cortar las trenzas, como en el tiempo de los corregidores, despachándolos sin atender a su pedido. Los indígenas no perdonaron tal afrenta, y se organizaron en rebelión para tomar la ciudad de Huaraz. El 2 de marzo de 1885 iniciaron el ataque, y a pesar de la resistencia que ofreció la gendarmería de Collazos, la capital del departamento cayó al día siguiente y Atusparia fue sacado de prisión. Para el mes de abril la rebelión controlaba todo el Callejón de Huaylas. Mientras tanto el gobierno de Iglesias nombró un nuevo Prefecto, el coronel José Iraola, quien luego de haber desembarcado en Casma al mando de dos batallones de infantería, dos brigadas de artillería, un regimiento de caballería y sendos decretos suprimiendo la contribución personal y el trabajo de "república", recuperó Huaraz tras un sangriento combate que duraría un día. Atusparia resultó herido en una pierna y se entregó al habérsele ofrecido garantías. Sin embargo, su lugarteniente Ucchu Pedro no acató la rendición y el 11 y 12 de mayo, intentó recuperar Huaraz fracasando en ello. Meses más tarde sería capturado y ejecutado junto con centenares de rebeldes.

En junio de 1886, al tomar la presidencia Andrés A. Cáceres, invitó a Pedro Pablo Atusparia a la toma de mando y luego de dialogar en su residencia, este último aceptó someterse al nuevo jefe de la nación. Este hecho fue considerado por los alcaldes indios como una traición; para lo cual habría resultado decisiva la campaña de periodistas locales, así como la restauración de la contribución personal realizada por el gobierno de Cáceres. De esta manera, Atusparia teniendo el rechazo de su gente, es invitado a un banquete donde habría sido obligado a beber una copa envenenada, aunque hay otra versión que sostiene que fue el 25 de agosto de 1887 que Atusparia murió atacado por el tifus.

tras la cordillera. Según Gonzales Prada la ignorancia y el espíritu de servidumbre plagaban, sin embargo, a esta población.

Dar "educación a la raza" fue una de las empresas que entonces se plantearon. Pero instruir en los principios de la civilización occidental a dos de los tres millones que habitaban el país; es decir, a esos indios de la sierra que vivían en la "barbarie" del autoconsumo y la sumisión al gamonal que alzase un látigo para mandarlos, era una tarea que, incluso en el caso de tener éxito, consumiría décadas y un dinero que el país no tenía.

Por ello la doctrina del "darwinismo social" halló terreno fértil en el Perú. Así como Charles Darwin había establecido que entre todas las variedades de una especie animal se libraba una competencia donde finalmente se imponían las que tenían mejores características para sobrevivir al medio ambiente en que se desarrollaban, algunos seguidores de Darwin habían postulado que entre las razas humanas debía ocurrir una competencia similar, donde sobrevivirían las mejores. De esta manera, para algunos seguidores de la Teoría de la Evolución Natural, conocidos como parte de una corriente llamada el Darwinismo social o la Eugenesia, la historia de la humanidad era un paralelo de la historia natural. La raza blanca habría probado su superioridad. ¿No era mejor entonces trasplantar a nuestro territorio esta raza predestinada a triunfar? ¿Por qué no procurar la venida de gentes europeas ya adornadas con las virtudes ciudadanas que en 1879 nos habían hecho falta? ¿No era ese el camino que naciones como Brasil, Argentina, por no decir los Estados Unidos, habían ya señalado?

En medio de la miseria fiscal que nos rodeaba, pero convencidos de que los peruanos estábamos entre los pueblos del mundo atrasados por el bagaje étnico que predominaba en la población, el Estado dio a luz la Ley de Inmigración de 1893. La diferencia de ésta, con otras leyes de inmigración anteriores, dadas durante la era del guano, era que ella no estaba pensada tanto en resolver la falta de mano de obra, cuanto es atraer a los supuestamente virtuosos colonos europeos. La nueva disposición establecía que el gobierno pagaría los pasajes en vapor de tercera clase a las familias de raza blanca que vinieran a establecerse en el Perú, costeándoles una semana de alojamiento en Lima y el viaje hasta su lugar de instalación definitiva, donde se les mantendría por tres meses. Se les entregaría tierras y semillas y se les exoneraría de impuestos por cinco años. La ley, sin embargo, no dio los resultados esperados, por el poco atractivo que el Perú tenía para los inmigrantes europeos, respecto de naciones como las antes citadas. En los primeros años del siglo XX surgió como reacción la doctrina de la "autogenia", que preconizaba la regeneración de la raza nativa, a través de la educación, el servicio militar, y la higiene. Según esta doctrina la población indígena sólo estaba "retrasada" en su evolución, pero no incapacitada para el progreso.

7. LA RECUPERACIÓN ECONÓMICA

En la década de 1890 la economía mostraría ya señales de recuperación. La agricultura de la costa comenzó a reemplazar a los coolíes chinos por peones japoneses y "enganchados" de la sierra. Los enganchados eran campesinos que celebraban contratos laborales por períodos precisos, luego de los cuales volvían a sus tierras de origen. Aun cuando el enganche fue motivo de muchos abusos, no puede negarse que además de permitir la recuperación de la actividad agrícola de exportación, dio ingresos adicionales a los campesinos de la sierra y los integró parcialmente en la economía monetaria. También la minería debió recurrir al enganche, hasta por lo menos la década de 1920.

En la costa los hacendados realizaron importantes obras de infraestructura de riego, como en los valles del Chira, en Piura, Chicama, en La Libertad y de Chincha, en Ica. Construyeron líneas férreas e implantaron la mecanización en el proceso de producción azucarera. Por primera vez las exportaciones peruanas pasaron a estar dominadas por productos agrícolas, como el azúcar, y más tarde el algodón. También se exportaba café y lanas. Estas últimas, provenientes de los latifundios ganaderos del interior. La minería vio el desplazamiento de la plata por el cobre, lo que presionó por su modernización, ya que la escala de las operaciones debía aumentar sustancialmente. También en ella se produjo una lucha darwiniana.

El Estado consiguió reconstruir su aparato de ingresos fiscales sobre la base de los impuestos a bienes de consumo, siguiendo la huella exitosa del estanco de alcoholes. Se creó así el estanco del tabaco, del opio, los fósforos y la sal. Se trataba de productos difíciles de ser reemplazados y de amplio consumo, por lo que el universo de los contribuyentes se extendía enormemente. Fue una técnica fiscal que los nuevos expertos en economía importaron, una vez más, de Europa. Había sido aplicada, además, con éxito por los chilenos durante la ocupación, gravando el arroz, ya de extendido consumo en la segunda mitad del siglo XIX.

El éxito de este tipo de impuestos permitió reducir los gravámenes a la exportación, favoreciendo su desarrollo, y abolir la contribución personal en 1895. Al terminar la centuria los ingresos fiscales ya eran el doble de los vigentes al final de la guerra con Chile, y se hallaban en franco crecimiento.

Hacia 1900 las bases de la reconstrucción nacional parecían, pues, conseguidas. Habíase forjado una nueva economía de exportación; ya no dependiente de un solo producto, como en la era del guano, sino de una variada gama de bienes agrícolas y mineros: azúcar, algodón, lanas, caucho, cobre, plata, a los que pronto se sumaría el petróleo. El Estado organizaba su presupuesto sin desplazar ni entrar en conflicto con la actividad privada. Incluso se planteó una fructífera asociación con ésta al delegar en una compañía mixta, de capital público

El itsmo de Fitzcarraldo

Carlos Fermín Fitzcarraldo (1862-1897) fue uno de los hombres prototípicos de la generación social que estuvo detrás de la notable recuperación económica del Perú de la posguerra: mezcla de empresario y aventurero; con ideas nacionalistas y preñado, a su vez, de una enorme ambición por el dinero. Nació en la provincia ancashina de Huari, siendo uno de los siete hijos de William Fitzcarrald, que algunos presentan como un marino estadounidense, y otros como descendiente de un inglés, y de Esmeralda López. Tuvo una buena educación para el promedio de la época, terminando la secundaria en colegios de Huaraz y Lima. En 1878 volvió a Huari, donde en un episodio oscuro fue apuñalado en el estómago por el bandolero Benigno Eyzaguirre, felizmente sin mayores consecuencias. Al año siguiente murió su padre y Carlos Fermín se marchó hacia Pasco, donde comenzó a trabajar como comerciante que abastecía con productos de Huánuco al centro minero. Eran los años de la guerra con Chile y confundido como espía chileno (ya que fue encontrado con muchos mapas) fue detenido y juzgado por un Consejo de Guerra, que lo condenó a ser fusilado. Lo salvó el hecho de que un misionero lo reconoció y garantizó su identidad.

Fitzcarraldo se internó entonces en la selva; en 1888 apareció en Iquitos con una gran cantidad de caucho, que vendió al comerciante brasileño Cardoso, establecido en ese puerto fluvial. Enamorado de su hija Aurora, se casó y comenzó a trabajar con su suegro como empresario cauchero. Tuvo cuatro hijos, a los que mandó a estudiar a Francia. Fue uno de los pioneros en recorrer el río Ucayali, estableciendo campamentos caucheros en Mishagua. Los padres del convento de Ocopa lo llamaban "El Señor Feudal del Ucayali". En 1893 organizó, con el auxilio de muchas canoas nativas una expedición por el río Camisea, que coronó al año siguiente con el descubrimiento de un paso que comunicaba las hoyas del Ucayali y del río Madre de Dios. Este fue el llamado desde entonces "itsmo de Fitzcarraldo". Para ello los expedicionarios, compuestos por un centenar de hombres blancos y un millar de indios "piros", tuvieron que desarmar el barco a vapor "Contamana" y trasladar el casco y sus piezas por una trocha de diez kilómetros, remontando incluso una pequeña cordillera de quinientos metros de elevación, hasta llegar al río navegable de la otra cuenca; todo ello en medio del ataque de los habitantes nativos. Prosiguieron entonces la navegación, hasta dar con los campos caucheros del boliviano Nicolás Suárez, llegaron al río Madera y volvieron al Amazonas, hasta llegar nuevamente a Iquitos.

Tres años después, Fitzcarraldo murió en un naufragio fluvial en el río Urubamba, cuando cargado de rieles y de colonos, procuraba el establecimiento de colonias agrícolas y caucheras en la región cuya comunicación había descubierto. Según sus escasos biógrafos, este "Señor Feudal del Ucayali" formó un ejército personal de casi diez mil nativos, con los que mantuvo a raya la penetración de los caucheros brasileños y bolivianos, quienes intentaban crear en la región la "República del Acre".

y privado, la Compañía Nacional de Recaudación (1896), la cobranza de las contribuciones e impuestos.

La recuperación económica se vio reforzada por la creación de otras instituciones durante el gobierno de Cáceres, como la Cámara de Comercio de Lima y el Registro de la Propiedad Inmueble, fundadas ambas en 1888, que facilitaban las transacciones de la propiedad raíz y su prenda hipotecaria, animando el crédito interno. En 1896 se inició una nueva era en la Bolsa de Valores de Lima (BVL), también bajo la dirección de José Payán, a tal punto que podemos decir que fue el momento de su efectiva creación. La BVL permitió el desarrollo de las compañías por sociedad anónima, difundiendo la asociación económica y la colocación de capitales de inversión. También fue una aparición importante, aunque de otro orden, la creación del Registro Civil, ya que hasta entonces era sólo la Iglesia, a través del registro de bautizos y defunciones, quien tenía el control de la identidad de la población.

Nació una nueva generación de bancos, entre los que figuraba el Italiano (1889), el Alemán Trasatlántico (1897), el Internacional (1897) y el Popular (1899), de gran importancia en el siglo veinte, que prestarían un estimable servicio a la reconstrucción económica. Aunque la inversión extranjera existía, no había desplazado todavía a la nacional, como ocurriría al poco tiempo.

La recuperación y estabilización económica logradas con encomiable rapidez dadas las circunstancias difíciles por las que atravesó la economía mundial en el último cuarto del siglo XIX, se vio coronada por la estabilización política. Para ello hubo de pasarse por una última revolución, la de 1895.

8. LA REVOLUCIÓN DE 1895 Y EL CIVILISMO

Cáceres, el caudillo de la reconstrucción, pretendió perpetuarse en el poder creando una nueva red clientelar parecida al castillismo del tiempo del guano. En 1890 había conseguido dejar en el mando al general Remigio Morales Bermúdez, colaborador suyo. Este murió repentinamente en 1894, a pocos meses de concluir su mandato. Una junta provisional organizó las elecciones, ganadas nuevamente por Cáceres. Su triunfo fue objetado por Nicolás de Piérola, Jefe del Partido Demócrata. Piérola sacó provecho del desgaste del héroe de la Resistencia entre la población y de los militares que se mantenían en el poder sin mayor respaldo, y luego de una corta pero cruenta guerra civil, consiguió entrar triunfante a Lima en marzo de 1895.

El Partido Civil, que había permanecido relativamente en la sombra hasta entonces, puesto que cargaba, algo injustamente, con el peso político del desastre

Cajamarca a finales del s. XIX. Museo de Arte de Lima. Álbum Gildemeister.

Revolución de 1895. Los montoneros de Piérola en el actual jirón Huancavelica del centro de Lima. Archivo Histórico Riva Agüero.

El Cine
El Comercio, 4 de enero de 1897.

"En la Noche del sábado se efectuó, por primera vez en esta capital, la exhibición del Vitascope o Cinematógrafo ante un concurso de personas especialmente invitadas al acto, entre las que se hallaban el Presidente de la República, acompañado de sus Ministros. La exhibición se realizó en el Jardín de Estrasburgo, siendo este el lugar más apropiado que han hallado los propietarios de tan curioso aparato, señores C. J. Vifquain y W. H. Alexander. Un magnífico fonógrafo Edison, de quien es también el Vitascopio, se encargó de abrir la velada, dejando oír una preciosa canción inglesa y luego varios trozos de ópera que el auditorio escuchó a competente distancia del fonógrafo sin necesitar aplicar el fono a sus oídos. El Vitascopio hace el efecto de un espejo, en el que se reproduce todo lo que pasa delante de él. Para el efecto se cortó la corriente eléctrica que iluminaba el recinto, cerrándose también el cuartucho en el que se dejó el foco de luz eléctrica indispensable, apareciendo en el lienzo acto contiguo dos bailarinas empeñadas en un animado baile. Vióse después una escena de pujilato, y rodar por el suelo uno de los combatientes que se levantó en seguida; y dando las espaldas al espectador continuó la lucha. El fonógrafo emitió una linda canción acompañado de una serie de carcajadas tan entusiastas que contajiaron de risa el auditorio. Tanta fidelidad y exactitud hay en este cuadro que verdaderamente se prende y cautiva al espectador".

del 79, tuvo la oportunidad de actuar como árbitro en esta contienda. Si bien había apoyado a Cáceres en los años anteriores, prestándole hombres e ideas para el gobierno, estimó ahora que el ciclo del "héroe de la Breña" había terminado, y pactó con Piérola. De alguna manera fue pactar con el diablo, puesto que éste había sido un enconado enemigo de los civilistas con ocasión del contrato Dreyfus y durante el gobierno de Manuel Pardo. En agosto de 1895 Piérola inició su mandato constitucional de cuatro años, según lo estipulaba la Constitución de 1860 en vigencia.

El nuevo régimen prácticamente acabó con el experimento descentralista de Cáceres, aboliendo la contribución personal, y librando a los tesoros departamentales de los gastos de prefecturas y subprefecturas, cortes judiciales y policía. Únicamente dejó a su cargo el gasto en educación, salud y obras públicas de carácter departamental. La instauración del estanco de la sal, realizada al inicio de su gobierno y bajo el argumento de que serviría para "el rescate" de las provincias de Tacna y Arica, provocó algunas rebeliones indígenas en la sierra, donde la explotación y comercio de la sal había venido formando parte de la economía y la vida ritual de muchas comunidades. La región más convulsionada fue la del norte del departamento de Ayacucho, donde la rebelión campesina, compuesta de unos dos mil hombres, tomó el pueblo de Huanta (setiembre de 1896) y asesinó al alcalde y al subprefecto. Debió apelarse al concurso del ejército para debelar la insurrección. En esta acción tuvo destacada actuación el joven subteniente Óscar Benavides, futuro Presidente de la República, quien al mando de una compañía prendió personalmente a Juan Sánchez, dirigente indígena, en la batalla del Cerro Calvario.

Algunas de estas rebeliones campesinas también fueron una reacción contra las medidas de unificación monetaria dictadas por los gobiernos de la postguerra del Pacífico. Tales medidas llevaban a desconocer, no sólo los billetes fiscales, sino también las así llamadas "arañas" bolivianas, que circulaban en la sierra sur, y que comenzaron a ser rechazadas por los apoderados fiscales para el pago de los tributos.

Finalmente, dichas rebeliones también fueron el resultado de los abusos que ocasionaban los "trabajos de república" que las autoridades locales imponían sobre los indios. Estos trabajos consistían en el uso gratuito de los indios como mensajeros, policías, barrenderos, cargadores, operarios de construcción. Eran justificados por el hecho de que como seres analfabetos que eran, los indios no podían desempeñar los cargos "concejiles" (es decir, sin sueldo) de gobernadores, regidores o jueces de paz, que recaían así solamente en los mestizos. Las faenas de república eran una forma de cumplir con su obligación civil de colaboración con el Estado, en la medida de sus capacidades. Las denuncias sobre abusos, no obstante, llevaron a que, entre finales del siglo XIX e inicios del XX los gobiernos prohibiesen reiteradamente el trabajo no remunerado en toda la república. Pero la medida no pudo ser cumplida a cabalidad, mientras los tesoros locales no dispusieron de presupuesto para poder pagar esos servicios.

En 1899 subió al poder Eduardo López de Romaña, como resultado de una coalición entre Piérola y los civilistas, que dejó fuera de carrera a Guillermo Billinghurst, del partido de Piérola, que hubiera sido el lógico candidato oficialista. De acuerdo a la nueva ley electoral de 1895, que excluía a los analfabetos, quienes tenían derecho al sufragio sumaban sólo 108,597 ciudadanos; es decir entre un dos y tres por ciento de la población total del país. Sólo votaron 58,285 personas, favoreciendo a López de Romaña casi 56 mil votos. Esos triunfos unánimes eran, sin embargo, normales en esa época. Una vez que las alianzas entre los pequeños grupos de electores se forjaban, todos votaban a ganador. La batalla electoral no se daba en las urnas, sino antes.

Con el gobierno de López de Romaña se dio inicio a lo que Jorge Basadre llamó "la República Aristocrática" (1899-1919). El nombre es algo equívoco, puesto que quienes dominaron la política y la economía en esa etapa estaban muy lejos de ser aristócratas con reminiscencias tradicionales. Se trataba de un grupo reducido y relativamente cerrado que justifica el nombre de "oligarquía", pero defendían ideas liberales, el positivismo científico y la modernización del país. El civilismo encarnaba el proyecto de hacer del Perú un país europeo, lo que significaba una nación ordenada, próspera y culta según los cánones occidentales.

Lo primero implicaba el respeto a la ley, que a su vez emanaba del conocimiento científico de una elite ilustrada. Lo segundo, promover desde el Estado el incremento de la producción. Se dictó nuevos códigos de minas (1900), que fomentaron la seguridad en la inversión en este rubro y de aguas (1902), que favorecieron la agricultura mercantil. También se contrató misiones de técnicos extranjeros que difundieron nuevas técnicas agrícolas y de riego (en 1902 se fundó la Escuela Nacional de Agricultura). Lo último, la castellanización de la población indígena, que en su mayor parte desconocía la lengua española y se mantenía en un analfabetismo degradante.

La primera meta fue conseguida, disfrutando el Perú de dos décadas de orden político casi europeo; la segunda fue conseguida a medias, puesto que si bien la producción y las exportaciones crecieron a un ritmo pocas veces reeditado en el Perú, las ganancias permanecieron bastante concentradas entre la clase propietaria. Un costo importante que debió pagarse fue además la desnacionalización de la minería (entre 1901 y 1908 los ricos yacimientos de la sierra central pasaron a manos de la compañía norteamericana Cerro de Pasco Corporation; lo mismo sucedió con los yacimientos petroleros en la costa norte, comprados por compañías británicas y norteamericanas). La tercera meta hizo muy pocos progresos. De acuerdo al censo de 1940 el analfabetismo era aún del orden del 58 por ciento y la tercera parte de la población no hablaba el castellano.

En los fastos carnavalescos con que en las principales residencias de Lima se despidió el siglo XIX, brillaban otra vez los rostros del civilismo. En algunos casos ya no eran los mismos hombres del pasado, pero sí sus descendientes más directos. José Pardo, hijo de Manuel, se preparaba para asumir el mando de la nación pocos años después. Tanto a Cáceres, como Piérola, los dos caudillos del período de la Reconstrucción, se les ha reprochado luego haber terminado pactando con los civilistas, no realizando la liquidación del pasado que el desastre del 79 reclamaba. Pero en realidad ninguno de los dos presentó un proyecto de reforma alternativo. El civilismo, además del poder económico, tenía el monopolio de la inteligencia, al punto de poder hacer pasar sus ideas por simple sentido común. Se mostró además como una corriente permeable a nuevas ideas e incluso nuevos hombres y en ese sentido efectuó su propia liquidación y balance de la era pasada.

LECTURAS RECOMENDADAS

Gianfranco Bardella, *Un siglo en la vida económica del Perú*. Lima: Banco de Crédito del Perú, 1989. Caps. I-IV y VI-VII.

Heraclio Bonilla, "El problema nacional y colonial del Perú en el contexto de la guerra del Pacífico". En: *Un siglo a la deriva. Ensayos sobre el Perú, Bolivia y la guerra.* Lima: IEP, 1981.

Patrick Hussson, *De la guerra a la rebelión (Huanta, siglo XIX).* Cuzco: CBC-IFEA, 1992. 2da. parte.

Peter Klaren, *Formación de las haciendas azucareras y orígenes del APRA*. Lima: IEP, 1976. Cap. 1.

Carmen McEvoy, *La utopía republicana. Ideales y realidades en la formación de la cultura política peruana (1871-1919).* Lima: PUCP, 1997. Parte III.

Florencia Mallon, "De ciudadano a "otro" Resistencia nacional, formación del Estado y visiones campesinas sobre la nación en Junín.". En: *Revista Andina* No. 23. Cuzco: CBC, 1994.

Nelson Manrique, *Yawar Mayu. Sociedades terratenientes serranas 1879-1910.* Lima: DESCO-IFEA, 1988.

Alfonso Quiroz, *Banqueros en conflicto*. Lima: CIUP, 1989. Cap. 2.

Rosemary Thorp y Geoffrey Bertram, Perú 1890-1977. *Crecimiento y políticas en una economía abierta.* Lima: Mosca Azul - Fundación Friedrich Ebert y Universidad del Pacífico, 1985. Cap. 3.

Segunda parte

PROBLEMA Y POSIBILIDAD, 1899-1948

Campesinos de faena. Calca, Cuzco, 1940. Foto de Fidel Mora. Tomada de *Fotografía Histórica Andina 1875-1950* (Cuzco: Banco Continental y CBC, 1993).

INTRODUCCIÓN

El propósito de esta sección es describir y analizar una época que más o menos coincide con los primeros cincuenta años del siglo veinte en el Perú. Se trata de una época importante porque en ella se redefinió la relación del Perú con el exterior. De una primera fase claramente orientada a la exportación de materias primas, se pasó luego a otra en la que se ensayó una limitada política económica orientada al mercado interno. También se diversificaron las actividades económicas del país, incorporándose nuevos bienes y territorios a la producción comercial, y aparecieron nuevos actores sociales y políticos que desafiarían el proyecto nacional de la antigua clase dirigente. Como en otros países de América Latina, aunque con un retraso explicable por la crisis de la guerra del Pacífico, el Perú vivió en los inicios del siglo XX el apogeo de lo que ha sido llamado por diversos historiadores como la era dorada de la oligarquía.

El proyecto oligárquico, consistente en tratar de asimilar al Perú a la civilización europea, idealizada como una comunidad próspera, ordenada y culta, entró, sin embargo, en crisis en los años veinte, debido al surgimiento de sectores como la clase media urbana, cobijada en el empleo público, las Fuerzas Armadas, el comercio y el trabajo intelectual, y el proletariado agrario, minero y urbano, para los que dicho proyecto, o carecía de propuestas que los incorporasen, o en todo caso lo hacía a un ritmo desesperadamente lento e incompleto. Estos nuevos sectores acabaron formando en los años veinte y treinta sus propias doctrinas y partidos políticos, de forma independiente a los partidos de la oligarquía, y alcanzaron a cuestionar el proyecto oligárquico.

Fue así que en esta época volvieron a plantearse preguntas y problemas que el Perú tenía pendientes desde su independencia y que van a marcar el resto del siglo veinte. Entre ellas figuraban la identidad cultural que se promovería y el tipo de nación que nos proponíamos ser (¿hispana o indígena? ¿centralista o federal?) el tipo de economía que queríamos implantar (¿abierta o cerrada al mundo?) y el rol asignado al Estado frente a la comunidad nacional y las comunidades regionales. También fue una era donde quedaron definidas de modo casi acabado las fronteras del territorio nacional, que al finalizar el siglo XIX aún carecían de límites precisos por casi todos sus flancos.

Tomando en cuenta la periodización política que han hecho otros historiadores, especialmente Jorge Basadre, hemos establecido tres grandes momentos: "La República Aristocrática" (1899-1919) dominada por los gobiernos de representantes del Partido Civil; el Oncenio de Augusto B. Leguía (1919-1930) y el tercer militarismo y sus resistencias (1930-1948). Este último período incluye el intermedio democrático del gobierno de José Luis Bustamante y Rivero, que fue interrumpido por un golpe militar que será analizado con mayor detenimiento en la siguiente sección.

Capítulo 5
EL PERÚ DE LA "REPÚBLICA ARISTOCRÁTICA" (1899-1919)

Los años de 1899 a 1919 han sido considerados como un capítulo distinguible de la historia peruana. Ello se debe al logro de cierta estabilidad política después de los diez años del segundo militarismo, una relativa paz social y la reemergencia del civilismo, un partido político que ganó las elecciones y ocupó el gobierno por dos décadas con pocas interrupciones. Por ello, el historiador Jorge Basadre llamó a esos años "La República Aristocrática"

En su definición más simple esta denominación describe una sociedad gobernada por las clases altas, que combinaba la violencia y el consenso, pero con la exclusión del resto de la población. Asimismo, el término alude a un orden señorial, a una democracia limitada y a un país todavía desintegrado socialmente, donde la sociedad civil era aún demasiado incipiente como para hacer representables sus intereses frente al Estado. Para otros autores éste fue el comienzo de la consolidación de una oligarquía o plutocracia cerrada, unida por lazos de parentesco, que practicaba el nepotismo en su monopolio del poder, marginando o neutralizando a las capas medias y populares, que abrió las puertas al capital extranjero, al que terminó subordinado y que estuvo aliada con los gamonales de la sierra. Estos últimos dominaban haciendas de bajísima productividad y eran los responsables de la explotación, la ignorancia y de la miseria abyecta en que se mantenía a la población indígena. Las versiones más extremas hablaban de un grupo "oligárquico", definido así por su pequeño número (algunos se referían a las "cuarenta familias" o "doscientas familias" que se erigían como "los dueños del Perú") y por sus íntimos lazos entre sí, que no tenía ni aspiraba a tener una ideología o un proyecto de desarrollo que incluyese al resto del país, y de la toma de importantes decisiones políticas entre amigos que se reunían en Lima en el Club Nacional.

Según estas interpretaciones la República Aristocrática es una reelaboración de los abismos sociales internos y la dependencia económica externa presente en el orden colonial, que perdió legitimidad y fue cuestionado parcialmente en los años treinta, y que sólo se resquebrajó en los años setenta de este siglo. Obviamente en esta interpretación influyó mucho el impacto de las nacionalizaciones y la reforma agraria decretadas en la segunda mitad del siglo veinte por el gobierno militar de Juan Velasco Alvarado.

Hoy en día los historiadores prefieren investigar y comprender este período en sí mismo, descubriendo nuevos actores, regiones, y dimensiones del pasado, sin dejar de reconocer que el Perú de fines del siglo diecinueve y comienzos del veinte experimentó un rápido crecimiento y diversificación económica y atravesó por importantes cambios sociales, políticos y culturales, que han dejado un legado perceptible hasta el día de hoy. Alfonso Quiroz ha discutido, por ejemplo, el calificativo de "República Aristocrática" de Jorge Basadre, señalando que la clase dominante del Perú de 1900 compartía ideales y orígenes sociales más bien burgueses que aristocráticos. Alejados del espíritu rentista y de culto al honor propios de la aristocracia colonial, sus hombres se embarcaron en negocios bursátiles, financieros y comerciales. Adoptaron el positivismo científico, criticando el humanismo literario percibido como herencia de la dominación española, y aceptaron el riesgo de actividades innovadoras en el terreno económico, lo que parecería una práctica alejada de un espíritu aristocrático. Felipe Portocarrero, por su parte, halló que el tamaño de la clase económica dominante era más extenso de lo pensado, y sus redes asimismo más complejas.

Para poder evaluar mejor ambas interpretaciones, acerquémonos con más detenimiento a los elementos claves de este período.

1. LA REEMERGENCIA DEL CIVILISMO

El rasgo más importante de la historia política del Perú de comienzos de siglo fue la continuidad de los gobiernos constitucionales formados por representantes del Partido Civil, una agrupación formada en la segunda mitad del siglo pasado, pero que revivió en la postguerra con Chile gracias a una evolución favorable de la economía mundial y a la todavía vitalidad de su proyecto de modernización. En esos años los líderes civilistas reconstruyeron su poder económico y político como parte de la elite costeña que gozaba de legitimidad, prestigio y reconocimiento en el resto de la sociedad.

Entre sus miembros se encontraban abogados prominentes, connotados profesores de la universidad, propietarios de haciendas, especialmente de azúcar en la costa norte y central, y empresarios y grandes comerciantes que participaban en los beneficios de la economía de exportación. Aunque a algunos de sus representantes podía hallárseles antecedentes en la aristocracia colonial, otros en cambio eran, o descendían de, inmigrantes europeos y norteamericanos, y había también aquellos que habían escalado socialmente desde orígenes oscuros, aprovechando la carrera militar o el empleo en las casas comerciales.

Las brechas sociales que aún atravesaban el país no pudieron ser plenamente resueltas, lo que se reflejó en el hecho de que la mayoría de los gobernantes civilistas fueron elegidos por una minoría de la población alfabeta y masculina, siguiendo la ley electoral de 1895. Por ejemplo, en 1904 sólo sufragaron 146,990 electores, y en 1908 apenas 184,388. La población del país se acercaba en esos años a los cuatro millones, de modo que esas cifras de electores representaban apenas un 4 por ciento del total demográfico (hoy en día la población electoral es aproximadamente el 55 por ciento del total).

Sin embargo, es importante destacar que en la maquinaria política que desarrolló el civilismo también tuvieron un lugar importante los líderes provincianos y miembros de la clase media urbana. Ellos tendieron complejos lazos de tensión y cooperación, que aún deben ser investigados con mayor detalle, con la excluida población indígena y otros grupos subalternos que formaban la mayoría del país. Asimismo, el poder del civilismo estaba limitado por los caudillos, comerciantes y los grupos de poder regional, especialmente en la sierra norte y sur, donde los acontecimientos económicos, judiciales y políticos se desenvolvían de acuerdo a una lógica y autonomías propias. Augusto Durand, hombre fuerte de la región de Huánuco, podría ser considerado un personaje emblemático de tales caudillos del interior, quienes llegaban a establecer alianzas con grupos como el pierolista o cacerista, opositores del civilismo. El gamonalismo serrano fue un refugio del caciquismo del siglo XIX. Prácticamente se convirtieron en términos sinónimos: "gamonalismo" era el vocablo peruano (un "peruanismo") con el que se designaba un fenómeno más universal. La profesionalización del ejército iniciada con la misión militar francesa contratada por el gobierno de Piérola, llevó al relativo desplazamiento de los jefes militares de los cargos de prefectos y subprefectos en el interior, que hasta entonces habían venido ocupando. Estos puestos, que no tenían una gran remuneración en el sueldo, pero sí en las oportunidades económicas, sociales y comerciales que abrían, fueron ocupados por los caciques regionales, quienes los utilizaron como instrumento para tejer las alianzas que les permitían el control de las sociedades locales. No se trataba, desde luego, de coaliciones sólidas formadas sobre la base de definidos intereses económicos; sino en cambio de pactos precarios que recurrían a las alianzas, clanes y rencillas familiares, por lo que los enfrentamientos entre los caciques regionales fueron hechos frecuentes en el período y llegaban a comprometer a los grupos indígenas con los que mantenían relaciones de clientelismo y dominación.

El apogeo del segundo civilismo comenzó en 1903, cuando uno de los fundadores del Partido Civil, el abogado y empresario Manuel Candamo, siguió en el poder a los gobiernos que sucedieron al período del militarismo, encabezados por hombres del Partido Demócrata como el caudillo Nicolás de Piérola y por Eduardo López de Romaña, ambos arequipeños. La época de apogeo continuó durante la presidencia de José Pardo, hijo del fundador del Partido Civil, iniciada en 1904, y que llegó a ser Presidente en dos diferentes períodos (1904-1908 y 1915-1919). Es interesante mencionar que entre sus dos presidencias, Pardo fue rector de San Marcos y que, Javier Prado y Ugarteche, el contendor de Pardo en el Partido Civil, pasó a ser rector de la Universidad, lo que sugiere la íntima relación entre esa casa de estudios y la elite de la época. Luego del primer gobierno de José Pardo, ocupó la presidencia Augusto B. Leguía, un empresario, también del Partido Civil, con experiencia internacional, quien había sido un destacado ministro de hacienda del anterior régimen, y que volvería a jugar un papel importantísimo en la política nacional.

Una de las excepciones a esta sucesión de regímenes civilistas fue el breve y convulsionado experimento populista del exalcalde de Lima, Guillermo E. Billinghurst, de 1912. Éste (Arica 1851 - Tarapacá 1915) era un antiguo empresario salitrero, proveniente de los territorios arrebatados por la guerra del Pacífico, y se había alistado, como la mayoría de los hombres del sur, en las filas del Partido Demócrata, de Nicolás de Piérola. En las elecciones de 1899 debió ser el candidato natural de este partido, pero fue misteriosamente relegado y decidió entonces retirarse de la vida política. Sin embargo, en 1909 regresó a ella, como alcalde de Lima. Su ascenso a la presidencia fue bastante irregular, ya que fue elegido, no en las urnas, sino por el Congreso, una vez que éste declaró nulas las elecciones en las que en verdad había triunfado el candidato civilista Antero Aspíllaga, uno de los "barones del azúcar" de la costa norte. El argumento de la nulidad, fomentado por el Partido Demócrata, fue que el número de votantes no había alcanzado el tercio mínimo necesario para considerar legítima la elección. Los demócratas habían llegado a la conclusión de que en una elección nacional era imposible derrotar al civilismo, por las amplias redes y mecanismos de control que éste tenía en las provincias. Por ello boicotearon en Lima y algunas otras ciudades donde tenían fuerza, como Arequipa y Huaraz, las elecciones celebradas el 25 y 26 de mayo de 1912. En esas jornadas piquetes de manifestantes destruyeron las mesas electorales, usualmente colocadas en las plazas, y hostilizaron a los votantes. El tribunal electoral anuló, además, un número importante de actas, de modo que los votantes no llegaron al tercio requerido.

El nuevo gobierno contó con el apoyo de los sectores de trabajadores, estudiantes y en general de las clases populares urbanas, descontentas por el alza del costo de vida que la bonanza exportadora y la fortaleza de la Libra peruana habían traído consigo, así como con el ya largo predominio civilista en el aparato del Estado. Pero la irrupción alternativa acabó apenas un año y medio después, con el golpe de Estado del 4 de febrero de 1914 encabezado por el coronel Óscar R. Benavides. Este acababa de ser destituido de su cargo de Jefe de Estado Mayor del Ejército el día anterior al golpe, y gozaba de la aureola de ser "el héroe de La Pedrera", un combate fluvial librado por motivos limítrofes tres años atrás contra fuerzas colombianas, en la región del río Caquetá, dominada entonces por las extracciones del caucho. El golpe estuvo dirigido a impedir el intento de Billinghurst de disolver el Congreso, que le era opositor, para hacer que coincidieran las elecciones a la presidencia de la República y al parlamento. Por otra parte, la deposición de Billinghurst se precipitó ante el intento del gobierno de crear milicias urbanas a fin de contrarrestar el apoyo que el civilismo tenía entre los militares.

Un corto período de Benavides en el poder fue sucedido en agosto de 1915 por un gobierno encabezado por el ex presidente José Pardo, quien fue elegido como candidato en una convención de partidos (ver recuadro "La convención de partidos") que pretendió resolver la crisis política desatada por las divisiones que agrietaban al civilismo y la popularidad creciente de nuevos y viejos protagonistas políticos, como el leguiísmo y el pierolismo, que parecían recoger mejor las aspiraciones de los trabajadores y la población urbana. El golpe de 1914, sirvió, en buena cuenta, para devolver el poder a la oligarquía, pero ésta debía tomar urgente nota de que había nuevas demandas sociales cuya resolución era imperiosa si es que no quería perder el control del Estado.

Para los gobiernos civilistas la promoción de una economía de exportación de materias primas y la atracción de capitales e inmigrantes extranjeros, especialmente europeos, parecían resumir sus propuestas económicas. Con respecto al Estado y sus políticas sociales no tuvieron una actitud indiferente. Pensaron que el Estado debía empezar a cumplir un rol moderador, promotor e integrador y que el ejército, la educación, y la salud pública debían servir para integrar y formar a la población indígena. Por ello los civilistas continuaron con el objetivo más importante del gobierno de Piérola: la modernización del aparato fiscal y administrativo del Estado. A esto añadieron la profesionalización del ejército y su sometimiento a la autoridad civil, lo que lograron por un tiempo, así como el desarrollo de la educación básica y de la sanidad pública.

Esto último significó la concepción de la educación y la salud como instrumentos civilizadores, formadores de ciudadanos y una mayor injerencia del Estado en la sociedad a costa de atribuciones que en parte tenían las Municipalidades. Según la

La Convención de Partidos de 1915

Tras el derrocamiento de Billinghurst, las fuerzas políticas representantes de los intereses oligárquicos se preocuparon en recuperar la unidad que amenazaba con traer por tierra su dominio del Estado. En marzo de 1915, a instancias del presidente provisorio Óscar Benavides, y bajo la conducción del general retirado Andrés Cáceres, héroe sobreviviente de la guerra con Chile y expresidente de la República, se reunieron representantes de los Partidos Civil, Constitucional (el partido de Cáceres) y Liberal (cuyo liderazgo recaía en Augusto Durand). Fue notoriamente excluido el Partido Demócrata, expresión de los pierolistas. Cada grupo llevaría cien representantes, a los que se sumaban todos los diputados, senadores y exministros de Estado de esos partidos que hubiesen desempeñado estas funciones desde 1885. El objetivo de la Convención era elegir un candidato único para las elecciones a celebrarse en el mes de mayo del año en curso. Este candidato debía contar con los votos de por lo menos el 85 por ciento de los miembros de la Convención, lo que obligaba a hacer alianzas que comprendiesen a las tres agrupaciones.

Los contendores para la candidatura única fueron finalmente José Pardo, del Partido Civil, y el general Pedro Muñiz, del Constitucional. Los liberales decidieron apoyar desde un comienzo la candidatura de Pardo, mientras Javier Prado, jefe de una de las alas del civilismo, declinó asimismo en aras de la unidad. José Pardo fue así el ungido por la Convención como candidato presidencial. En las elecciones celebradas el 16 de mayo, triunfó Pardo con 144,712 votos, contra sólo 13,151 obtenidos por Carlos de Piérola, representante del Partido Demócrata.

Ley de Instrucción de 1876, la educación primaria estaba en manos de los Municipios. Esto se modificó en la ley de 1905, dada por el gobierno de José Pardo, en que este nivel de educación pasó a depender del Estado y se declaró obligatoria y gratuita.

Algo parecido ocurrió en el terreno de la salud pública, cuando en 1903 se formó en el Ministerio de Fomento una Dirección de Salubridad Pública. Aunque esta Dirección nació en respuesta a una epidemia de peste bubónica que atacaba a Lima y a otras ciudades de la costa, sus funciones trascendieron el objetivo inmediato de su creación. El temor causado por una enfermedad infecciosa nueva en el país fue utilizado para crear el primer organismo estatal más o menos efectivo encargado de la salud pública a nivel nacional. La elite civilista consideró la protección sanitaria de los puertos y las ciudades como una responsabilidad del Estado, y como un requisito para la marcha normal de la economía de exportación, la intensificación del ritmo de trabajo y la atracción de las inversiones y los inmigrantes europeos (véase recuadro, p. 185). La importancia de esta Dirección fue creciendo y fue la base sobre la cual se fundó en 1935 un Ministerio encargado de la salud.

José Pardo y Barreda
Política de gobierno

Fragmentos de mensajes presidenciales de José Pardo leídos durante su primer mandato, entre 1904 y 1908. Se aprecian las principales preocupaciones de los gobernantes de la "República Aristocrática", como la educación, la salud pública, los ferrocarriles y la inmigración europea.

"El desarrollo de la cultura nacional, que en casi todos los países esta concretada al fomento de la instrucción pública en sus diversos grados, tiene en el nuestro una importancia más trascendental, porque el problema no es únicamente reducir el número de los analfabetos, es otro todavía más importante: transformar la población de la sierra del Perú en factor activo y consciente". *El Peruano*, 27 de setiembre de 1904.

"El desarrollo de los intereses materiales plantea preferentemente el problema de la viabilidad. La ley de ferrocarriles, que el país debe a vuestro exacto conocimiento de las conveniencias nacionales, tendrá puntual ejecución. Su complemento debe ser una ley de caminos carreteros con trazos conformes a un plan debidamente estudiado que permitan disfrutar desde luego a regiones vecinas a los ferrocarriles, las ventajas de tráficos rápidos, seguros y económicos. Los caminos abrirán al país para su explotación". *El Peruano,* 27 de setiembre de 1904.

"Cada día son más palpables las ventajas de la creación del Servicio Especial de Salubridad. Tiene la preferencia en todos los países cultos. En el Perú ejerce además otra misión: la de conservar la población para su crecimiento. Nuestra posición geográfica, la poca extensión irrigada de la Costa y la limitación de los recursos fiscales hacen difícil pensar en la inmigración en la escala suficiente para ser actor de crecimiento inmediato de población. La tarea tiene que concretarse, por ahora, a conservar la que existe para que se aumente por reproducción, y esta es la labor de la Dirección de Salubridad". *El Peruano*, 28 de julio de 1905.

"Con el objeto de iniciar una corriente de inmigración blanca, el Congreso sancionó una partida en el presupuesto destinada al pago de los pasajes de inmigrantes que viniesen al país y se han dictado disposiciones convenientes para su aplicación... Se han dictado disposiciones que han prevenido ya los graves peligros que pueden traer inmigrantes que no reúnan las condiciones que el país desea". *El Peruano,* 31 de julio de 1907.

La redefinición de una función más dinámica para el Estado implicó que antiguos recursos como el guano, que antes habían sido en parte desperdiciados, fueran objeto de una explotación más racional. El guano era aún un fertilizante importante para la agricultura costeña, especialmente la de la caña de azúcar, y en 1909 se formó la Compañía Administradora del Guano para controlar el comercio de este producto. La mayor parte de la producción de guano fue dirigida a la exportación, pero una parte importante se utilizó también en la agricultura de la costa.

El apogeo del civilismo no estuvo relacionado con un estilo de vida señorial y cortesano, sino en cambio con hechos como la creación y desarrollo de instituciones profesionales y empresariales que alimentaron el crecimiento económico y la especialización profesional que se experimentaba en el país. De esta manera entre 1895 y 1915 surgieron organizaciones como la Sociedad Nacional de Industrias, la Sociedad Nacional de Minería, el Colegio de Abogados de Lima, la Sociedad de Ingenieros, la Sociedad Nacional Agraria y la Asociación de Ganaderos del Perú.

2. EL CRECIMIENTO ECONÓMICO

El crecimiento económico del Perú de comienzos del siglo veinte se debió al incremento y variedad de las exportaciones de materias primas y la progresiva inversión directa de capitales extranjeros en minas, banca, seguros e industrias. Según Rosemary Thorp y Geoffrey Bertram la economía peruana de fines del siglo diecinueve, a pesar de vivir dependiente de los mercados extranjeros, alcanzó una importante diversificación, una industrialización limitada y cierto grado de "desarrollo autónomo". Un indicador de estos cambios fue el aumento de las exportaciones nacionales, que en general crecieron de 3.073 millones de libras peruanas en 1899, a 9.138 millones en 1913 y a 35.304 millones en 1920 (una libra equivalía a diez soles). El nivel nominal de exportaciones de 1920 no se volvería a alcanzar sino hasta 1937.

Lo interesante era que el sector exportador no era en esta época un "enclave" desintegrado del resto de la economía nacional, sino que demandaba insumos y servicios locales. Fue así que en torno a la minería, la agricultura y los ferrocarriles, se creó un sector metal mecánico de "fundiciones" y fábricas y talleres que alimentaban con bienes diversos a los productores mineros y agropecuarios.

Como se ha señalado, un rasgo importante de las exportaciones fue su diversificación, una diferencia importante con lo que había ocurrido durante el siglo pasado, cuando tantas expectativas estuvieron centradas en la plata, el guano o después el salitre. Según Pablo Macera, en 1913, las exportaciones peruanas se componían de minerales (38%) azúcar (18.9%) caucho (11.2%) y algodón (10.9%). Posteriormente el petróleo, el azúcar y las lanas del sur cobraron mayor importancia. Estados Unidos y Gran Bretaña fueron los países extranjeros con mayores inversiones en estos años, con un progresivo cambio de la predominancia del primero en desmedro del segundo. En este cambio, así como en el incremento del comercio internacional del Perú, tuvo que ver por cierto la apertura del Canal de Panamá en 1914 y la Primera Guerra Mundial (1914-1918), que creó una coyuntura favorable para las exportaciones peruanas en los mercados internacionales. Asimismo hechos de distinto orden, como la adopción del patrón oro (iniciada en 1897 y culminada en 1903), que dio una gran estabilidad a la moneda nacional, y la reparación y prolongación de los ferrocarriles, en manos de la *Peruvian Corporation*. Durante la primera década del siglo las líneas férreas se extendieron hasta Cerro de Pasco (1904), Huancayo (1908) y Cuzco (1908), facilitando el transporte de los minerales y las lanas de esas regiones.

La minería

Las inversiones extranjeras se sintieron con mayor fuerza en la minería, que fue a comienzos del siglo el sector más rentable de la economía de exportación. En este sector, en parte debido a la demanda de grandes capitales y de tecnología sofisticada, se percibió con mayor claridad un proceso que iba a afectar a otros sectores económicos del país: el desplazamiento de los capitalistas nacionales por los extranjeros. Este proceso de desnacionalización concentró la propiedad y modificó el panorama de la minería peruana que hasta fines del siglo pasado se caracterizó por la existencia de varias empresas pequeñas, generalmente en manos de propietarios nacionales o de inmigrantes radicados, que estaban concentradas en la sierra central, y que se especializaban en la extracción de metales preciosos.

A comienzos de siglo otros metales como vanadio, mercurio, plomo, zinc y especialmente cobre de la sierra central y petróleo de la costa norte, atrajeron a las industrias americanas e inglesas. De esta manera aparecieron en el Perú empresas como la norteamericana *Cerro de Pasco Mining Corporation* de Nueva York, que empezó a trabajar en la sierra central en 1902 y la *Standard Oil* de New Jersey, que en 1913 adquirió una serie de campos petroleros, como Negritos, ubicados en Piura, que habían estado en manos de intereses británicos y formó la *International Petroleum Company*. La nueva ley de minería de 1900, que reemplazó las viejas Ordenanzas de 1786, facilitó el arribo de la inversión extranjera, así como también lo hizo la disposición que en 1890 ordenó congelar por veinticinco años los impuestos que afectaban a las actividades de exportación.

La producción total de cobre creció de 275 toneladas en 1890 a 12,213 toneladas en 1905 y llegó a 32,981 toneladas en 1920. En ese año la *Cerro de Pasco* y la *Northern Peru Mining* (otra compañía norteamericana, que trabajaba en la sierra de La Libertad) explotaban casi todo el cobre y la mayor parte del oro y la plata del país. Poco años después (1922) la *Cerro* inauguró una gran fundición en La Oroya; previamente había modernizado la producción a través de un túnel de drenaje y de la extensión del ferrocarril hasta las minas de carbón de la región (Goyllarisquizga y Quirhuacancha), lo que contribuyó a que perdieran competitividad, y en consecuencia quebraran, las otras fundiciones existentes en la región. La *Cerro de Pasco*,

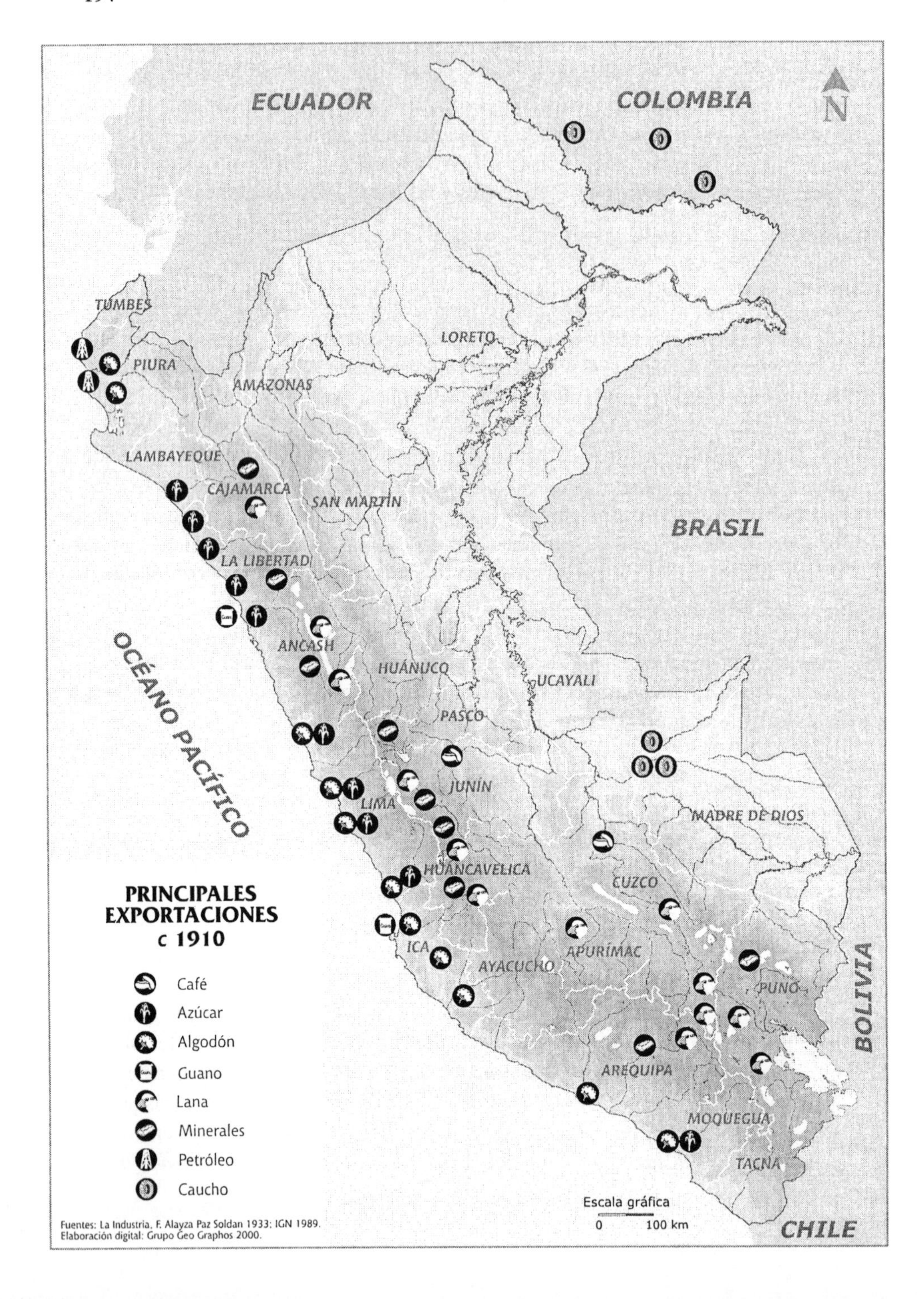
ECUADOR
COLOMBIA
N
TUMBES
PIURA
LORETO
AMAZONAS
LAMBAYEQUE
CAJAMARCA
SAN MARTÍN
BRASIL
LA LIBERTAD
ANCASH
HUÁNUCO
UCAYALI
OCÉANO PACÍFICO
PASCO
JUNÍN
LIMA
MADRE DE DIOS
HUANCAVELICA
CUZCO
ICA
APURÍMAC
AYACUCHO
PUNO
BOLIVIA
AREQUIPA
MOQUEGUA
TACNA
CHILE
PRINCIPALES EXPORTACIONES c 1910
Café
Azúcar
Algodón
Guano
Lana
Minerales
Petróleo
Caucho
Escala gráfica
0 100 km
Fuentes: La Industria, F. Alayza Paz Soldan 1933; IGN 1989.
Elaboración digital: Grupo Geo Graphos 2000.

adquirió también las minas de Morococha, donde la familia Pflucker, de origen alemán, había instalado una fundición que concentraba la producción de muchos mineros del asiento. Fue célebre la resistencia del empresario nacional Lizandro Proaño, principal propietario de la Sociedad Minera Alapampa, quien hasta 1913 se resistió a vender y sólo fue vencido por turbias maniobras jurídicas que lo despojaron del control de su empresa. En Casapalca, asimismo en la sierra central, la *Cerro* libró una batalla contra una compañía mitad peruana y mitad extranjera, la *Backus y Johnston*, que en 1896 había ingresado a la región también con grandes planos de expansión en la producción de cobre. Tras la caída del precio de este metal en 1909 y la muerte de los socios principales, estos yacimientos pasaron también a poder de la *Cerro*. Otros yacimientos más, fueron adquiridos por esta compañía norteamericana durante los años veinte, como Yauricocha, Julcani, Tintaya, Ferrobamba, Cerro Verde, Quellaveco, Antamina y Chalcobamba. Varios de ellos nunca fueron explotados, sino traspasados más adelante a otras empresas, mientras que otros fueron explotados recién en los años cincuenta y sesenta, cuando los precios de los metales mejoraron.

Una de las razones que hasta 1900 había creado dificultades al despegue económico de la minería fue la escasez de trabajadores. La Cerro empezó a atraer a campesinos mediante el método del "enganche" que abandonaban su trabajo agrícola para convertirse en mineros, representando hacia 1940 cerca del 30 por ciento de la población minera del país. Una de las razones por las que la compañía minera compró muchas tierras en la región, fue propiciar la separación de los campesinos de sus medios de reproducción agraria, a fin de hacer factible su proletarización. En cierta forma esta compañía minera tuvo que emprender en la región de la sierra central, en breves décadas y por sí sola, una transformación social que en otras partes del mundo fue el resultado histórico de un largo proceso de modernización. Esta curiosa "transición al capitalismo" de la mano de una gran empresa extranjera comportaría, sin embargo, serias limitaciones, ya que no descansaba en la presencia de una burguesía regional con raíces y hegemonía locales.

En menor escala la historia de la *Cerro* se repitió en otras regiones y renglones mineros. Así, es importante mencionar que otra compañía extranjera, la *Vanadium Company*, a partir de 1907 empezó a monopolizar la extracción y comercialización del vanadio en el país, y que en Puno y Ancash se establecieron firmas británicas y francesas dedicadas a la explotación de oro, plata y otros metales. Entre 1905 y 1919 la fuerza laboral minera más que se duplicó en el Perú, pasando de 9,651 a 22,000 hombres.

La industria petrolera tuvo una historia similar, en la costa norte. Los campamentos de La Brea y Pariñas, Zorritos y Negritos, explotados después de la guerra con Chile por empresas como la *London and Pacific Petroleum*, y la del inmigrante italiano Faustino Piaggio, pasaron a manos de la *IPC* en 1913, dominando esta empresa, por encima de la británica *Lobitos Oilfiedls*, la operación de refinerías que produjeron kerosene, gasolina y aceite combustible. El petróleo significó el 10 por ciento del total de las exportaciones peruanas en 1913 y la cifra aumentó hasta 30 por ciento en 1930. El número de trabajadores petroleros creció de 9,700 en 1905 a 22,500 en 1920.

Generalmente en la historiografía estos centros mineros dominados por el capital extranjero han sido considerados verdaderos enclaves que parasitaban los recursos nacionales, sin modernizar la región en que se desarrollaban, enviando todas las ganancias al extranjero y dejando pocos "encadenamientos" locales y beneficios al país. En realidad el sector que más se parecía a la imagen de un enclave fue el del petróleo, donde existían grandes extensiones petrolíferas en medio de un desierto de relativo aislamiento, ya que la mayor parte de la comunicación y el abastecimiento eran por vía marítima. Asimismo, a este sector estuvo asociada por años la acusación cierta de esquivar sus obligaciones tributarias y tener una explotación limitada según los intereses de sus propietarios y las demandas del mercado internacional. Debe reconocerse, sin embargo, que la actividad minera moderna contribuyó a dinamizar la propia agricultura campesina en regiones, como la del valle del Mantaro, donde los salarios beneficiaban a campesinos que, como en el caso del pueblo de Muquiyauyo, llegaron a construir una central hidroeléctrica con el dinero proveniente de la minería.

Otra característica de los cambios en la minería del cobre y del petróleo y que va a notarse también en sectores de la agricultura peruana, fue que la expansión de la producción en gran escala fue a costa de la de pequeña escala. Ello tendría como consecuencia el progresivo desenganche del sector minero de la industria nacional, ya que la tecnología, los insumos utilizados y hasta los propios técnicos que dirigían las operaciones, pasaron a ser extranjeros. En las primeras décadas del siglo veinte, Cerro de Pasco dejó de ser la cosmopolita ciudad "de los consulados" que había sido en los tiempos anteriores, para convertirse cada vez más en un "company town" (pueblo de compañía); es decir en el gran campamento de una empresa foránea.

La agricultura

El proceso de expansión fue particularmente claro en el caso de la caña de azúcar. En los valles costeños del norte surgieron extensas haciendas dedicadas al cultivo de la caña para la exportación del azúcar, de propiedad de inmigrantes o de peruanos descendientes de inmigrantes europeos, que instalaron modernas maquinarias (como arados a vapor, ferrocarriles de trocha angosta para llevar la caña

El ferrocarril Lima-Pisco a comienzos del s. XX. Archivo Illa.

La Hacienda Manrique, en el valle de Ica, hacia 1900. Archivo Histórico Riva Agüero.

VALOR DE LOS PRINCIPALES PRODUCTOS NACIONALES
EXPORTADOS EN EL PERÍODO 1887-1929
(en miles de libras peruanas)

Año	Algodón	Azúcar*	Caucho	Lanas	Petróleo*	Cobre
1887	60	300	64	110	–	–
1891	150	450	–	124	–	–
1892	403	900	–	171	–	–
1897	200	843	259	246	175	–
1898	247	923	3	308	165	–
1899	179	1,010	2	400	–	–
1900	326	1,500	0	300	0	621
1901	369	1,031	0	300	0	939
1902	294	1,300	369	230	3	311
1903	296	1,100	442	500	21	283
1904	288	1,100	670	324	18	351
1905	394	1,900	914	482	12	589
1906	441	1,500	914	600	27	808
1907	487	827	945	428	49	1,791
1908	798	1,048	609	297	90	1,222
1909	1,300	1,200	1,200	394	152	1,215
1910	1,100	1,400	1,300	482	117	1
1911	1,100	1,500	612	405	399	1,615
1912	1,100	1,500	1,308	385	755	2,332
1913	1,500	1,500	816	517	910	2,011
1914	1,500	2,700	446	508	889	1,683
1915	1,300	3,000	600	599	1,144	3,372
1916	1,800	4,000	700	938	1,388	5,943
1917	2,900	4,200	600	1,800	1,182	6,251
1918	3,800	4,700	323	2,800	1,415	5,866
1919	6,700	8,700	474	1,700	2,320	4,921
1920	9,000	12,500	300	684	1,431	3,613
1921	3,900	5,000	8	296	2,929	3,671
1922	5,100	4,950	117	528	4,497	3,563
1923	6,800	7,000	157	645	4,447	4,385
1924	7,000	5,400	158	1,110	6,020	3,668
1925	7,900	2,600	221	875	5,626	4,329
1926	6,000	4,900	300	668	7,421	4,248
1927	6,900	4,900	182	839	7,750	5,062
1928	5,900	8,800	136	1,109	7,871	5,562
1929	5,600	3,500	123	1,100	8,698	6,672

Fuente: *Extracto Estadístico del Perú, 1936-1937* (los datos de 1887 corresponden a la Memoria de la Dirección de Aduanas. En los años 1887, 1892 y 1901, no hay datos de la Aduana de Iquitos. Valores revisados)

* Y derivados.

al ingenio, pozos tubulares dotados de bombas de agua, y el uso de motores a gasolina). Hacia 1918 la industria azucarera peruana había superado la productividad de Hawaii, considerada entonces una de las más adelantadas de su época.

Pequeñas y medianas propiedades cedieron ante el empuje de estas grandes haciendas, como las llamadas "Roma" y "Casagrande", ubicadas en el valle de Chicama en La Libertad, cuyos propietarios eran las familias Larco y Gildemeister, respectivamente, y la casa comercial W. R. Grace, poseedora de la hacienda Cartavio. A diferencia de la minería, donde las empresas extranjeras desplazaron a casi todos los capitalistas nacionales, en la agricultura de la costa norte muchos de los hacendados eran peruanos. El crecimiento del azúcar tenía que enfrentar la relativa desorganización de los créditos locales, el estacionamiento de la demanda interna, el cuello de botella del mercado de trabajo para una mano de obra permanente, las fluctuaciones del mercado internacional y la competencia con la remolacha.

Para enfrentar el déficit laboral, que también agobió a la minería, se utilizó mano de obra temporal traída de la sierra a través del sistema del enganche y algo de mano de obra asalariada. El sistema de enganche consistía en un pago que realizaba el propietario de una hacienda a un representante (llamado enganchador) para que éste contrate a los operarios, que solían ser campesinos de la sierra, y se traslade con ellos al fundo en donde habían sido contratados, para ayudar en la siembra, la cosecha o en otras tareas agrícolas. El enganchador tenía la obligación de vigilar que los enganchados no se fugaran o abandonaran los fundos hasta haber cumplido sus contratos y pagado las deudas que contraían con las tiendas de las haciendas. Recién a fines de los años veinte se formó en el sector azucarero y en los centros mineros un proletariado más o menos permanente. Aunque sus vínculos con el campo no habían sido aún rotos definitivamente.

Haciendas azucareras de la costa norte traían trabajadores enganchados de las localidades serranas vecinas, incluyendo el departamento de Cajamarca, que inició a comienzos del siglo veinte su propio proceso de modernización en la ganadería.

La principal contribución de las haciendas azucareras a la economía peruana fue la modernización tecnológica y la formación de capital, lo que fue de gran importancia para los financistas urbanos, especialmente a comienzos del siglo veinte. De esta manera los propietarios de las haciendas azucareras incursionaron limitadamente en una serie de empresas urbanas como bancos y seguros. Ellos participaron en parte en las primeras industrias textiles y las instituciones bancarias y de seguros que mayoritariamente crearon intereses o inmigrantes extranjeros (el Banco Internacional del Perú, el Banco Alemán Trasantlántico, el Banco Popular, la Compañía de Seguros Rímac y la Compañía de Seguros Nacional y Porvenir). En 1890 surgió la primera fábrica textil de Lima donde se utilizaba la energía eléctrica, la Sociedad Industrial Santa Catalina. Ésta, como otras industrias, surgieron por el estímulo de los altos precios de los productos importados, debidos a su vez a la depreciación de la tasa de cambio en la década de 1890, lo que desalentó la llegada de importaciones extranjeras competitivas con la naciente industria local.

Otro sector agrícola que se desarrolló en las primeras décadas del siglo veinte fue el del algodón. En Piura, en Lima y en Ica surgieron haciendas dedicadas al cultivo del algodón en distintas variedades, que experimentaron un marcado crecimiento y tuvieron una alta rentabilidad hasta 1920. A esto contribuyó una innovación peruana: la variedad Tangüis, creada por el inmigrante puertorriqueño Fermín Tangüis en el valle de Pisco, en Ica, que a partir de 1915 gozó de una amplia demanda internacional. El cultivo del algodón se caracterizó por ser una producción en pequeña escala donde predominaba la pequeña y la mediana propiedad, por ser intensiva en mano de obra, y por tener el mayor impacto en el largo plazo sobre el nivel de la demanda interna.

El cultivo del algodón no necesitaba de grandes cantidades de agua ni de sofisticada tecnología y sólo requería de una gran cantidad de mano de obra en épocas de siembra y cosecha. Esta necesidad fue cubierta con mano de obra temporal que llegaba de la sierra adyacente a la costa a través del mecanismo del enganche y de un sistema de arrendatarios y yanaconas. Estos últimos eran pequeños agricultores arrendatarios que cultivaban productos de panllevar, pagaban el alquiler al propietario en productos agrícolas y recibían una parte de la cosecha por participar en las labores generales de las haciendas. Los estudios de Vincent Peloso sobre el valle de Pisco han mostrado cómo al aumentar la oferta de trabajadores y la productividad de los cultivos en la década de 1910, los yanaconas perdieron la autonomía frente a los hacendados de la que habían gozado en la época en que el trabajo era sumamente escaso. De cualquier manera, las características del cultivo del algodón permitieron que parte de los beneficios de los ingresos por exportación se redistribuyeran entre un mayor número de campesinos y arrendatarios que residían permanentemente en los valles algodoneros.

El financiamiento y la comercialización del algodón estaba en manos de casas comerciales extranjeras como la Duncan Fox y Graham Rowe, que otorgaban préstamos de corto plazo tomando como garantía la cosecha futura. No fue sino hasta la tercera década de este siglo, cuando las exportaciones de algodón peruano empezaron a escalar en el mercado internacional, que los bancos limeños empezaron a otorgar préstamos a este sector. Asimismo, el control de las desmotadoras de algodón (que procesaban, desmotaban y extraían el aceite de algodón), una operación que originalmente fue hecha en cada hacienda, estaba en manos de empresas comerciales que tenían locales en las ciudades de los valles algodoneros como

Pisco, Chincha y Cañete. Fue la época de oro de los puertos de Pisco, Tambo de Mora y Cerro Azul.

Más dirigidas al consumo local, se desarrollaron en Lambayeque y en otras regiones del país cultivos de arroz, un producto que no necesitaba de grandes inversiones en maquinaria y que estuvo protegido durante años por incentivos y barreras arancelarias que desanimó a los importadores de este producto (especialmente a partir de los años veinte). El arroz expandió notablemente su área de cultivo y pronto se convirtió en un ingrediente básico de la dieta nacional. Es importante señalar que en las primeras décadas de este siglo el crecimiento de los cultivos para la exportación no significó una disminución marcada del área destinada a las tierras de cultivo de alimentos, por lo menos para la región de la costa.

En la ceja de selva central, donde la *Peruvian Corporation* había recibido tierras en virtud del Contrato Grace (1889) y formado la colonia del Perené, se desarrolló el cultivo del café, la caña de azúcar para la producción de aguardiente, y otras especies. La colonia, dirigida por un pequeño grupo de administradores ingleses, abarcaba 500,000 hectáreas de tierra a lo largo del río Perené y reclutó mano de obra entre los ashaninkas. Hubo esperanzas de que esta región, conocida como el valle de Chanchamayo, y cuya ciudad cabecera era Tarma, y más adentro San Ramón y La Merced, se convirtiera en un polo de colonización europea, lo que fracasó ante la caída del precio del café en el mercado mundial.

El caucho

Un producto de exportación que creó una gran expectativa, tuvo una extraordinaria bonanza, pero que dejó poco para las economías regional y nacional fue el caucho de la Amazonía. La demanda por este producto estaba asociada a la fabricación de llantas para los automóviles, un medio de transporte que empezaba a generalizarse en los países desarrollados. Los inicios de su explotación se remontan a los años finales de la Guerra con Chile y su auge se vivió a comienzos de este siglo, hasta 1912, aproximadamente. El sistema de explotación era en realidad una extracción de un producto natural que era transportado por los ríos de la Amazonía hasta la ciudad de Iquitos, desde donde el caucho era embarcado directamente a Europa. Aunque es difícil cuantificar las exportaciones por la gran cantidad de contrabando, al parecer hacia 1910 el caucho llegó a representar el 30 por ciento del total de las exportaciones peruanas. Luego desapareció casi por completo, cuando intereses británicos encontraron más rentable y segura las fuentes de goma que provenían de las plantaciones instaladas en sus colonias de la India y Ceylán.

El del caucho fue un sistema de explotación salvaje, primitivo y silvestre, que depredaba recursos y expoliaba a los nativos y a los serranos enganchados que se

El infierno del Putumayo

En la región amazónica ubicada entre los ríos Caquetá y Putumayo se desarrolló una activa explotación del caucho. La principal agencia comercial fue la empresa de Julio César Arana, fundada en 1903 por él y sus hermanos y cuñados. La empresa se asoció más tarde con capitales británicos, constituyéndose en Londres en 1907 la Compañía Limitada Amazónica Peruana. Si bien ello dotó a la firma de mayores recursos de capital y mejores contactos financieros en Europa, también provocó que el gobierno inglés fijara más los ojos en las actividades de la compañía en el Amazonas. Fue fruto de este interés y de las denuncias que se propalaban que este gobierno decidió enviar en 1910 al cónsul británico en Río de Janeiro, Roger Casement, a inspeccionar las condiciones en que operaba la compañía presidida por Arana y a la cual ya se habían incorporado varios directores ingleses. Ubicada en una región en disputa entre Perú y Colombia, la zona del Putumayo se hallaba prácticamente desamparada de cualquier control estatal, y al solo gobierno de la compañía manejada por Arana. En campamentos bautizados con nombres apocalípticos y renacentistas, como "Último Retiro", "Matanzas", "Atenas" o "Abisinia", ciudadanos peruanos y súbditos británicos (también hombres de Barbados, llevados ahí como capataces por los ingleses) cometieron atrocidades apenas imaginables. El texto que sigue es un fragmento tomado del informe al Parlamento británico entregado por Roger Casement en marzo de 1911 (reproducido de R. Casement, *Putumayo: caucho y sangre. Relación al Parlamento inglés* (1911). Quito: Ediciones Abya Yala, 1988; pp. 29-30.

"Antes de que mi visita finalizara, más de un agente peruano admitió que había continuamente azotado a los indígenas, y acusó con el nombre a más de uno de sus compañeros agentes de haber cometido peores crímenes. En muchos casos el trabajador indígena del caucho, que sabía aproximadamente la cantidad de caucho que se esperaba de él, cuando llevaba su carga para ser pesada, viendo que la aguja de la balanza no llegaba al lugar requerido, se tiraba boca abajo en el suelo y en esa postura esperaba el inevitable latigazo ... Cuando visité la región cité el testimonio de este hombre, que estaba en mi poder, como la evidencia del mismo y fue ampliamente confirmado por uno de los súbditos británicos que examiné, quien estaba acusado de la flagelación de una joven indígena, a quien el hombre al que me refiero mató después, cuando, luego de la flagelación, su espalda se pudrió de tal manera que estaba "llena de gusanos". (...) Los indígenas eran azotados no solamente debido a una disminución de caucho, sino también, y aun más cruelmente, si se atrevían a escapar de sus casas para fugarse a una región distante y librarse juntos de los trabajos que les habían impuesto. Si los fugitivos venían capturados se los torturaba hasta darles muerte mediante los brutales azotes, ya que la fuga era considerada como una ofensa capital. Se organizaban expediciones cuidadosamente planeadas para seguir la pista y recuperar a los fugitivos por más lejanos que se encuentren. El territorio fuera de discusión de la vecina República de Colombia, ubicado al norte del río Japura (o Caquetá), era violado una y otra vez durante estas persecuciones, y los individuos capturados no eran solamente indígenas."

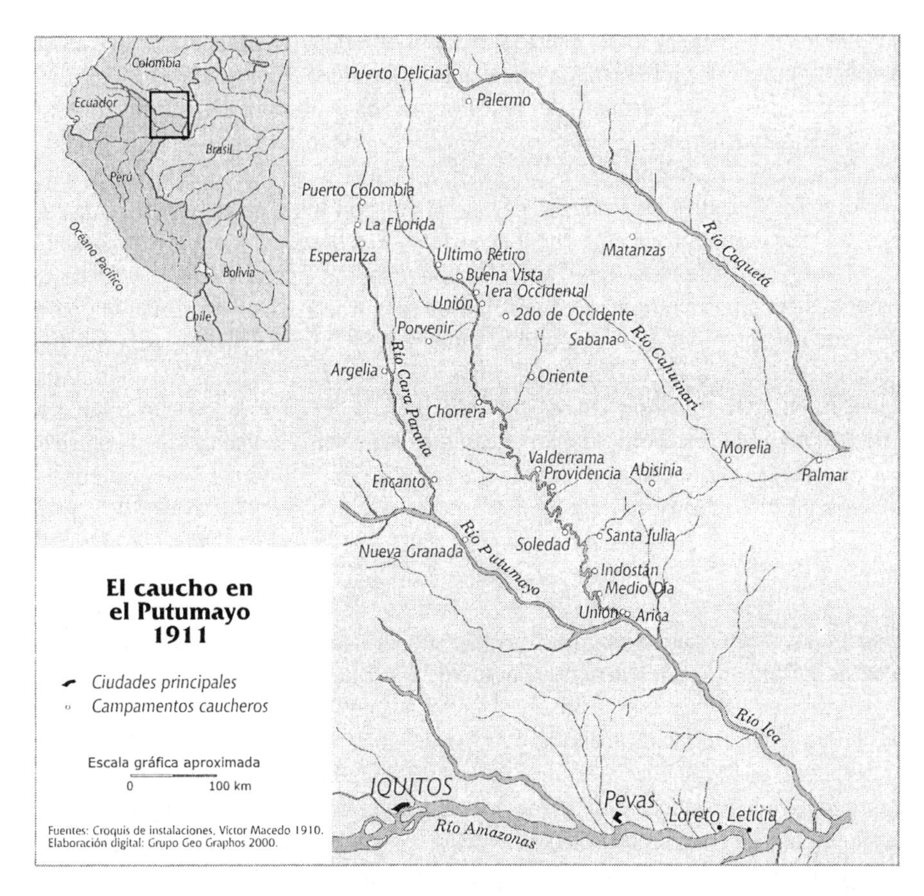

llevaba a trabajar a la Amazonía. Los trabajadores eran sometidos a un sistema de virtual esclavitud y se limitaban a recoger el caucho de los árboles en condiciones de total aislamiento. Como entre los nativos de la región no se había desarrollado una sensibilidad por el salario, los empresarios caucheros recurrieron a "incentivos negativos" para estimular el trabajo, como el castigo físico, la extorsión y el secuestro. Se hicieron famosas las "correrías" (expediciones de reconocimiento y recolección de caucho) donde los caucheros entraban a la selva liquidando a poblaciones nativas. Estos abusos y las difíciles condiciones para transportar el caucho generaron una serie de denuncias que alcanzaron una resonancia internacional (véase recuadro "El infierno del Putumayo").

Los empresarios del caucho eran una suerte de exploradores, como Carlos Fermín Fitzcarraldo, de Ancash, quien dominó la región del río Ucayali, y Julio César Arana, de San Martín, quien creó un imperio casi personal en la región del río Putumayo. Estos y otros empresarios y comerciantes ubicados en Iquitos, hicieron de la noche a la mañana grandes fortunas que se consumieron en artículos de lujo traídos de Europa y del Brasil a precios astronómicos. Iquitos, puerto fluvial del departamento de Loreto, y conectado a Manaos por el río Amazonas, vivió sus años de apogeo. De haber sido un pequeño poblado con funciones de exploración y control de frontera, pasó a contar con unos veinte mil habitantes. En 1897 fue convertido en la capital departamental, desplazando a Moyobamba.

La riqueza del caucho llevó a su clase empresarial a pretender separarse de la república peruana en rebeliones que debieron ser sofocadas con el ofrecimiento de privilegios fiscales y con tropas que tras una penosa travesía por dos océanos llegaban al escenario de conflicto con más de un año de retraso. Algunos años después, en 1921, cuando ya habían pasado los años del auge del caucho, apareció otro intento separatista, dirigido por el capitán Guillermo Cervantes quien apresó a las autoridades civiles, instaló un gobierno provisional en Iquitos, y llegó a emitir billetes que circularon en la región. Este intento también fue sofocado desde Lima.

La ganadería

Este fue otro sector que se incorporó al ciclo económico de exportación desarrollado a partir de la postguerra con Chile y durante las primeras décadas del siglo veinte. Sus lugares de asentamiento se ubicaron en toda la región serrana, desde Cajamarca hasta Puno, pero lo hicieron con mayor fuerza en la zona sur. En el caso del norte el despegue de la ganadería se basó en la importación de ganado bovino y lanar europeo para la producción de carne, leche, mantequilla y quesos. La producción cajamarquina de estos productos fue creciendo progresivamente y alcanzó a proveer a las propias haciendas azucareras y posteriormente al mercado de alimentos de Lima. Nuevas investigaciones, como las de Lewis Taylor y Carmen Diana Deere, han mostrado que la imagen de un sector agrario estancado en la sierra norte, no es verdadera y que en las primeras décadas del siglo veinte un grupo importante de haciendas del sur del departamento de Cajamarca iniciaron un proceso de modernización, que se intensificó con la llegada de la compañía extranjera Nestlé hacia la década de 1940.

Las haciendas de Junín y Pasco, según refieren los estudios de Nelson Manrique, también habían iniciado un proceso de modernización a través de la importación de ejemplares vacunos y ovinos de Suiza. Entre 1905 y 1910 latifundistas regionales, en alianza con capitalistas limeños formaron la Sociedad Ganadera Junín y la Sociedad Ganadera del Centro, que hacia 1920 llegaron a tener 114,542 y 230,673 hectáreas respectivamente. En el departamento de Pasco la Negociación Agrícola y Ganadera Eulogio Fernandini, un empresario que también contaba con fuerte presencia en el ramo de la minería, llegó a reunir 423,398 hectáreas en 1931, tras la adquisición de varias haciendas desde 1903.

En el caso de la ganadería, tanto en la región de la sierra central, como en la de la sierra norte, se reprodujo el mismo patrón de: modernización primero, y desnacionalización después, que hemos visto en el caso de la minería. Una vez que los empresarios nacionales (incluyendo en esta categoría a los inmigrantes ya asentados en el Perú) habían transformado la infraestructura de sus propiedades, con inversiones en infraestructura y nueva tecnología, eran tentados por empresas extranjeras que les ofrecían precios que ellos consideraron magníficos en ese momento. La mayoría se decidió así por la venta. La repetición de este esquema llevó a Heraclio Bonilla a acuñar su conocida frase de que en esta época: "la clase dominante peruana se fue haciendo cada vez más burguesa, a condición de ser cada vez menos nacional".

Otro sector de exportación que creció en esos años fue el de las lanas del sur del país. Esta región se había ido integrando gracias al ferrocarril del sur y había experimentado una repentina prosperidad, donde ciudades como Arequipa, Puno y Cuzco cobraron nueva vida y jugaron un rol diferente y complementario. Mientras que en la primera floreció el crédito manejado por las casas comerciales, como las que habían creado los ingleses Gibson, Ricketts y Stafford, en la segunda se concentró la producción de lana, especialmente de camélidos, para la exportación, y en la tercera se comercializaron los productos agrícolas de los valles del departamento. Gracias al ferrocarril del sur y a su control del puerto de Mollendo, Arequipa pudo controlar la exportación de las lanas, sirviendo también de sede para el lavado y preparación del producto para su embarque.

En el valle del alto Urubamba, próximo al Cuzco, surgió una agricultura comercial, gracias a las leyes de colonización de tierras de montañas de 1898 y 1909 y a la extensión del ferrocarril, que propiciaron la adquisición de terrenos por particulares. Ocurrió así una marcada concentración de la propiedad rural y un notable crecimiento de las haciendas. La mayoría eran haciendas de reciente formación, que se especializaban en uno o dos productos, y que contaban con poco capital y escasa tecnología. Los propietarios solían tener administradores en el valle y vivían cómodamente y con cierto lujo en la ciudad del Cuzco, donde ocupaban la posición más elevada en la escala social local. Estos productos llegaban hasta los mercados puneño y boliviano, que se abastecían de coca, azúcar, café, té y víveres gracias al Cuzco.

Las difíciles condiciones del trabajo agrícola de tierras no sólo incultas sino ubicadas entre quebradas estrechas, la resistencia de los nativos de la selva (los Machigüengas) para convertirse en peones agrícolas y la distancia entre las tierras de cultivo y los centros poblados, hicieron difícil la creación de un mercado libre de trabajo o la utilización del sistema de enganche. Los hacendados de La Convención resolvieron el problema de la escasez de mano de obra promoviendo el establecimiento de campesinos que eran al mismo tiempo colonos. Este era un sistema que exigía pocos gastos por parte de los propietarios y que rápidamente degeneró en una forma de dependencia personal.

Según este sistema, los propietarios no trabajaban directamente sus haciendas sino que las alquilaban a los así llamados arrendires, a cambio de una serie de obligaciones que incluían el servicio personal en las tierras y en la casa del propietario. Los arrendires a su vez subarrendaban pequeñas parcelas de tierra a los "allegados" a cambio de servicios y productos. Generalmente los arrendires cumplían las obligaciones personales con el hacendado a través de los allegados. En la última escala social de este complicado sistema de colonización estaban los "habilitados" o peones agrícolas, quienes no poseían tierra y que trabajaban por breves temporadas en la hacienda, en las tierras asignadas a los arrendires o en las del allegado.

Puno empezó a transformarse mediante la cría de ganado vacuno, ovino y de más de la mitad de los camélidos del país. La lana de estos animales se exportaba casi en su totalidad a Europa, limitándose la población indígena a utilizarla en algunos productos artesanales como la producción de sombreros, ponchos, bufandas, y guantes. Aunque nunca llegó a tener la importancia que tuvieron otras exportaciones, como el azúcar y el cobre, en 1918 la lana se convirtió en el segundo producto de exportación en términos de las ganancias generadas para el gobierno. La oferta de lana para la exportación alcanzó su nivel máximo hacia fines de la Primera Guerra Mundial, pero hacia la década de 1920 esta demanda se atenuó.

En la producción de la lana participaban una variedad de agentes, como los pastores indígenas de la sierra, que producían una lana de alpaca de alta calidad y haciendas más modernas que se concentraban en la lana de oveja. Muchos de los propietarios de estas haciendas eran rentistas que vivían en los centros urbanos del sur, desempeñándose en actividades profesionales que los vinculaban a la elite y con poco interés por la modernización agrícola de la región del sur. Los comerciantes de Arequipa tampoco estaban muy dispuestos a intervenir en el proceso precapitalista de producción de la lana, dejando esto en manos de los hacendados y campesinos y concentrándose ellos en la comercialización hacia el exterior.

La investigación que hace varios años llevaron a cabo Manuel Burga y Wilson Reátegui acerca de la Casa Rickets en Arequipa, mostró la forma como esta casa comercial, fundada en 1896 por William Rickets, un inmigrante inglés que había llegado al Perú en 1852, logró articular los complejos y variopintos intereses del negocio lanero. Fue luego de realizar un viaje por Europa en 1895, donde Rickets logró asegurar el concurso de la poderosa firma inglesa Gibbs and Sons, como su

Ica comenzó a adquirir fisonomía urbana con el auge del algodón.
Foto de inicios del siglo XX. Archivo Illa.

Duncan Mason fue uno de los destacados empresarios de la economía del algodón en Ica.
Archivo Illa.

agente financiero y comercial en el viejo continente, que se animó a fundar su empresa en Arequipa, contando con un crédito del Banco del Callao, conducido por el activo financista de origen cubano José Payán. El giro previsto para el negocio era el de distribuir importaciones de Europa en el mercado del sur, aprovechando las conexiones del ferrocarril a Puno y Sicuani (este último punto había quedado conectado por línea férrea a partir de 1891). Pero el incumplimiento y la morosidad de los compradores obligaron a Rickets a aceptar el recibo de lanas como forma de pago. Descubrió las buenas posibilidades de este producto en Europa y pronto pasó a comprar lanas que le vendían los productores a través de comerciantes intermediarios que actuaban en el interior. Pero en los primeros años del siglo veinte, Rickets pasó ya a enviar empleados de su casa comercial como agentes suyos a las ciudades del sur andino, para que funcionasen como acopiadores de lana. Un mecanismo muy utilizado era la compra por adelantado de la lana del productor, avanzándole un crédito del 75 por ciento, ya fuera en dinero o en forma de un crédito de consumo que el productor de lana podía utilizar adquiriendo mercadería importada que distribuía la empresa. Los agentes no funcionaban sólo como comerciantes instalados con un local en una ciudad como Sicuani, Cuzco o Juliaca, sino que también había agentes viajeros, que recorrían los caminos de herradura a lomo de mula, haciendo trueques de productos importados por las lanas de los campesinos.

Como consecuencia del comercio de lanas, Puno intensificó su comercio, y su comunicación con el exterior y las haciendas; las comunidades y los pueblos perdieron algo de su aislamiento. En 1908 se terminó la conexión de una línea férrea que unía Arequipa y el Cuzco a través del departamento de Puno. Un hecho importante fue que la conexión se hiciese en la nueva y más accesible Juliaca, ubicada a 47 kilómetros de la ciudad de Puno; Juliaca fue elevada en ese mismo año de rango de pueblo a ciudad. A partir de entonces se convirtió en un centro crucial para el comercio y almacenamiento de lana y de otros productos que entraban y salían del altiplano. Esto significó cierta declinación de la antigua ciudad de Puno, que a pesar de ello retuvo sus funciones administrativas como capital del departamento. La inusitada importancia que adquirió Juliaca, atrajo a una pequeña comunidad de profesionales, empleados y comerciantes, entre los que se encontraban una pequeña colonia de italianos que vendían abarrotes, daban crédito a las haciendas y participaban en el comercio de lanas.

Las lanas y otros productos de exportación disfrutaron de unos años de elevada demanda y magníficos precios durante la Primera Guerra Mundial). Sin embargo este período acabó en 1919 con una abrupta caída de precios en el mercado internacional de las principales exportaciones peruanas. Asimismo, con el fin de la Guerra se produjo una inflación que encareció los productos alimenticios en las ciudades. Esto último fue parte de una preocupación general de la época, que veía cómo disminuía la cantidad de hectáreas dedicadas al cultivo de alimentos en un país donde había cada vez más habitantes urbanos. Ello llevó al gobierno de Pardo (1915-1919) a dictar algunas medidas restrictivas que trataron de proteger la producción nacional de trigo sobre la producción importada y que afectaron sobre todo a los azucareros y algodoneros, que tuvieron que ceder parte de sus tierras para el cultivo de panllevar. Esta crisis económica y social se combinó con la insatisfacción política de los sectores medios y provincianos, lo que marcaría el fin de la República Aristocrática.

3. LA GENERACIÓN DEL NOVECIENTOS Y LA CUESTIÓN SOCIAL

Las actividades culturales e intelectuales del Perú de comienzos del siglo veinte van a estar marcadas por las preocupaciones de cómo lograr el progreso material, cómo establecer una autoridad política legítima, estable y reconocida y cómo alcanzar la integración social. Esto quiere decir que se reconocían como problemas nacionales el atraso económico, la falta de relación entre el Estado y la sociedad y la fragmentación social, manifestada en la marginación de los indígenas y a veces de los nuevos grupos sociales urbanos.

Cambios demográficos

La reflexión sobre estos problemas se daba en el contexto de cambios importantes en la sociedad peruana. Los estudios demográficos sobre el Perú de comienzos de siglo se han enfrentado con la carencia de un censo general de la república para el período comprendido entre 1876 y 1940. Sin embargo, censos parciales realizados en Lima y en otras ciudades nos sugieren un crecimiento de la población urbana y costeña en el contexto de un país que todavía era mayoritariamente rural y andino. En 1890 se estimaba que había en Lima 114,788 personas y según el censo de 1908 la ciudad creció a 172,927 habitantes. Posteriormente el crecimiento de Lima iba a continuar. El censo de 1920 dio como resultado 223,807 personas en Lima o un crecimiento de casi el 30 por ciento. El crecimiento de Lima continuó después de 1920; en 1931 la ciudad contaba con 376,097 personas.

Otras ciudades también crecieron, como Arequipa, Cuzco y Trujillo, que en 1908 contaban con 35,000, 18,500 y 10,000 habitantes respectivamente. Existió sin duda un crecimiento natural de la población, debido a los años de paz interna que sucedieron a la guerra y al fin de las luchas entre caudillos militares, pero este incremento por sí solo no explica el crecimiento de Lima y de otras ciudades del interior. Las oportunidades de trabajo y el hecho de que fueran grandes centros administrativos alentaron la migración hacia los centros urbanos.

Asimismo este crecimiento urbano indicaba algunas fisuras. Según el censo de 1908, el 58.5 por ciento de la población de la ciudad capital no había nacido en Lima (lo cual sugería el inicio de una corriente migratoria que se iba a incrementar en las próximas décadas) y cerca del 10 por ciento de la población de Lima había nacido en el extranjero, siendo la mayoría de ellos de origen italiano. Algunos médicos como Rómulo Eyzaguirre, Leonidas Avendaño, Enrique León García y J. M. Macedo denunciaron las difíciles condiciones de sobretrabajo, tugurización, mala alimentación, e insalubridad de la mayoría de la clase trabajadora, de la población infantil y de los pobres de la ciudad de Lima. Algunas clases sociales urbanas y masas indígenas que no fueron parte o fueron afectadas desfavorablemente por los procesos de crecimiento económico "hacia afuera", fueron expresando su descontento, primero en protestas y más adelante en rebeliones que, a pesar de la importancia y espectacularidad de su estallido, sólo llegaron a cuestionar el orden establecido en pocas ocasiones.

Inicios de la protesta obrera

En 1904 se formó la Federación de Obreros Panaderos "La Estrella del Perú" con un claro tenor anticapitalista. La nueva asociación tuvo como uno de sus principales objetivos la consecución de la jornada laboral de ocho horas de trabajo y se convirtió en una de los principales animadores de las luchas obreras urbanas. Algunos años después surgieron organizaciones más extensas, como la que existió entre los obreros textiles de Vitarte, la Unión de Trabajadores de Tejidos y la Federación Obrera Local de Lima. Los trabajadores portuarios del Callao, entre quienes abundaban los de origen italiano, se convirtieron también en activos luchadores por mejores salarios y horarios de trabajo menores. Estos sectores organizaron los primeros paros laborales (véase recuadro, p. 205). Una vida cultural de las clases trabajadores empezó a quedar plasmada en círculos culturales obreros, en obras de teatro proletario y en revistas, algunas de ellas de corte anarquistas, como *El Oprimido*, *Los Parias*, *Armonía Social*, *Plumadas de Rebeldía* siendo el más importante *La Protesta* que fue publicado irregularmente entre 1911 y 1926.

La aparición de intelectuales desafectos de la oligarquía, como Manuel Gonzales Prada, José Matías Manzanilla, Abelardo Gamarra y el arequipeño Francisco Mostajo, fue decisiva para consolidar y dar dirección ideológica a esta protesta social, que llegó a tener una clara influencia anarquista. Ellos iniciaron la crítica al proyecto civilista y rompieron el cuasi monopolio de la inteligencia que el Partido Civil había tenido en las décadas previas. Incluso intelectuales cercanos al civilismo

La huelga de los jornaleros del Callao (1904)

Hacia comienzos del siglo veinte, el movimiento obrero apareció con mayor fuerza en la escena política y social del país. Consecuencia de este fortalecimiento del movimiento obrero fueron las huelgas, concurrentes dentro del período de "La República Aristocrática". En el presente reclamo, elaborado por "la clase obrera del Callao", se pueden apreciar los principales motivos de lucha entre los obreros de comienzos de siglo, como son, el aumento de los salarios, el pago de horas extras, el seguro contra accidentes y un mejor trato por parte de los empleadores. Tomado de *El Comercio*, 4 de mayo de 1904.

Ponemos en vuestro conocimiento, los acuerdos de la proposición y reclamos, que hace saber todo el gremio de jornaleros al Supremo Gobierno, [el cual] gravando de impuestos todos los artículos de primera necesidad, que con el exiguo jornal que en la actualidad percibimos, cuando lo hay, no nos es suficiente siquiera para llenar las desesperantes necesidades de nuestra familia, por lo tanto, pedimos en justicia... que el jornal diario que perciba el jornalero, esto es el trabajo de carga y descarga, embarques, desembarques, será de 3 soles diarios, plata peruana, lo mínimo, ...por cada hora extra... se pagará ochenta centavos... También pedimos que se extinga el abuso de esas casas llamadas de trato, que con el nombre de contratistas proporcionan tanto para los buques de vela o de vapor, gente por menos precio que el especificado en nuestro pedido y reglamento... Hacemos presente que si pedimos salario, médico y botica para todo aquel jornalero que se malogre en el uso de sus funciones, es basados en nuestra conservación y riesgos personales, y no exponernos a perder la existencia miserablemente.

La Clase Obrera, 1 de mayo de 1904

como Luis Miró Quesada y Alberto Ulloa, escribieron en los inicios de siglo acerca del derecho del trabajo y el problema de los salarios, deslizando críticas a la situación imperante.

Estos nuevos actores sociales se revelaron en el gobierno de Billinghurst donde panaderos y zapateros marcharon en 1912 llevando la imagen simbólica de un "pan grande", lo que sugería que la alimentación popular iba a ser uno de los objetivos del nuevo gobierno. Una primera victoria para los trabajadores ocurrió en 1913 cuando Billinghurst decretó, aunque de manera restringida, la vigencia de la jornada laboral de ocho horas para algunos sectores laborales.

La llama de la protesta social también se encendió en las plantaciones del norte. En 1912 se desató una huelga de varios días en Chicama, con el incendio de cañaverales y el resultado de varios muertos. Para sofocar la rebelión llegó un batallón de soldados desde Lima.

Otro sector que reveló los problemas sociales que aún atravesaba el Perú fue el de los indígenas. En algunos departamentos como Puno estos se resistieron a la expansión de las haciendas laneras a costa de sus propiedades comunales. La mayoría de los campesinos de Puno vivía en comunidades independientes que controlaban las tierras concedidas por el gobierno colonial, las trabajaban en forma comunitaria, vendían sus cosechas, distribuían equitativamente el agua, realizaban regularmente fiestas patronales que soldaban la unidad del grupo y disfrutaban de un grado importante de autonomía política. Las condiciones favorables del mercado de la lana hizo que muchos hacendados incrementasen sus propiedades a costa de las tierras comunales. Algunas propiedades indígenas fueron literalmente asaltadas y absorbidas por las grandes haciendas. Ello provocó una serie de revueltas indígenas entre 1900 y 1920. La más conocida fue la que en 1915 lideró en el altiplano el sargento mayor del ejército Teodomiro Gutiérrez Cuevas, apodado "Rumi Maqui", (en quechua, mano de piedra), quien se había desempeñado como subprefecto en varias provincias serranas en los años previos. Su movimiento exigió la devolución de todas las tierras a los indígenas para restaurar el Tahuantinsuyu. Todas estas rebeliones fueron sofocadas por la fuerza, con la ayuda de la gendarmería y el ejército.

La utopía educativa

Estos problemas sociales fueron el telón de fondo sobre el que intervinieron y debatieron los intelectuales en la República Aristocrática. En las primeras décadas de este siglo la vida universitaria e intelectual en el Perú estuvo marcada por la así llamada generación del 900. Los intelectuales de entonces propugnaban el estudio científico de la realidad nacional, eran tibiamente anticlericales, y estaban opuestos a los factores negativos de la herencia hispánica. Pensaban que a esta herencia se debía la aversión al trabajo manual y una cultura contemplativa y escolástica que impedía que la educación promoviese la igualdad de oportunidades y tuviese inclinaciones científicas, prácticas e industriales.

En un planteamiento congruente con los postulados civilistas, los intelectuales de la época estuvieron influenciados por ideas de modernización económica y orden político, en parte inspiradas en las ideas positivistas europeas. Para ellos el progreso del país consistía en el crecimiento de una economía de exportación, el libre comercio, una democracia representativa limitada y el desarrollo de una educación técnica y científica. Asimismo consideraban que una autoridad fuerte era indispensable para conseguir estos objetivos.

Uno de los representantes más importantes de esta generación que defendió esta idea de modernización y autoridad fue Francisco García Calderón, hijo de quien fue reconocido como Presidente del Perú durante la ocupación chilena. Aunque su obra más conocida la escribió en francés y publicó fuera del Perú (*Le*

Temores frente a la inmigración asiática

El flujo de inmigrantes asiáticos llegados al Perú entre 1850 y 1930 provocó desfavorables reacciones en intelectuales y sectores de la elite limeña. Bajo el título "Por la defensa de la raza: La ola inmigratoria asiática y su gobierno sanitario", el Dr. Carlos Enrique Paz Soldán publicó este artículo en *El Comercio*, 10 de diciembre de 1919.

"No podemos impedirlo. La inmigración asiática al Perú pertenece a la categoría de los hechos fatales. El poder e imperialismo del Japón, y la creciente influencia de la China en los consejos del mundo, nos ponen en la imposibilidad material de cerrar nuestras fronteras a los hombres amarillos... No está pues en nuestras manos detener el oleaje amarillo. Mas sí podemos encauzar convenientemente esta corriente humana, depurando las condiciones biosociales de los futuros inmigrantes. Es un derecho que asiste a todos los pueblos y que se halla consagrado en las prácticas del derecho... La repetición con que llegan al Callao barcos japoneses infectados, indica que la selección sanitaria no se efectúa con el rigor debido. Y es que la inferioridad de la raza amarilla no es inferioridad fatal. La inferioridad de esta raza se debe a sus deplorables características biológicas por causa de su miseria, de sus malos hábitos higiénicos, de las horribles condiciones en que vive y por sus vicios y dolencias. Evítese que estos despojos humanos, estos menos valores vengan en la condición de inmigrantes y se habrá dado un paso trascendental en la defensa de la raza nacional".

Pérou Contemporaine, París, 1907), ésta sirvió para catalizar y difundir en el exterior las ideas de una generación de intelectuales peruanos. Según García Calderón, un país como el Perú desintegrado y fragmentado social y racialmente, necesitaba de un liderazgo político fuerte que viniera de una oligarquía educada y progresista. Esta elite serviría para fortalecer al Estado, atraer inversiones en la economía e incorporar a las masas indias a la vida nacional.

La educación fue considerada también como una manera eficaz de incorporar a los indígenas, de socializar a los inmigrantes y de promover el progreso. Este fue el planteamiento de Manuel Vicente Villarán, un destacado profesor de letras y derecho de San Marcos, que escribió sus trabajos titulados "Las profesiones liberales en el Perú" y "El factor económico en la educación nacional".

Surgió también la preocupación y la afición por el deporte, asumido como otra vía para mejorar la salud y la moral de la población, lo que debía tener un impacto positivo en el trabajo. En una tesis reciente Fanni Muñoz ha estudiado la aparición de clubes y asociaciones deportivas, como "Ciclista Lima", "Alianza Lima", el "Club Regatas" y el "Círcolo Sportivo Italiano", dedicados al ciclismo, el fútbol, el básquet, el remo y la natación, deportes de origen europeo. De esta manera, las procesiones religiosas y las corridas de toros o peleas de gallos, dejaron de ser los únicos espacios de encuentro social, para abrir paso al de los campeonatos de disciplinas físicas tenidas como más edificantes que aquellas de origen español y colonial.

Sin embargo, hacia 1915 se produjo una reacción influenciada por la filosofía espiritualista contra el positivismo de la generación del 900. Esta reacción comprendió la crítica de las esperanzas puestas en la educación y la inmigración y un reforzamiento de las ideas de la importancia de la autoridad y de la elite. Uno de los principales exponentes de estas ideas fue el profesor de filosofía de San Marcos, Alejandro Deustua, quien introdujo en el Perú las ideas de Feuillée y Bergson. Según Deustua había que evitar el utilitarismo de la educación técnica, promover la formación moral y consolidar una elite dirigente con valores humanistas. Sobre los indígenas llegó a escribir: "¡Los analfabetos! Esos infelices no deben preocuparnos tanto. No es la ignorancia de las multitudes, sino la falsa sabiduría de los directores lo que constituye la principal amenaza contra el progreso nacional". (En *La Cultura Nacional*. Lima: San Marcos, 1937, p. 20.)

A pesar de la justificación al autoritarismo que puede avizorarse en estas frases, los intelectuales de comienzos de siglo estaban preocupados por definir e interpretar la identidad nacional. Uno de los primeros que insistió en ello fue el escritor y político arequipeño Víctor Andrés Belaúnde, quien además tuvo una visión optimista sobre el futuro del país, al que no creía condenado al atraso por su composición racial indígena, el peso de la Iglesia católica o su tradición hispana. En las décadas de los años veinte y treinta las ideas y las publicaciones de Belaúnde polemizaron con los planteamientos indigenistas y marxistas y sirvieron para elaborar las bases políticas del social cristianismo (véase recuadro "La crítica social").

Importante fue asimismo el papel de la Asociación Pro-Indígena (1906-1916) formada por Joaquín Capelo, un intelectual formado en el positivismo, junto con otros escritores como Pedro Zulen y Dora Mayer. En su publicación *El Deber Proindígena* (1912-1915), pusieron al descubierto la explotación del indígena en los centros mineros y las haciendas del interior y se vincularon a las luchas sociales.

A fines de la Primera Guerra Mundial se desataron con mayor intensidad los conflictos sociales que se habían ido acumulando durante la "República Aristocrática". En enero de 1919, a fines del segundo gobierno de José Pardo, se produjo una huelga de trabajadores urbanos exigiendo, exitosamente, la jornada de ocho horas. Posteriormente en abril de ese mismo año se produjo un paro por el abaratamiento de las subsistencias. Asimismo, en 1919 una reforma universitaria en la que los estudiantes criticaban a los profesores y los cursos tradicionales, atravesó las aulas de la Universidad de San Marcos. Con el desgaste de la sucesión de varios gobiernos, el aparato productivo jaqueado por las luchas laborales y

La crítica social

Víctor Andrés Belaúnde (Arequipa 1883 - Nueva York 1966) estuvo entre quienes criticaron las lacras sociales vigentes en la República Aristocrática, que, como otros pensadores de su tiempo, consideró herencias de un feudalismo colonial. Este texto, tomado de la primera edición de *Meditaciones Peruanas* (1932; p. 127), fue inicialmente un discurso pronunciado en el Teatro Municipal de Arequipa en 1915, durante su campaña por una diputación.

No ha desaparecido la colonia. Alguna vez dije que todos tenemos almas de encomenderos y de corregidores. La ficción de que el indio podía ser propietario individual nos llevó a la abolición de las comunidades. Faltas éstas de personalidad jurídica y de defensa por el Estado, han ido perdiendo sus terrenos. El enganche ha sustituido a la mita; por último, se mantiene la adscripción del indio al suelo y una forma de servidumbre que nos lleva, por analogía, al pleno medioevo. Sin embargo, no sé por qué se nos ocurre pensar que el feudalismo medioeval tenías aspectos simpáticos de que carece nuestro feudalismo. El indio, está adscrito a la tierra, como el antiguo siervo, pero ¡qué distinto es el vínculo que le une al señor, comparado con el que existe entre el indio y el gamonal! El caballero feudal estaba unido a su mesnada, vivía para defenderla; moría el primero a la cabeza de ella. Sobre el régimen de opresión se destacaba el marco poético del castillo. Sobre la prosa de la vida diaria, la idealidad de la religión, de las aventuras de amor y el afán de la gloria. Sobre los dolores y las tristezas de nuestros siervos sólo palpitan en la mayor parte de los casos, propósitos sordidos y miras egoístas. Vive entre nosotros el régimen feudal, bien lo sabéis a despecho de muchos ejemplos que yo respeto de propietarios justos y humanos. Vive este feudalismo pero ya sin religión, sin poesía y sin gloria.

seriamente cuestionada la hegemonía intelectual del civilismo, la República Aristocrática se resquebrajaba irremisiblemente.

LECTURAS RECOMENDADAS

Jorge Basadre, *Historia de la república del Perú.* Lima: Editorial Universitaria, 1983. Ts. VIII-IX.

Manuel Burga y Alberto Flores Galindo, *Apogeo y crisis de la República Aristocrática.* Lima: Ed. Rikchay Perú, 1979. 2da. parte, Caps. 1-4.

Manuel Burga y Wilson Reátegui, *Lanas y capital mercantil en el sur. La Casa Rickets 1895-1935.* Lima: IEP, 1981.

Carmen Diana Deere, *Familia y relaciones de clases: el campesino y los terratenientes en la sierra norte del Perú, 1900-1980*. Lima: IEP, 1992.

Alberto Flores-Galindo, *Los mineros de la "Cerro de Pasco" 1900-1930*. Lima: Pontifica Universidad Católica, 1974.

Osmar Gonzales, Sanchos fracasados. *Los arielistas y el pensamiento político peruano*. Lima: Ediciones PREAL, 1996.

Wilfredo Kapsoli (ed.), *Los movimientos campesinos en el Perú, 1879-1965*. Lima: Delva Eds., 1977.

Peter Klarén, *La formación de las haciendas azucareras y los orígenes del APRA*. Lima: IEP, 1976. Caps. 2 y 3.

Rory Miller, "La oligarquía costera y la república aristocrática en el Perú, 1895-1919". En *Revista de Indias 182-183*. Madrid: CSIC, 1988.

Nelson Manrique, *Mercado interno y región. La sierra central 1820-1930*. Lima: DESCO, 1987. Cap. VI.

Denis Sulmont, *El movimiento obrero en el Perú, 1900-1956* (Lima: Universidad Católica, 1975).

Lewis Taylor, *Estructuras agrarias y cambios sociales en Cajamarca, siglos XIX-XX*. Cajamarca: EDAC, 1994.

Rosemary Thorp y Geoffrey Bertram, *Perú 1890-1977: crecimiento y políticas en una economía abierta*. Lima: Mosca Azul, F.F. Ebert y U. del Pacífico, 1985. Parte II.

Capítulo 6

EL ONCENIO DE LEGUÍA Y LA CRISIS DE 1930-1933

Los movimientos sociales obreros y universitarios de la década de 1910 revelaron el desgaste del liderazgo del Partido Civil y el agotamiento del modelo de la economía de exportación. El problema de ésta fue no haber sido capaz de terminar con las relaciones sociales precapitalistas en el país, de modo que se pudiese conformar un mercado interno en lo económico, y una comunidad de ciudadanos en lo político. Lejos de ello, la economía de exportación, como vimos en el capítulo precedente, promovió fórmulas laborales no salariales, como el yanaconaje, o plagadas de abusos, como el enganche. Una consecuencia de esta situación fue la débil redistribución de las ganancias de la economía de exportación, que permanecían concentradas entre la clase propietaria y, en menor medida, entre la población dedicada al comercio y quienes vivían del empleo público.

El sentimiento amargo de ese mal reparto de la riqueza generada por el modelo económico de la "República Aristocrática", fue aprovechado por Augusto Bernardino Leguía, un hábil político nacido en Lambayeque en 1863, que había salido de las filas del civilismo, pero que había estado alejado de este grupo político y del país desde 1913.

En febrero de 1919 regresó al Perú desde Londres, con la intención de presentarse en las elecciones que sucedían al desprestigiado gobierno de Pardo. Para entonces ya contaba con el respaldo de sectores medios urbanos y de los universitarios de San Marcos, que lo habían nombrado "Maestro de la Juventud".

1. LA LLEGADA DE LA "PATRIA NUEVA"

Leguía representó la aparición de nuevos grupos e intereses locales, empresariales, burocráticos, profesionales y estudiantiles, que habían dado origen a las clases medias urbanas. Pensaba que eran estos nuevos grupos, y no la oligarquía exportadora, quienes estaban llamados a modernizar el país. Esta fue una diferencia marcada con el período anterior y explica en parte el éxito inicial de Leguía y la crisis del civilismo. Este último había podido persistir en una sociedad donde no había necesidad de intermediarios sociales, ya que los grandes protagonistas sociales y políticos eran la elite y un pueblo "bárbaro" al que debían educar, y que, por lo demás, se encontraba bastante fragmentado y controlado por el gamonalismo rural. Con la aparición de las clases medias este sistema de sociedad y de gobierno entró en crisis.

En las elecciones de 1919, Leguía fue entonces percibido como una alternativa política viable y diferente al civilismo y al orden "señorial". Había esperanza en que promovería una era mesocrática más accesible que el cerrado sistema oligárquico. Se contaba con su experiencia y contactos en el mundo de las finanzas empresariales internacionales, con los que podría superar la crisis del fin de la Primera Guerra Mundial. Su papel parecía más importante porque ni el civilismo ni los otros partidos políticos de la República Aristocrática tenían muchas posibilidades de llegar al poder. El Partido Civil presentó un candidato de poco carisma y menos simpatías, el hacendado azucarero del norte Antenor Aspíllaga. El Partido Demócrata estaba debilitado desde la muerte de su líder Nicolás de Piérola, en 1913. El Partido Constitucional, dirigido por Andrés Avelino Cáceres, el héroe de La Breña, era más bien una asociación de veteranos. El Partido Liberal de Augusto Durand nunca tuvo la fuerza suficiente ni un programa definido. En 1915 un grupo de jóvenes civilistas y pierolistas, entre los que estaba el destacado historiador e intelectual José de la Riva Agüero, se retiró del Partido Civil e intentó lanzar un Partido Nacional Democrático, también conocido como "futurista", que finalmente fracasó.

En sus discursos de la campaña electoral de 1919, Leguía ofreció solucionar el problema de Tacna y Arica (las provincias cautivas en poder de Chile), conseguir el abaratamiento de las subsistencias, el desarrollo de obras públicas y el incremento de la defensa nacional. Su campaña por el poder para las elecciones de 1919 estuvo dirigida a los sectores medios y populares, sin buscar el consenso de los círculos aristocráticos de la sociedad limeña y más bien alentando el anticivilismo.

Antero Aspíllaga por el Partido Civil, y Leguía, fueron los candidatos principales en 1919. A pesar de que el resultado parecía que iba a ser favorable a Leguía, éste propició el golpe de estado del 4 de julio de ese año. Según los leguiístas esta acción estaba orientada a impedir que se dieran falsos resultados de las elecciones. Sin embargo, más bien fue evidente que el golpe estaba dirigido a darle mayor control del Estado a Leguía. El parlamento se renovaba cada cuatro años y solamente por tercios. Así hubiera ganado Leguía las elecciones, no habría tenido mayoría en el parlamento. Como Presidente provisorio pudo en cambio disolver el Congreso y llamar a otro, que lo apoyase.

Posteriormente una Asamblea Nacional declaró Presidente constitucional a Leguía por cinco años. Esta misma Asamblea adoptó otras enmiendas constitucionales y posteriormente preparó una Constitución nueva, la de 1920, que reemplazó a la de 1860. Entre las nuevas medidas constitucionales estuvo la renovación total del poder legislativo al mismo tiempo que el ejecutivo —dando término a la renovación parlamentaria por tercios—, la obligatoriedad de la renuncia ministerial a consecuencia del voto de falta de confianza del senado o de la cámara baja, la prolongación del período presidencial a cinco años en lugar de cuatro, la introducción del impuesto progresivo a la renta, y la creación de congresos regionales en el norte, centro y el sur de la república. Estos últimos reemplazaron a las Juntas Departamentales, que habían subsistido tímidamente durante la República Aristocrática como secuela de la descentralización fiscal de la postguerra con Chile. Los nuevos organismos, empero, no fueron eficaces en descentralizar al país, ya que su existencia fue solamente ceremonial y formal, carente de poder efectivo. Por el contrario, durante el régimen de Leguía el centralismo limeño creció y disminuyó el poder local, también debido al reforzamiento del intervencionismo estatal. Las Municipalidades fueron reemplazadas por las Juntas de Notables que eran nombradas por el gobierno. En las elecciones controladas y con candidato único de 1924 y 1929, Leguía pudo reelegirse sin mayores problemas, tras introducir cambios en la Constitución de 1920, que permitieran sus nuevas postulaciones.

Con la ayuda de un intelectual de trayectoria positivista, Mariano H. Cornejo, quien llegó a ser Presidente del Senado, Leguía construyó la noción de que su gobierno crearía "La Patria Nueva". En realidad esto fue una racionalización autoritaria en nombre del progreso social, para dar cierta base ideológica al efímero partido que apoyó a Leguía, el Democrático Reformista. Uno de los propósitos de la Patria Nueva era la ruptura del control político de las elites civilistas, para incorporar a las clases medias, y limitadamente, demagógica o simbólicamente, a las clases trabajadoras e indígenas. Ello implicó, primero, que las elites civilistas fueron afectadas políticamente y que incluso sus intereses económicos fueran atacados, al exigírseles por la vía tributaria una mayor entrega de sus ganancias al Estado. Segundo: que los opositores políticos

Perú: país de inmigrantes

Observando el cuadro puede advertirse que durante las primeras décadas del siglo XX, a la inversa de lo que hoy sucede, el Perú era un país que más bien atraía en vez de expulsar población. Los pasajeros que entraban, que en aquella época lo hacían sobre todo por vía marítima, eran siempre más numerosos que los que salían.

PASAJEROS ENTRADOS Y SALIDOS POR LOS PUERTOS DE LA REPÚBLICA, EN EL PERÍODO DE 1913-1937

Años	Entradas	Salidas	Años	Entradas	Salidas
1913	75,668	60,930	1927	68,750	57,429
1914	80,665	65,248	1928	62,980	57,774
1915	61,515	60,099	1929	61,431	55,465
1916	62,757	55,010	1930	58,651	52,724
1917	71,268	61,514	1931	43,484	39,157
1918	64,583	56,493	1932	44,831	41,267
1920	82,160	61,225	1933	47,994	41,124
1922	44,386	37,991	1934	51,964	47,116
1923	73,795	59,427	1935	55,711	48,650
1924	83,061	70,044	1936	53,776	48,318
1925	87,919	73,984	1937	54,627	49,626
1926	77,699	65,294			

Fuente: *Extracto Estadístico del Perú, 1936-1937*, p. 152 (no hay datos en los años 1919 y 1921; en 1920, los datos fueron incompletos).

fueron perseguidos o alejados con favores y prebendas. Su régimen abrió en cambio las puertas al capital extranjero, sobre todo norteamericano. Fue significativa en este sentido la ley de petróleo de 1922, así como el papel alcanzado por la IPC como agente financiero del Estado peruano para la consecución de préstamos. Ese mismo año, 1922, una nueva ley de presupuesto, organizada por Rodríguez Dulanto, concentró en el ejecutivo el manejo del gasto público y rompió con la rígida austeridad y control fiscal de los tiempos de la República Aristocrática.

La corrupción y la adulación a Leguía llegaron a límites insospechados, como el ser denominado por un embajador norteamericano "El Gigante del Pacífico". En la práctica podemos decir que el prolongado régimen de la "Patria Nueva" logró parte de sus objetivos, pues robusteció la clase media, comunicó mejor algunas regiones del interior con la costa y provocó un cambio político, ya que ninguno de los partidos de la República Aristocrática volvió a aparecer en la escena política nacional. Sin embargo, durante su gobierno se fueron incubando nuevas tensiones sociales que terminaron por acabar con su poder y con él mismo, físicamente.

Los primeros años del segundo gobierno de Leguía fueron un intento por desarticular las bases políticas que sustentaban el poder de los civilistas y por una prédica populista que afectó parcialmente a los gamonales del sur, quienes iniciaron un proceso irreversible de retirada, que acabó por minar su poderío económico y social. En esos años Leguía dio reconocimiento jurídico a las Comunidades Indígenas, creó una sección de asuntos indígenas en el Ministerio de Fomento, formó el Patronato de la Raza Indígena, estableció "el día del Indio", y organizó centros agrícolas y escuelas técnicas en las zonas rurales.

Sin embargo, una medida polémica y que afectaba sobre todo a los indígenas, fue la Ley de Conscripción Vial de 1920. Su propósito era proveer de fuerza de trabajo para la construcción y reparación de caminos ferroviarios y carreteras, ya que la falta de mano de obra en el interior fue estimada como el más serio obstáculo para resolver "la cuestión vial". El servicio vial era obligatorio para todos los varones entre los 18 y 60 años de edad, quienes debían trabajar durante una semana al año en las obras si tenían entre 18-21 años y 50-60 años, y dos semanas anuales si tenían entre 21 y 49 años. En la práctica el plazo se extendió por mucho más, llegando a convertirse en una obligación de cada domingo. Quienes lo deseaban podían redimirse de la obligación, pagando una cantidad de dinero equivalente a los jornales de los días de trabajo así esquivados. El servicio tendría lugar en la misma provincia de residencia y en un radio no mayor de 15 kms, pero esta medida no fue siempre respetada. Una de las quejas de los campesinos es que se les obligaba a realizar trabajos viales en lugares ubicados a más de cincuenta kilómetros, sin que se les abonara por el viaje, que debían hacer a pie o en burro.

Una reciente tesis de Mario Meza (UNMSM, 1999) ha estudiado los problemas de aplicación de la Ley y la reacción frente a la misma en los distintos sectores sociales. Los indigenistas la atacaron, denunciándola como una "mita republicana". El Estado, además de proveer de materiales explosivos y herramientas para el trabajo, repartía coca y aguardiente, con lo que, en efecto, parecía querer rememorarse las "mingas" o faenas comunales andinas. Otros adujeron que la Ley representaba la reposición del tributo indígena, abolido en 1854, o la de la contribución del jornal, abolido en 1895.

Como resultó una tarea difícil reclutar a los conscriptos, las autoridades e ingenieros viales debieron valerse del apoyo de la gendarmería y la Guardia Civil (creada en 1923), y terminaron cometiéndose abusos para proveerse de trabajadores. A pesar de los ataques la Ley perduró durante todo el Oncenio. Generalmente la historiografía ha denunciado la naturaleza discriminatoria y explotativa de la Ley, y ha pasado a formar parte de la lista de hechos "oprobiosos" de la república, pero debe reconocerse que la alternativa de invertir dinero en contratar para las obras viales mano de obra asalariada de otras regiones, o incluso de fuera del país, no habría sido necesariamente mejor.

En efecto, la experiencia de lo ocurrido en países como Uganda, cuando los ingleses trajeron mano de obra hindú para construir los ferrocarriles, o en el oeste de los Estados Unidos, donde las vías férreas fueron asentadas también por inmigrantes, o lo ocurrido en el propio Perú con las carreteras en la amazonía en décadas posteriores, demostró que los trabajadores de fuera no siempre regresaron a sus lugares de origen una vez terminados los trabajos, sino que muchos se quedaron como colonos en las nuevas regiones, marginando a la población nativa o entablando conflictivas relaciones sociales con ellos. La cualidad de la Ley Vial de Leguía radicaba, precisamente, en que no introducía un elemento social foráneo que pudiera desembocar en una futura estructura social dual.

2. EL CRECIMIENTO DEL ESTADO

La Patria Nueva también significó una modernización del Estado, al que se consideró limitado, con personal insuficiente y mal entrenado, paralizado por concepciones caritativas, y desfinanciado. Para ello se incrementó los impuestos a la exportación, se expandió la burocracia estatal, se pactó empréstitos en el exterior y se realizó acuerdos técnicos, sobre todo con agencias y expertos norteamericanos, para modernizar la salud, la educación, la tecnología agrícola, y otras actividades públicas. Los ingresos del presupuesto de la república crecieron de 66 millones de soles en 1919, a 123 millones en 1925 y a 149 millones en 1930, mientras la deuda externa se elevó desde los 25 millones de soles en 1919, hasta los 221 millones diez años después.

Cabe anotar que entre 1898 y 1930 la unidad monetaria peruana fue la "libra peruana" (Lp), equivalente a diez soles. A lo largo de su existencia la Lp mantuvo una gran estabilidad frente a las demás monedas mundiales, aunque se debilitó un poco durante el gobierno de Leguía, a raíz de la práctica de los déficits fiscales. De 1920 a 1929 el valor de la Lp cayó de 4.59 a 4.00 dólares estadounidenses, y de 288 a 200 peniques ingleses. Se trató, sin embargo, de una devaluación todavía pequeña (15% frente al dólar en el lapso de una década).

Grandes obras de irrigaciones agrarias se desarrollaron en los valles de Chira y de Olmos en el norte, y en el de Imperial en el sur, a cargo del experto norteamericano Charles Sutton. Gracias a ellas se amplió las tierras de cultivo para el azúcar y el algodón. También se abrieron algunas nuevas líneas férreas, de trocha angosta, que fueron de las últimas en construirse, ya que después se invirtió sólo en carreteras. En 1926 fue inaugurada la línea Huancayo-Huancavelica y el ferrocarril del Cuzco comenzó a prolongarse hacia Quillabamba. Se inició la construcción de la carretera Panamericana, realizándose los primeros viajes desde Lima hasta Ica y Trujillo en automóvil, que tomaban un día entero cada tramo, y la de la carretera central. Asimismo comenzó también la era de la aviación comercial, con la erección del aeropuerto de Limatambo y los vuelos de la compañía Panagra, hacia el extranjero, y de la compañía Faucett, hacia el interior (véase recuadro "La Aviación y Elmer Faucett"). En uno de sus tantos discursos públicos, Leguía sintetizó su política nacional, con la siguiente frase: "En la costa, irrigo; en la sierra, comunico; en la selva, colonizo".

A comienzos de los años veinte el gobierno de Leguía acordó con la Fundación Rockefeller realizar una campaña en la costa norte del Perú para erradicar la fiebre amarilla que venía atacando a esta región desde 1919. Esta campaña coincidió con el esfuerzo de esta agencia internacional por erradicar la enfermedad en el mundo, y a pesar de la oposición local que encontró, logró terminar

La Aviación y Elmer Faucett

En el Perú, los primeros vuelos se realizaron en la primera década de este siglo cuando pilotos italianos, franceses, ingleses y norteamericanos visitaron periódicamente nuestro país entre 1915 y 1930 para realizar vuelos de exhibición. Elmer "Slim" Faucett llegó al Perú en junio de 1920, con un equipo de pilotos de exhibición del avión Curtiss Wright. En 1921, el gobierno peruano ofreció un premio para quien realizara el primer vuelo trasandino, de Lima a Iquitos. Faucett asumió el reto y logró la hazaña de cruzar los Andes en su Oriole Wright, un biplano de cabina abierta. Si bien Faucett no llegó a la ciudad de Iquitos, se quedó a sólo 100 kilómetros y se le reconoció como el ganador del premio. A partir de entonces, Faucett empezó a transportar correo y pasajeros en su Oriole pintado de naranja y blanco, especialmente entre los campos petroleros del norte y Lima. Al cabo de unos años formó las Aerolíneas Faucett, que en setiembre de 1928 realizaron su primer vuelo, entre Lima y Chiclayo. La aviación comercial en el Perú sin embargo, ya se había establecido algunos meses antes, cuando la firma comercial Grace, ante la propuesta de Harold Harris, un piloto norteamericano que había sido contratado en el Perú para fumigar los campos de algodón en el norte y el centro del país, decidió extender las rutas de su línea comercial aérea Panamerican Airways, con sede en Nueva York, a Lima y Buenos Aires. Con tal fin se constituyó la línea aérea Panagra, que realizó, en setiembre de 1928, el primer vuelo comercial en el Perú, entre Talara y Lima.

con este flagelo de esta zona del país. Asimismo Leguía adoptó una serie de medidas de saneamiento ambiental, por medio de la Ley 4126 promulgada en mayo de 1920, que facultó al gobierno para contratar la ejecución de obras sanitarias en Lima y otras 32 ciudades del país. La ley autorizó a gastar cincuenta millones de dólares para realizar caminos, desagües, pavimentación de calles, sistemas de eliminación de basuras, agua potable y refacción de puertos, que fueron construidos por la Foundation Company, la que prestó los fondos al gobierno a un interés del 10 por ciento. Estas actividades permitieron disminuir la incidencia de enfermedades que habían sido endémicas desde comienzos de siglo, como la peste bubónica, que era transmitida por las pulgas de las ratas. Las actividades de la Foundation Company fueron también parte del crecimiento de la construcción urbana y de industrias conexas como la del cemento y la construcción civil.

Para la celebración del Centenario de la Independencia, en 1921, y del Centenario del Triunfo de Ayacucho, en 1924, Lima fue embellecida con nuevos edificios, como el del hotel Bolívar, el funcional Hospital Arzobispo Loayza y el de más dudoso gusto "Castillo Rospigliosi", y nuevas plazas, como la San Martín. Posteriormente se abrió amplias avenidas, como la Arequipa (inicialmente llamada Av. Leguía), la Brasil, la Venezuela (llamada Progreso, en esa época), Argentina (entonces llamada La Unión) y Alfonso Ugarte, que iniciaron el crecimiento de la ciudad hacia el sur y hacia el Pacífico. La actividad urbanizadora permitió un nuevo renglón de negocios a los bancos locales, que lograron mejorar sus posiciones financieras, sobre todo en el caso del Banco Italiano (hoy Banco de Crédito del Perú), y fue también una fuente de empleo por esos años.

Los años de Leguía fueron también un período de crecimiento de las clases medias urbanas. El número de profesionales, maestros, pequeños comerciantes, estudiantes universitarios y distintos tipos de empleados trabajando en dependencias públicas, bancos, comercios, oficinas y otras establecimientos privados creció significativamente en los años veinte. Por ejemplo, los empleados que en 1908 eran 6,821en Lima llegaron a 37,588 en 1930. Un crecimiento significativo tuvieron los abogados, los ingenieros y los médicos en la misma ciudad, que en 1920 llegaban a ser 424, 675 y 284 y diez años más tarde eran 616, 923 y 536, respectivamente. Al mismo tiempo crecieron las asociaciones profesionales que agrupaban a estos trabajadores urbanos —así como aparecieron nuevas— y se dieron las primeras leyes en favor de los empleados públicos, como la Ley del Empleado de 1924.

Uno de los actos más importantes de Leguía fue dar una solución definitiva a algunos problemas fronterizos, especialmente el que existía pendiente con

NÚMERO DE ALUMNOS MATRICULADOS EN LAS UNIVERSIDADES DE LA REPÚBLICA, 1912 - 1930

Años	San Marcos	Católica	Arequipa	Cuzco	Trujillo	Total
1912	1,164	—	236	170	97	1,667
1913	1,179	—	219	177	81	1,656
1914	1,234	—	246	176	97	1,753
1915	1,112	—	246	89	123	1,570
1916	1,226	—	250	192	123	1,791
1917	1,331	—	254	176	224	1,985
1918	1,480	—	234	167	110	1,991
1919	1,338	—	209	174	88	1,809
1920	1,344	—	170	154	73	1,741
1921	72*	—	241	137	74	534
1922	1,296	—	**	150	75	1,521
1923	1,392	54	**	141	65	1,652
1924	1,610	59	186	161	82	2,098
1925	1,717	130	216	196	51	2,320
1926	1,889	130	**	147	48	2,214
1927	1,687	132	199	140	51	2,229
1928	1,849	152	219	*	70	2,290
1929	2,278	215	120	66	59	2,738
1930	2,201	176	366	106	99	2,948

Fuente: *Extracto Estadístico del Perú 1936-1937*, p. 392.

* En receso parcial o total.
** No hay datos.

Chile. Para entonces ya se habían resuelto algunos de los problemas limítrofes del Perú, como el que se tenía pendiente con Bolivia, a partir del tratado Polo-Sánchez de 1909, basado en parte en un laudo argentino. Con Leguía se trató de dar solución a los conflictos con Colombia (por medio del Tratado Salomón Lozano de 1922, que permitió a Colombia tener una salida al Amazonas a través del triángulo de Leticia; véase recuadro "El incidente de Leticia"), y con Chile se firmó el Tratado de Lima de 1929, por el cual el Perú perdió Arica y se quedó con Tacna. Recordemos que al acabar la guerra con Chile se había firmado un tratado en el que el Perú perdió definitivamente Tarapacá, y Chile mantenía en su poder Tacna y Arica, hasta que se realizara un plebiscito en que la población de esas provincias decidiera dónde quería permanecer. El plebiscito debió realizarse en 1894, una vez cumplidos diez años de la ratificación del tratado por los congresos de ambas repúblicas. Sin embargo, las autoridades chilenas organizaron una campaña de chilenización de estos territorios, postergaron la consulta con diversos pretextos, y trataron de hacerse definitivamente con los territorios cautivos, ofreciendo al Perú una compensación económica. A pesar de ello, debido al heroico esfuerzo de los propios tacneños y gracias a la mediación del gobierno de los Estados Unidos, con el que el gobierno de la Patria Nueva mantuvo buenas relaciones, el Perú pudo recuperar Tacna, aunque despojada de su puerto natural, que era Arica.

El incidente de Leticia

Mediante el Tratado Salomón-Lozano (celebrado en secreto, en 1922, entre las cancillerías de Perú y Colombia, y recién ratificado en 1927 por el Congreso del Perú) el Perú cedía a Colombia toda la margen izquierda del río Putumayo y una franja adyacente al río Amazonas conocida como el Trapecio de Leticia, el cual convertía a Colombia en país amazónico. A cambio, Colombia nos cedía un territorio bastante menor, el Triángulo San Miguel-Sucumbios, territorio que además no poseía ningún recurso valioso y era reclamado como suyo por el Ecuador. El Trapecio de Leticia, por su parte, era rico en madera y en árboles gomales, además de ser una zona de importancia agrícola, comercial e industrial. La compensación no fue de ninguna manera equitativa. El argumento del presidente Augusto B. Leguía para firmar el Tratado Salomón-Lozano era la urgencia de arreglar nuestros problemas limítrofes con Colombia, debido a que además teníamos asuntos limítrofes pendientes con Brasil, Ecuador, Chile y Bolivia, y era posible una alianza de estos estados contra el Perú. Asimismo, existió presión norteamericana para la firma del Tratado, como una compensación a Colombia por la independencia de Panamá, alentada por los Estados Unidos.

El Tratado fue considerado funesto por la población peruana. Los empresarios Julio C. Arana y Enrique A. Vigil, quienes tenían intereses en la región, impulsaron una invasión a Leticia. En agosto de 1932, una tropa de la guarnición de Iquitos tomó por asalto Leticia, iniciándose una guerra no declarada con Colombia. El gobierno peruano, en ese entonces bajo la presidencia de Luis M. Sánchez-Cerro, apoyó esta invasión e incluso se mostró dispuesto a enfrentarse en una guerra contra Colombia. Sin embargo, casi inmediatamente Sánchez Cerro fue asesinado, lo cual permitió que el mariscal Óscar R. Benavides asumiera el mando del gobierno. Benavides por su parte, no tenía ninguna intención de enfrentar al Perú en una guerra con Colombia, por lo cual firmó el "Protocolo de 1934", donde reconoció que Leticia pertenecía a Colombia. Se especula que una de las causas del asesinato de Sánchez Cerro fue impedir esta posible confrontación con Colombia.

3. LOS NUEVOS MOVIMIENTOS SOCIALES Y LA CULTURA

Las políticas populistas de Leguía alentaron la formación de varios movimientos sociales que acabaron desbordando las expectativas de control que el régimen quería señalarles. Asimismo se produjo durante los años veinte otras expresiones de protesta social, como el bandolerismo rural, en el que participaban además de los campesinos, pequeños propietarios y hacendados, como en el caso de Eleodoro Benel de Cajamarca (véase recuadro "El bandolerismo: Eledoro Benel").

Un aspecto importante de la vida social y política fueron los movimientos campesinos desatados en algunas regiones del sur del Perú. En el departamento de Puno, los años de bonanza de las lanas habían provocado, no tanto una "usurpación de tierras" de las comunidades por parte de las haciendas, como generalmente la historiografía ha considerado, sino más bien un proceso de privatización de pastos que antiguamente habían sido considerados comunes o de libre acceso. Lo que ciertamente fue considerado por las comunidades como una usurpación, ya que ellos consideraban que los pastos, como el agua o los bosques, debían ser recursos de libre acceso a la población. Los estudios de Wilfredo Kapsoli, Wilson Reátegui y, más recientemente, Marisol de la Cadena, han puesto en evidencia el activo papel cumplido por las asociaciones indigenistas creadas en los años previos, como las del Patronato de la Raza Indígena. Ellas alentaron los reclamos de los campesinos, que eventualmente desembocaron en rebeliones como las de Huancané (1923), en la que destacó el líder Ezequiel Urviola, La Mar (en Ayacucho, 1923) y Parcona (Ica, 1924).

En el caso de la rebelión de La Mar, el detonante fueron los abusos cometidos en la aplicación de la Ley de Conscripción Vial, usada por los hacendados lugareños para hacerse construir caminos para beneficio particular. La de Parcona fue una insurrección de yanaconas afiliados a la federación de Campesinos del Valle de Ica, cuyas condiciones laborales habían declinado sensiblemente con el aumento de trabajadores en la zona, a raíz de las migración desde el vecino departamento de Huancavelica, y el derrumbe del precio del algodón. La ocupación de haciendas y el asedio a las ciudades de los "mistis" fueron las formas de lucha de estos movimientos, cuya represión por la gendarmería terminó, sobre todo en el caso de Huancané y La Mar, con decenas de campesinos muertos.

Sin embargo, la declinación de la demanda internacional por la lana peruana y el indigenismo oficial que caracterizó los primeros años del gobierno de Leguía, que llevó a su autonombramiento como "Protector de la Raza indígena" y al reconocimiento legal de las comunidades indígenas, disminuyeron en adelante la tensión en la región del sur. Estas organizaciones tradicionales habían sido desconocidas por Simón Bolívar poco después de la independencia, permaneciendo

El bandolerismo: Eleodoro Benel (1873-1927)

Benel fue el más importante caudillo de una serie de bandoleros que recorrieron las provincias de Hualgayoc, Chota y Cutervo en el departamento de Cajamarca, durante las primeras décadas del siglo veinte. Otras regiones de la sierra norte, como Piura, Ancash y Huánuco, contemplaron también por estos años la aparición del fenómeno del bandolerismo, como una reacción de la sociedad agraria tradicional a la tibia, pero efectiva, penetración del capitalismo en el interior. Benel, como casi todos estos célebres bandoleros, ya tenía cierta fama y fortuna gracias a sus actividades como agricultor, comerciante, enganchador de trabajadores para las haciendas azucareras costeñas y cobrador de impuestos en Cajamarca. En 1914 había ganado el remate para el arriendo de la hacienda Llaucán, de propiedad del Estado; sin embargo, no pudo tomar posesión del fundo, al sublevarse los colonos subarrendatarios, azuzados por el arrendatario anterior. Como desenlace de este episodio se produjo la llamada "masacre de Llaucán", en la que la gendarmería, a cargo del prefecto, segó la vida de más de ciento cincuenta personas, entre los campesinos y sus familias.

Benel desató una verdadera lucha de guerrillas contra el gobierno de Augusto B. Leguía durante casi tres años, de 1924 a 1927. Sus acciones revelaron el grado de resistencia que existía en las provincias a la marcada expansión del Estado que caracterizó al Oncenio. De esta manera se "politizó" el bandolerismo en Cajamarca, jugando éste un rol importante en las luchas entre terratenientes y comerciantes entre sí y entre ellos y el poder central. Según el principal estudioso del tema, Lewis Taylor, Eleodoro Benel fue temido y tolerado, más que admirado, por los campesinos. No fue un "Robin Hood" andino, ni un terrateniente feudal, ni un revolucionario que buscaba cambiar las estructuras sociales, sino más bien representó "la última insurrección montonera importante en el Perú en una época en que las fuerzas sociales emergentes conducían a una nueva era política".

Eleodoro Benel murió, como suele decirse, "en su ley". Perseguido por las tropas del gobierno, despidió a sus últimos seguidores y se internó a las montañas de Cutervo, tratando de cruzar el Marañón y refugiarse en la selva. En el mes de noviembre de 1927 fue, sin embargo, delatado por un supuesto aliado. Así fue sorprendido y acorralado en el arenal de la Merendana. Luego de conseguir la huida de sus hijos, Benel se destapó los sesos con la última bala.

en un limbo jurídico secular que les impedía litigar como persona jurídica en la defensa de sus recursos. El descubrimiento de nuevas fibras sintéticas, el favoritismo abierto de Inglaterra hacia sus posesiones coloniales después de la Primera Guerra Mundial, y posteriormente la crisis mundial de 1930, afectaron la demanda de lana del sur del Perú.

El otro factor que explica la disminución del conflicto en la región fue la exitosa resistencia de las comunidades indígenas en impedir la total usurpación de sus tierras. Desde finales de los años veinte se estableció una relativa paz social en la región, que no fue producto de la derrota de la organización indígena, sino de una recesión económica y de un empate político entre los hacendados y las comunidades indígenas. Como resultado, la tensión social disminuyó y métodos legales y no violentos fueron los canales preferidos para lidiar con los conflictos.

Entre los intelectuales del sur y los provincianos de Lima empezó a desarrollarse con fuerza el indigenismo, una corriente que puede remontarse al siglo pasado y que a comienzos de siglo fue defendida con brillo por un grupo de intelectuales, como Joaquín Capelo y Pedro Zulen, congregados en la Asociación Pro-Indígena. De un origen más campesino fue el Comité Pro Derecho Indígena Tahuantinsuyu, creado en 1920 por indígenas de distintas comunidades del país.

Un típico representante del indigenismo de la época fue el educador José Antonio Encinas, que entre 1906 y 1911 dirigió una escuela primaria en Puno. Una característica fundamental de esta escuela fue que parte de la enseñanza se realizó en los idiomas nativos. Encinas describió sus experiencias en su libro *Un Ensayo de Escuela Nueva en el Perú* (1932). Un grupo de alumnos educados por Encinas se convirtió en maestros en sus propias comunidades indígenas.

NÚMERO DE PERIÓDICOS Y REVISTAS, PUBLICADOS EN LA REPÚBLICA, EN EL PERÍODO 1918-1930

Años	**Cantidad de periódicos y revistas**	**Años**	**Cantidad de periódicos y revistas**
1918	167	1926	366
1919	184	1927	430
1920	197	1928	473
1923	228	1929	475
1924	291	1930	443
1925	347		

Fuente: *Extracto Estadístico del Perú 1936-1937*, p. 396.

El trabajo de Encinas y de otros indigenistas, como Luis Eduardo Valcárcel e Hildebrando Castro Pozo, puede ser entendido como el resultado de la emergencia de un nacionalismo regional y étnico en el Perú provinciano, que fue parte de lo que se conoce como indigenismo. A partir de comienzos del siglo veinte, Lima y algunas ciudades andinas experimentaron un intenso proceso de renovación cultural, que se manifestó en la aparición de corrientes que quisieron modificar la percepción negativa del indio en la sociedad. El indigenismo emergió primero como un movimiento literario que idealizaba el imperio Inca. Esta nueva corriente fue llevada a Lima por escritores, periodistas y estudiantes universitarios de provincias que rechazaron la tendencia positivista que consideraba a los indígenas como una raza inferior que obstaculizaba el desarrollo, o como menores de edad que sólo servían para el trabajo manual, el ejército y la servidumbre. De acuerdo a estos intelectuales, para asimilar a la población indígena al resto del país, su historia y su cultura debían ser revaloradas e incluso elogiadas.

El indigenismo fue también entendido como la construcción de una nueva identidad nacional cuyo centro fuese la cultura autóctona de origen precolombino que había sobrevivido a siglos de adversidad. En su versión más tibia, el indigenismo rechazó al racismo, criticó los abusos de los gamonales, a los que entendió como producto de la falta de presencia del Estado en las haciendas serranas, ignoró el aspecto económico de la explotación indígena, y promovió la generalización de la educación primaria y del servicio militar obligatorio, que consideraron beneficiosas para los indígenas. En su versión más radical, el indigenismo fue un racismo invertido que proponía la eliminación de las haciendas como la solución al problema indígena. Aunque el indigenismo se inició en la literatura, su influencia se extendió a la política, la pintura (Sabogal), las ciencias sociales (Mariátegui), la arqueología (Julio C. Tello) y la medicina (Núñez Butrón).

Entre muchos intelectuales limeños de fines de los años treinta, el indigenismo se opacó para ser reemplazado por el hispanismo. Esta corriente significó un regreso al estigma negativo adscrito a la herencia precolombina y una sobrevaloración de la herencia hispana del país. Estimulados por la guerra civil española y el posterior triunfo de Francisco Franco, intelectuales conservadores enfatizaron las tradiciones hispánicas peruanas, y rechazaron la idealización del mundo andino.

La situación fue algo diferente en los centros urbanos del sureste de los Andes, donde el indigenismo se inició antes de los años veinte y se mantuvo activo hasta comienzos de los años cuarenta. Ejemplos de este desarrollo fueron la emergencia de diversas sociedades culturales como *Bohemia Andina*, *Orkopata*, y *Laykakota* en Puno y de revistas como *Kosko* y *Kuntur* editadas en el Cuzco en los años veinte; y *La Sierra* que fue editada primero en el Cuzco,

José Sabogal, "Burilador de mates". Museo del Banco Central de Reserva del Perú

José Sabogal, " Arriero". Museo del Banco Central de Reserva del Perú

Camilo Blas, "Cuesta de Pumacurco". Museo del Banco Central de Reserva del Perú

Camilo Blas, "Familia Serrana". Museo del Banco Central de Reserva del Perú

José Sabogal (1988-1957) y Camilo Blas (1903-1986) figuraron entre los más notables representantes de la pintura indigenista entre las décadas de 1920-1950.

irregularmente, entre 1909 y 1924, y posteriormente en Lima entre 1927 y 1930. Estas organizaciones y revistas fueron síntomas de un resentimiento provinciano contra el centralismo autoritario del gobierno nacional, y una reivindicación orgullosa de la cultura, el arte y de la historia del Perú provinciano. A través del canje de publicaciones y de la correspondencia, estas publicaciones crearon una red informal de contactos que asentaron la identidad de los intelectuales provincianos.

Por ejemplo, *Orkopata* publicó el *Boletín Titikaka* entre 1926 y 1930, en donde destacados intelectuales provincianos reseñaron la literatura extranjera reciente, encomiaron la labor del adventismo y esbozaron debates sobre la realidad andina. Según Valcárcel, un rasgo que distinguió a los indigenistas puneños de los cuzqueños, fue que tuvieron una mayor relación con los movimientos indígenas, llegando inclusive a colaborar en la elaboración de sus demandas y a participar en levantamientos indígenas.

El indigenismo preparó el camino para intelectuales que trataron de conciliar el estudio de la realidad peruana con modelos europeos. El más destacado de ellos fue un moqueguano de origen mesocrático, José Carlos Mariátegui (1894-1930), quien tuvo una formación autodidacta y surgió a la vida intelectual en el periodismo y en publicaciones que apoyaban la reforma universitaria o las luchas obreras como *La Razón*. Leguía trato de domesticar al joven intelectual enviándolo a Europa. Pasó la mayor parte de su tiempo en Italia, donde se vinculó al Partido Socialista Italiano y conoció las versiones menos ortodoxas del marxismo europeo, defendida por autores como Antonio Gramsci, George Sorel y Benedetto Croce. Hacia 1923 regresó al Perú, donde por los siguientes siete años desempeñó un papel importante en la cultura y las ciencias sociales del país. Parte de esta labor se reflejó en la revista *Amauta* (1926-1930), que difundió la poesía simbolista de José María Eguren, la prosa barroca de Martín Adán, la poesía humanista de Cesar Vallejo, autor de *Los heraldos negros* y *Trilce*, el surrealismo de André Breton y el sicoanálisis temprano de Honorio Delgado.

La obra más importante de Mariátegui fue *Siete Ensayos de Interpretación de la Realidad Peruana*, la primera interpretación marxista de la historia y la sociedad peruanas, publicada por primera vez en 1928. Este libro tiene además la distinción de ser el libro escrito por un autor peruano, con más reediciones, traducciones y ventas en el mundo. En los ensayos dedicados al factor económico y al problema indígena, Mariátegui presentó una visión materialista de la evolución del país, que asociaba períodos de la historia europea con la peruana. Por ejemplo, para Mariátegui el problema de la explotación del indio tenía sus raíces en el régimen de la propiedad de la tierra, y la colonia había sido una especie de edad media, mientras que el imperio incaico un comunismo primi-

José Carlos Mariátegui: Principios Programáticos del Partido Socialista (1928)
Tomado de José Carlos Mariátegui. *Ideología y Política*. Lima: Amauta, 1981

El Partido Socialista adapta su praxis a las circunstancias concretas del país; pero obedece a una amplia visión de clase y las mismas circunstancias nacionales están subordinadas al ritmo de la historia mundial... El imperialismo no consiente a ninguno de estos pueblos semi-coloniales, que explota como mercado de su capital y sus mercaderías y como depósito de materias primas, un programa económico de nacionalización e industrialismo. Los obliga a la especialización, a la monocultura. (Petróleo, cobre, azúcar, algodón, en el Perú). Crisis que se derivan de esta rígida determinación de la producción nacional por factores del mercado mundial capitalista... La economía pre-capitalista del Perú republicano que, por la ausencia de una clase burguesa vigorosa y por las condiciones nacionales e internacionales que han determinado el lento avance del país en la vía capitalista, no puede liberarse bajo el régimen burgués, enfeudado a los intereses imperialistas, coludido con la feudalidad gamonalista y clerical, de las taras y rezagos de la feudalidad colonial. El destino colonial del país reanuda su proceso. La emancipación de la economía del país es posible únicamente por la acción de las masas proletarias, solidarias con la lucha antiimperialista mundial. Sólo la acción proletaria puede estimular primero y realizar después las tareas de la revolución democrático-burguesa, que el régimen burgués es incompetente para desarrollar y cumplir.

tivo, que él vio con cierta nostalgia. Para Mariátegui la voluntad revolucionaria y el mito tendrían un papel fundamental en la liberación de los indígenas peruanos.

A nivel político Mariátegui también tuvo importancia, ya que organizó el Partido Socialista del Perú, que después de su muerte sería transformado en el Partido Comunista Peruano, y encabezó el primer esfuerzo, efímero por cierto, de centralización de los sindicatos obreros: la Central General de Trabajadores del Perú (CGTP). Es importante subrayar que los marxistas ortodoxos no aceptaron los planteamientos de Mariátegui, y poco después de su muerte, su partido, bajo la dirección de Eudocio Ravines, siguió una línea prosoviética, en la que se sobrevaloraban las condiciones para una revolución obrera inmediata.

4. LA CRISIS Y LA POLÍTICA DE MASAS

La crisis de 1929 marcó el inicio del fin para el gobierno de Leguía. Esta crisis afectó gravemente a las exportaciones peruanas, cuyo valor se redujo dramáticamente (cobre 69%, lanas 50%, algodón 42% y azúcar 22%) así como tam-

NÚMERO DE OPERARIOS OCUPADOS EN LA INDUSTRIAS MINERA Y AZUCARERA EN EL PERÍODO 1905 - 1936

Años	Industria minera	Industria azucarera	Años	Industria minera	Industria azucarera
1905	9,651	n.d.	1921	21,000	27,746
1906	13,361	n.d.	1922	20,000	28,938
1907	14,877	n.d.	1923	21,500	29,259
1908	15,652	n.d.	1924	22,658	30,051
1909	15,000	n.d.	1925	26,052	30,159
1910	16,500	n.d.	1926	30,396	28,207
1911	17,000	n.d.	1927	28,431	29,490
1912	18,610	19,945	1928	28,475	30,151
1913	19,515	20,942	1929	32,321	n.d.
1914	20,335	21,881	1930	28,137	n.d.
1915	21,480	24,433	1931	18,142	24,646
1916	22,759	23,456	1932	14,197	24,560
1917	23,738	22,835	1933	15,551	28,294
1918	21,310	25,081	1934	17,734	27,547
1919	22,000	24,496	1935	19,359	26,732
1920	22,500	28,860	1936	31,017	24,460

Fuente: *Extracto Estadístico del Perú*, 1936-1937, p. 262.

bién se replegaron las inversiones en el Perú de capitales norteamericanos y británicos. En 1929 las exportaciones peruanas consistían sobre todo en productos mineros: cobre, petróleo, plomo, zinc, plata y oro, que representaban el 67% del total, y exportaciones agrícolas, como el azúcar, el algodón y las lanas, que representaban el tercio restante. Asimismo, en este período empezaron a sentirse las consecuencias de los empréstitos y del crecimiento del gasto fiscal sobre esta base, que había ido acumulando Leguía. Al producirse el cierre del crédito exterior y el decaimiento del comercio externo, el presupuesto no pudo ser mantenido, debiendo suspenderse varias obras públicas. El caso más dramático de una institución empresarial que sucumbió con la crisis del 29 fue la quiebra del Banco del Perú y Londres.

La reducción de salarios y el desempleo provocó marchas y movilizaciones violentas que en 1930 produjeron muertes y numerosos heridos de los trabajadores mineros de Cerro de Pasco, que tenían una dirigencia sindical ligada al

Partido Comunista. Los enfrentamientos repercutieron en la capital donde también hubo protestas, y llevaron a la organización de un Congreso Minero en La Oroya. Estas luchas de los trabajadores sólo fueron controladas con la llegada de tropas de Lima, la posterior persecución de sus líderes y la ilegalización de la CGTP. Con la recesión, la crisis de la balanza de pagos, la devaluación y el desempleo, vino, ya después de la deposición de Leguía, una suspensión de los pagos de la deuda externa, una medida que se mantuvo hasta 1949.

La situación económica se empezó a recuperar a mediados de la década del treinta gracias a la diversidad de las materias primas exportadas, algunas de las cuales vieron recuperarse sus precios, y cuando algunas exportaciones, como el algodón, empezaron a crecer, superando incluso en importancia a otros productos como el azúcar, cuya demanda internacional se redujo drásticamente. Sin embargo, el crecimiento de la posdepresión nunca llegó a los niveles de crecimiento de la época de comienzos de siglo. Otro factor en la estabilización de la economía fue la labor de la misión norteamericana presidida por el profesor universitario Edwin W. Kemmerer, quien ya había actuado en Bolivia, Chile, Ecuador y Colombia, y que trabajó en el Perú durante el año de 1931. Kemmerer hizo una serie de propuestas sobre regulaciones y reformas bancarias, presupuestales, de política monetaria, de aduanas y de impuestos. De sus varias recomendaciones sólo algunas fueron adoptadas, como la regulación bancaria, que llevó a la aparición de la Superintendencia de Banca y Seguros, y la constitución de un Banco Central de Reserva con cierta autonomía.

El fin de la "patria nueva"

La caída de Leguía fue tan dramática como su ascenso. Su obstinado propósito de mantener un nuevo período presidencial, terminaron con su encarcelamiento en la Penitenciaria de Lima y su fallecimiento en una clínica de Bellavista. El régimen de Leguía se derrumbó poco después del levantamiento del teniente coronel Luis M. Sánchez Cerro, quien se sublevó en agosto de 1930 al mando de las guarniciones de Arequipa y Puno y formó una efímera Junta de Gobierno militar que rigió el país por seis meses, hasta febrero de 1931. Luego del levantamiento, turbas en Lima atacaron las casas de Leguía y de sus principales colaboradores, las que acabaron saqueadas.

Una de las actividades de la Junta de Sánchez Cerro fue liquidar la organización de la dictadura de Leguía. Para ello se creó un tribunal especial que juzgó a Leguía y a los líderes leguiístas. Asimismo se derogó las leyes más antipopulares, como la de conscripción vial. El expresidente fue tomado prisionero, enfermó en la cárcel y murió poco tiempo después.

Sin embargo, el régimen de Sánchez Cerro duró poco. Ello ocurrió en parte por la inestabilidad política promovida por una serie de caudillos y rebeliones militares en diferentes provincias, que se oponían a la intención de Sánchez Cerro de quedarse en el poder. Esos fueron meses de aguda agitación social, donde, además de las sangrientas movilizaciones de trabajadores de la Cerro de Pasco, se produjeron las huelgas estudiantiles por la reforma universitaria, los paros de trabajadores y obreros de Lima —entre ellas las de telefonistas mujeres—, un levantamiento dirigido por un sargento en el cuartel Santa Catalina de Lima, de presunta inspiración aprista y una suerte de levantamiento popular en Arequipa. Finalmente, Sánchez Cerro renunció al poder ante un grupo de personas notables de Lima, que incluían al Arzobispo y el Presidente de la Corte Suprema, pero la estabilidad política sólo se restableció cuando asumió el poder una Junta de Gobierno dirigida por David Samanez Ocampo y que contó con la participación de líderes provinciales, que convocó a elecciones para presidente y representantes de un Congreso Constituyente.

Entonces se encargó a una comisión de intelectuales y políticos la elaboración de un Estatuto Electoral, que modificó la forma como se habían hecho las elecciones hasta ese entonces. Entre los encargados de elaborarla estuvieron el historiador Jorge Basadre, el educador José Antonio Encinas, el antropólogo Luis E. Valcárcel, el demógrafo Alberto Arca Parró y el escritor aprista Luis Alberto Sánchez. Según este Estatuto se estableció la base departamental como la unidad electoral, el voto obligatorio y secreto, la representación parlamentaria de las minorías y un Jurado Electoral que organizó los registros electorales y al que se le dio una autonomía formal. Sin embargo, del voto siguieron siendo excluidos los analfabetos y las mujeres.

En las elecciones de 1931 se enfrentaron básicamente el candidato del Partido Aprista Peruano, Víctor Raúl Haya de la Torre, y Sánchez Cerro, tras el cual se había formado la Unión Revolucionaria. En esta contienda fue probablemente la primera en que participaban activamente las masas populares y se utilizó métodos masivos y novedosos de propaganda y proselitismo, como mítines y afiches. Otros dos candidatos de menor convocatoria fueron Arturo Osores, quien encabezó una Coalición Nacional y el exembajador del Perú en Brasil, José María de la Jara y Ureta, que dirigió la Unión Nacional, donde se congregaron algunos sectores de la aristocracia. El Partido Comunista se aisló, siguiendo los dictados de la política soviética denominada "clase contra clase", para promover una supuesta inminente revolución liderada por obreros industriales y para enfrentarse con los partidos como el Apra, que eran considerados pequeño burgueses y colaboradores de la derecha. En un país donde el proletariado era todavía incipiente y las clases medias urbanas habían irrumpido masivamente, el discurso comunista condenó a ese partido a convertirse en una secta.

En realidad todos los partidos de la época eran formalmente todavía una minoría. Aunque era la minoría más activa políticamente del país. En el sufragio de 1931 sólo votaron 392,363 ciudadanos, mientras que la población total de la República había sido estimada en 1927 en 6.147,000 habitantes.

5. EL SURGIMIENTO DEL APRA

El carismático político trujillano Haya de la Torre (Trujillo 1895 - Lima 1979) provenía de una familia de clase media que había sufrido el descalabro que la modernización de las haciendas azucareras produjo en algunos sectores sociales del norte del país. Su padre era un cajabambino, hijo de maestros de escuela, y su madre era parte de una familia de pequeños hacendados. Según Peter Klarén, que estudió con detalle el desarrollo de las plantaciones azucareras en el valle de Chicama, la vida de la familia Haya de la Torre y los orígenes del Apra están socialmente vinculados al impacto de la industria azucarera sobre la economía de la costa norte, que afectó a los trabajadores y arruinó a muchos propietarios y miembros de la clase media. Ingresó a la Universidad de Trujillo para seguir estudios de leyes, pero en 1917 se embarcó para Lima, donde pudo ser testigo de los últimos años del ya desgastado régimen civilista y de lo que en la literatura se llamaba la "crisis de la modernidad".

Haya se hizo conocido en Lima como líder estudiantil de la Universidad de San Marcos, como colaborador de las luchas obreras y como partícipe de la reforma universitaria de 1919 y, sobre todo, como caudillo de la oposición al intento de Leguía por consagrar al Perú al Sagrado Corazón de Jesús en mayo de 1923. Asimismo fue rector de la Universidad Popular Manuel Gonzales Prada, una experiencia educativa derivada de la reforma universitaria, donde estudiantes e intelectuales daban charlas y cursos a los trabajadores de Vitarte y de otras fábricas de Lima. En 1923, el mismo año del regreso de Mariátegui al Perú, Haya viajó desterrado a otros países de América, Europa y a Rusia, adonde asistió al V Congreso de la Internacional Comunista y siguió cursos de marxismo.

Antes de sus viajes por Europa, ya había creado en 1924, en México, la Alianza Popular Revolucionaria Americana (APRA). Esta era entendida como un frente único de trabajadores manuales e intelectuales, que tenía como objetivos principales la lucha contra el imperialismo yanqui, la unidad política de América Latina, la nacionalización de tierras e industrias y la internacionalización del canal de Panamá (véase recuadro "Víctor Raúl Haya del Torre").

Víctor Raúl Haya de La Torre: ¿Qué es el A.P.R.A.? (1926)

Tomado de: Víctor Raúl Haya de La Torre, *Obras Completas*. Lima: Mejía Baca, 1977.

La organización de la lucha antiimperialista en América Latina, por medio de un Frente Único internacional de trabajadores manuales e intelectuales (obreros, estudiantes, campesinos, intelectuales, etcétera), con un programa común de acción política, eso es el A.P.R.A. (Alianza Popular Revolucionaria Americana).

Su programa
El programa internacional del A.P.R.A. consta de cinco puntos generales, que servirían de base para los programas de las secciones nacionales de cada país latinoamericano. Los cinco puntos generales son los siguientes:
1° Acción contra el imperialismo yanqui.
2° Por la unidad política de América Latina.
3° Por la nacionalización de tierras e industrias.
4° Por la internacionalización del Canal de Panamá.
5° Por la solidaridad con todos los pueblos y clases oprimidas del mundo.

El A.P.R.A. es una nueva organización internacional formada por la joven generación de trabajadores manuales e intelectuales de varios países de la América Latina. Fue fundada en diciembre de 1924 cuando los cinco puntos generales de su programa fueron enunciados. El A.P.R.A. representa, consecuentemente, una organización política en lucha contra el Imperialismo y en lucha contra las clases gobernantes latinoamericanas que son auxiliares y cómplices de aquél... La palabra de orden del A.P.R.A. sintetiza sin duda la aspiración de veinte pueblos en peligro contra el imperialismo yanqui, por la unidad política de América Latina, para la realización de la justicia social.

Haya de la Torre regresó al Perú en 1931, recorriendo el país como candidato a la presidencia de la República. En Lima organizó una connotada manifestación popular en la Plaza de Acho. Desde temprano tuvo diferencias con Mariátegui sobre el significado del Imperialismo, el carácter del capitalismo en los países atrasados y el papel de las clases medias en una revolución. Para Haya el desarrollo histórico de América Latina había sido diferente al europeo. El capitalismo no era el resultado de la evolución de un feudalismo nativo, sino de la llegada del imperialismo extranjero. Por ello las clases oprimidas nativas debían aliarse para desarrollar el capitalismo nacional desde el Estado, antes de pensar en iniciar una etapa socialista dirigida por los trabajadores. Es decir, según Haya, un frente de varias clases sociales dirigido por las clases medias, y no por el proletariado industrial, que era una minoría, iba a poder enfrentarse con éxito al imperialismo norteamericano e iniciar una etapa de verdadero capitalismo nacional.

Estas ideas fueron explicadas en la obra de Haya más importante de sus primeros años *El Antimperialismo y el Apra*, impreso por primera vez en Chile en 1936. En las elecciones de 1931 el Partido Aprista Peruano presentó un Plan de Acción Inmediato y un Programa Mínimo, que fueron más moderados que los planteamientos iniciales de este movimiento y que los discursos y panfletos de sus representantes, en los que a veces se intercalaba términos marxistas. Básicamente, en los documentos antes mencionados se sostenía la idea de reformar el Estado, haciéndolo más fuerte y redistributivo, tratando que dirigiese la economía y se enfrentara a las desventajas y dificultades creadas por el capital imperialista, con medidas que incluyeran la nacionalización progresiva, una reforma agraria entendida como el acatamiento de medidas laborales de justicia social y el aliento a la producción agrícola, la promoción del capitalismo nacional, la reforma integral de la legislación tributaria, con supresión de los impuestos indirectos, y el desarrollo de una serie de políticas sociales, como la educación universal gratuita y el seguro social, la construcción de viviendas populares, la fijación de salarios mínimos, el voto femenino, la creación de los Ministerios de Trabajo, Agricultura, asistencia social y de educación, y la integración económica de los países de América Latina.

Luis M. Sánchez Cerro no tenía un programa tan elaborado como el Apra, pero sí un gran número de seguidores entre distintas clases sociales. Ellos lo apoyaban porque lo consideraban uno de los opositores militares más conocidos durante el Oncenio y el autor del derrocamiento del "tirano" Leguía; un nacionalista que había denunciado el entreguismo de este presidente con Chile, en el Tratado de Lima, y sobre todo una personalidad enérgica y autoritaria que pondría fin al desorden y el caos social generado por huelgas, movilizaciones y sindicatos, que sectores de las clases bajas, medias y altas temían. Detrás de Sánchez Cerro se congregaron el diario *El Comercio* y otros grupos conservadores y de la oligarquía, que veían al militar como el menor de dos males. Entre ellos estaban los capitalistas, y especialmente el capital extranjero, los civilistas, y la Iglesia Católica, que identificaba a Haya como su enemigo, desde que éste había encabezado la oposición a la consagración del Perú al Corazón de Jesús. Este apoyo a Sánchez Cerro fue crucial para poder sostener una campaña populista en la que participaron los sectores urbanos más desposeídos.

Entre los pobres Sánchez Cerro se hizo popular por la dimensión paternalista de su autoritarismo y por el hecho de que fuera de origen social humilde y mestizo, en un país donde muchos líderes políticos, incluyendo a Haya de la Torre, eran blancos y miembros o descendientes de la aristocracia, y donde la mayoría de la población era india y mestiza. Este apoyo le permitió formar numerosos clubes electorales (aproximadamente unos 155) de la Unión Revolu-

José Carlos Mariátigui
Archivo Illa

Víctor Raúl Haya de la Torre
Archivo Histórico Riva Agüero

La gendarmería de Leguía y los bandoleros. Seguidores de Benel con la soga al cuello, poco antes de su ejecución. Foto Caretas cionaria en diferentes barrios populares limeños como el Rímac, La Victoria y Barrios Altos. Según Steve Stein la militancia sanchezcerrista en estos clubes llegó a sumar unos 20,000 miembros. Durante la campaña, Sánchez Cerro acusó a los apristas de comunistas, antipatriotas, de ser enemigos de la religión y de la familia y de estar coludidos con el leguiísmo, como una forma de acrecentar el temor popular a este partido.

Sánchez Cerro ganó las elecciones a Haya por un margen de 50,000 votos y asumió el poder en diciembre de 1931, en medio de acusaciones de fraude electoral. La polarización siguió después de las elecciones y a partir de 1932 el gobierno de Sánchez Cerro, que formó un gabinete que incluía a civilistas del período anterior al Oncenio, dio una ley de emergencia que permitía al gobierno suspender reuniones, clausurar publicaciones y arrestar personas, sin ningún trámite legal. Entonces empezó una feroz persecución a los apristas. Entre los apresados estuvieron Haya de la Torre y los representantes apristas al Congreso, que fueron deportados.

La estabilidad del régimen se agravó por los acontecimientos políticos de 1932 y 1933, que incluyeron la prolongación de la crisis económica, los debates de una nueva Constitución, un amotinamiento de marineros en el Callao, un atentado frustrado contra la vida del Presidente cometido por un joven aprista, la clausura de la Universidad de San Marcos, un intento de golpe fallido en el norte del país, encabezado por el comandante Gustavo Jiménez, y un incidente fronterizo con Colombia, en Leticia, que casi acaba en una guerra con el país vecino.

Sin embargo, de todos ellos el más grave fue la guerra civil. Esta empezó con los levantamientos apristas en el Callao, Trujillo, Huaraz, Cajamarca y otros lugares del centro y norte del país. Inicialmente la acción política de las masas estuvo coordinada por los dirigentes apristas, aunque más tarde no fue así. Los insurgentes llegaron a controlar totalmente ciudades como Trujillo, donde nombraron como prefecto a Agustín, el hermano de Víctor Raúl Haya de la Torre. Asimismo en esta guerra surgió un gran encono entre el ejército y el aprismo. Esto fue producto del hecho de que los sublevados de Laredo, en el momento de su repliegue, eliminaron a un grupo de oficiales militares en el cuartel O'Donovan de Trujillo. Fue en esta ciudad, sin lugar a dudas, donde el combate fue más generalizado y sangriento. El gobierno acabó con la rebelión enviando tropas del ejército y unidades de la aviación de Lima y de Lambayeque, en lo que sería el debut militar de la fuerza aérea peruana. Posteriormente hubo cortes marciales y fusilamientos masivos en las ruinas preincas de Chan Chan, que habrían llegado a 5,000. Según la leyenda, fue en estos levantamientos que surgió la frase "sólo el aprismo salvará al Perú".

Éste fue el inicio de una escalada de violencia que afectó al país y que llevó posteriormente al asesinato por militantes apristas del director de *El Comercio*, Antonio Miró Quesada y su esposa. Sánchez Cerro mismo cayo víctima de la violencia en que vivió y que contribuyó a engendrar. En abril de 1933 fue asesinado por Abelardo Mendoza Leyva, quien atacó su carro descubierto al terminar un desfile militar. El asesino fue sindicado como un militante aprista, aunque nunca se supo detalles del crimen y se sospechó de que más de una persona intervino en el mismo. Ante la muerte de Sánchez Cerro, la Asamblea Constituyente, que funcionaba como poder legislativo, designó, a falta de vicepresidentes —que fueron suprimidos en la Constitución de 1933— al general de división Óscar R. Benavides, quien entonces era jefe del ejército, y que se quedó en el poder hasta 1939.

En estos años el país ya había inaugurado una nueva etapa en su historia política, signada por la espiral de violencia y el enfrentamiento político, la ausencia de agrupaciones políticas tradicionales y el predominio del militarismo, que veremos con mayor detalle en la siguiente sección.

LECTURAS RECOMENDADAS

Gianfranco Bardella, *Un siglo en la vida económica del Perú 1889-1989*. Lima: Banco de Crédito, 1989. Caps. XII-XV.

Jorge Basadre. *Elecciones y centralismo en el Perú*. Lima: CIUP, 1980. Caps. V-VI.

Manuel Burga y Alberto Flores-Galindo. *Apogeo y crisis de la República Aristocrática*. Lima: Rickchay Perú, 1979. Parte II, Cap. 5.

Julio Cotler. *Clases, Estado y nación en el Perú*. Lima: IEP, 1978. Cap. 4.

Marcos Cueto, *El regreso de las epidemias. Salud y sociedad en el Perú del siglo XX*. Lima: IEP, 1997. Caps. 1-2.

Alberto Flores-Galindo. *La agonía de Mariátegui*. Lima: IAA, 1989.

Peter Klarén. *La formación de las haciendas azucareras y los orígenes del Apra*. Lima: IEP, 1976. Caps. 5 y 6.

Wilfredo Kapsoli y Wilson Reátegui. *El campesinado peruano: 1919-1930*. Lima: Universidad Nacional Mayor de San Marcos, 1987.

Pedro Planas, *Biografía del Movimiento Social Cristiano en el Perú (1926-1956). Apuntes*. Lima: Konrad Adenauer y Facultad de Teología Pontificia y Civil del Lima, 1996.

Steve Stein, *Populism in Peru, the emergence of the masses and the politics of social control*. Madison: University of Wisconsin Press, 1980.

José Tamayo Herrera, *Historia social e indigenismo en el altiplano*. Lima: Ed. Treintaitrés, 1982.

Lewis Taylor, *Gamonales y Bandoleros: Violencia social y política en Hualgayoc-Cajamarca, 1900-1930*. Cajamarca: Asociación Editora Cajamarca, 1993, p. 133.

Capítulo 7
EL MILITARISMO Y SUS RESISTENCIAS

1. EL "TERCER MILITARISMO": DEBATES DE INTERPRETACIÓN

El "tercer militarismo", como lo llamó el historiador Jorge Basadre, fue inaugurado en 1930 por el gobierno de Luis Sánchez Cerro y continuó hasta 1939 por el del general Óscar R. Benavides. El siguiente gobierno fue el de un civil, el banquero Manuel Prado, pero su elección y su gobierno estuvieron marcados por el régimen militar que lo precedió. Sólo entre 1945 y 1948 el país vivió un respiro democrático bajo el gobierno del abogado José Luis Bustamante y Rivero. Durante este trienio los partidos políticos proscritos, como el Apra, volvieron a la legalidad. Sin embargo, la crisis económica y los enfrentamientos políticos volvieron a mover el péndulo que cada cierto tiempo marcaba la historia de los gobiernos republicanos, y un gobierno militar se instaló en Palacio de Gobierno en 1948, aunque esta vez en clara alianza con las elites económicas. En este capítulo vamos a analizar los inicios del militarismo hasta la breve primavera de Bustamante.

En muchos sentidos este período ha sido visto como una continuidad del orden oligárquico, que fue "salvado" de la amenaza aprista de los años treinta. Ha sido también considerado como una continuidad agónica, o en crisis, de la oligarquía, durante la cual la aristocracia no pudo recomponer su hegemonía y legitimidad, lo que contribuyó a aumentar la sensación de un vacío, no sólo político, sino de liderazgo social y de ausencia de identidad cultural. Un período donde se salió de la crisis económica producida por la debacle del año 29, se mantuvo la marginación de la mayoría de la población trabajadora e indígena, se trató de cooptar, perseguir o enviar al exilio a los voceros políticos de la clase media y de los trabajadores, y donde muchos intelectuales revalorizaron la herencia hispánica, y a veces hasta fascista, o se refugiaron en temas eruditos para no pensar la "candente" realidad nacional.

Sobre los intelectuales de la época habría que decir en su defensa, que muchos iniciaron las bases científicas de estudios especializados, sin los cuales hubieran sido imposibles los estudios de síntesis que aparecieron años después. Es necesario, además, rescatar las investigaciones que hombres como Jorge Basadre, Emilio Romero y Luis Alberto Sánchez, entre otros, hicieron sobre aspectos centrales y polémicos, como la participación de la multitud en la historia, el centralismo y el proceso económico, o el carácter de la literatura nacional.

Aun cuando la naturaleza de "continuidad oligárquica" de este período, puede ser parcialmente aceptada, es necesario investigar mucho más acerca del mismo para comprenderlo en su propio marco y no como el mero tránsito entre la crisis de la República Aristocrática y el gobierno militar de los años setenta. En este período van creciendo las clases medias, la castellanización del país hizo grandes avances, nació una nueva industria orientada al mercado interno y van dándose las primeras políticas sociales del Estado. Para Benavides y otros miembros de la elite, estas políticas eran una forma de neutralizar o detener el avance social del Apra. En los años treinta y cuarenta el Perú empezó a transformarse de un país serrano y rural, a básicamente uno costeño y urbano.

Aunque más tímidamente que en otros países de América Latina, el propio repliegue del mercado mundial, a raíz de la crisis del 29 y de la Segunda Guerra Mundial, abrió paso a programas de apoyo a la industria nacional. Ya en el gobierno del Oncenio se habían dado medidas aduaneras protectoras de la producción industrial interna; ellas fueron reforzadas en los años treinta por los gobiernos de Benavides y, después, de Prado. La fuerte devaluación monetaria desatada a partir de 1930 aumentó aún más la protección a la industria nacional. El temor por el desborde de las luchas sociales llevó en cambio a una política represiva, más que a la preocupación por la creación de un sistema democrático.

Esto último fue evidente en la reelección de Benavides. La presidencia de Benavides acababa formalmente en 1936, cuando se cumplía el período para el que había sido elegido originalmente Sánchez Cerro. Se organizó elecciones en las que el Apra, al estar vetado por ser considerado una organización internacional, apoyó la candidatura del profesor universitario y expresidente del Congreso Constituyente, Luis Antonio Eguiguren, quien tenía las mayores posibilidades de triunfo. Asimismo participaron Luis A. Flores, líder de la sanchezcerrista Unión Revolucionaria, el empresario Jorge Prado, en nombre de un Frente Nacional, y el intelectual Manuel Vicente Villarán, representando a una coalición de grupos políticos. Sin embargo el Congreso, adicto a Benavides,

Constitución de 1933

Elaborada por el Congreso Constituyente de 1931, el cual estuvo presidido por Luis Antonio Eguiguren. Lo más relevante fue: la prohibición de la reelección; la libertad de culto, aunque se mantiene a la Religión Católica como la oficial; el voto obligatorio y secreto; el período presidencial se establece en seis años y se permite el sufragio femenino en las elecciones municipales. El sufragio femenino fue bastante controvertido. Se opuso el Partido Aprista y los sectores conservadores, pero fue defendido por algunos constituyentes como Víctor Andrés Belaunde. Esta Constitución creó un régimen mixto presidencial-parlamentario. Tomado de José Pareja Paz-Soldán. *Las Constituciones del Perú*. Lima: Lúmen, 1951.

"El período presidencial dura 6 años y comienza el 28 de julio del año en que se realiza la elección, aunque el elegido no hubiese asumido sus funciones en aquella fecha" (Art. 139). "No hay reelección presidencial inmediata. Esta prohibición no puede ser reformada ni derogada" (Art. 142). "El ciudadano que ha ejercido la Presidencia de la República no podrá ser elegido nuevamente sino después de transcurrido un período presidencial" (Art. 143).

"Gozan del derecho de sufragio los ciudadanos que sepan leer y escribir; y en las elecciones municipales las mujeres peruanas, mayores de edad, las casadas o las que lo hayan estado y las madres de familia, aunque no hayan llegado a la mayoría" (Art. 86). "El Poder Electoral es autónomo. El Registro es permanente. La inscripción y el voto son obligatorios para los varones hasta la edad de 60 años y facultativa para los mayores de esa edad. [Se excluye del sufragio a: a) A las mujeres; b) A los menores de 21 años; c) A los analfabetos; d) A los militares en servicio; e) A los miembros del Clero]" (Art. 88).

"Respetando los sentimientos de la mayoría nacional, el Estado protege la Religión Católica, Apostólica y Romana. Las demás religiones gozan de libertad para el ejercicio de sus respectivos cultos" (Art. 232).

"El Estado no reconoce la existencia legal de los partidos políticos de organización internacional. Los que pertenecen a ellos no pueden desempeñar ninguna función política" (Art. 53).

anuló la elección en pleno escrutinio, aduciendo que Eguiguren, quien marchaba adelante, había recibido el apoyo de un partido que era considerado internacional (El Apra) y por tanto prohibido en la Constitución. Asimismo prorrogó por otros tres años el período de Benavides y autorizó al Presidente a gobernar por decretos leyes en un país donde no habría más Congreso.

Este hecho se complementó con la censura, la violencia, y el exilio. Ello afectó a la Universidad de San Marcos, que estuvo cerrada entre 1931 y 1935, obligando a un número de estudiantes, profesores e intelectuales a irse a provincias o al extranjero. Sin embargo, con habilidad Benavides trató de matizar la represión en función de conseguir la estabilidad política. Para ello dio una ley de amnistía que permitió a Haya de la Torre salir de prisión e irse al exilio. Ello no evitó que el mismo gobierno de Benavides posteriormente lo volviese a perseguir.

Emergiendo del crack económico

De la crisis económica iniciada con la crisis mundial de 1929, se empezó a salir por la recuperación de ciertas exportaciones peruanas en manos de nacionales, como el algodón, la minería de pequeña y mediana escala y posteriormente de la pesca. Asimismo, por la expansión de algunas materias explotadas por empresas internacionales, como el petróleo. En esos años se produjo un doble proceso: por un lado la retracción de las actividades de producción de gran escala que habían predominado en el pasado, como la minería del cobre y el azúcar, y por otro lado, el crecimiento de actividades de mediana y pequeña escala que tenían una mejor redistribución de los beneficios que generaban, ya que generalmente implicaban a más propietarios y trabajadores. Ello alentó las expectativas de que el país pudiera tener menos dependencia económica del exterior, iniciar un desarrollo industrial sostenido y reducir las brechas sociales existentes.

El algodón de la costa sur, central y norte se convirtió en esos años en el principal producto de exportación del país, más importante aun que el azúcar, lo que permitió mejorar nuestra balanza comercial. En un proceso parcialmente apoyado por la legislación del gobierno de Benavides, el área dedicada al cultivo de azúcar se redujo en más de un 10% en los años treinta, la producción de azúcar se concentró en la costa norte y varias antiguas haciendas azucareras de la costa central y sur pasaron a cultivar algodón. Hacia 1940 se calculaba que más o menos el 15% de la población económicamente activa de la costa trabajaba en el algodón. Otro cambio importante fue que en esta población disminuyó notablemente el número de yanaconas y se incrementaron los trabajadores asalariados o los agricultores que alquilaban directamente las tierras.

En la minería se produjo la retracción de los capitales extranjeros en nuevas inversiones, la disminución de la importancia productiva de las compañías extranjeras (la actividad principal de la Cerro de Pasco pasó a ser la fundición de metales de las minas de la región), y el lanzamiento de empresarios nacionales en la explotación de nuevos tipos de metales como zinc, mercurio, estaño y plomo. En el caso de la demanda internacional sobre los productos pesqueros intervino decisivamente la coyuntura de la Segunda Guerra Mundial, ya que la conflagración bélica privó al mercado norteamericano de sus proveedores en Asia y Europa. Ello llevó a la empresa norteamericana Wilbur Ellis a empezar a comprar productos

El aparato que no debe faltar en la casa moderna:
Refrigerador "NORGE"

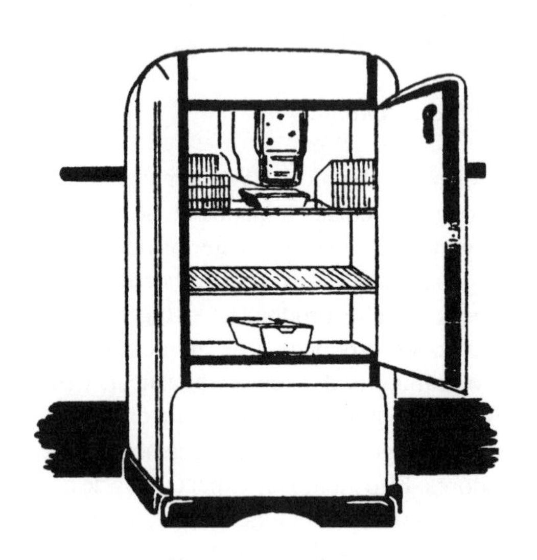

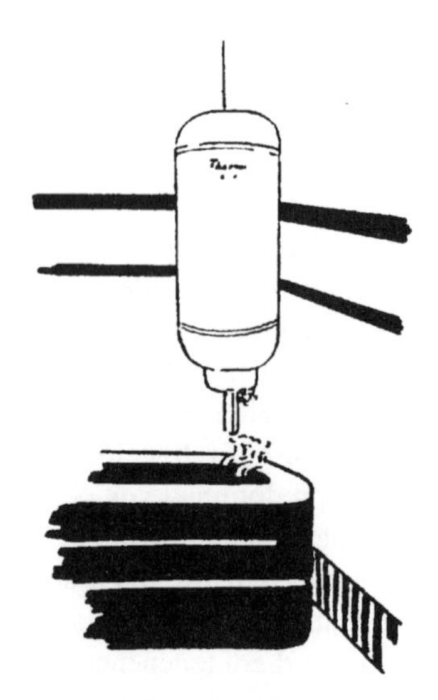

El calentador de baño eléctrico "Therma"
proporciona agua caliente con poco gasto

Cocinas A. E.G.
La cocina para su casa

Facilidades de pago y tarifas especiales.
Pida informes a Empresas Eléctricas Asociadas

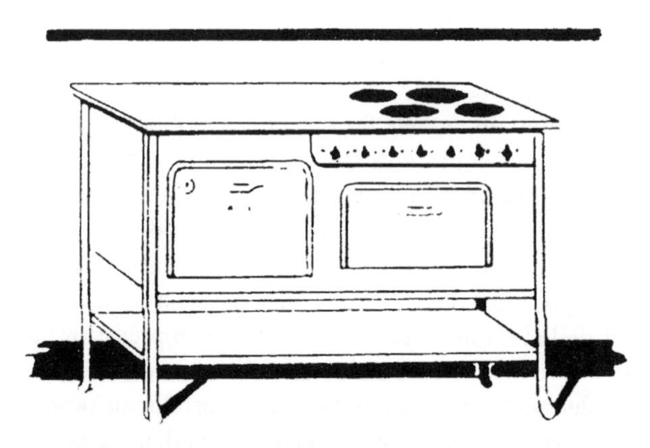

En la década de 1930 las Empresas Eléctricas Asociadas trataban de difundir el uso en los hogares de Lima, de artefactos eléctricos, como las refrigeradoras, cocinas y calentadores de agua. Ilustraciones del libro de cocina *El amigo del hogar*. Lima: 1937.

Vista del Mercado Central de Lima en la década de 1930. Obsérvese el elegante atuendo que llevaban los hombres de la década.

La Av. Arequipa fue una de las calzadas que inició, desde 1930, la expansión de la ciudad de Lima hacia el sur. La vista corresponde a la época de su inauguración, durante el gobierno de Leguía. Ambas fotos han sido tomadas del libro de Karl Heinz Arheidt y Martin Wieser, *Lima de ayer y hoy* (1997).

derivados del pescado peruano y, posteriormente, a la incursión en este sector de empresarios nacionales.

En esos años se incrementó la intervención estatal en la economía y las relaciones laborales y existió cierto apoyo a la industrialización. A la creación del Banco Agrícola en 1931, se sumó la del Banco Industrial en 1936, en lo que fue el inicio de la banca de fomento en el país. Posteriormente se dio una ley de promoción de la industria, que daba incentivos y financiaba casi íntegramente proyectos industriales. La devaluación del sol, la moneda nacional, en los años treinta (entre 1929 y 1940 pasó de un cambio de 2.50 a 6.50 por dólar), junto con la coyuntura de la Segunda Guerra Mundial creó condiciones favorables para la industria, al provocar el encarecimiento de los productos importados. Paralelamente se dieron políticas de impuestos y aduaneras más rigurosas para los exportadores y agricultores y se estableció precios desfavorables a los productores agrícolas en el mercado interno, en un intento por controlar el costo de vida. En parte por ello, mejoró la posición del sector manufacturero en la economía y estos años pueden ser considerados como el inicio de una industrialización limitada pero sostenida para el país, apareciendo fábricas de llantas, calzado, vidrios, fertilizantes sintéticos, leche evaporada y bienes para la construcción y vivienda.

Sin embargo, es importante resaltar que la coyuntura de la Segunda Guerra Mundial no produjo una repetición del auge del precio de las exportaciones, o de su crecimiento, que se había dado a comienzos del siglo veinte con la Primera Guerra Mundial. Aún en 1945 las exportaciones no habían recuperado, ni en valor ni en volumen, el nivel alcanzado en 1929. Lo que sí resultaba notable era en cambio la pérdida de incidencia de las exportaciones de origen minero, a favor de las de origen agropecuario. Estas últimas significaban en 1945 el 56 por ciento del valor de nuestras ventas al exterior, siguiendo las estimaciones de Thorp y Bertram.

Otro sector de mayor intervención del Estado fue el del orden jurídico y las políticas sociales. En términos de leyes nuevas una de las más importantes fue la elaboración de un nuevo Código Civil en 1936, donde se incluyó el divorcio. No fue casual la intervención en educación y salud públicas. Las movilizaciones de los sindicatos de los años veinte y treinta y los reclamos del Apra, incluían pedidos de mayor acceso a la educación, la seguridad social y la salud. Estas eran vistas como derechos que el Estado debía brindar a cualquier ciudadano peruano. Estas demandas se mezclaron con las aspiraciones por modernizar y democratizar aspectos del Estado, impulsadas por los propios funcionarios públicos, entre cuyas aspiraciones estuvo tener un escalafón que les asegurase una carrera pública. Todo ello permitió, en 1936, la creación de un Ministerio de

Educación y otro encargado de la Salud Pública, Trabajo y Previsión Social. En ese mismo año se formó un sistema de seguridad social para los obreros, que cubría sus gastos de enfermedad, maternidad, invalidez y vejez. Algunos años después el derecho de la seguridad social fue extendido también a los "empleados". Éstos eran diferenciados de los "obreros", ya que se consideraba realizaban un trabajo más intelectual que manual, gozaban por lo general de educación secundaria, y percibían un sueldo quincenal o mensual, mientras que los obreros eran pagados por jornal diario, o a lo sumo semanalmente. La distinción rígida y estamental entre *obreros* y *empleados*, cada uno con su propio aparato legal e incluso su propio hospital, se prolongó por muchas décadas y ha ido después desapareciendo paulatinamente. En 1943, se creó un Ministerio de Agricultura, con direcciones especializadas de la ganadería, el uso de aguas para irrigación, y los "Asuntos Orientales" entre otros. Este último era un eufemismo que se usaba para referirse a la selva peruana.

El Perú frente a la tensa política mundial

Una pregunta importante sobre este período es si el Perú tuvo grupos políticos activos fascistas entre sus agrupaciones políticas. Por cierto hubo intelectuales, que han sido citados varias veces y que llegaron a publicar hasta en la misma Italia, y políticos que tenían claras simpatías hacia el fascismo italiano y el nazismo alemán. Pero ¿qué pasó con el carácter del gobierno de Benavides y con uno de los principales partidos de la época y rival del Apra, la Unión Revolucionaria? Una respuesta insuficiente ha sido decir que era un tipo de fascismo popular. Tampoco se ha acabado de definir el impacto de los esfuerzos de sectores de la colonia italiana y de los diplomáticos italianos de la época que querían extender la influencia del fascismo entre los funcionarios públicos y los gobernantes.

Según Orazio Ciccarelli, el estudio de las agrupaciones políticas en el país y en América Latina se ha hecho bajo conceptos europeos como fascismo o comunismo, que son difíciles de aplicar directamente a nuestras realidades. Lo cierto es que las relaciones entre Benavides y la Unión Revolucionaria eran tensas. Ello pudo deberse al hecho de que el régimen militar no aceptaba el funcionamiento de partidos políticos. Lo cierto es que Benavides, al parecer, se comportó como un árbitro, a veces alentando las posibilidades que le abría el fascismo en el exterior y, al mismo tiempo, cerrando las posibilidades internas de cualquier movilización política en favor del mismo, que cuestionase su control social.

En 1937, el diplomático italiano Giuseppe Talamo tuvo una versión más pesimista sobre la posibilidad de que se instaure un gobierno fascista en el Perú. Consideraba a Benavides como incapaz de crear un gobierno fascista y que el

Perú no estaba preparado económicamente para un gobierno de este tipo. Sin embargo, este mismo diplomático opinaba que había que incrementar la relación económica entre la Italia fascista y el Perú, por las ventajas que esto supondría para ambos. A pesar de que el dirigente principal de la Unión Revolucionaria, Luis A. Flores, se definía como fascista, los diplomáticos italianos nunca lo tomaron muy en cuenta, porque su partido no llegó a tener un arraigo popular significativo y porque estaban enfrentados con el gobierno de Benavides, que llegó a perseguir y a deportar a algunos de sus miembros.

Las simpatías de algunos políticos e intelectuales con el fascismo o el nazismo europeos disminuyeron mucho más con la Segunda Guerra Mundial. Al inicio el Perú se declaró neutral. Sin embargo, a partir de 1941 el nuevo presidente, Manuel Prado, se manifestó en favor de los aliados y con el ataque de los japoneses a Pearl Harbor, en diciembre de este año, el Perú expresó su solidaridad con los Estados Unidos y canceló sus representaciones en Berlín, Roma y Tokio. En 1943 el Perú rompió con el gobierno de Vichy del general Pétain en Francia —que no era más que una máscara de la ocupación alemana— y reconoció el gobierno en el exilio del general Charles De Gaulle. Dos años más tarde, y ya pocos meses antes del final de la guerra en Europa, el gobierno peruano declaró, finalmente, la guerra a las potencias del "Eje", aunque no llegó a hacer ningún envío de tropas ni de armamento.

Se inició entonces un proceso de acercamiento político y cultural hacia los Estados Unidos, con el que se incrementó el comercio exterior y se estableció convenios militares que incluyeron la construcción de una base norteamericana en Talara. Todo ello influyó en la permisividad gubernamental hacia los saqueos de comercios japoneses en Lima y la deportación a campos de internamiento en los Estados Unidos de más de 1,800 japoneses acusados injustamente de estar asociados "con el enemigo". Varias fábricas y establecimientos comerciales de inmigrantes alemanes y japoneses fueron expropiados por el gobierno. Llegó incluso a temerse por el destino del Banco Italiano, más aún porque el presidente Prado era miembro de una familia dueña del principal banco rival, que era el Popular. Pero finalmente sólo se obligó a cambiar de nombre a aquella institución, la que en adelante adoptó el nombre de Banco de Crédito del Perú.

Parte de la influencia norteamericana en el país fue la llegada de préstamos, así como de asistencia técnica en educación y salud pública. Por ejemplo, el Perú recibió más apoyo norteamericano de un Servicio Cooperativo Interamericano de Salud Pública y de la Fundación Rockefeller, que estableció convenios para organizar un servicio modelo de salud en Ica y para desarrollar campañas contra enfermedades como la fiebre amarilla y la malaria, en que se usó por primera vez el DDT.

La influencia norteamericana fue particularmente visible en el hecho de que el Perú aceptó los controles de precios establecidos por los Estados Unidos durante la Segunda Guerra, para ciertas exportaciones de materias primas, de manera que se redujo los ingresos por este rubro en comparación de lo que hubiera podido obtenerse en un mercado libre.

2. EL RÉGIMEN DE MANUEL PRADO

Benavides fue sucedido en el poder por el banquero Manuel Prado, quien gobernó entre 1939 y 1945. La transición no pudo ser más cordial; ya que sus buenas relaciones se remontaban al golpe militar de 1914 y a la Convención de partidos del año siguiente. Benavides fue ascendido a Mariscal por Prado y nombrado embajador del Perú en España. Un evento natural que conmocionó a Lima y otras ciudades del país fue el terremoto del 24 mayo de 1940 que reforzó la idea de que el Estado tenía una obligación en atender a los ciudadanos más necesitados, especialmente en épocas de crisis.

Prado era miembro de una de las familias de la oligarquía más reconocidas del país. Su padre había sido dos veces Presidente de la República en el siglo pasado y dos de sus hermanos habían intentado llegar antes al poder. Se habían incorporado a la carrera política dentro del civilismo, pero ahora su familia y el grupo que influenciaban era considerado como representante de una burguesía industrial emergente que mantenía cierta tensión con los grupos agrícolas de propietarios. En realidad entre los negocios de la familia había haciendas, y la experiencia de Prado, al volver después de varios años de vivir desterrado en el extranjero por el régimen de Leguía, fue la de trabajar y ascender en el Banco Central de Reserva del Perú, del que llegó a ser su Presidente.

Prado asumió la presidencia en unas elecciones donde contó con las simpatías y el apoyo del régimen de Benavides. En ellas se enfrentaron la pro fascista Unión Revolucionaria, que presentó al abogado de corta trayectoria política, José Quesada, que sólo alcanzó poco más de 76,000 votos, y Prado, quien llegó a 262,971 votos, liderando un Frente Patriótico. Este Frente aglutinaba a un amplio abanico de intereses políticos que llegaban por la izquierda hasta al Partido Comunista. En ese entonces los comunistas, siguiendo la política soviética de los frentes antifascistas, apoyaron a Prado como representante de la burguesía nacional y defensor de los aliados en la lucha contra las potencias del Eje. El Apra no apoyó a Prado, porque consideraba que su candidatura estaba vinculada al gobierno de Benavides, y prácticamente se abstuvo en esta elección.

ESTRUCTURA DE INGRESOS FISCALES ENTRE 1923 Y 1949

Fuentes de ingresos	**1923-24**	**1925-29**	**1930-34**	**1935-39**	**1940-44**	**1945-49**
Aduana	32,8%	21,8%	26,0%	33,2%	40,4%	46,8%
-derechos de importación	(21,4)	(16,3)	(15,8)	(21,7)	(14,3)	(9,4)
-derechos de exportación	(9,5)	(4,1)	(8,7)	(9,9)	(15,5)	(21,4)
-otros	(1,9)	(1,4)	(1,5)	(1,6)	(10,6)	(16,0)
Impuestos al consumo	18,8	15,7	27,8	26,4	20,0	13,8
Otros impuestos indirectos	8,3	7,7	10,5	14,2	13,5	13,6
Impuestos directos	5,9	6,1	9,5	11,4	11,1	11,2
Dominio nacional	5,1	4,3	7,4	8,3	7,5	6,4
Servicios públicos	2,7	2,6	5,5	5,0	4,4	3,0
Otros	1,8	1,0	2,2	1,5	3,1	5,2
Ingresos extraordinarios	1,7	2,1	7,7			
Ingresos por préstamos	22,9	38,7	3,4			
TOTAL	100,0%	100,0%	100,0%	100,0%	100,0%	100,0%

Fuente: Carlos Boloña, *Políticas arancelarias en el Perú, 1880-1980*. Lima: IELM, 1994, pp. 103, 120.

Prado trató de promover limitadamente la industrialización nativa y la atracción del capital norteamericano, el papel del Estado en la economía, el crecimiento del mercado interno, la mantención de bajas tasas de interés y el establecimiento de impuestos directos. Posteriormente tuvo un carácter más populista y redistributivo, especialmente con las clases trabajadoras urbanas. Durante su gobierno se estableció un control de precios a los productos de primera necesidad, salarios mínimos y un aumento de sueldos y salarios; se incrementaron los tributos a los exportadores y el peso relativo de los impuestos directos (véase recuadro) y se mantuvo un mismo tipo de cambio después de 1940.

Parte importante de su política proindustrial fue la creación de las Corporaciones de Desarrollo a partir de 1942. Estos organismos, creados para la región oriental, la del valle del Santa y los aeropuertos, descansaban en la idea de que el Estado debía dirigir el desarrollo en aquellas regiones donde la iniciativa privada no llegaba, o en sectores considerados estratégicos. Fue el inicio de las empresas públicas, que en décadas posteriores tendrían tanta importancia en la economía peruana. Para la atención del aspecto social, Benavides creó en 1939 la Superintendencia de Bienestar Social, que debía realizar el control de precios de los artículos de primera necesidad, de su misma producción y de los

El algodón, producido básicamente para la exportación, fue un producto clave para la recuperación económica en los años treinta. Archivo Illa.

Vista de la ciudad del Cuzco. Después del auge de la lana, atravesó por una larga época de postración, hasta la llegada del turismo en los años setenta. Archivo Histórico Riva Agüero.

alquileres. Estas medidas, desarrollistas y populistas, nos deben hacer desestimar la evaluación de los gobiernos de Benavides y Prado, como conservadores u oligárquicos.

Como ya se señaló, detrás de aquellas medidas pudo hallarse una estrategia maquiavélica: neutralizar a grupos reformistas más radicales, como el Apra, pero también estuvo presente la concepción de que la tarea del desarrollo y el bienestar social no podía estar confiada solamente a la clase propietaria privada. Cabíale al Estado el derecho de intervenir de forma más activa en el logro de esos objetivos, al mismo tiempo que le reservaba un rol supervisor y regulador de las relaciones económicas (como, por ejemplo, las laborales) que la clase propietaria establecía con el resto de la sociedad.

El gobierno de Prado fue también importante ya que fue creando las bases de una liberalización política. Esto significaba la autorización de la acción sindical y la legalización del Apra y del Partido Comunista. Este último fue tolerado porque la Unión Soviética fue vista como un aliado durante los años de la Segunda Guerra Mundial. Ello permitió que se formase la Confederación de Trabajadores del Perú, CTP, en 1944, que en pocos años formó federaciones de mineros, azucareros, petroleros, empleados, yanaconas y otras. Inicialmente la dirección sindical fue compartida por comunistas y apristas, pero en poco tiempo tomó control de ella el Apra y Luis Negreiros se convirtió en su líder principal.

La pérdida de influencia de los comunistas en el ámbito sindical se debió en parte a su desprestigio por la transformación de Eudocio Ravines en un defensor de la oligarquía, y por la política del Partido de conciliación de clases y de promoción de la paz laboral, que resultó enfrentada a las demandas de los trabajadores. En parte por la presión de los Estados Unidos, donde la organización sindical tenía un fuerte arraigo, Prado toleró la central sindical. Parecía que empezaba una época de relativa estabilidad en las relaciones entre obreros y empresarios.

Sin embargo, la estabilidad del gobierno era aparente, ya que muchas de sus medidas no hacían más que postergar una crisis. Entre ellas estuvo el inicio de una política de préstamos del Banco Central de Reserva al gobierno, que a la postre no hizo más que desatar una inflación galopante. Entre 1939 y 1944 el circulante aumentó más de tres veces debido a los préstamos del BCR al gobierno para cubrir el déficit fiscal. Asimismo, gran parte del presupuesto de la república se iba en gastar en defensa nacional y en pagar los subsidios a los alimentos. El incremento del gasto público fue parcialmente financiado por impuestos a los sectores tradicionales de exportación.

Dos de los acontecimientos más importantes del gobierno de Prado fueron la ejecución de un censo de la república y la guerra con el Ecuador. Es importante destacar que eventos de esta envergadura no ocurrían desde el siglo XIX.

3. EL PERFIL DEMOGRÁFICO

En agosto de 1938 el régimen de Benavides había ordenado levantar un censo de población y ocupación en toda la república, una medida que venía preparándose desde comienzos de la década de los años treinta. Para ejecutar esta operación se creó en el Ministerio de Hacienda una oficina especial encargada de su preparación. Su dirección estuvo a cargo de un destacado funcionario público: Alberto Arca Parró, quien ya había organizado un censo en Venezuela. El censo fue llevado a cabo por 26,000 empleados durante el gobierno de Manuel Prado, el 9 de junio de 1940, es decir sesenta y cuatro años después del último censo nacional, realizado en 1876 y que arrojara una población de 2.700,000 habitantes.

El nuevo conteo del país dio una población mayoritariamente joven, de un total de 6.207,967 personas (exageradas estimaciones del número de habitantes omitidos elevaron la cifra oficial a 7.023,111 millones). La distribución por sexo era más o menos proporcional (hombres 49.42% y mujeres 50.58%) y por edad resultaba que poco más del 50% de la población tenía 19 años o menos. Este notable predominio de la población juvenil mostraba que lo que después se conocería como "la explosión demográfica", había ya comenzado. En parte, gracias a los avances médicos y sanitarios que lograron reducir la mortalidad hacia mediados del siglo veinte, el país comenzó a alcanzar tasas de crecimiento natural mayores al 2% anual, que llevaron a que la población se duplicase cada treinta años; es decir, en el lapso de una generación (véase gráfico "El inicio de la explosión demográfica").

Un dato particularmente importante en el censo de 1940 fue que el 35% de la población era urbana y el 65% era rural, lo que indicaba que estaba creciendo la proporción urbana en el país. Es cierto que la definición de población "urbana" hecha por el censo resultaba discutible, pues incluía en la categoría a poblados pequeños, de menos de dos mil habitantes, en los que la población subsistía de la agricultura y otras actividades típicamente rurales; pero de cualquier manera, confrontado con el censo de 1876, el de 1940 mostraba que era la población de las ciudades la que había crecido más rápido que la del campo.

En términos de densidad geográfica, el país estaba, en comparación a otros latinoamericanos, poco poblado: cada kilómetro cuadrado estaba habitado por un promedio de menos de seis personas, y con respecto a las regiones naturales, el 24% de la población vivía en la costa, el 63% en la sierra y el 13% en la selva (la población de la selva estaba en realidad "inflada" por el exagerado número de población nativa "omitida" que estimaron las autoridades del censo). Es importante notar que casi dos tercios de los peruanos vivía en la sierra, lo que llevó a Arca Parró a señalar que dicha región "era la reserva demográfica del país".

En las décadas posteriores, la proporción de la población serrana respecto del total nacional no ha hecho sino declinar, hasta llegar, al final del siglo veinte, a representar apenas poco más de un tercio.

En 1940 la ciudad de Lima tenía 540,100 habitantes y era seguida muy atrás por otros centros urbanos, como el Callao (72,747 personas), Arequipa (71,768) y Cuzco (45,667). Otras ciudades que superaban los veinte mil habitantes eran Chiclayo, Trujillo, Iquitos, Huancayo, Piura e Ica. La mitad de las capitales departamentales no llegaba aún a los quince mil habitantes, por lo que apenas merecerían el nombre de ciudades. Generalmente carecían de luz eléctrica y de agua potable, las calles eran de tierra y algunas no tenían comunicación por carretera, por lo que no existían automóviles ni comunicación telefónica, dependiendo sólo de un telégrafo (véase Mapa del parque automotor por departamento en 1950).

EL INICIO DE LA "EXPLOSIÓN DEMOGRÁFICA"

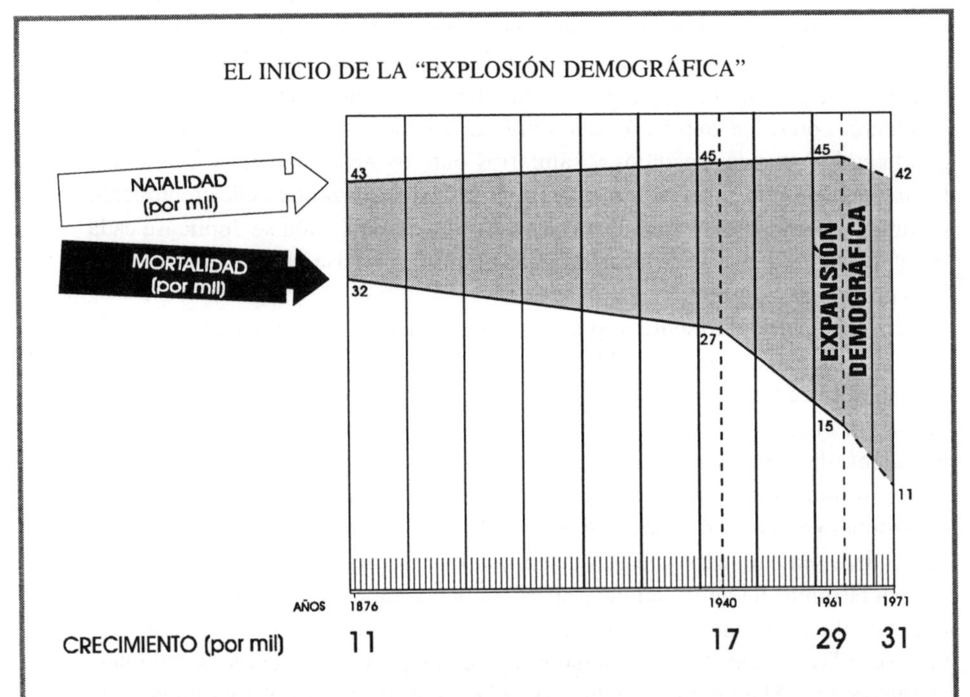

El nivel de la mortalidad cae aceleradamente desde 1940, mientras el de la natalidad se mantiene todavía elevado, dando paso a la "explosión demográfica".

Fuente: *Informe Demográfico, Perú 1970*, p. 152.

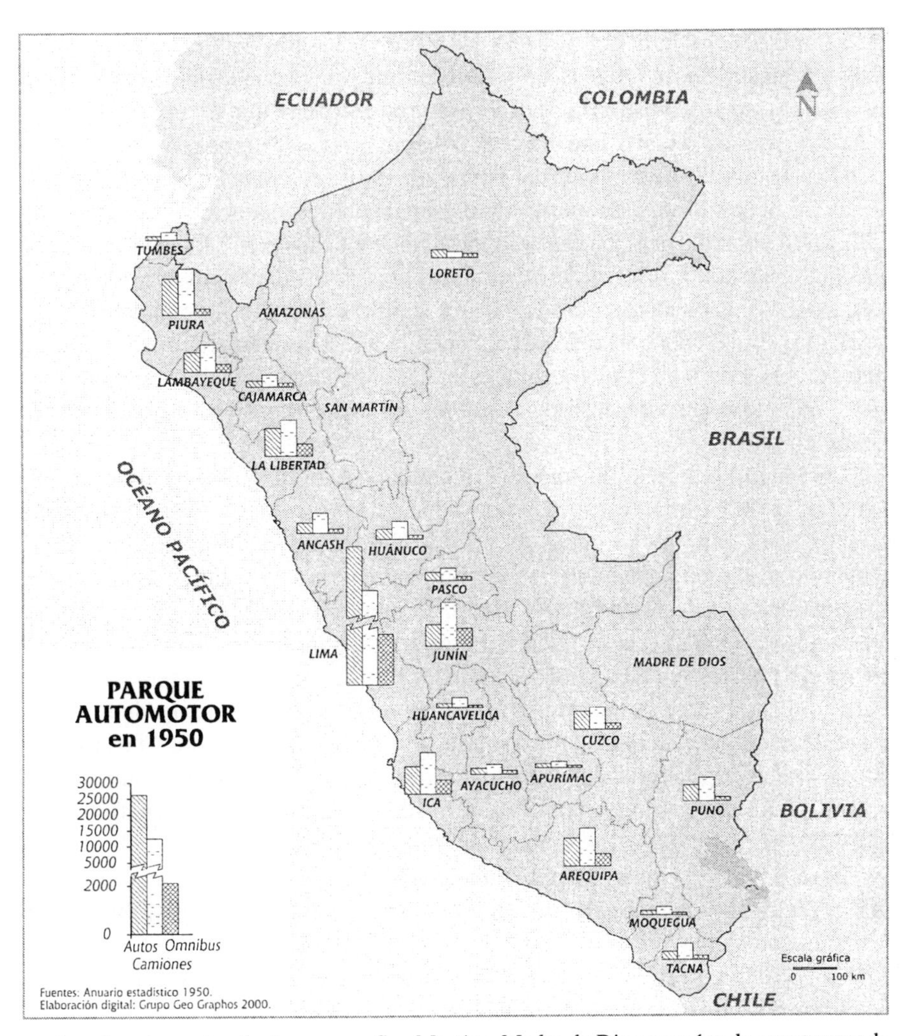

Los departamentos de Amazonas, San Martín y Madre de Dios carecían de carreteras y de vehículos automotores.

La población económicamente activa llegaba a 2.5 millones de personas de las cuales el 62% trabajaba en la agricultura y la ganadería, el 17.5 en la industria y el 20.5% en los servicios.

Con respecto a las razas es importante resaltar que la mayoría de las veces el que decidía la identidad racial fue el empleado que hacía la encuesta en el campo. Se consideraron cinco grupos: la blanca y mestiza (52%), la india (46%) la amarilla (0.68%) y la negra (0.47%). Se tomó el acuerdo de presentar las razas blanca y mestiza como una sola, porque en la práctica fue difícil diferenciar a los blancos de los mestizos y por considerar entonces que el Perú estaba en plena integración racial y que era difícil distinguirlas sin cometer errores.

Otro resultado importante del censo de 1940 relacionado con la cuestión racial, fue el del idioma, que señaló la presencia predominante del castellano: un 65% de la población hablaba este idioma, aunque muchos eran hablantes bilingües quechua-castellano. Asimismo se encontró que en los departamentos donde se hablaba más castellano, el grado de instrucción era más alto. Comparando estos resultados con los del censo de 1876, donde la población india llegó al 58% y la suma de blancos y mestizos resultaba en 38%, podemos concluir del censo de 1940, que el proceso de desindianización, urbanización y mestizaje en el país estaba en curso.

Los departamentos con mayor porcentaje de población urbana eran los costeños, como Lima, Tacna, Lambayeque, mientras que los serranos tenían una población rural mayoritaria. A partir de 1940 la población creció a un ritmo acelerado y la proporción entre centros urbanos y rurales y entre costa y sierra aumentó en favor de los primeros. Este incremento se produjo sobre todo por la migración desatada a raíz de la crisis agraria estructural de la sierra, la atracción de nuevos puestos de trabajo en las ciudades y en la costa y la inflexión de la barrera ambiental representada por las epidemias de la costa. A partir de los años cuarenta se empezó a controlar la malaria, un mal típico de la costa y de la selva, que hasta entonces se ensañaba con los serranos que no habían adquirido ningún tipo de inmunidad natural, ya que la enfermedad no era transmitida a partir de los 2,000 metros de altura sobre el nivel del mar.

El resumen del censo fue publicado en 1941 y poco después sus resultados fueron divulgados en una serie de folletos que pormenorizaban la distribución en departamentos, provincias y distritos de la población urbana y rural, por sexo, edad, ocupación, religión, y distribución de habitantes según las varias altitudes del territorio. Entre estos folletos es de destacar el que se hizo para el Ministerio de Educación, titulado *Estado de la Instrucción en el Perú, según el Censo de 1940*, que fue un detenido análisis de las diferencias regionales de la educación peruana y que mostró que el país todavía tenía una gran proporción analfabeta (59%) y una alta deserción escolar. Posteriormente numerosas instituciones públicas, como el Ministerio de Salud, el Parlamento, el Poder Judicial y la policía tomaron en cuenta los resultados de estos censos para decidir las medidas y el personal que debían disponer para las diferentes localidades del país.

Las primeras estadísticas de la producción nacional comenzaron a levantarse también en la década de 1940. Es así que la primera desagregación de la

DISTRIBUCIÓN DE LA POBLACIÓN ECONÓMICAMENTE ACTIVA PEA
POR SECTORES - CENSO DE 1940

Sector	Población	%
Agricultura	1.293,214	52.24
Ganadería, silvicultura, pesca y caza	252,975	10.22
Minería e Industrias extractivas similares	44,694	1.81
Industrias de transformación	380,281	15.36
Edificación, construcción y reparaciones	45,659	1.85
Transportes y comunicaciones	51,079	2.06
Comercio, crédito y seguros	112,126	4.53
Administración pública y otros servicios de interés general	89,021	3.60
Profesiones ejercidas independientemente. Servicio doméstico y otros servicios personales	165,099	6.67
Otras ramas económicas no clasificadas	41,191	1.66
TOTAL	2.475,339	39.87

Fuente: *Anuario Estadístico del Perú, 1955*, pp. 505-506.

POBLACIÓN DE LAS CAPITALES DEPARTAMENTALES SEGÚN EL CENSO DE 1940

Ciudad	Población	Ciudad	Población
Tumbes	6,365	Huancavelica	8,229
Piura	20,308	Ayacucho	18,468
Cajamarca	15,716	Cuzco	45,667
Chiclayo	33,036	Abancay	5,856
Trujillo	30,367	Arequipa	71,768
Huaraz	12,222	Puno	16,169
Huánuco	13,019	Moquegua	3,930
Huancayo	29,004	Tacna	11,591
Cerro de Pasco	19,043	Iquitos	34,659
Lima	540,100	Chachapoyas	5,558
Callao	72,247	Moyobamba	7,591
Ica	21,677	Puerto Maldonado	1,103

Fuente: *Anuario Estadístico del Perú, 1955*, pp. 49-50.

producción, o Producto Bruto Interno, correspondió al año 1942. El principal componente era la producción agrícola y ganadera, con un 32% del valor del PBI. Los cultivos más extendidos eran plantas autóctonas: en primer lugar el maíz, y en segundo, la papa, con 278 mil y 218 mil hectáreas, respectivamente.

Seguían en importancia el algodón y la cebada. Aunque el algodón era el principal cultivo comercial, y a continuación el azúcar. Ambos disponían en 1942 de 157 mil y 52 mil hectáreas respectivamente. La superficie cultivada abarcaba poco más de un millón de hectáreas (1.138,000); vale decir, menos del uno por ciento de la extensión territorial de la república.

Proporciones más o menos equivalentes del PBI compartían los renglones del comercio (15%), la minería (12%), la industria (12%) y los servicios (12%). La minería más importante era hacia 1940 la del petróleo, cuyas exportaciones representaban un cuarto del total, seguidas del cobre y la plata.

Según el esquema analítico de la economía peruana en el siglo veinte, empleado por Rosemary Thorp y Geoffrey Bertram, el período iniciado con la crisis mundial de 1929 y continuado con la tremenda conflagración de la Segunda Guerra Mundial (1939-1945), había llevado, de manera quizás no muy conciente pero sí muy efectiva, al logro de cierta autonomía en el desarrollo económico del país, ya que muchas inversiones extranjeras se retiraron, o no se animaron a venir, y todo el comercio mundial sufrió una fuerte disminución. Este fue un proceso que abarcó a toda América Latina, en cuyos países con mayor desarrollo comercial, como México, Brasil y Argentina, se puso en marcha el proceso de industrialización por sustitución de importaciones, que en los años cuarenta la recién creada CEPAL (Comisión Económica para América Latina) impulsó como programa para el desarrollo. Aprovechar esta "oportunidad" que la historia mundial ponía en nuestro camino, para fundar un tipo de economía menos dependiente de la exportación primaria y con mayor madurez en sus instituciones económicas internas, exigía, sin embargo, la presencia de un proyecto vigoroso en ese sentido, que se encarnara en un grupo social capaz de llevarlo a cabo. Pero en el Perú, o este proyecto faltó (el del Apra parecía lo más cercano a ello, pero careció del consenso necesario) o la oportunidad ha sido sobrevaluada, lo que parece más probable.

4. EL ECUADOR: GUERRA Y FRONTERA

El Ecuador, un país que había iniciado su vida independiente en 1830 al separarse de la Gran Colombia, tuvo varios conflictos con el Perú durante el siglo XIX, que llevaron hasta una guerra en 1860, en la que los ecuatorianos reclamaron presuntos derechos sobre Tumbes, Jaén y Maynas, territorios sobre los que el Perú reivindicaba el principio del *uti possidetis*, es decir el derecho sobre las posesiones que en tiempos de la colonia, pertenecieron al virreinato peruano, y también por el de la libre determinación de los pueblos, en el caso de Jaén. La irresolución y la tensión prosiguió a comienzos del siglo veinte, a pesar de la

NÚMERO DE PERSONAL DEL EJÉRCITO, EN EL PERÍODO 1911-1937

Años	promedio anual	Años	promedio anual
1911	3,413	1925	5,518
1912	4,755	1926	5,585
1913	4,303	1927	6,521
1914	5,522	1928	7,232
1915	5,057	1929	7,457
1916	4,370	1930	7,012
1917	4,304	1931	6,455
1918	5,614	1932	6,236
1919	5,303	1933	10,169
1920	5,638	1934	9,875
1921	5,189	1935	9,107
1922	4,370	1936	9,719
1923	4,398	1937	10,074
1924	5,045		

Fuente: *Extracto Estadístico del Perú*, 1936-1937, p. 77.

disposición del Rey de España de actuar de árbitro. Un año de tensión fue el de 1910, cuando en Ecuador fueron atacados la embajada peruana en Quito y el consulado en Guayaquil. Cerca de 20,000 tropas peruanas se movilizaron a las fronteras y los estudiantes de San Marcos realizaron ejercicios militares. Sin embargo, la sangre no llegó al río por la mediación de otros países americanos. Pero ante esta situación, y ante el anuncio ecuatoriano de que no acataría el fallo si éste le fuera desfavorable, el rey español renunció a pronunciarse.

El problema limítrofe se mantuvo pendiente hasta julio de 1941, cuando una incursión de tropas ecuatorianas acantonadas en la Provincia del Oro, llevó a la ocupación de los puestos peruanos de Aguas Verdes, La Palma y Lechugal. Éste fue el inicio de una guerra que duró poco menos de un mes y que se extendió por el frente de Zarumilla y la región amazónica oriental y de la que salió victorioso el Perú. La batalla más importante fue la que se libró en Zarumilla, después de la cual el Perú ocupó la provincia del Oro, lo que obligó al Ecuador a rendirse. En enero del año siguiente se firmó un tratado de paz en Río de Janeiro, Brasil, procediendo el ejército del Perú a la desocupación del Oro. El así llamado "Protocolo de Paz, Amistad y Límites" tuvo como garantes a Estados Unidos, Argentina, Chile y Brasil. El Protocolo estableció una frontera definitiva, cuya delimitación quedó a cuenta de una comisión mixta. Un tramo de 78 kilómetros en la Cordillera del Cóndor nunca pudo ser delimitado físicamente con los hitos respectivos, a causa de la difícil geografía y la renuencia del Ecuador, y fue objeto de más reclamos y tensiones entre los dos países. En 1960 el gobierno ecuatoriano decretó la "inejecutabilidad" del Protocolo de Río.

La victoria militar se convirtió en un triunfo político para las Fuerzas Armadas, que tenían sobre sí el fantasma de la derrota de la guerra con Chile del siglo pasado, y para el propio presidente Prado, a cuya familia se le criticaba abiertamente, porque su padre el presidente Mariano Ignacio Prado, abandonó el país a poco de iniciada la Guerra del Pacífico, supuestamente para comprar armamento. Ello contribuyó a mantener una relativa paz social y a obtener cierta legitimidad entre los opositores apristas y comunistas hacia el gobierno de Prado.

5. LA LENTA MODERNIZACIÓN DE LA SELVA PERUANA

Aunque la guerra con Ecuador se libró sobre todo en la región de la costa, provocó un renovado interés por el desarrollo de la región amazónica, ya que había sido precisamente éste el territorio ambicionado por los vecinos del norte. No mucho tiempo atrás, en 1931, había estado a punto de estallar una guerra con Colombia, también por la posesión de territorios amazónicos. Si bien el Perú había defendido en 1941 con éxito su territorio amazónico, cobró conciencia de que la escasa población, el débil desarrollo y la pobreza de comunicaciones de esta región con el resto del país, ponía en peligro su adhesión a la nación.

Después del final del auge del caucho en 1914, la región amazónica, a pesar de representar poco más del sesenta por ciento del territorio nacional, fue casi siempre estereotipada desde Lima como una despensa desperdiciada, rica en productos naturales, un paraíso salvaje y remoto, sólo accesible a colonos aventurados. Los autores que se refieren al tema consideran que después del auge del caucho, la región atravesó una fase de depresión económica. Dejaron de llegar comerciantes e inmigrantes en busca del dinero fácil y rápido que permitió el caucho, y los que no pudieron retornar a sus lugares de origen se internaron en la selva, siguiendo el curso de los ríos, desbrozaron bosques y se convirtieron en colonos y agricultores dedicados a cultivos de algodón, café, coca, tabaco y arroz.

La región de la selva central, que estuvo menos comprometida que la del norte y la del sur en la economía cauchera, y más fácilmente conectada a mercados urbanos, como los de la sierra central y la propia capital de la república, desarrolló una activa producción agrícola a partir de las colonias europeas instaladas en la zona, en algunos casos desde el siglo XIX. Fernando Santos y Frederica Barclay estudiaron la historia de esta región, encontrando que, en contra de lo que se preveía a finales del siglo XIX, no fue la región de Oxapampa y Pozuzo, próxima a las minas de Cerro de Pasco y colonizada por alemanes y austríacos en 1891 y 1857 respectivamente, la que alcanzó algún desarrollo. Por lo contrario, estas colonias, desamparadas de vías férreas o carreteras que las unieran a los mercados, se hundieron en un aislamiento agónico y una economía cercana a la autosubsistencia. Distinto fue el caso de las colonias italiana y asiática establecidas en Chanchamayo, que tenían a Tarma como puente hacia el mercado nacional y la costa. La presencia de la colonia del Perené, conducida por la Peruvian Corporation a raíz del Contrato Grace (1889), sentó ahí las bases para una próspera economía cafetalera, que llegó a extenderse en los años siguientes aun más hacia el oriente, fundándose la colonia de Satipo en 1927.

La Ley General de Tierras de Montaña de 1909, además de algunas facilidades otorgadas durante el Oncenio, volvieron a los campos selváticos tierras de libre colonización, sin ninguna consideración con respecto a los derechos históricos sobre dichos campos por parte de los pobladores nativos, compuestos de grupos como los Ashaninkas, Matsiguengas y Yaneshas. Estos fueron reclutados bajo procedimientos coercitivos por los hacendados cafetaleros para que apoyasen los trabajos en los fundos y la apertura de las carreteras.

La región de la selva sur permaneció mucho más aislada. El descubrimiento del "itsmo de Fitzcarraldo" a finales del siglo XIX, logró conectar la selva del Manú a la región del Cuzco, y dio paso en 1902 a la fundación de Puerto Maldonado, en la confluencia de los ríos Madre de Dios y Tambopata. Con el fin de dotar de impulso a la colonización de esta región, una ley del Congreso creó en 1912 el departamento de Madre de Dios, independizándolo del Cuzco. Sin embargo, en 1940 el censo de la república recogió el dato de sólo 1,032 habitantes en Puerto Maldonado, capital departamental, y apenas cinco mil en todo el departamento, cuya extensión territorial llegaba casi a los ochenta mil kilómetros cuadrados. Una de las pocas actividades económicas en la región, después de la desaparición del caucho, fue la extracción del oro en las playas de los ríos, bajo procedimientos rústicos y manuales, para los que también se echó mano de los habitantes nativos, más algunos "enganchados" de la sierra del Cuzco. Recién en la década de 1960 se iniciaría la penetración de las primeras carreteras a esta región.

Hacia comienzos de la década del cuarenta hubo un renovado interés por parte del gobierno, el ejército, empresarios nacionales y extranjeros, colonos de

La vida en la Amazonía

Tomado de Máximo H. Kuczynski-Godard *La Vida en la Amazonía Peruana, observaciones de un médico.* Lima: Lib. Internacional del Perú, 1944. El autor fue un médico alemán que llegó al Perú en 1936 y realizó valiosos estudios en la selva y el altiplano peruanos, en los que combinaba la medicina con una elevada sensibilidad antropológica.

...la verdadera Amazonía la forma esta enorme planicie, a un nivel de 150 metros hasta el nivel del mar Atlántico, planicie cubierta de selva y de agua. Esta selva es densa y oscura, amenazante y matadora según su ley orgánica que hace de la muerte accidental la natural y de la natural la excepcional...

La vida amazónica, tal cual se presenta ahora, se ha formado a raíz del derrumbe catastrófico de la explotación del jebe... Se ha formado a raíz de la pobreza de los colonos.

Todo aquí está arreglado, dominado por el hambre, por la necesidad de encontrar la comida diaria, y no sólo diaria. Sino casi de día en día, porque esta selva, por su clima y su civilización, no se presta para almacenar víveres y, por lo general, no lo exige tampoco.

La dueña de casa tiene su "chola", el colono sus "cholos", el mismo, para otras personas, es o ha sido "cholo". Para comprender bien este término hay que saber que contiene cierta mirada de arriba abajo, que fija una posición recíproca, una valoración social, si no es —como ocurre hoy especialmente en la Costa— expresión de intimidad y amistad. Es, por ende, en algunos casos denominación de clase, en otros chiste social y señal de cariño. Con todo, la palabra define actualmente en primer lugar cierta relación social no obstante su sentido étnico original.

la sierra y hasta médicos por explotar racionalmente los recursos naturales de esta región, "civilizar" a los grupos nativos, mejorar los puestos militares de frontera, detener la difusión de la lepra que infectó la región desde la época del caucho, y reforzar el contacto político y control con Lima. Ello fue un esfuerzo por desarrollar una verdadera colonización interna de una región que se había mantenido relativamente aislada del resto del país. A ello se sumó el trabajo de algunas órdenes religiosas como las de los agustinos y los dominicos, que desde fines del siglo XIX enviaban misioneros que eran muchas veces verdaderos exploradores que proporcionaron valiosas informaciones geográficas y lingüísticas. Hacia 1948 llegó a la región de Pucallpa una institución religiosa norte-americana, el Instituto Lingüístico de Verano, que combinaba los estudios lingüísticos con la prédica religiosa —esta vez protestante— que se consolidó en algunos lugares de la selva.

Una inversión extranjera importante de la década de los años cuarenta fue la que realizó la Compañía Norteamericana de Reserva de Gomas, (*North-American Rubber Reserve Company)* organizada en 1940 por el gobierno norteamericano.

El objetivo era identificar y conseguir nuevas fuentes de gomas o caucho. Se preveía una escasez de este producto ya que al comienzo de la Segunda Guerra Mundial los japoneses habían ocupado las islas del sureste asiático donde estaban las plantaciones de este valioso producto. Otro interés de esta empresa era conseguir la materia prima para elaborar la valiosa quinina, oriunda de los Andes, para tratar a los soldados norteamericanos enviados a luchar a Asia, muchos de los cuales enfermaban de malaria. Empresas privadas norteamericanas participaron en este proyecto; una planta industrial de Good Year, la empresa dedicada a la producción de llantas, se instaló en Lima y la mayor parte de su producción fue a los Estados Unidos. El gobierno peruano también participó en este proyecto y creó en 1942 una Corporación Peruana del Amazonas. De hecho la producción de caucho creció espectacularmente en esos años. En 1941 el país apenas producía 65,000 kilos de caucho. Para 1944 esta cifra había crecido a 1.420,000 kilos.

Sin embargo, después de pasada la Segunda Guerra Mundial perdieron intensidad los esfuerzos de modernizar la selva mediante el envío de colonos de la sierra o del extranjero, la creación de industrias o de cultivos de exportación y la incorporación de los nativos. La selva siguió un lento proceso de modernización donde la frágil colonización interna se combinó con la emergencia de grupos e intereses locales. Para entonces se hizo evidente que la Amazonía no era una tierra de promisión fácil de explotar sino que presentaba una serie de complejos retos geográficos, económicos y humanos.

Algo que sí tuvo consecuencias importantes para la región fue la construcción de carreteras. Una de las principales fue la que unió, en 1943, Lima y Pucallpa, una ciudad de la selva central creada en 1888 y ubicada en una de las márgenes del río Ucayali. En los años siguientes, a pesar de que Pucallpa fue parte del departamento de Loreto hasta 1980, la nueva ciudad se convirtió en un importante polo de atracción de migrantes y de comercio de productos de selva, entre los que empezó a destacar la madera, y mantuvo cierto grado de autonomía de Iquitos. Otras carreteras construidas en la década de 1940 fueron la que unía Pimentel, en la costa del departamento de Lambayeque, con el Alto Marañón; la que ligaba a Olmos —también ubicada en la costa norte— con Jaén y Bagua (1947), y la que unía al Cuzco con Quincemil. La idea de que era necesario construir carreteras para integrar el país y desarrollar la selva perduró en el imaginario político peruano y el político Fernando Belaúnde Terry llevó adelante esta idea durante su primer gobierno al construir en los años sesenta la carretera marginal que atravesaba la selva. Estos desarrollos influyeron decisivamente en la ampliación de la frontera agrícola, la urbanización de Iquitos y Pucallpa, el crecimiento de la explotación maderera de cedro y caoba y los inicios de la explotación de recursos minerales, primero el oro y más tarde el petróleo.

6. EL GOBIERNO DE BUSTAMANTE

El gobierno democrático de José Luis Bustamante y Rivero se inició en 1945 y tuvo importantes elementos de ruptura con los gobiernos que lo habían precedido, sobre todo en el terreno político. Pero fue incapaz de crear un sistema económico, una alianza política y una convivencia social estable. Por ello acabó abruptamente con otro golpe militar, en 1948, que reanudó el militarismo que había regresado con Sánchez Cerro.

Un hecho singular del gobierno fue el prestigio que tuvo, y siguió teniendo después de depuesto, el presidente Bustamante y Rivero. Él era un abogado y profesor de derecho en la Universidad de Arequipa. Fue quien elaboró el pronunciamiento del teniente coronel Luis M. Sánchez Cerro, cuando éste se levantó contra los once años de gobierno de Leguía, y llegó a ser Ministro de Justicia, Culto e Instrucción en el breve gabinete que éste formó en 1930. Luego retomó sus actividades en la abogacía y la diplomacia en distintos países sudamericanos, entre los que destacó su misión como embajador de Bolivia, una posición en la que se mantuvo hasta 1945. En ese año fue llamado para liderar una alianza a la Presidencia agrupada en el Frente Democrático Nacional.

El Frente era una organización heterogénea que se respaldaba en una propuesta general de democracia menos restringida de la que había existido hasta el momento, y de reformismo moderado. Surgió a partir del impase creado entre las propuestas de un retorno al poder de la clase propietaria tradicional, mediante la candidatura del general Eloy Ureta, quien había dirigido la victoriosa guerra del 41, y la propuesta del Apra, rebautizado como "Partido del Pueblo", bajo la jefatura de Víctor Raúl Haya de la Torre. El ejército, representado por el expresidente Benavides, tuvo una decisiva intervención, vetando una candidatura del Apra, pero consintiendo su participación detrás de un candidato independiente. Fue así que el FDN agrupó a una conjunción de apristas y comunistas (todavía en la ilegalidad y que buscaban con el Frente salir de ella), políticos independientes y a destacados intelectuales del sur, como los Belaúnde, Bustamante de la Fuente, Jorge Basadre y José Gálvez, de aspiraciones descentralistas y alejados de los intereses de la oligarquía costeña.

En los últimos años del gobierno de Prado una amplia mayoría pensaba que era un imperativo crear un régimen democrático, una forma de gobierno que adquirió gran prestigio después del triunfo de los Aliados en la Segunda Guerra Mundial, para restablecer el orden político, recuperar el prestigio internacional y promover el progreso social.

En realidad el Frente fue una alianza endeble, ya que para sus miembros nunca estuvo claro si ésta era sólo un acuerdo electoral, un gobierno de tránsito

José L. Bustamante y Rivero.
Archivo Histórico Riva Agüero.

Gabinete de Ministros del gobierno de Bustamante. Se observa de blanco, en la primera fila, al general Odría, autor del golpe militar del 48. Archivo Histórico Riva Agüero.

para superar la violencia, o un proyecto de más largo alcance que buscaba modernizar el régimen político del país. Quizás para Bustamante y sus colaboradores más cercanos fue un esfuerzo para alcanzar una democracia plena, pero este objetivo se hizo cada vez más difícil por las dificultades económicas y la polarización política.

El Apra atravesaba entonces una fase de política más conciliatoria, resumida en la frase de "interamericanismo democrático sin imperio" que significaba un apoyo a los países aliados en la guerra mundial y la renuncia a sus ataques al imperialismo norteamericano y al capitalismo en general. Poco antes de las elecciones el Apra fue reconocido y registrado como el Partido del Pueblo y convocó a una impresionante manifestación, en la que su líder Haya de la Torre habló de "no quitar la riqueza a los que la tienen, sino de crearla para los que no la tienen".

El Apra fue capaz de hacer este viraje, que contradecía sus planteamientos originales, sin perder la mayor parte de sus seguidores, porque después de 1931 existieron muchos militantes y simpatizantes leales y disciplinados dispuestos a hacer grandes sacrificios por esta organización política y por su líder. El Apra representaba una gran fuerza popular entonces; sus militantes estaban unidos por una mística común, compuesta de tradiciones, ritos, canciones, prisiones, mártires y exilios. En suma una verdadera cultura popular aprista. Sin embargo, el Apra estaba atrapado en una contradicción que cada cierto tiempo enfrentaba a sus bases, generalmente más radicales en sus demandas de cambios, con sus dirigentes, ambivalentes o temerosos del desborde popular, y dispuestos a llegar a acuerdos con la oligarquía o los gobiernos autoritarios.

Bustamante ganó las elecciones de 1945 con el 67 por ciento de los votos válidos, es decir 305,570 votos, superando largamente a su adversario, el general Eloy G. Ureta, cuya candidatura había sido tácitamente atacada por Benavides como inconveniente, quien sólo consiguió 150,720 votos. En su primer gabinete destacaron connotados intelectuales y políticos como Rafael Belaúnde, quien fue Primer Ministro, Rómulo Ferrero, Ministro de Hacienda y Comercio (hoy Economía y Finanzas), y Jorge Basadre, Ministro de Educación. Posteriormente un destacado médico e investigador peruano, Alberto Hurtado, ocupó la cartera de Salud. Un hecho importante del gobierno de Bustamante fue la extensión de la soberanía peruana sobre el zócalo continental y sobre el mar adyacente en una extensión de 200 millas paralela a la línea del litoral.

Inicialmente el triunfo del Frente Democrático Nacional creó grandes expectativas de reconciliación, crecimiento económico, consenso político y democracia. Se reconoció numerosos sindicatos agrícolas, mineros e industriales, se permitió la organización y movilización de estudiantes secundarios y universitarios, y volvieron a actuar libremente los partidos políticos que habían sido proscritos. Sólo entre 1945 y 1947 se reconoció 264 sindicatos, una cifra que significaba el doble de todos los que se habían reconocido en el anterior régimen. Todo ello iba alimentando la preocupación de la oligarquía, que había estado acostumbrada a tratar a los trabajadores y al pueblo en general, con métodos que combinaban el paternalismo y la coerción, para fomentar la docilidad y la dependencia.

El Apra tuvo el control del Congreso, pero inicialmente no tuvo presencia en el Ejecutivo, al que accedió posteriormente en algunos ministerios, incluyendo el de Hacienda. El comienzo del gobierno de Bustamante fue un momento de auge del aprismo, que se expresó en las elecciones complementarias al Congreso de junio de 1946, en que este partido consiguió 15 representantes de un total de 19 vacantes que estaban en juego. En un acto simbólico y revelador de la fragilidad del Frente, los parlamentarios apristas entregaron sus renuncias, firmadas de antemano, al jefe de su partido.

7. EL DESCONTROL ECONÓMICO

Aunque no había un programa económico claro, el gobierno de Bustamante quiso reforzar la presencia del Estado, orientar la economía al mercado interno, promover la industrialización y atraer al capital extranjero en mejores condiciones para el país. Asimismo fue persistente la elaboración de políticas dirigidas a reconocer los derechos laborales, brindar acceso a la educación y a la salud públicas (entendiendo que éstas no sólo mejorarían el rendimiento económico, sino que servirían para integrar al país), y a redistribuir la riqueza nacional a través de la regulación de precios e importaciones por parte del Estado. Por ejemplo se decretó el salario dominical, el congelamiento de alquileres, los aumentos a los empleados públicos y la gratuidad de la educación secundaria. Para muchos sectores, incluyendo el aprismo, las concesiones y mejoras obtenidas del gobierno no eran más que un punto de partida para hacer mayores demandas.

La ley de yanaconaje de 1947 fue una de las medidas más importantes del régimen, por cuanto afectaba la economía agraria de exportación y trataba de mejorar la distribución del ingreso en este sector, a la vez que modernizar las relaciones laborales. El yanaconaje era una institución agraria cuyo origen se remontaba a la época colonial y suponía un contrato, generalmente no escrito, por el que el campesino conseguía el uso de tierras dentro de un latifundio, a cambio de la obligación de trabajar en los cultivos comerciales del hacendado. A veces el yanacón recibía un complemento salarial por su trabajo, o se volcaba por sí mismo a los cultivos comerciales, como en el caso del algodón. La ley del

José Luis Bustamante y Rivero: El drama del Perú
Tomado de *Tres años de lucha por la democracia en el Perú (1945-1948)*. Buenos Aires: s.i.,1949, p. 344.

A lo largo de mi administración, el país se ha debatido entre el asedio de dos fuerzas: la aprista y la feudal. El Partido Único y la Oligarquía. La "debilidad" de que tanto se tildó a mi gobierno, consistió en no ceder ni ante la una ni ante la otra; en mantener hasta el fin su decisión de preservar al pueblo peruano de la amenaza del totalitarismo y la vergüenza de un régimen de casta. Los contrincantes buscan solución al problema en la alianza con unas u otras capas del Ejército. Más ducho, el grupo oligárquico se confabuló con altos jefes, y el golpe armado se consumó. Advino así, la Junta Militar de facto que hoy detenta las funciones del gobierno.

Como Presidente Constitucional del Perú, con mandato legítimo que mantengo en vigencia y debo ejercitar desde el exilio, en la medida en que lo permiten la valla de las bayonetas y el bloqueo a que viven condenadas las libertades públicas, entrego esta exposición al juicio y a la meditación de mis conciudadanos y de los hombres libres de América.

El Perú se halla en presencia de un dilema ineludible: o el elemento sano auténticamente patriota toma sobre sí, la tarea de imponer una democracia de verdad, o se perpetuará la dictadura, sea bajo la forma de un militarismo aferrado al Poder, sea por la irrupción de un marxismo encubierto o declarado. Tal la responsabilidad histórica que le incumbe asumir a la actual generación peruana. ¿Asumirá también América la suya?

47 prohibió "el trabajo gratuito", tratando de imponer la remuneración salarial en las haciendas, fijó un monto específico de arriendo por las tierras cedidas a los yanaconas, prohibió a los hacendados el desalojo de los mismos de las tierras que ocupaban en sus dominios y también proscribió la obligación de los yanaconas de vender su producción al hacendado. Aunque la medida favoreció a la población campesina dentro de las haciendas, perjudicó en el largo plazo la modernización productiva de los latifundios, ya que debían cargar con una población yanacona cada vez más creciente y cuyo interés principal estaba en la atención de sus propias parcelas y no en el trabajo de las del hacendado.

Durante el régimen de Bustamante se estableció una serie de mecanismos de control de cambios, regulación de precios de alimentos e intentos de dirigir las importaciones, que a la postre serían inoperantes para contener los desequilibrios económicos acumulados, que eran cada vez más agudos. El tipo de cambio fijo era contraproducente en un creciente mercado negro de dólares y era especialmente resentido por los exportadores, quienes tenían que entregar las divisas que obtenían, al Banco Central de Reserva. Éste se las transformaba en soles a un tipo de cambio determinado por el gobierno, que estaba por debajo del valor real del dólar en el mercado.

Las voluntariosas pero desacertadas políticas económicas llevaron a un grave desabastecimiento, corrupción e inflación (ya entre 1940 y 1945 el índice del costo de vida había aumentado en un 70% y entre agosto y diciembre de 1947 la inflación aumentó en 55%). Fueron estos mismos factores los que socavaron cualquier intento serio previo de industrializar al país y los que impusieron la especulación en los artículos de primera necesidad. Se estableció una mercado negro, donde la inflación destruyó la autoridad y capacidad del gobierno para controlar la polarización social. Posteriormente se produjo una escasez de productos alimenticios, se reveló la inutilidad de los subsidios estatales a esta actividad y se inició un marcado incremento de las importaciones de alimentos, aprovechando el impuesto encubierto a los exportadores a través del diferencial del cambio.

La crisis económica llevó a un enfrentamiento entre las clases sociales cada vez más agudo. Las clases medias empezaron a ver con simpatía los llamados de la elite a restablecer el orden y la autoridad a costa del Apra, para evitar una nueva guerra civil. Cuando la coyuntura económica empezó a deteriorarse, las elites económicas que defendían el liberalismo económico a ultranza y que habían estado paralizadas inicialmente, reaccionaron para oponerse a las inconsistencias del régimen, consiguiendo resquebrajar las bases sociales que sostenían al gobierno.

La oposición de la oligarquía al régimen empezó cuando se puso más impuestos a los exportadores, quienes inicialmente observaron pasivamente el regreso del Apra a la escena política oficial, pero que luego buscaron enfrentar al gobierno con el Apra. La resistencia de la oligarquía estuvo comandada por la Sociedad Nacional Agraria, donde se agrupaban los azucareros y algodoneros, y por un empresario y economista graduado en Londres, quien tuvo un claro liderazgo en los planteamientos liberales en el resto del siglo: Pedro Beltrán.

La oposición antiaprista y las críticas de la derecha a la debilidad del gobierno de Bustamante, se concentraron inicialmente en la discusión de una ley de imprenta por la que el Apra trató de controlar a los diarios que se le oponían. Esta oposición creció a raíz del debate sobre un nuevo contrato petrolero de Sechura, donde sorprendentemente el Apra y el gobierno defendieron el derecho de la empresa extranjera IPC a explorar y eventualmente explotar una vasta zona, a cambio de mayores impuestos. Por su parte, la oligarquía denunciaba el entreguismo y quería que la prioridad la tuviesen los capitalistas nacionales.

La situación se polarizó después del asesinato por militantes apristas del industrial Francisco Graña Garland, director del diario *La Prensa* y crítico prominente del Apra. Bustamante retiró a los tres ministros apristas de su gabinete para garantizar una investigación imparcial del crimen y formó un gabinete nuevo, donde la mitad de los ministros eran militares. Hacia julio de 1947 los congresistas antiapristas no se presentaron en la instalación del parlamento, no pudiendo reabrirse el Congreso y haciendo más difícil la estabilidad del gobierno. Beltrán, el nuevo director del diario *La Prensa*, desató una crítica más furibunda contra el Apra, llamando a formar una alianza nacional en su contra. Esta era una crítica sustentada en un proyecto político de más largo plazo, que puede resumirse en el liberalismo económico, la no intervención del Estado en la economía y una actitud pragmática hacia los gobiernos autoritarios.

Para la derecha el problema de Bustamante era la incertidumbre e incoherencia económica. Asimismo le achacaban el no tener suficiente fuerza y autoridad como para enfrentar los desórdenes sociales que promovía el Apra. Ellos la consideraban una amenaza totalitaria, parecida al comunismo, cuyo propósito era infiltrar todo el Estado para establecer un sistema de partido único que fuese leal sólo a su jefe y que acabase con la clase propietaria. Esta actitud llevó a la postre a que la derecha desconfiase de Bustamante y pusiera sus expectativas en un gobierno de las Fuerzas Armadas como la única solución de la crisis económica y el desorden social.

Para los apristas, que también acabaron desconfiando del Presidente y hasta acusándolo de traidor, el problema de Bustamante era que a pesar de haber sido elegido con votos de ese partido, no reconocía la importancia del mismo en el gobierno y trataba de comportarse como un árbitro. Lo cierto es que para esa época la democracia no era un objetivo ni para la derecha ni para el Apra. Bustamante y algunos sectores medios hicieron esfuerzos por mantener el sistema democrático y trataron —algo tarde— de organizarse en el Movimiento Popular Democrático, pero se vieron atrapados por el fuego cruzado de las movilizaciones, las acusaciones y las demandas radicales de ambos lados. Eventualmente, el Apra buscó el apoyo de la tropa para acabar con la democracia, mientras que la derecha lo hacía entre los altos oficiales del ejército.

En los primeros días de octubre de 1948 el Apra alentó una sublevación en el Callao de la tropa de la Marina. El alzamiento fue reprimido con dureza por el gobierno de Bustamante, que suspendió las garantías constitucionales, declaró fuera de la ley al Apra y reanudó la persecución a sus militantes. El fin del régimen democrático ocurrió unas semanas después, cuando se sublevó en Arequipa el general Manuel A. Odría, exministro de gobierno de Bustamante. De esta manera el gobierno de Bustamante fue finalmente un esfuerzo fallido de la instauración de un régimen democrático en el Perú, procurando la inclusión del partido reformista más importante en el poder.

LECTURAS RECOMENDADAS

Baltazar Caravedo Molinari, *Burguesía e industria en el Perú, 1933-1945*. Lima: IEP, 1976.

——, *Desarrollo desigual y lucha política en el Perú, 1948-1956*. Lima: IEP, 1978.

Orazio Ciccarelli, "Fascism and Politics during the Benavides Regime, 1933-1939: The Italian Perspective", *Hispanic American Historical Review* 70:3 (1990): 405-432.

Dennis L. Gilbert, *La oligarquía peruana: historia de tres familias*. Lima: Editorial Horizonte, 1982.

Nelson Manrique. *Nuestra historia: Historia de la República*. Lima: Cofide, 1995. Cap. IX.

Piedad Pareja, *Aprismo y sindicalismo en el Perú*. Lima: ed. Rikchay, 1980.

Felipe Portocarrero. *El imperio Prado: 1890-1970*. Lima: CIUP, 1995. Caps. 3 y 4.

Gonzalo Portocarrero. *De Bustamante a Odría. El fracaso del Frente Democrático Nacional, 1945-1950*. Lima: Mosca Azul editores, 1983.

Denis Sulmont. *El movimiento obrero en el Perú, 1900-1956*. Lima: Pontificia Universidad Católica, 1975. Caps. 4-6.

Tercera parte

EL ÚLTIMO MEDIO SIGLO, 1948-2000

Campesinos de la costa norte en una asamblea local a finales de los años setenta. Fotografía de María Cecilia Piazza.

INTRODUCCIÓN

El medio siglo que ha corrido en el Perú de 1948 a la fecha registra, tanto la continuidad, y en algunos casos la radicalización, de ciertos procesos desarrollados en la primera mitad del siglo veinte, como elementos, por otra parte, novedosos. En cuanto a lo primero, debe anotarse el afianzamiento del protagonismo del Estado en la búsqueda de una vía al desarrollo económico y la integración social. Este patrón, advertido ya desde los años veinte, con la expansión de la burocracia y de la inversión pública así como el surgimiento, después, de políticas sociales promovidas por nuevos Ministerios y la banca de fomento, alcanzó sus cotas máximas durante gobiernos como el militar, de 1968 a 1975, y el aprista, de 1985 a 1990. Después de 1990 el patrón cambió, registrándose una devolución de la dirección de dichos procesos a la sociedad civil y al mercado mundial.

En cuanto a lo segundo, fueron episodios saltantes el espectacular crecimiento demográfico del país, lo que significó triplicar la población nacional en un lapso de sólo cincuenta años (de 1940 a 1993 ella pasó de menos de siete, a más de veintidós millones); la masiva migración de la población serrana a la región de la costa y a las ciudades; la expansión de la educación, incluso de la universitaria; la organización de movimientos subversivos situados ideológicamente a la izquierda del Apra, cuya intensidad estuvo a punto de hacer colapsar al Estado en los inicios de la década de los años noventa, y la aparición del narcotráfico como un poder económico y político en amplias áreas del país.

Con el colapso del régimen socialista en Europa del Este, a finales de los años ochenta, terminó la "guerra fría" que había dividido el mundo después de la

Segunda Guerra Mundial. Las antiguas economías socialistas iniciaron su conversión a la economía de mercado. Incluso países socialistas como China y Cuba, donde la dirección política no se derrumbó, han dado un cierto viraje hacia el capitalismo. En cuanto al terreno político correspondió el triunfo al modelo occidental de la democracia representativa, quedando desacreditados regímenes alternativos postulados como "democracia popular", pero en los que no existía una genuina competencia por el poder. Ello, junto con las innovaciones del fax, el correo electrónico y la televisión por cable, más el abaratamiento del transporte físico de mercancías, llevó al mundo en los años noventa a un proceso de acelerada integración, bautizado como "globalización". Por ésta quiere entenderse que el margen de autonomía de la economía, la política y la cultura de cada país, frente al mundo, se ha visto considerablemente disminuido. Poniéndose en cuestión conceptos como el de soberanía y dependencia, e incluso despertándose temores acerca de la viabilidad futura de las naciones, tal como hoy están organizadas. El Perú debió acomodarse a esta nueva situación en los años recientes.

Hemos dividido la presentación de este período en tres capítulos: el primero cubre el lapso entre dos golpes militares, el del general Odría y el del general Velasco (1948 y 1968 respectivamente). Durante estas dos décadas se intentó retomar el rumbo del crecimiento económico en torno al desarrollo del sector exportador, pero tratando de controlar el fuerte incremento de las demandas sociales con políticas educativas y programas de salud y vivienda en las ciudades, y con estrategias represivas policiacas.

El segundo, corre de 1968 a 1990, cuando el desborde del movimiento social trató de ser absorbido mediante enérgicos programas de cambio del régimen de propiedad agraria y de industrialización y por políticas nacionalistas en lo cultural. El fallo de estos programas abrió paso a la tercera etapa, de 1990 a la fecha. Durante ésta se aprovechó la fase expansiva de la economía mundial para relanzar al sector exportador, sobre la base de inversión extranjera, a la vez que se empezó a reformular el rol del Estado y de las políticas sociales en el país bajo el modelo bautizado como "neoliberal".

Capítulo 8
LA RESTAURACIÓN OLIGÁRQUICA

Con el golpe militar del general Odría se clausuró un ciclo en el que se quiso apostar por una reorientación de la política económica hacia la industrialización y la redistribución del ingreso. Aunque luego se ha hecho balances desdeñosos de los resultados del proyecto económico de los años treinta y cuarenta, debe reconocerse que buena parte de la industria peruana de hoy nació durante esa época. El nuevo régimen, al que se ha bautizado como "el ochenio" por los ocho años que duró (1948-1956), retomó una política económica más liberal, en el sentido de contar con una menor intervención del Estado en el aparato productivo. A ello añadió un tipo de control sobre los movimientos sociales, que combinaba la represión y el autoritarismo con el paternalismo clientelista y una persecución, muchas veces despiadada, a los políticos opositores al régimen.

Dicho control fue efectivo hasta los años sesenta, cuando la eclosión de movimientos guerrilleros, la mayor organización de los trabajadores y el crecimiento de las organizaciones políticas izquierdistas, mostraron su agotamiento. Un golpe militar, el de 1968, trató de impedir entonces que el movimiento social escapara de control, para lo cual puso en marcha un nuevo tipo de programa económico, que incluía un conjunto de drásticas reformas.

La bonancible coyuntura económica mundial, marcada por la guerra de Corea (1950-1953) y la reconstrucción de Europa después de la Segunda Guerra Mundial, estimuló en el Perú el vigoroso crecimiento de las exportaciones y la inversión extranjera. En el terreno político, el régimen incurrió en el sistemático maltrato de las precarias reglas democráticas, que, por ejemplo, llevaron a unas elecciones totalmente irregulares en 1950, donde Odría tenía que ganar puesto que era el único candidato, así como a las tenebrosas persecuciones, encarcelamientos y prisiones autorizadas por una rigurosa ley de seguridad interior que liquidó el Estado de derecho, afectando el desarrollo, no sólo de la vida política, sino de la vida cultural e intelectual del país. La isla del Frontón, un peñón de roca de un kilómetro cuadrado ubicado a poca distancia del puerto del Callao, sirvió de mazmorra a varios dirigentes políticos y periodistas, entre quienes figuraron futuros Presidentes de la república como Fernando Belaúnde, y distinguidos intelectuales, como Pedro Beltrán, director del diario *La Prensa* y adalid del liberalismo económico. El líder del partido aprista, Víctor Raúl Haya de la Torre, permanecía, por su parte, confinado en la Embajada de Colombia, ubicada en la Av. Arequipa, donde había recibido asilo, pero no la autorización para salir del país por parte del gobierno peruano. En las calles de Lima hizo su aparición el carro "rompemanifestaciones", bautizado como "Rochabús" por la población, en alusión a Temístocles Rocha, Ministro del Interior.

Odría no pudo bautizar mejor su movimiento. Su "revolución restauradora" efectivamente restauró a la oligarquía en el control del país. Pero no sería por mucho tiempo ni con una paz social absoluta. A pocos años de iniciado su gobierno estalló en Arequipa una manifestación de protesta, entusiasta y algo desordenada, provocada por estudiantes y universitarios. La revuelta estalló cuando Odría había dejado la presidencia en manos del general Zenón Noriega, a fin de cumplir con el mandato constitucional que exigía "la bajada al llano" de los presidentes que se presentasen como candidatos a las elecciones.

El 13 de junio de 1950 los arequipeños tomaron su plaza de Armas, improvisaron por unos días una Junta de Gobierno y prepararon barricadas para enfrentarse a las fuerzas del orden, que finalmente acabaron imponiendo la autoridad del gobernante militar. Francisco Mostajo, antiguo abogado civilista, pero que luego se apartó de este Partido dado su cariz cada vez más conservador, y que escribiera en contra de los abusos del "enganche" en los inicios del siglo, fue la figura que los rebeldes levantaron como liderazgo moral, dirigiendo la efímera Junta de Gobierno de junio de 1950. El general Ernesto Montagne, a la sazón candidato a las elecciones presidenciales por una efímera Liga Nacional Democrática y único rival del dictador, fue acusado de instigar el movimiento de Arequipa y de ser apoyado por los apristas. El Jurado Nacional de Elecciones anuló su inscripción y Montagne siguió el camino de las mazmorras, primero, y el destierro después.

Los ocho años del gobierno de Manuel Odría significaron el retorno a la política anterior al experimento de Bustamante; vale decir, confiar en el sector exportador como la locomotora del desarrollo. Para ello se redujo los impuestos que lo gravaban, se devaluó la moneda nacional (el tipo de cambio oficial pasó de 6.50 soles el dólar en 1949, a 14.85 en 1950 y a 19 soles en 1955), se liberó el tráfico de divisas y se dictaron nuevos códigos de minería y de petróleo, en 1950 y 1952, respectivamente. Asimismo, el régimen militar abrió paso a una mayor presencia norteamericana en algunas áreas económicas y sociales del país, como la empresa privada. Así, el Estado se retiró del control de yacimientos mineros, como el de Marcona, en Ica, que pasó en 1952 a manos de una empresa norteamericana, y de actividades de explotación de petróleo.

Siguiendo su lema de "Salud, educación y trabajo", Odría quiso realizar una política social pragmática, apoyada por los expertos norteamericanos, consistente en la ampliación de la infraestructura y la cobertura de servicios públicos. Se construyeron obras monumentales, como los locales de los Ministerios de Educación y Hacienda y Comercio, sobre la avenida Abancay, y el de Trabajo y del Hospital del Empleado, sobre la avenida Salaverry. El Servicio Cooperativo de Salud Pública, SCISP, continuó jugando un rol importante en el diseño de las políticas de salud del país, dirigidas a atenuar el conflicto social que alentaba el movimiento aprista. Inicialmente el SCISP —creado en 1942— se concentró en la región de la selva, combatiendo las principales enfermedades endémicas y construyendo un moderno hospital en Iquitos. Hacia fines de la década del cincuenta el SCISP era la principal agencia de cooperación técnica extranjera, habiendo construido hospitales, instalado maquinarias industriales, elaborado estudios económicos y entrenado a enfermeras. También mejoró el cuidado del ganado de alto valor comercial, entre otras actividades.

En cuanto al ámbito educativo, se estableció un programa similar pero de menor actividad, que se llamó el Servicio Cooperativo Peruano-Norteamericano de Educación. El Ministro Juan Mendoza se destacó por el esfuerzo en modernizar el contenido de los cursos, elevar los salarios de los maestros y construir nuevos establecimientos educativos. En este período se empezaron a desarrollar las Grandes Unidades Escolares, locales que recordaban la arquitectura de los cuarteles militares, y donde se formarían millones de estudiantes que posteriormente pugnarían por encontrar canales de ascenso social en la educación superior. A estas actividades se sumó la Central de Asistencia Social dirigida por la esposa del gobernante, María Delgado de Odría, que atendía a la mujer y al niño.

1. LA EXPLOSIÓN DEMOGRÁFICA Y LA MIGRACIÓN A LA CIUDAD

Dijimos que la política económica del "ochenio" significaba la reedición del modelo seguido durante la "República Aristocrática", pero muchas cosas habían

Censo de 1961

La población urbana ya igualaba a la rural. Obsérvese, por otro lado, que son los departamentos de la región de la costa y los de la selva, los que han crecido a una velocidad por encima del promedio nacional, mientras los departamentos serranos permanecen más estancados, con la salvedad de Puno y Pasco.

	Población	Urbana %	Rural %	Tasa de crecimiento anual respecto a 1940
Perú	9.906,746	49.7	50.3	2.2
Amazonas	111,439	41.3	58.7	2.9
Ancash	582,589	33.2	66.8	1.5
Apurímac	288,223	19.8	80.2	0.5
Arequipa	388,881	64.5	35.5	1.9
Ayacucho	410,772	25.3	74.7	0.6
Cajamarca	746,938	14.9	85.1	2.0
Callao	213,540	96.0	4.0	4.6
Cusco	611,972	32.4	67.6	1.1
Huancavelica	302,817	19.1	80.9	1.0
Huánuco	328,919	21.2	78.8	2.8
Ica	255,930	53.8	46.2	2.9
Junín	521,210	68.3	31.7	2.1
La Libertad	582,243	41.7	58.3	2.0
Lambayeque	342,446	61.8	38.2	2.8
Lima	2.031,051	86.3	13.7	4.4
Loreto	337,094	38.6	61.4	3.4
Madre de Dios	14,890	25.4	74.6	5.4
Moquegua	51,614	47.7	52.3	2.0
Pasco	138,369	35.4	64.6	2.4
Piura	668,941	44.5	55.5	1.1
Puno	686,260	18.1	81.9	2.6
San Martín	161,763	59.2	40.8	2.9
Tacna	66,024	69.6	30.4	3.8
Tumbes	55,812	60.5	39.5	3.2

Fuente: Perú. Instituto Nacional de Planificación. *Sexto Censo Nacional de Población: Censo de 1961*. Lima, 1964.

cambiado con relación al Perú de comienzos de siglo. Tal vez la más importante era que el país iniciaba desde los años cuarenta una verdadera explosión demográfica, donde se empezaría a reducir la tasa de mortalidad infantil, se mantendría una relativamente alta tasa de nacimientos y se empezaba a controlar los estragos de las principales enfermedades infecciosas con medidas como la ampliación de la cobertura de las inmunizaciones y la construcción de sistema adecuado de agua y desagüe. La población del país se duplicó en treinta años: siendo de seis y medio millones en 1940, llegó a nueve millones novecientos mil en el censo de 1961 y hasta trece millones y medio en el censo de 1972. Esta población demandaba crecientes servicios de salud, vivienda y educación, lo que significaría desde entonces un campo fértil para el populismo de cualquier tendencia.

Lo cierto era que desde todas las posiciones políticas se proponía políticas sociales populistas, más o menos radicales, sobre todo en las áreas de la expansión de la educación secundaria y superior y la asistencia hospitalaria. La expectativa de que la universidad era un efectivo canal de ascenso social, alentó el progresivo crecimiento y posterior masificación de la educación superior, haciendo cada vez más precarias las posibilidades de una educación de calidad en las universidades públicas. Estas empezaron a politizarse, reflejando la organización y las tendencias presentes en los movimientos sindicales que ocurrían fuera de los claustros. La Universidad de San Marcos, donde apristas y comunistas habían logrado importantísima presencia, fue una decisiva sede de la oposición durante los años cincuenta y sesenta.

En la medida que los analfabetos estaban excluidos del voto según la Constitución vigente de 1933, y dado que los alfabetos se concentraban en las ciudades, dichos servicios crecieron sobre todo en las áreas urbanas, propiciando una masiva migración desde el campo a la ciudad y, al mismo tiempo, de la sierra hacia la costa. Lima sobrepasó el millón de habitantes en 1950 y alcanzó los dos millones doce años después; la costa ya reunía el 39 por ciento de la población, de acuerdo al censo de 1961. Esta migración interna, que convirtió al Perú al cabo de unas décadas, en un país con un perfil predominantemente mestizo, urbano y costeño, fue favorecida por el control, con técnicas modernas, de enfermedades endémicas de la costa, como la malaria, que tradicionalmente atacaban a los nativos de la sierra.

La migración abrupta de jóvenes serranos, alimentada no sólo por el espejismo de la educación superior, sino asimismo por la crisis terminal de la agricultura en la sierra, incapaz de competir con los alimentos importados que los avances en el transporte marítimo habían abaratado, dio inicio a la formacióndé barriadas precarias alrededor de la capital. Ahí se incubó un grupo social desposeído que fue percibido como fácilmente movilizable y conquistable políticamente. El origen de la primera barriada en Lima se remonta a la invasión del Cerro San Cosme en 1946, cuando poco más de un centenar de personas decidieron construir en sus laderas, precarias viviendas. Posteriormente se generalizó esta forma de conseguir vivienda en Lima y otras ciudades. Los tugurios de las viejas residencias del centro de Lima y sus callejones "de un solo caño", comenzaron, desde los años cincuenta, a dejar de ser el exclusivo lugar de residencia de los sectores populares urbanos. El nulo acceso al crédito de los Bancos entre las oleadas de inmigrantes, su imposibilidad de pagar alquileres, dados sus bajos ingresos, junto con el desconcierto y ambigüedad del Estado frente al fenómeno de las invasiones, crearon esta gráfica expresión del "desborde popular", que en los años sesenta el presidente Belaúnde bautizaría con el eufemismo de "pueblos jóvenes".

El régimen de Odría llegó a su límite económico y político a mediados de la década del cincuenta. En esos años los ingresos por exportaciones empezaron a declinar, producto del fin de la Guerra de Corea y de la reconstrucción europea. El desempleo y la inflación aumentaron, y las protestas frente a los abusos y caprichos del dictador en contra de sus opositores, se hicieron más generalizadas. Otra vez Arequipa se levantó; consiguiendo esta vez una pequeña victoria: derribar al Ministro del Interior del régimen, Alejandro Esparza Zañartu, cerebro gris de la represión.

2. EL FENÓMENO DE LA RADIO

Las campañas de la oposición contaban ahora con unos medios de comunicación más desarrollados que décadas atrás. La prensa periódica se había fortalecido. En buena parte debido a la extensión de la alfabetización (entre los censos de 1940 y 1961 el analfabetismo retrocedió del 58 al 27 por ciento), lo que incluso llevó a la difusión de muchos periódicos en provincias. Durante los años cincuenta aparecerían semanarios políticos como *Caretas*, o como *Rochabús*, que más bien practicaba el humorismo político. "Sofocleto", seudónimo del conocido humorista Luis Felipe Angell, daba inicio a su prolongada trayectoria en el periodismo peruano. El economista Pedro Beltrán modernizó el antiguo diario *La Prensa*, donde se formaría toda una promoción de periodistas peruanos, y en 1961 se fundaría *Expreso*, que en los años siguientes apoyaría la política del reformismo moderado.

A ello se sumó la impresionante difusión de la radio en la sociedad rural. El aparato de transistores, totalmente portátil y alimentado por económicas pilas de manganeso, comenzó a ser parte común del menaje de las casas campesinas y un acompañante frecuente del trabajador minero o el del servicio doméstico, durante sus labores.

El periodismo político en vena satírica y cómica encontró en *Rochabús* a uno de sus mejores exponentes, durante el segundo gobierno de Manuel Prado (1956-1962).

Precisamente la radio, junto con el ya mencionado fenómeno de la migración a la capital, dieron paso a la aparición en los años cincuenta de las figuras populares de la canción vernácula. El "Jilguero del Huascarán", el "Zorzal Andino", el "Picaflor de los Andes", junto con "Flor Pucarina" y muchas otras cantantes, surgieron como símbolos populares a escala casi nacional. Además de transmitir su música por la radio, llenaban los coliseos de las ciudades (una suerte de teatros populares) y campos deportivos en los fines de semana. De esta manera la música campesina dejó de ser una expresión solamente localista; alcanzó dimensión nacional y sus compositores eran invitados a las radios, aparecían en los periódicos y eran tentados por empresas discográficas.

En torno a los mercados y algunas plazas de la periferia del centro histórico, como la Dos de Mayo y la Ramón Castilla (o Plaza Unión) en Lima, apareció una floreciente actividad comercial que atendía las demandas de la población migrante. Ropa, calzado, comida y bebidas al paso, menaje doméstico, entre otros productos, eran vendidos bajo el fondo musical de discos de 45 revoluciones con los temas folklóricos de moda. Eran los inicios del comercio ambulatorio, que décadas más tarde, llegaría virtualmente a tomar por entero el centro de la capital.

Todas estas transformaciones: la extensión de la educación secundaria y superior, la migración a las ciudades y la "nacionalización" de la cultura y la música vernacular, dieron paso a la aparición de un nuevo personaje social: el mestizo ilustrado. Hombres provenientes del mundo campesino, cuyos padres jamás se acercaron a un periódico, eran ahora "normalistas" (profesores secundarios), dirigían publicaciones locales, o habían adquirido profesiones como la de abogado o ingeniero. La sociología llamó a este fenómeno: "cholificación"; una forma de incorporación de la población campesina a la comunidad nacional. El "cholo" era el antiguo indígena, que gracias a su educación y al esfuerzo personal, había ascendido socialmente y logrado una integración, por lo menos parcial, a la sociedad urbana. En ella sus roles fueron generalmente subalternos y padeció de formas más sutiles de racismo y discriminación.

La "cholificación", un término creado por Aníbal Quijano, comenzó a cuestionar los roles sociales adscritos a las razas, del tipo: blanco = profesional o propietario; mestizo = artesano, pequeño comerciante u obrero; indígena = campesino analfabeto o sirviente doméstico. Pero en los años cincuenta la sociedad peruana —sobre todo en el interior— era aún lo bastante rígida y jerarquizada como para ser merecer ser descrita como un orden social de "castas", como lo hizo el sociólogo francés François Bourricaud en su monografía *Cambios en Puno*, ciudad que visitó y estudió en 1953.

3. EL RÉGIMEN DE LA "CONVIVENCIA"

En 1956 Manuel Prado volvió al poder, mediante elecciones y gracias a un controvertido apoyo de los votantes apristas. Dejó en el camino al candidato oficialista: el prominente abogado Hernando de Lavalle, así como al arquitecto Fernando Belaúnde, descendiente de una distinguida familia de políticos e intelectuales del sur. En estas elecciones fue que se hizo por primera vez presente el voto femenino.

Para entonces, Prado tenía un apoyo político más organizado (en el Movimiento Democrático Pradista y muchos años más tarde rebautizado como Movimiento Democrático Peruano) y la influencia familiar, económica y social consolidada que descansaba en lo que Felipe Portocarrero ha llamado "El Imperio Prado". Éste consistía en un conjunto articulado de empresas e instituciones, como el Banco Popular, la Compañía de Seguros Popular y Porvenir, las fábricas textiles Santa Catalina y Manufacturas del Centro y una próspera actividad urbanizadora en Lima, en los terrenos de Orrantia (en torno a la Av. Javier Prado

Distribución departamental de la Renta Nacional, 1955

La concentración de la actividad económica en Lima ya era notoria, aunque luego se acentuaría todavía más. Piura y La Libertad tienen una participación de cierta importancia, gracias al petróleo y el azúcar, respectivamente.

Departamento	Cantidad S/.	%	Departamento	Cantidad S/.	%
Amazonas	76,303	0.37	La Libertad	1.319,015	6.34
Ancash	797,746	3.84	Lambayeque	695,925	3.35
Apurímac	417,956	2.01	Lima	7.289,806	35.06
Arequipa	1.024,378	4.93	Loreto	366,162	1.76
Ayacucho	640,936	3.08	Madre de Dios	11,556	0.06
Cajamarca	661,906	3.18	Moquegua	71,423	0.34
Callao	522,682	2.51	Pasco	1.735,790	4.98
Cuzco	910,695	4.38	Piura	1.524,751	7.33
Huancavelica	459,950	2.21	Puno	1.050,602	5.05
Huánuco	327,370	1.57	San Martín	118,934	0.57
Ica	636,190	3.06	Tacna	113,042	0.55
Junín	638,078	3.07	Tumbes	82,830	0.40
TOTAL				20.794,032	100.00

Fuente: *Anuario Estadístico del Perú, 1955*, p. 681

Manuel Odría
Archivo Illa

Pedro Beltrán
Archivo Histórico Riva Agüero

Jorge Basadre
Archivo Histórico Riva Agüero
Foto de B. Pestana

Víctor Andrés Belaúnde
Archivo Histórico Riva Agüero
Foto de B. Pestana

Oeste) y la Magdalena. Un experimentado y hábil manejo político le permitió nombrar como ministros a personajes distinguidos, como el historiador Raúl Porras Barrenechea, en el despacho de Relaciones Exteriores, así como a convocar a algunos intelectuales prominentes, como el también historiador Jorge Basadre, quien había sido director de la Biblioteca Nacional poco después de que ésta fuese consumida por un voraz incendio en 1940. El regreso de los líderes apristas y el apoyo tácito, tenso o concertado, entre Manuel Prado y el Apra prosiguió, por lo que se conocieron los años de su gobierno (1956-1962) como los de la "convivencia".

El gobierno de Prado significó una mayor apertura democrática en el país, que la férrea dictadura de Odría. En el plano económico continuó con un modelo de desarrollo liberal, que se acentuó cuando el economista y político Pedro Beltrán asumió en 1958 el cargo de Ministro de Hacienda y de Jefe del Gabinete. Beltrán, un verdadero precursor del neoliberalismo en el país, se había educado en Inglaterra y había sido presidente del Banco Central de Reserva durante los primeros años de la dictadura odriísta y crítico de la política inicial de Prado. Desde este puesto quiso eliminar todo tipo de subsidios a los alimentos, poner el precio de la gasolina a niveles internacionales y reducir la dirección del Estado en la política económica.

De esta manera, Prado no retomó el aliento a la industria local que había caracterizado su primer gobierno. De cualquier manera, la erección de una planta siderúrgica en el puerto de Chimbote, con la que el país pretendía emular los esfuerzos de industrialización de naciones como Brasil, Argentina y México, fue una de las muestras de que no había abandonado del todo ese proyecto. Chimbote, que fue hasta los años cuarenta, una caleta de pesca de importancia menor, comenzó un vertiginoso crecimiento, gracias a la actividad de la pescadores. El trabajo en el puerto estuvo acompañado por una campaña nacional de erradicación de la malaria con el supuestamente poderoso insecticida DDT, que hizo mucho más habitable la costa para los inmigrantes andinos.

El sector minero estaba dominado por las empresas extranjeras de petróleo, hierro y cobre, pero la oligarquía había consolidado su dominio en la agricultura de exportación, con modernos latifundios azucareros y algodoneros ubicados principalmente en la costa norte y central del país. Los grandes propietarios agrarios de la costa formaban el meollo de la elite social peruana: el así llamado "club de las 40 familias", lo más caracterizado de la oligarquía. Ello era en parte verdad y en otra parte un espejismo, ya que los cambios sociales mencionados páginas atrás habían desplazado de un rol de liderazgo a este reducido grupo social, que la imaginación convertía en todopoderoso. En los debates sociológicos que el Instituto de Estudios Peruanos animara en los años sesenta, un tema crucial resultaba precisamente "el carácter" y el poder efectivo de esta oligarquía, cuyo núcleo estaba para la mayoría entre "los barones del azúcar".

Hacia 1950 las exportaciones agrarias significaban un poco más del 50 por ciento del valor total de las exportaciones peruanas; y aunque las cantidades exportadas siguieron creciendo a lo largo de la década, significaron cada vez más una proporción menor del comercio activo del país. Un nuevo rubro de exportaciones apareció en la década de 1950 que pronto se convirtió en un nuevo capítulo de promesas de desarrollo y rápidas fortunas: la explotación de la harina de pescado (véase recuadro "Las exportaciones entre 1955 y 1969").

Las actividades en este sector se remontan al período de la Segunda Guerra Mundial, cuando al amparo de la política proindustrialista, se iniciaron las exportaciones de conservas de pescado. La Compañía Nacional del Guano se habían interesado ya desde entonces en la perspectiva de sustituir el guano como fertilizante, por la harina de pescado (al fin y al cabo las aves guaneras se alimentaban precisamente de anchoveta). Después de la guerra se desató una gran demanda en Europa por la harina de pescado (un concentrado sólido de la anchoveta), pero no como fertilizante, sino como alimento de animales de granja: cerdos, pollos y otras aves.

LAS EXPORTACIONES ENTRE 1955 y 1969

Años	**Valor total millones de US$**	**Agropecuarias %**	**Pesqueras %**	**Mineras %**	**Otras %**
1955	271	47.1	4.7	45.3	2.9
1956	311	46.0	5.1	46.5	2.4
1957	330	46.5	6.2	45.1	2.2
1958	291	46.5	7.3	40.8	2.6
1959	314	43.9	14.2	38.7	3.2
1960	433	35.6	12.1	49.4	2.9
1961	496	36.7	14.5	46.6	2.2
1962	540	36.3	22.6	39.0	2.1
1963	541	37.3	22.6	38.4	1.7
1964	667	31.9	24.9	41.8	1.4
1965	667	25.8	28.1	45.4	0.7
1966	764	23.3	27.1	48.8	0.8
1967	757	20.3	26.2	52.5	1.0
1968	866	19.9	26.9	52.2	1.0
1969	866	16.3	25.6	55.0	3.1

Fuente: *Anuario Estadístico del Perú*, 1966 y 1969. Lima: ONEC. Elaboración nuestra.

Una nueva clase empresarial, cuyo más conocido representante sería Luis Banchero Rossi, asesinado por el hijo de su jardinero un primero de enero de 1972, surgió en los años cincuenta para aprovechar la oportunidad abierta. Se compraron flotas pesqueras de California, equipadas con radares que podían detectar los cardúmenes, y con redes de nylon, izadas por grúas mecanizadas, muy superiores a las antiguas redes de algodón. El capital fue provisto por los bancos locales. Poco después surgieron astilleros en la costa que comenzaron a fabricar embarcaciones más sofisticadas, integrándose la actividad de la pesca fuertemente a la economía. El sector daba empleo directo a unas treinta mil personas, vale decir una cantidad similar a la minería. En 1964 el Perú se convirtió en el primer país pesquero del mundo y las exportaciones de harina de pescado respondían por el 25 a 30 por ciento del total de exportaciones. Lamentablemente, todo parece indicar que se incurrió en una pesca excesiva que depredó el recurso. Cuando en 1973 el gobierno militar estatizó la pesca, la actividad se encontraba arrastrando una crisis cuyas causas habría que investigar en mayor profundidad.

El segundo gobierno de Prado estuvo marcado por los esfuerzos por empezar cierta liberalización política, ya que se permitió la existencia de sindicatos y las actividades de apristas y comunistas. Asimismo, Prado encaró también la cuestión agraria, cada vez más urgente ante la aguda presión demográfica en la sierra, tratando de desarrollar nuevas obras de infraestructura. No llegó, sin embargo, a proponer una ley de reforma del agro, limitándose a la creación de un Instituto de Reforma Agraria y Colonización, cuyos estudios fueron retomados por los gobiernos siguientes (véase recuadro "Atraso y conflicto social en la agricultura de la sierra").

La poca profundidad de los cambios políticos frente a las importantes transformaciones sociales operadas en el país, se reflejaron contradictoriamente, con diferente estilo, elegancia y claridad en las imágenes de las obras de dos de los más grandes escritores peruanos del siglo veinte: José María Arguedas y Mario Vargas Llosa. El primero era de origen mestizo y serrano (nació en Andahuaylas en 1911). Arguedas se había formado con un grupo de intelectuales en la Universidad de San Marcos en los años de los regímenes de Prado y Odría. Publicó tempranamente un libro de cuentos, *Agua* (1935) que mostraba con intensidad la combinación de idiomas y estéticas que convivían en buena parte de los peruanos. *Yawar Fiesta* (1941) mostró la oposición entre modernidad y cultura andina en el escenario de una villa serrana. Su obra más reconocida fue *Los ríos profundos* (publicada en 1958) donde presentó un panorama de las características, hábitos y relaciones entre los personajes sociales que sobresalían en la sierra sur del Perú. Posteriormente Arguedas siguió describiendo los cambios de la sierra y de los migrantes andinos, así como realizando valiosos trabajos de etnología y folklore

Atraso y conflicto social en la agricultura de la sierra, c. 1960
Tomado de François Bourricaud, *Poder y sociedad en el Perú*. Lima: IEP-IFEA, 1989 (1a. ed. Buenos Aires, 1967), p. 48.

Hay que señalar algunas de las características esenciales de la Sierra e intentar apreciar su peso en relación con el conjunto del país. Los gamonales y patrones del interior reinan sobre inmensos dominios; en el Sur, en Cusco, en Puno, las haciendas de más de 20,000 hectáreas no son excepcionales: son, según se dice, latifundios. Pero la mayor parte de esas inmensas extensiones está cubierta de rastrojos, abandonada. El barbecho paraliza no poco de lo que resta. Las cosechas son magras, expuestas como están al rigor de un invierno árido y glacial. En esos pastos viven rebaños que dan una carne y una lana mediocres. La mayor parte de esos inmensos dominios brindan una renta neta que, en relación con el capital inmobiliario comprometido, resulta desalentadora. La explotación, inclusive cruel e inhumana, de una mano de obra improductiva no basta para hacer del gamonal un creso. Pocos progresos se alcanzaron en el dominio de la agricultura, pero se aportaron mejoras sensibles a la cría de ganado. Algunas haciendas de Puno y de Cusco, pero sobre todo algunos inmensos dominios del centro (en los departamentos de Junín y Cerro de Pasco) pueden dar cuenta de rendimientos muy honorables en materia de lana y de carne. Pero, ¿cómo se lograron estos progresos? Ante todo, fue preciso separar el rebaño del patrón del de los pastores indígenas; cercar los pastizales del patrón. Este debió endeudarse para comprar, casi siempre en el extranjero, animales de buena calidad, para desarrollar sus praderas artificiales, para cercar sus pastizales. Y cuando les comunicó a sus indios que en lo sucesivo su propio rebaño quedaría separado del de ellos, para evitar el mestizaje entre sus bestias de calidad importada y criadas con grandes gastos y el ganado de ellos, los conflictos se multiplicaron.

que revalorizaron la cultura indígena en el país. Su última obra, inconclusa a causa de su suicidio en 1969, *El zorro de arriba y el zorro de abajo*, tenía como trama la vida de los trabajadores serranos en el novísimo puerto de Chimbote, donde el capitalismo emergente mostraba sus peores llagas.

Vargas Llosa era más joven que Arguedas (nació en 1936 en Arequipa) pero desde temprana edad destacó como un escritor que conquistó premios y reconocimientos. Sus novelas *La ciudad y los perros* (1962), *La casa verde* (1966) y *Conversación en la Catedral* (1969), rompían con la narración indigenista de los escritores anteriores y se concentraba en lo que pasaba en las ciudades, las clases medias y los marginales, inundados muchas veces por valores hipócritas que provenían de la formación militar y religiosa. De la misma generación que Vargas Llosa, aunque nacido algunos años antes, fue Julio Ramón

José María Arguedas, fotografiado por Baldomero Pestana, *c*. 1963-64.
Museo de Arte de Lima

Movilización agraria en el Cuzco. Archivo Illa

Ribeyro, vástago de una familia de prominentes abogados y diplomáticos. Sus relatos, ambientados en la Lima de los años cincuenta y sesenta, como los contenidos en *Las botellas y los hombres* (1955), *La palabra del mudo* (1973) y en las novelas *Crónica de San Gabriel* (1960), *Los geniecillos dominicales* (1965) y *Cambio de guardia* (1976), sugieren la esterilidad de la clase media y el carácter exótico de la elite del país, que sólo es capaz de apreciar con paralizado estupor las irreversibles transformaciones que en el sustrato social van minando su poder.

4. UN NUEVO FRACASO DEL REFORMISMO MODERADO

En el año electoral de 1962 las posiciones reformistas habían cobrado cierta fuerza, lo que les permitía pensar seriamente en convertirse en una alternativa de gobierno. Al Apra y el Partido Comunista se habían sumado nuevas agrupaciones aparecidas en los años cincuenta, como una efímera organización de destacados intelectuales: el Movimiento Social Progresista, y Acción Popular, AP, fundada por Fernando Belaúnde. Éste había estudiado en la Universidad de Austin, en el Estado norteamericano de Texas y era un destacado profesor de la Escuela Nacional de Ingenieros (o Universidad Nacional de Ingeniería). Representaba a una nueva capa de profesionales, alejados de la oligarquía y que en buena cuenta eran una manifestación de las nuevas clases medias urbanas que buscaban la modernización del país, un cambio de la política autoritaria y la conquista de nuevos derechos políticos y sociales, sin caer en la corrupción sindical y la retórica antiimperialista con las que se identificaba al Apra. Algunos de los líderes de Acción Popular, incluyendo al mismo Belaúnde, representaban la herencia de los reformistas arequipeños de 1945. En los años posteriores el partido logró atraer a destacados intelectuales como Javier Arias Stella, Carlos Cueto Fernandini y Francisco Miró Quesada.

La ideología de este grupo se fue perfilando conforme fueron avanzando sus campañas electorales (la primera fue la de 1956, cuando los belaundistas —agrupados entonces en el Frente de Juventudes Democráticas— se enfrentaron a Manuel Prado, quedando en un respetable segundo lugar) y se acentuó teniendo como trama un discurso algo radical de reformas sociales claves en áreas como el agro. Sin embargo, este discurso se fue entibiando conforme el grupo político se acercaba al poder. De cualquier manera, es justo destacar dos temas en las ideas de Acción Popular, que surgieron de los recorridos que hizo Belaúnde por diferentes pueblos del país como parte de su campaña proselitista: la participación comunitaria en la construcción de obras públicas y la comunicación fluida por vía terrestre con una región que a pesar de ocupar la mayor parte del territorio del país, había estado al margen de las grandes decisiones políticas y urbanas: la selva.

La Democracia Cristiana puede ser considerada también como el deseo de renovación política de las nuevas clases medias urbanas que no querían un cambio dirigido por el aprismo. Estaba inicialmente compuesta por intelectuales salidos de las canteras de lo que luego se ha denominado la "generación del cincuenta", de aguda preocupación social. En esta generación, que cambió muchas de sus áreas de actividad, se encontraban médicos como Honorio Delgado; novelistas, como Mario Vargas Llosa o Miguel Gutiérrez, economistas, como Virgilio Roel Pineda; folkloristas, como Efraín Morote, e historiadores como Pablo Macera o Luis Guillermo Lumbreras. No todos ellos, sin embargo, se alinearon con la Democracia Cristiana. Entre los fundadores de este movimiento había también muchos arequipeños, exfuncionarios del gobierno de Bustamante y Rivero y distinguidos profesionales que habían destacado en carreras típicas de las clases medias y altas. A pesar del prestigio de sus líderes, entre quienes destacaron los abogados Héctor Cornejo Chávez y Luis Bedoya Reyes, la coherencia de su doctrina social cristiana, y su respaldo internacional, la Democracia Cristiana no llegó a tener el carisma, el liderazgo o la identificación suficientes con los sectores más desfavorecidos de la población, para convertirse en un movimiento con verdadero respaldo popular.

En las elecciones ningún candidato obtuvo la mayoría electoral necesaria, correspondiendo la primera mayoría a Haya de la Torre, con 558 mil votos; la segunda a Belaúnde, con 544 mil, y la tercera a Odría, con 481 mil. Otros candidatos como Héctor Cornejo Chávez de la Democracia Cristiana, Luciano Castillo del Partido Socialista o Alberto Ruiz Eldredge del Movimiento Social Progresista, no alcanzaron votaciones significativas. Tocaba así al Congreso, donde apristas y odriístas lograron hegemonía, elegir al Presidente entre Haya de la Torre, Manuel Odría y Fernando Belaúnde. Las Fuerzas Armadas dieron un giro a la historia, ya que mantenían su veto al Apra, y aduciendo una serie de irregularidades en la votación, como la adulteración de las cifras y el retraso en la publicación de los resultados electorales, crearon una situación donde no se llegó a un nuevo gobierno democrático. Lo cierto es que los militares y los mismos seguidores de AP consideraban una terrible amenaza y un fraude al país lo que se estaba gestando: un pacto entre los apristas y los odriístas para elegir a Odría como Presidente. Cuenta una anécdota que en el momento en que Odría leía un discurso en la recién inaugurada televisión peruana de 1962, una mano le alcanzó un mensaje donde se le advertía del veto de los militares a cualquier alianza con el Apra. Antes de que el Congreso tomase alguna determinación, las

Fuerzas Armadas dieron un golpe de Estado y derrocaron a Prado, quien marchó exiliado a París.

Las alianzas del Apra con sus antiguos enemigos (se comprometió con Prado en su segundo gobierno, y ahora con Odría, que los había combatido ferozmente en 1948 y había mantenido virtualmente preso a Haya de la Torre en la embajada de Colombia por cinco años) han sido motivo de diversas elucubraciones. Haya de la Torre, un referente ineludible en la política peruana entre 1931 y 1979, las justificó como alianzas pragmáticas para superar la oposición militar a su partido. En cualquier caso, ellas desilusionaron a parte de sus militantes. Esta desilusión dio origen a disidencias y a que antiguos seguidores apristas volvieran sus simpatías a los nuevos grupos políticos, cuando no las radicalizaran.

También dio origen al "Apra rebelde", donde destacó el líder Luis de la Puente Uceda, quien confluiría con grupos escindidos del Partido Comunista, capitaneado por el opaco Jorge del Prado, que seguía siempre fiel a las directivas de Moscú, para dar inicio a las primeras acciones guerrilleras entre 1962 y 1965. Estas siguieron el estilo "foquista" de la guerrilla cubana, que fascinó a muchos jóvenes latinoamericanos de la época y que hallaría en el legendario "Ché Guevara" su héroe emblemático. Los teóricos del "foquismo" partían de un diagnóstico según el cual, las masas explotadas por la minoría en el poder, "despertarían" a la rebelión gracias a la acción enérgica y decidida de una pequeña vanguardia armada. Pero más bien fue indiferencia, hostilidad y extrañeza, que adhesión, lo que los guerrilleros encontraron en sus efímeras acciones militares (véase recuadro "Las guerrillas de 1965").

El golpe militar de 1962 se diferenció de los anteriores en que fue una acción institucional de las Fuerzas Armadas y no una de tipo caudillesco. Se formó una Junta Militar de Gobierno con representantes del ejercito, la marina y la aviación que fue presidida por el general Ricardo Pérez Godoy, primero, y después por el general Nicolás Lindley, cuando aquel pasó al retiro. Las guerrillas en el valle de La Convención en el Cuzco, valle cafetalero ubicado en la ceja de Montaña, llevadas adelante por los campesinos de la región liderados por Hugo Blanco, obligaron al gobierno a efectuar en 1963 la primera acción limitada de Reforma Agraria, término que figuraría en todos los programas y debates políticos de la época como una solución para modernizar el agro peruano y aliviar la miseria de los campesinos andinos.

A comienzos de los años sesenta, nuevamente se había producido una polarización de los programas políticos del Perú, como en 1945. La Unión Nacional Odriísta representaba a sectores de la oligarquía agroexportadora y minera, mientras el Apra defendía un vago programa populista de reformas nacionalistas que, aunque sufrían el descrédito del descalabro del trienio 45-48, todavía entu-

Las guerrillas de 1965

Hacia la década de 1960, diversos movimientos guerrilleros de perfil comunista aparecieron por toda Latinoamérica, en muchos casos imitando lo realizado por Fidel Castro y Ernesto Guevara en Cuba. Héctor Béjar, ex-guerrillero y teórico del gobierno militar de Velasco Alvarado, escribió hacia 1970, un libro titulado *Las Guerrillas de 1965* (Lima: Peisa, 1973), donde expuso las causas del levantamiento de los movimientos guerrilleros de la década de 1960 en el Perú:

> ...el heroico intento guerrillero de 1965 fue la directa consecuencia de la profunda quiebra económica, social, política y moral de esos años... la gran alianza de los dirigentes del Apra con una oligarquía decrépita y corrupta; la mediocridad del arquitecto Belaunde (...) la rigidez y chatura de los partidos de izquierda; el increíble sometimiento del gobierno de Prado a las compañías extranjeras (...) En la gran patria latinoamericana la Revolución Cubana señalaba el hito que separaba nuestro antiguo complejo de inferioridad, de una actitud nueva, optimista, afirmativa (...) varias heroicas promociones de latinoamericanos volvieron los rostros hacia sus profundos países y tomaron el camino de las montañas para hacer realidad el sueño de convertir los Andes en una gran "Sierra Maestra" (...) Lógicamente, nuestra vía revolucionaria que había empezado en los grupos radicalizados de las clases medias, tenía que pasar ineludiblemente por el campo. Aquí no hacíamos más que recoger la comprobación lograda por las revoluciones china, argelina y cubana, de que el campo es el eslabón más débil de la dominación oligárquica en cada país colonizado (...) Gran parte de tal dominación va desapareciendo hoy [1965-1973] cuando la IPC, una suerte de símbolo de la prepotencia extranjera ha sido nacionalizada (...) cuando la Reforma Agraria avanza despejando el campo de latifundistas y creando nuevas empresas asociativas conducidas por miles de campesinos. Así, el gigantesco poder del imperialismo y de las 45 familias están en trance de liquidación...

siasmaba a la región del norte y a amplios sectores de la nueva clase media (empleados públicos, profesionales y maestros). El pacto entre estas fuerzas podría haber parecido para algunos la mejor manera de unificar al país, pero otros temieron lemas que todavía entonces se usaban como aquel de: "Sólo el Apra salvara al Perú", y que de esta combinación se acentuara la corrupción, el autoritarismo y el descalabro económico. En parte por ello, la mayoría de los peruanos prefirieron, de una manera similar que en 1945, al tercero en discordia: el joven arquitecto sin pasado que lo condene.

Con el tácito apoyo de las Fuerzas Armadas y el explícito de la Democracia Cristiana, Fernando Belaúnde Terry ganó las elecciones de 1963 e inició entre grandes promesas un gobierno que debía durar seis años. Obtuvo el 39 por

LA EXPLOSIÓN DE LA EDUCACIÓN, 1948-1966*

	PRIMARIA			SECUNDARIA		
Años	**Escuelas**	**Profesores**	**Alumnos**	**Colegios**	**Profesores**	**Alumnos**
1948	10,512	22,238	990,458	223	4,739	60,661
1949	10,632	23,237	993,095	229	—	—
1950	10,797	24,219	1.010,177	239	—	—
1951	11,117	24,615	1.035,006	248	4,298	59,871
1952	11,486	26,235	1.037,523	282	5,081	78,211
1953	11,769	27,361	1.046,836	318	5,786	83,344
1954	12,118	28,983	1.085,619	325	5,951	87,423
1955	12,345	29,753	1.127,605	—	—	—
1956	12,735	31,679	1.204,791	362	6,706	98,032
1957	12,944	32,117	1.233,937	425	7,063	110,073
1958	13,624	35,258	1.308,305	441	8,307	122,221
1959	14,402	38,369	1.391,952	486	8,662	141,062
1960	14,440	40,700	1.440,000	524	11,017	158,900
1961	14,860	43,553	1.495,047	619	13,200	184,849
1962	15,589	45,902	1.553,755	639	12,574	195,245
1963	16,410	48,405	1.682,365	761	13,010	204,886
1964	17,407	52,662	1.932,614	876	16,043	260,309
1965	18,839	57,310	2.054,021	1,004	18,951	310,857
1966	19,587	62,416	2.208,299	1,248	22,443	368,565

Fuente: Carlos Contreras, *Maestros, mistis y campesinos en el Perú rural del siglo XX*, Documento de Trabajo 80, IEP, Lima 1996: pp. 42-43 y 47-48.

* Incluye la educación particular.

ciento de los votos y debió enfrentarse al Congreso, donde predominaba una mayoría aprista y odriísta (que habían obtenido 34 y 26 por ciento de la votación en las elecciones, respectivamente). Una de las primeras medidas trascendentales del Belaundismo fue el llamado a elecciones municipales, lo que rompió la costumbre, instaurada por Leguía, de designar arbitrariamente a las autoridades locales. En las primeras elecciones de 1963 y 1966 la mayoría de las principales alcaldías fueron para la alianza gobernante AP-DC.

Atados de manos

Los grupos opositores al Belaundismo se juntaron en la coalición APRA-UNO para desarrollar una persistente acción de obstrucción a las reformas del régimen.

Con ello buscaban desacreditar al gobierno, pero no hasta el punto de empujar la situación hasta el extremo de un golpe de Estado, lo que se reveló finalmente como un juego peligroso. El ordenamiento constitucional peruano tenía el defecto de no contar con un mecanismo que resuelva una disputa empatada entre el Ejecutivo (el gobierno) y el Parlamento. En un régimen parlamentario, es el Parlamento quien nombra a los ministros dentro de su seno, bajo la batuta del *Primer Ministro*, elegido también dentro del Parlamento. En caso de que un conflicto entre las distintas facciones del Parlamento no encuentre una solución dentro del mismo, existe la figura de un poder mayor, pero sin capacidad de gobierno efectivo (un monarca constitucional, por ejemplo), que disuelve el Congreso y llama a nuevas elecciones; lo que significa derivar hacia el electorado la resolución del conflicto. En el Perú de los años sesenta los Ministros eran designados por el Ejecutivo, pero podían ser destituidos por el Parlamento, bajo la figura de "la censura". En caso de empate de un conflicto entre el Ejecutivo y el Legislativo, no había "poder moderador" que lo resuelva, hasta llegar a la siguiente elección presidencial, que podía estar a varios años de distancia, ya que el Presidente de la República no tenía la facultad de disolver el Congreso.

El paquete de reformas del nuevo régimen, que incluía el arreglo de la cuestión del petróleo, especialmente el enclave de la International Petroleum Company, IPC, en Talara (la empresa petrolera subsidiaria de la Standard Oil), considerada como la más ominosa espina "imperialista" en el país; la integración de la selva mediante la extensión de las carreteras de penetración y de una vía que la atravesase de sur a norte, denominada "la marginal"; una reforma agraria limitada, que enfatizaba las medidas de modernización tecnológica y encaminada a terminar con los latifundios "feudales" de la sierra; obras de vivienda popular y apoyo a la industria nacional, levantaban grandes expectativas pero no llegaban a cuajar, empero, en un todo coherente y viable económicamente.

Durante su primer gobierno, Acción Popular reveló que en realidad más que un partido doctrinario y con una ideología clara y una organización popular, era un grupo de personalidades que seguían a un caudillo carismático. Éste expresaba su pensamiento mediante frases resonantes y soñadoras, pero a veces enigmáticas, como "la conquista del Perú por los peruanos" y con discursos de un nacionalismo historicista y señorial (como que su política económica sería la de Pachacútec, el noveno Inca). Con ellas, recorrió el territorio "pueblo por pueblo" en sus campañas electorales. Las carreteras sólo unían por aquellos años las principales ciudades, de modo que a varias localidades más apartadas, Belaúnde se aparecía sobre el lomo de una mula. Las expectativas que se cifraron en su liderazgo para desbaratar el poder de la oligarquía y neutralizar al APRA se fueron difuminando conforme pasaron los años de su gobierno.

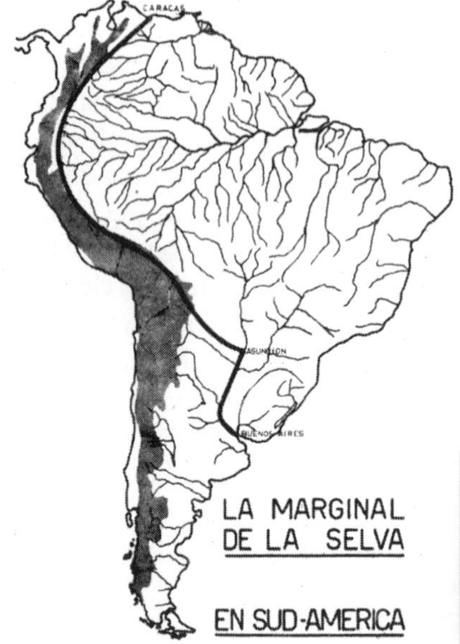

En *La conquista del Perú por los peruanos* (Lima: 1959), Fernando Belaunde presentó su proyecto continental de "La Marginal de la Selva": "Esta gran carretera en ceja de selva supera, desde el punto de vista geoeconómico, a la Costanera Panamericana, que no hace sino duplicar la facilidad de transporte que siempre ofreció el Pacífico".

También despertó las expectativas de una renovada ayuda norteamericana ya que a comienzos de los años sesenta se había creado la *Alianza para el Progreso* y nuevos organismos norteamericanos de cooperación técnica como los Cuerpos de Paz y la Agencia para el Desarrollo Internacional, AID, que prometían aliviar la pobreza y replicar el camino del desarrollo que habían seguido en el pasado los países industrializados. Esta opción de desarrollo se presentaba como una alternativa de progreso segura y ordenada, que era diferente tanto del orden tradicional, como del rumbo revolucionario que había tomado Cuba. La modernización era vista por muchos intelectuales y funcionarios como un proceso lineal, donde el estímulo para el cambio venía de la elite o del exterior. Se procuraba la absorción del polo tradicional de la economía, por el moderno, en la premisa de que el país vivía atravesado por esa dualidad, y cuyo medio era la transferencia de tecnologías y valores culturales que modificaran las estructuras y mentalidades tradicionales.

Durante su gobierno Belaúnde tuvo que enfrentar el desarrollo de nuevas guerrillas en diversos puntos del país y de diferente inspiración. Entre ellas se hizo conocida la dirigida por Luis de la Puente Uceda en el Cuzco y en zonas de la sierra central, bajo la organización del MIR, en la que figuró también Guillermo Lobatón, un peruano venido desde Francia. Esta acción armada llegó a contar con cierto apoyo de los pobladores (en ese caso fueron los nativos ashaninkas de la selva central). Contando en varios casos con la ayuda norteamericana y bombardeos con Napalm, el gobierno envió al ejército y hacia 1966 las guerrillas estaban aplastadas.

La oposición del Congreso, primero, y los desaciertos en la política económica, en segundo lugar, le impidieron a Belaúnde desarrollar su programa con coherencia. El asunto de la IPC se sumergió en un mar de idas y venidas y fue motivo de escándalos y acusaciones mutuas y posteriormente de sesudas tesis doctorales acerca de las relaciones de dependencia y dominación entre una empresa transnacional y un estado nativo. Aunque Belaúnde logró sacar adelante una ley de reforma agraria, tuvo que recortarla en sus alcances por enfrentarse a poderosos intereses. Por ejemplo, la ley dejó intactos los latifundios de la costa, asidero de la oligarquía, y en la práctica la aplicación de la legislación avanzó sólo lentamente, llegando a expropiar su gobierno un poco más de un millón de hectáreas, del total de veintisiete millones de hectáreas cultivables del país. La carretera marginal de la selva, que integró por primera vez la región de la selva al resto del país con carreteras asfaltadas, y conjuntos multifamiliares de vivienda para la clase media de Lima, como los de la Residencial San Felipe, fue el saldo más positivo de su gobierno. A ello podría sumarse la creación del Banco de la Nación, en reemplazo de la Caja de Depósitos y Consignaciones y algunas obras públicas importantes, como el nuevo aeropuerto de Lima.

LA DISTRIBUCIÓN DE LA TIERRA EN 1961

Explotaciones	**Número**	**%**	**Extensión (has.)**	**%**
Menos de 1 ha.	290,900	34.2	127,867	0.7
De 1 a 5 has.	417,357	49.0	926,851	5.0
De 5 a 10 has.	76,829	9.0	481,631	2.6
De 10 a 20 has.	30,370	3.0	397,754	2.1
De 20 a 50 has.	16,414	1.9	506,745	2.7
De 50 a 100 has.	7,214	0.9	474,313	2.5
De 100 a 200 has.	4,606	0.6	598,567	3.2
De 200 a 500 has.	3,475	0.4	1.035,076	5.6
De 500 a 1000 has.	1,585	0.2	1.065,157	5.7
De 1000 a 2500 has.	1,116	0.1	1.658,639	8.9
Más de 2500 has.	1,091	0.1	11.341,901	61.0
TOTALES	851,957	100.0	18.604,500	100.0

Fuente: *Censo Nacional Agropecuario de 1961*. Tomado de Henri Favre, "El desarrollo y las formas del poder oligárquico en el Perú". En José Matos Mar (comp.), *La oligarquía en el Perú*. Buenos Aires: Amorrortu editores, 1969, p. 114.

La crisis económica de 1967 marcó el comienzo del fin. La sequía en la costa, el agotamiento de divisas tras sucesivos años de déficit del comercio exterior y de disminución de la inversión extranjera, desembocaron en una traumática devaluación del sol, que de 27 soles por dólar, pasó a 39. La crisis fiscal se tradujo en elevación de impuestos y paralización de importantes obras públicas, con el consiguiente desempleo. Un largo e importante ciclo de expansión económica iniciado en la postguerra mundial se vio de esta manera interrumpido.

Los partidos de oposición comenzaron a sacar partido de la crisis, ya con la mirada en las elecciones de 1969. El Congreso era su bastión y se dedicó a censurar a varios ministros y gabinetes ministeriales por motivos muchas veces risibles. La renovación del contrato petrolero sobre los yacimientos de La Brea y Pariñas, que desató en 1968 el así llamado "escándalo de la página once" (donde supuestamente se suprimía una página esencial en la versión final del contrato entre la IPC y el gobierno) y la aguda crisis política derivada de la pugna entre el Ejecutivo y el Congreso convencieron a los militares de que el hombre por el que habían apostado en 1963 les había fallado.

LECTURAS RECOMENDADAS

François Bourricaud, *Poder y sociedad en el Perú*. Lima: IEP-IFEA, 1989.

José María Caballero, *Economía agraria de la sierra peruana antes de la reforma agraria de 1969*. Lima: IEP, 1981. Caps. 13-15.

Baltazar Caravedo, *Desarrollo desigual y lucha política en el Perú, 1948-1956. La burguesía arequipeña y el Estado peruano*. Lima: IEP, 1978.

Julio Cotler, *Clases, Estado y nación en el Perú*. Lima: 1978. Caps. 6 y 7.

Dennis L. Gilbert, *La oligarquía peruana: historia de tres familias*. Lima: Editorial Horizonte, 1982.

Robert Keith, Fernando Fuenzalida y otros, *Hacienda, comunidad y clase en el Perú*. Lima: IEP, 1976.

Sinesio López, *Ciudadanos reales e imaginarios. Concepciones, desarrollo y mapas de la ciudadanía en el Perú*. Lima: IDS, 1997. Cap. 5.

Juan Martínez Alier, *Los huacchilleros en la sierra central del Perú*. Lima: IEP, 1974.

Aníbal Quijano, *La emergencia del grupo cholo y sus implicancias en la sociedad peruana*. Lima: 1967.

Rosemary Thorp y Geoffrey Bertram, *Perú 1890-1977. Crecimiento y políticas en una economía abierta*. Lima: 1985. Caps. 11-14.

Capítulo 9

EL ESTADO CORPORATIVO Y EL POPULISMO, 1968-1990

Durante el gobierno acciopopulista de 1963-1968 la política estatal comenzó a verse desbordada por el movimiento social. La pérdida del control del Estado por la oligarquía, junto con la inexistencia de un liderazgo empresarial coherente y consistente que diera rumbo económico al país y atendiera organizadamente las demandas de los nuevos sectores medios y populares, llevó a un vacío de poder que finalmente fue copado por las Fuerzas Armadas. De otro lado, la formación de una población marginal, postergada, y muchas veces estigmatizada por el racismo y generalmente emigrada de la sociedad agraria decadente del interior, pero incapaz de ser absorbida o de integrarse en la economía urbana, debido a su bajo nivel educativo, dio amplio espacio a las expectativas más acentuadas del populismo.

Entre mediados de los años sesenta y 1990 la población de Lima creció de dos a seis millones, generalizándose los cinturones de miseria en sus alrededores. Otras ciudades, mayormente de la costa, como Trujillo, Chiclayo, Chimbote, Piura e Ica, y más recientemente en la selva (Satipo, Tarapoto, Tingo María. Pucallpa), también incrementaron su población rápidamente. El Perú iba convirtiéndose en un país urbano más que rural, gracias a una población que se trasladaba a las ciudades en búsqueda de educación, servicios de diverso tipo y mejores ingresos. Pero sin que la economía urbana creciera con el ritmo necesario para dar empleo a esta nueva población.

A finales de los años sesenta, barriadas marginales, millares de vendedores ambulantes pululando por las calles del centro y protestas cada vez más agresivas de los campesinos y trabajadores organizados, tocaban cotidianamente la puerta de Palacio de Gobierno, sin que desde adentro hubiera una respuesta a la altura de estas demandas. Hasta que un día fue un viejo tanque Sherman de la Segunda Guerra Mundial, con cañón de 75 mm, quien, ya no tocó, sino que literalmente derribó las rejas del Palacio.

1. LAS FUERZAS ARMADAS EN EL PODER

El régimen militar que se instauraría desde 1968 devolvió la iniciativa política al Estado. Fue éste el que marcó el paso de los cambios, desconcertando continuamente a los actores sociales, que al comienzo sólo atinaban a preguntarse cuál sería la siguiente movida de los militares. El programa de reforma del país de los militares no correspondía claramente a los intereses de un grupo social específico; ello llevó a que "el carácter" del gobierno militar fuera uno de los temas de constante, y a veces estéril, discusión en los años setenta entre los intelectuales de la izquierda. La expresión de "estado corporativo" o "bonapartista" fue una de las soluciones propuestas. Con ellas quería aludirse al hecho que más que representar los intereses de alguna clase social determinada, el gobierno militar encarnaba un proyecto autoritario de modernización "dirigida" del país. El Estado dejó de ser entonces el espacio donde sólo confluían y se dirimían convergentes y conflictivos intereses de los distintos grupos sociales. Más que el "árbitro" del juego, resultaba el entrenador o director técnico que lo *ordenaba* (en los dos sentidos de la palabra).

El golpe militar del 3 de octubre de 1968 fue también un movimiento institucional del conjunto de las Fuerzas Armadas, aunque el jefe de la Junta de Gobierno, el general Juan Velasco Alvarado, asumiría ulteriormente poderes dictatoriales, relegando a los otros comandantes. Intentando emular al israelí Moshé Dayán, que en 1967 había ganado "la guerra de los seis días" a los países árabes, los militares peruanos resolvieron en una suerte de guerra relámpago el asunto de la IPC. Con gran despliegue de tanques y el apoyo de toda una división militar, se presentaron en las instalaciones de la empresa petrolera extranjera, expropiando sus bienes y expulsándola del país (posteriormente el gobierno otorgó una indemnización a la empresa). El nueve de octubre, en una mezcla de simbolismo y del futuro estilo autoritario del gobierno, que fue celebrado por gran parte de la población como la firmeza de decisión que se requería en un país desordenado como el Perú, fue bautizado oficialmente como "el día de la dignidad nacional". En pocos días la Empresa Petrolera Fiscal manejaba la IPC y al año siguiente el régimen creó la primera de las empresas públicas que iban a caracterizar su forma de actuar: PETROPERÚ.

EXPANSIÓN DE LA CIUDAD DE LIMA

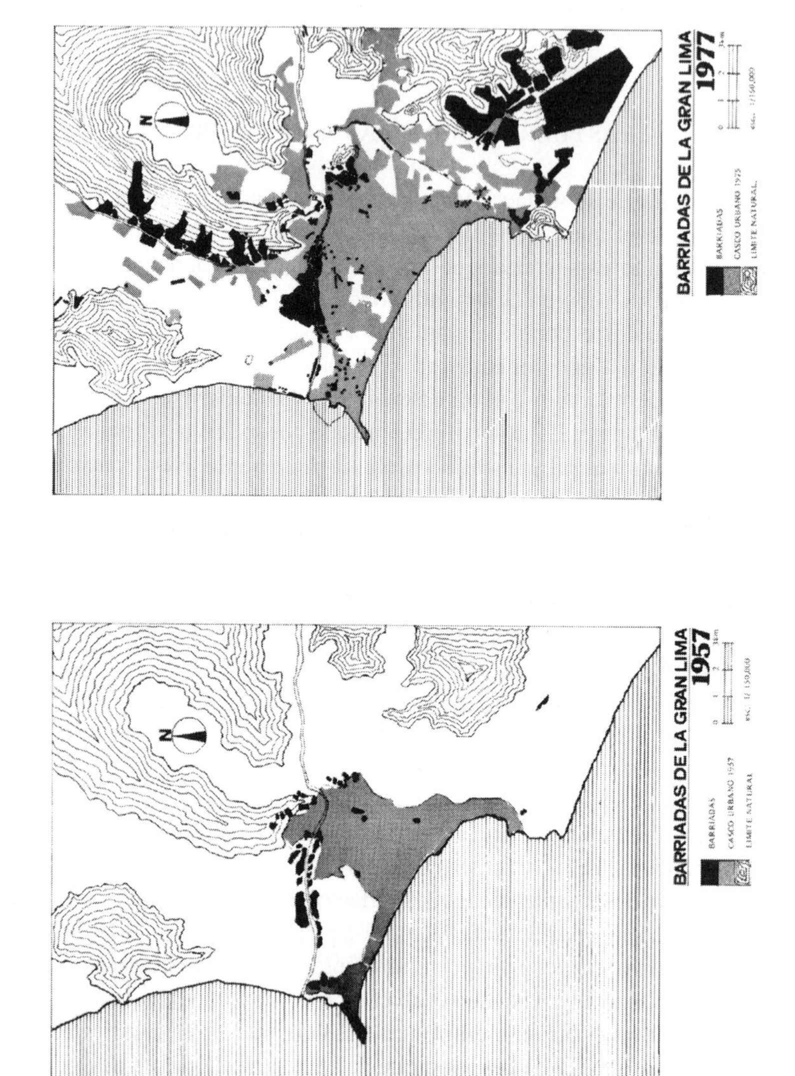

Tomado de José Matos Mar, *Las barriadas de Lima* 1957. Lima: IEP, 1977.

Quienes pensaron que las Fuerzas Armadas se limitarían a este acto de vindicación nacionalista, para organizar las elecciones del año siguiente y retirarse a sus cuarteles, como en 1962-1963, pronto se desengañaron. El gobierno militar se autodenominó "Gobierno Revolucionario de la Fuerza Armada" y la segunda palabra no sería de adorno. Forjaron un plan de gobierno (el "Plan Inca") que se proponía implantar las reformas que los partidos reformistas como el Apra y Acción Popular habían prometido pero no cumplido; y todavía más: poner en marcha una tercera vía, "ni capitalista ni comunista", que se asemejaba a las antiguas ideas cooperativistas del Apra o el modelo yugoslavo del Mariscal Tito. Algunos llegaron a llamarlo "capitalismo de estado".

Hasta 1968 la economía peruana era básicamente de tipo primario exportador; es decir, que se hallaba organizada principalmente en torno a la producción para la exportación de algunas materias primas (petróleo, cobre, azúcar, harina de pescado) sobre las que el país gozaba de ventajas respecto de otros. La base industrial y la producción para el mercado interno eran débiles y el país dependía de importaciones para la satisfacción de las necesidades de consumo de la creciente población urbana. Aunque durante períodos anteriores se había intentado desarrollar una política de fomento industrial, la inserción del Perú en la política conocida como "industrialización por sustitución de importaciones" (ISI) se daría de forma nítida, con el gobierno militar de 1968-1980. El régimen reformista de los militares que acompañaron al general Velasco puede entenderse así como una respuesta al grado de atraso de la estructura económica del país. Esta respuesta fue tanto más autoritaria, cuanto más retrasado estaba el organismo económico en su transición a una economía industrial y moderna y con mejor distribución del ingreso.

Parte de los oficiales que llegaron entonces al poder se habían formado en el Centro de Altos Estudios Militares, CAEM, donde habían llegado a la conclusión de que la "amenaza interna"; es decir, los movimientos sociales de oposición de tinte comunista, y las guerrillas, podían ser un peligro para la estabilidad política del país y en consecuencia para su seguridad como nación independiente y soberana frente a las demás naciones. Una manera de controlar dichos movimientos era erradicando las causas estructurales de la injusticia social. Por razones de su oficio, los militares solían adquirir un contacto de primera mano con la realidad social y especialmente rural del país. Como curas sin sotana, aunque sí con uniforme, se convertían en testigos directos de la miseria de los campesinos y percibían el poco celo nacionalista de la elite por el desarrollo y su escasa sensibilidad por la justicia social. El general Velasco Alvarado (Piura, 1909 - Lima, 1977) provenía de una familia de clase media empobrecida e hizo sus estudios en colegios estatales de su ciudad natal. Sin mayores recursos para proseguir estudios superiores, se trasladó a Lima como "pavo" (pasajero clandestino) en un buque mercante que abordó en el puerto de Paita, e ingresó al ejército como soldado raso en 1929. Su biografía personal sirve para mostrar cómo el ejército funcionaba como un eficaz vehículo de ascenso social. Como oficial se desempeñó básicamente como profesor y conductor de escuelas militares, siendo destacado en más de una ocasión a asentamientos de la selva. En 1959 llegó al cargo de General. Viajó a Francia y los Estados Unidos como representante militar y en 1968, cuando organizó el golpe contra Belaúnde, ocupaba el cargo de Jefe del Comando de las Fuerzas Armadas; es decir, el rango militar más elevado.

La dictadura militar duró doce años: 1968-1980. Durante ellos no hubo Congreso ni poder electoral; el Consejo Nacional de Justicia reemplazó a la Corte Suprema, la Constitución de 1933 quedó abolida por un Estatuto Revolucionario, los partidos políticos permanecieron cerrados o en la clandestinidad y acabó clausurándose la libertad de expresión. Asimismo, tomando como base los fondos que se usaban anteriormente para políticas sociales, como el

La Revolución Peruana: Juan Velasco Alvarado

Mensaje a la Nación dirigido por el General de División Juan Velasco Alvarado, Presidente de la República del Perú, en el Primer Aniversario de la Revolución. (3 de octubre de 1969). Lima: s.i., 1970.

Estamos viviendo una revolución. Ya es tiempo de que todos lo comprendan. Toda revolución genuina, sustituye un sistema político, social y económico, por otro, cualitativamente diferente. Del mismo modo que la revolución francesa no se hizo para apuntalar la monarquía, la nuestra no fue hecha para defender el orden establecido en el Perú, sino para alterarlo de manera fundamental, en todos sus aspectos esenciales.

Una revolución profunda y verdadera, no podía surgir de un ordenamiento político que en los hechos, discriminó y siempre puso de lado a las grandes mayorías nacionales. La realidad de una revolución así, sólo podía concretarse rompiendo ese ordenamiento tradicional. Los grandes objetivos de la Revolución, son superar el subdesarrollo y conquistar la Independencia Económica del Perú. Su fuerza viene del pueblo cuya causa defendemos y de ese nacionalismo profundo, que da impulso a las grandes realizaciones colectivas y que hoy, por primera vez, alienta en la conciencia y en el corazón de todos los peruanos. Esta Revolución se inició para sacar al Perú de su marasmo y de su atraso. Se hizo para modificar radicalmente el ordenamiento tradicional de nuestra sociedad. El sino histórico de toda verdadera transformación, es enfrentar a los usufructuarios del status quo contra el cual ella insurge. La nuestra no puede ser una excepción. Los adversarios irreductibles de nuestro movimiento, serán siempre quienes sienten vulnerados sus intereses y sus privilegios: es la oligarquía.

Fondo Nacional de Salud y Bienestar Social, se trató de organizar movimientos campesinos, estudiantiles y profesionales parametrados, como la Central de Trabajadores de la Revolución Peruana, CTRP, la Confederación Nacional Agraria, CNA, y el Sistema Nacional de Apoyo a la Movilización Social, SINAMOS, que nunca llegaron a tener una identificación popular plena. Aunque el SINAMOS no quiso declararse un partido oficialista, en la práctica lo fue, proponiéndose movilizar a la población en favor de las reformas estructurales. Todo ello tenía una justificación para sus autores: poder realizar las transformaciones populares sin la obstrucción de los intereses oligárquicos, ya que de no tomarse en cuenta esta barrera, las reformas estaban condenadas a avanzar a un ritmo desesperadamente lento, o resultaban imposibles, como los miembros del gobierno creían que la historia reciente del país había probado.

Varios destacados intelectuales de la izquierda peruana apoyaron el gobierno de Velasco, parcial o totalmente. Fue un hecho simbólico que Héctor Béjar, un exguerrillero partidario de las teorías "foquistas", participara del gobierno militar, tratando de radicalizar las reformas desde dentro del mismo. Tan simbólico como sorpresivo fue que otro político que se unió al bando militar fuera el sociólogo Carlos Delgado, quien antes se había caracterizado por su estrecha vinculación con Haya de la Torre. Delgado fue considerado por algunos "el ideólogo" oficial del gobierno y era quien asesoraba o directamente escribía los discursos del presidente Velasco. Varios otros intelectuales, provenientes del ánimo reformista originado en los años cincuenta, creyeron en la viabilidad de lo que en el extranjero comenzó a denominarse "el experimento peruano" y colaboraron de diversas maneras con el avance de las reformas.

El programa de reformas se desarrolló básicamente durante la "primera fase" del gobierno de la Fuerza Armada: el "septenato" 1968-1975 de Velasco Alvarado. El eje de las mismas fue intensificar el masivo traspaso de la propiedad de los principales recursos productivos hacia el Estado, lo que dio paso a la política de las "estatizaciones". Los yacimientos mineros más importantes fueron expropiados, desalojándose a empresas extranjeras que, como la *Cerro de Pasco Corporation*, la principal empresa privada del país, o la *Marcona Mining Company*, tenían varias décadas en el país. La Cerro de Pasco producía zinc, cobre y plomo y empleaba hacia entonces a unos 17 mil trabajadores. Cuando se trataba de empresas foráneas, los afectados podían esperar recibir una compensación económica razonable. En cambio, si eran nacionales, los propietarios tenían que armarse de paciencia y buen humor, que falta les iba a hacer. Algunas inversiones extranjeras no llegaron a ser tocadas, como la de la *Southern Peru Copper Corporation*, que desarrolló en Toquepala, Moquegua, a unos 2,800 metros de altura sobre el nivel del mar, una actividad minera gigantesca con cerca de 4 mil trabajadores.

La pesca también fue expropiada al sector privado, creándose PESCAPERÚ. El Estado se hizo de flotas de mar y plantas de elaboración de harina de pescado regadas por todo el litoral. También se estatizó la producción de cemento y fertilizantes, mientras que la producción de acero ya estaba en manos del Estado desde los años cincuenta. Grandes empresas públicas (además de las ya mencionadas) como CENTROMÍN, SIDERPERÚ, reemplazaron la acción privada, nacional o extranjera. Esos sectores fueron estatizados bajo la idea de que se trataba de nudos "estratégicos" para el desarrollo. Resultaban tan decisivos para ello, que, se sostenía, no podían ser dejados al solo juego de la iniciativa civil, cuyos intereses eran más limitados y de corto plazo.

La zona sur de la capital vio surgir imponentes edificios grises de concreto armado, para servir de sede a las nuevas empresas públicas y Ministerios. Sus dimensiones y fortaleza querían expresar la importancia y la fuerza de las instituciones que cobijaban. En poco más de una década estas empresas estatales se convirtieron en ejemplos de ineficiencia y corrupción, así como una de las principales causas del déficit fiscal.

La Teología de la Liberación

Hacia finales de la década de 1960, apareció la "Teología de la Liberación", doctrina que básicamente propulsaba una actitud más firme de la iglesia frente a problemas sociales como la pobreza, la discriminación y la desigualdad. Uno de sus fundadores fue el padre Gustavo Gutiérrez, autor de la obra Teología de la Liberación. Tomado de Gustavo Gutiérrez. *Teología de la Liberación*. Salamanca: Sígueme, 1975.

Hace mucho tiempo que se habla en ambientes cristianos del "problema social" o de la "cuestión social", pero sólo en los últimos años se ha tomado conciencia clara de la amplitud de la miseria y sobre todo, de la situación de opresión y alienación en que vive la inmensa mayoría de la humanidad. Estado de cosas que representa una ofensa al hombre, y por consiguiente, a Dios. Más aún, se percibe mejor tanto la propia responsabilidad en esta situación, como el impedimento que ella representa para la plena realización de todos los hombres, explotados y explotadores. Se ha tomado conciencia también, y cruelmente, que un amplio sector de la iglesia está, de una manera o de otra, ligado a quienes detentan el poder económico y político en el mundo de hoy. Sea que pertenezcan a los pueblos opulentos y opresores, sea que en los países pobres —como en América Latina— esté vinculado a las clases explotadoras. En esas condiciones, ¿puede decirse honestamente que la iglesia no interviene en "lo temporal"? Cuando con su silencio o sus buenas relaciones con él, legitima un gobierno dictatorial y opresor, ¿está cumpliendo sólo una función religiosa? (...) ante la inmensa miseria e injusticia ¿no debería la iglesia, sobre todo allí donde, como en América latina, tiene una gran influencia social, intervenir más directamente y abandonar el terreno de las declaraciones líricas?

La comercialización de bienes claves para el comercio internacional (minerales y alimentos) también fue controlada directamente por el Estado a través de empresas creadas para el efecto (Minpeco, EPCHAP). El transporte marítimo tenía ya a la Compañía Peruana de Vapores en manos del Estado; el transporte aéreo fue controlado por la estatal Aeroperú, que nació de otra empresa privada expropiada. El sector de comunicaciones, así como el de energía, también dieron lugar a empresas estatales terminadas con la palabra Perú: Entelperú y Electroperú, por ejemplo. El servicio telefónico, que estaba en manos de un consorcio suizo, también fue estatizado por el gobierno, creándose la Compañía Peruana de Teléfonos. La *Peruvian Corporation*, que administraba los principales ferrocarriles desde el inicio del *Contrato Grace* (1890), fue asimismo afectada, volviendo los ferrocarriles a manos del Estado. Sus colonias agrícolas en la selva habían sido ya afectadas en los años previos. El Estado también se hizo de bancos privados, que se sumaron a la banca estatal de fomento ya existente, aunque no llegó a expropiar el banco privado más importante: el Banco de Crédito.

Una manifestación de la drástica expansión de la actividad pública fue el crecimiento de los Ministerios de gobierno. Aparecieron así los flamantes Ministerios de Pesquería, Energía y Minas, Industria, Turismo y Construcción y Vivienda, que antes habían formado parte del ahora desaparecido Ministerio de Fomento. El Instituto Nacional de Planificación adquirió también rango ministerial. Todo ello dio más trabajo a los arquitectos, y alimentó el crecimiento del empleo público con otro tipo de profesionales y personal subalterno.

En las empresas industriales primero, y en otros sectores después, se introdujo la modalidad de la Comunidad Industrial, un mecanismo por el cual los trabajadores recibían acciones de la empresa y pasaban a tener participación en el directorio y en las ganancias. También se fomentó la creación de "empresas de propiedad social": donde los propietarios eran los propios trabajadores. Su importancia fue más bien simbólica, puesto que no alcanzaron a destacar en el sector productivo. Únicamente en el ramo del transporte urbano llegaron a tener cierta figuración.

En suma, toda la actividad de exportación, los sectores de acumulación de la economía y los que brindaban servicios considerados básicos o "estratégicos" para el desarrollo y la seguridad nacional (entiéndase ésta en términos militares) pasaron a manos del Estado e inicialmente, con contadas excepciones, mostraron mayor rentabilidad o eficiencia que el sector privado. La economía del sector público llegó a representar en 1977 el 50 por ciento del producto bruto interno de la nación. El dilema entre la eficiencia empresarial y la justicia social era resuelto a favor de esta última, pero sin tener en debida cuenta la sostenibilidad económica del proyecto y sin contar casi nunca con la información necesaria para estimar el costo implicado en las decisiones.

Aquella masiva estatización del aparato económico no había estado, ciertamente, en el libreto de los partidos reformistas, salvo quizás en el del comunista, por lo que comenzó a hablarse de "socialismo de estado" o al menos de un "camino al socialismo" puesto en marcha en el Perú. De hecho el régimen de la Fuerza Armada entabló íntimas relaciones comerciales y de asistencia militar con la Unión Soviética y los países de la CONMECON, arribando a nuestras costas tanques y aviones soviéticos, autobuses rumanos, motocicletas checoslovacas e instrumental médico húngaro. También se mantuvo activas relaciones internacionales con gobiernos progresistas latinoamericanos, como los de Salvador Allende en Chile, el justicialista Héctor Cámpora en Argentina y el de Fidel Castro en Cuba. Al Perú cupo en estos años un rol protagónico en el bloque mundial del Tercer Mundo, llegando a realizarse en Lima una gran asamblea de los países llamados "no alineados" (donde no participaba ninguno de los rivales de la "guerra fría" repartidos entre la OTAN y el Pacto de Varsovia).

Muchos creyeron entonces haber sepultado a la oligarquía en el Perú, o por lo menos estar frente a su definitivo "ocaso". Coincidentemente había aparecido la novela de un brillante escritor peruano que era parte del boom latinoamericano, donde se narraba el estilo de vida de las familias más ricas de Lima, con una mezcla de ternura, humor, ironía y cuestionamiento. Se trataba de *Un Mundo para Julius* de Alfredo Bryce Echenique. El autor fue recibido por Velasco como una especie de héroe cultural y, según una anédocta, le confesó que entre los dos habían acabado con la oligarquía.

2. LA REFORMA AGRARIA

El gobierno militar no podía dejar de efectuar una profunda reforma agraria; pero incluso ésta fue ejecutada dentro de los lineamientos estatistas. La reforma era una vieja demanda de diversos sectores ante el hecho de la desigual distribución de la propiedad de la tierra en el país y la situación de aguda miseria en el campo. Una pequeña minoría (y la redundancia no es ociosa) muchas veces rentista, poseía la mayor parte de tierras cultivables. Nada menos que el 76 por ciento de éstas correspondía a sólo el 0.5 por ciento de las unidades agrícolas. Existía, sin embargo, menos consenso en torno a cómo realizar la reforma agraria: ¿debían afectarse sólo los latifundios tradicionales e ineficientemente explotados, o además también los latifundios modernos y eficientes? ¿debía pagarse una indemnización a los propietarios expropiados, o aplicar el principio de "la tierra mal habida" de otras reformas agrarias, como la mexicana, que dejaba a los propietarios sin ninguna compensación? ¿A quién debía entregarse luego la tierra? ¿a empresas agrarias estatales? ¿debía repartírsela entre los antiguos trabajadores de las haciendas? ¿debía ser redistribuida entre toda la población rural, incluyendo la que no trabajaba directamente en las haciendas?

Los debates al respecto habían venido postergando una decisión política, la que era además combatida por los poderosos intereses de los hacendados. Para su reforma agraria el gobierno apeló a una versión renovada del indigenismo desde el poder.

Los días 24 de junio de cada año se celebraba en el Perú "el día del indio". El año 1969 ésta fue la fecha escogida por el gobierno para otra acción concebida como la toma de una fortaleza enemiga: la expropiación de las modernas aunque legendarias haciendas azucareras de la costa norte y central. Tropas armadas sacaron a punta de fusil a hacendados y administradores, dando vistoso inicio a una de las más radicales reformas agrarias del continente. La fecha dejó de llamarse día del indio, para ser en adelante el "día del campesino".

La ley de reforma agraria de 1969 contemplaba no sólo la expropiación de los latifundios tradicionales de la sierra, tan enormes como poco productivos, sino asimismo a las capitalistas plantaciones de la costa. Los límites de inafectabilidad fueron fijados en 50 hectáreas para tierras de riego y 150 si eran de secano, con lo que se afectaba no sólo la gran propiedad, sino incluso la mediana. Hasta 1979 fueron expropiadas 9.1 millones de hectáreas de los treinta millones de tierra culta del país. El número de fundos afectados fue de dieciséis mil.

La expropiación comprendía no sólo las tierras, sino además la maquinaria, el ganado y las instalaciones industriales y civiles. Aunque se contempló una indemnización a los propietarios, éstos debieron aceptar frecuentes subvaluaciones de sus dominios, un pago mínimo en efectivo y el resto en bonos de la deuda agraria con nimia tasa de interés que la inflación después devoraría. El "justiprecio" de la expropiación sufría descuentos si el terrateniente había sido un "mal patrono". Los juicios públicos a los patronos, acusados por sus antiguos jornaleros delante de un tribunal del Estado creado expresamente para el efecto, dieron ciertamente un marco "revolucionario" a la acción de la reforma agraria.

Un detalle importante era que la mitad de los bonos de la deuda agraria podía ser dada en efectivo, si el exterrateniente ofertaba otro tanto y decidía invertir en la industria. Convertir a los terratenientes en industriales fue una las expectativas del gobierno, que finalmente no se llegó a realizar. En el terreno de la industria podríamos decir que el gobierno militar representó uno de los más altos momentos de la política de "industrialización por sustitución de importaciones" (ISI) de la historia reciente peruana. Las importaciones fueron gravadas con altos impuestos, y algunas simplemente prohibidas, a fin de que no compitan con la producción local. Por su parte, ésta fue promovida y racionalizada a fin de que las empresas pudiesen operar con un mercado más o menos seguro. Industrias metal mecánicas y de "línea blanca" (refrigeradoras, cocinas) florecieron por esos años y en varios casos han perdurado hasta hoy. Llegaron, incluso, a ensamblarse automóviles y camiones, que progresivamente debían incorporar un mayor porcentaje de insumos nacionales. Un problema serio, aunque no dejaba de resultar también cómico, es que para fabricar los "insumos nacionales", había que importar a su vez otros insumos, con lo que el grado de "peruanidad" efectiva de los productos era al final muy pequeño.

Aunque varios objetivos de la reforma agraria nunca se cumplieron plenamente, sí se minó la tradicional estructura familiar y tradicional de las clases altas y las bases agrarias de su poder. Se modificó la composición de ellas, empezó a primar el dinero como el principal factor de ingreso a estas clases y se atenuó el racismo que hasta hacía poco era uno de los factores principales de exclusión para la pertenencia a las clases más privilegiadas de la sociedad peruana. Lugares como el Club Nacional, que tenía su sede en un elegante edificio de la plaza San Martín, y que había funcionado como un símbolo de la exclusividad social del país, perdieron prestigio social y debieron soportar el escarnio de tener como vecinos a vendedores ambulantes de fritangas y baratijas.

Las tierras expropiadas pasaron a manos de sus trabajadores, siguiendo el lema del gobierno: "la tierra, para quien la trabaja" y llegaron a beneficiar a unas 369 mil familias campesinas. Aunque es un número importante —redondea un total demográfico de dos millones de personas—, se trataba sólo de una cuarta parte de la población rural del país; y precisamente del cuartil que ya antes estaba mejor situado. Una de las críticas que se ha lanzado contra el gobierno militar es que sus reformas significaron una redistribución sólo dentro de la parte más elevada de la pirámide de ingresos, dejando a las otras tres cuartas partes igual o peor que antes. En efecto, los campesinos de las comunidades, quienes habían trabajado en las haciendas sólo esporádica o temporalmente, y se hallaban en la base de la pirámide de ingresos, recibieron muy pocos beneficios. Ya ni siquiera podían esperar la caridad señorial del hacendado; ahora debían enfrentar el trato impersonal de nuevos gerentes de las cooperativas agrarias para los cuales el paternalismo no era parte de su agenda de actividades.

Para impedir la descapitalización y retroceso técnico de las grandes plantaciones, el gobierno las transformó en cooperativas de trabajadores, cuyos gerentes se encargó de designar. Los latifundios más tradicionales y las tierras que recibieron las comunidades campesinas también adoptaron formas asociativas tuteladas por funcionarios estatales, quienes debían procurar su modernización productiva. Se trató de impedir la parcelación de las tierras y su eventual compra-

RITMO DE AVANCE DE LA REFORMA AGRARIA 1969-1979

Años	Expropiaciones Fundos	Has.	Adjudicaciones Beneficiarios	Has.
1962-1968	546	1.027,649	13,553	375,574
1969	249	428,080	7,355	256,774
1970	391	1.594,727	42,343	691,697
1971	478	655,225	18,671	538,083
1972	1,732	1.028,477	38,976	1.119,223
1973	2,446	952,289	56,496	1.336,692
1974	1,522	805,427	42,080	879,618
1975	2,376	933,919	36,590	1.081,692
1976	3,753	1.298,943	40,267	634,805
1977	1,653	486,156	29,398	592,917
1978	1,105	749,005	21,137	560,483
1979*	121	133,524	35,504	636,638
1969-1979	15,826	9.065,772	368,817	8.328,322

Fuente: José Matos Mar y José Manuel Mejía, *La reforma agraria en el Perú.* Lima: IEP, 1980, p. 171.
* Las cifras de expropiaciones corresponden hasta el mes de junio, las de adjudicaciones hasta diciembre.

AVANCE DE LA REFORMA AGRARIA 1969-1979
(resumen al 24 de junio de 1979)

	Unidades adjudicatarias	Extensiones adjudicadas Hectáreas	%	Beneficiarios Nro.	%
Cooperativas	581	2.196,147	25.6	79,568	21.2
Complejos agro-industriales	12	128,566	1.5	27,783	7.4
SAIS	60	2.805,048	32.6	60,954	16.2
EPS	11	232,653	2.7	1,375	0.4
Grupos campesinos	834	1.685,382	19.6	45,561	12.1
Comunidades campesinas	448	889,34	10.3	117,710	31.4
Campesinos independientes	—	662,093	7.7	42,295	11.2
TOTAL	1,946	8.599,253	100.0	375,246	100.0

Fuente: Ibíd., p. 182.

venta. La tierra quedó fuera del mercado, como ya lo estaba la parte más apreciable de la economía.

La mística revolucionaria de los funcionarios y algunos líderes campesinos y el entusiasmo por probar la eficiencia de las empresas agrarias socializadas condujeron en los primeros años a buenos resultados económicos, repartiéndose incluso utilidades entre los cooperativistas. Más tarde las cosas empeoraron: los campesinos trabajaban la tierra, pero carecían de experiencia empresarial para tomar cruciales decisiones económicas y comerciales de mediano y largo plazo. Entre los funcionarios surgió la corrupción y dentro de los campesinos adjudicatarios el desánimo propio de un sistema donde no existía una retribución directa al esfuerzo personal. Se dio poca importancia al uso de tecnologías modernas y apropiadas y a la búsqueda racional del crédito bancario, elemento esencial para el desarrollo de la agricultura comercial. Los precios de los productos agrarios, controlados por el gobierno, pronto se devaluaron y las cooperativas comenzaron a ver crecer, no sus cultivos, sino sus adeudos.

En el campo educativo y cultural los militares reconocieron el idioma quechua como idioma oficial, junto con el castellano. Las estaciones de radio, e incluso la televisión, comenzaron a transmitir noticieros y avisos comerciales en la lengua vernácula. Se emprendió una reforma educativa dirigida por distinguidos intelectuales de izquierda que apoyaban al régimen, como el filósofo Augusto Salazar Bondy, que criticó a la educación tradicional por memorista, desconectada de la realidad y elitista y trató de encaminar la nueva organización educativa a despertar la creatividad, la crítica y la iniciativa, así como proporcionar a los estudiantes secundarios una formación técnica idónea para el empleo industrial y en el comercio (las Escuelas Superiores de Educación Profesional, ESEPS).

Los pocos recodos de periodismo libre que quedaron en el régimen de Velasco fueron poco a poco siendo tomados por los militares (la revista *Caretas* fue frecuentemente clausurada después de sus reaperturas y su director, deportado); en 1970 se expropió los diarios *Expreso* y *Extra* de propiedad de Manuel Ulloa; al año siguiente el periodista Manuel d'Ornellas fue declarado "traidor a la patria" y deportado a la Argentina; luego se le despojó de la nacionalidad. Se dio una ley por la cual el Estado debía tener cuando menos el 25 por ciento del capital en las empresas de radio y televisión. En julio de 1974 el régimen decretó una de las medidas de control social más importantes: la confiscación de la prensa. Los periódicos fueron despojados de sus dueños, que en varios casos eran notables clanes familiares, y entregados a directores adictos al gobierno, quienes supuestamente los regentarían hasta que pasasen a sectores organizados de la sociedad. Así, *El Comercio*, el más antiguo y linajudo de los diarios, propiedad de la familia Miró Quesada, correspondería a los campesinos;

La Prensa, a las comunidades de trabajadores urbanos; *Correo*, al sector educativo, etc. Toda la prensa quedó sometida a la revisión de una Oficina Nacional de Informaciones, que en la práctica actuaba como en todas partes: censuraba lo que no convenía al régimen. Para los más envalentonados defensores del gobierno militar: se había "cortado la lengua a la burguesía".

Sin embargo, el control social y el apoyo incondicional hacia este estilo de reformas "desde arriba" nunca llegó y el gobierno tuvo que enfrentar tensiones en su interior. El sector de la Marina, de tradición más conservadora, parecía tener una concepción mucho más moderada de lo que debía ser el rol de las Fuerzas Armadas. Ello fue evidente hacia 1975 cuando el gobierno de Velasco mostró dramáticamente los primeros síntomas de su agotamiento en un acontecimiento tan sorpresivo como caótico. Se trató de los graves disturbios callejeros y saqueos de tiendas ocurridos en Lima del 5 de febrero de ese año, que sucedieron a una huelga policial que dejó sin protección a la ciudad. El ejército salió a enfrentarse a los manifestantes, entre los que se encontraban miembros de antiguos y nuevos partidos políticos, así como una población descontenta y violenta.

3. LA SEGUNDA FASE DEL GOBIERNO MILITAR Y EL RETORNO A LA DEMOCRACIA

El 29 de agosto de 1975 se produjo un golpe interno en las Fuerzas Armadas, dirigido por militares que reclamaban una conducción más institucional y menos personalizada del gobierno. Velasco Alvarado debía ya haber pasado al retiro, pero se había aferrado al poder. El año anterior le habían amputado una pierna, lo que le impidió viajar y estar más en contacto con los jefes del interior. Al conocer el pronunciamiento de Tacna del general Morales Bermúdez, quien había sido ministro de Economía, tanto de Belaúnde como de Velasco, telefoneó a los jefes de las regiones militares. Ninguno se encontraba, o quiso acercarse al teléfono; comprendió que se había quedado solo y se resignó a dejar el mando.

La "segunda fase" significó al comienzo una disputa entre los generales radicales como Leonidas Rodríguez Figueroa y Jorge Fernández Maldonado, que querían "la profundización del proceso" y eventualmente su conversión al socialismo, y quienes pensaban que la revolución había ido demasiado lejos y era hora de retirarse a los cuarteles. Estos últimos lograron imponerse, en medio del inicio de una crisis económica que desde 1976 interrumpió la aceptable marcha que los indicadores de la producción y el comercio habían tenido hasta entonces. La crisis económica, la protesta social y el reclamo del regreso a la democracia se entrelazaron en una sola tendencia que acabaría con el régimen de las Fuerzas

Armadas en pocos años. El nuevo régimen, denominado "la segunda fase" de la revolución peruana, abrió puentes con el sector civil, instaurándose la costumbre de nombrar a personajes civiles en el Ministerio de Economía y Finanzas, como fueron Luis Barúa Castañeda, Walter Piazza Tangüis y Javier Silva Ruete.

La crisis económica se desencadenó por causas similares a las del pasado. La recuperación de los salarios reales y la ampliación del mercado interno en virtud de las reformas en la propiedad, llevaron a una mayor demanda de alimentos y bienes de consumo. La agricultura, bajo el sacudón de la reforma agraria, no pudo responder a esa mayor demanda y hubo de procederse a la importación de alimentos. La industria, por otro lado, era muy dependiente de maquinaria e insumos importados, por lo que la presión sobre las divisas tornóse agobiante. El sector exportador había perdido dinamismo por las estatizaciones y la ausencia de inversión privada y extranjera. La única excepción fue el hallazgo de nuevos yacimientos petroleros en la selva (explotados por la Occidental Petroleum bajo un modelo de contrato más equitativo para el país y aceptado por la empresa extranjera a causa de la crisis del petróleo desatada por la Organización de Países Exportadores de Petróleo - OPEP desde 1973), pero para poder sacar provecho de ellos había que construir un costoso oleoducto, que recién estuvo disponible al terminar la década.

La crisis económica se tradujo en movilizaciones de trabajadores que llevaron a las grandes huelgas nacionales de 1976 y 1977. Los sindicatos se habían fortalecido durante los años previos y se identificaron, tras un activo trabajo del Partido Comunista y otros de la izquierda, maoístas y trotskistas, con el "clasismo" (véase recuadro). La Confederación General de Trabajadores del Perú, CGTP, creada en 1968 y sostenida principalmente por trabajadores bancarios, maestros, mineros y los de construcción civil, con marcada influencia en su liderazgo del comunismo pro-soviético, y para entonces la principal central sindical, se convirtió en una de las más influyentes organizaciones del país por muchos años.

Los campesinos estaban agrupados en la CCP, de orientación algo más radical, ya que en su dirigencia se encontraban grupos más a la izquierda que los comunistas pro-soviéticos, como Vanguardia Revolucionaria, y la CNA gobiernista. La primera postulaba el no pago de la deuda agraria, que los adjudicatarios de la reforma debían afrontar para indemnizar a los terratenientes expropiados. Los trabajadores mineros, que tenían bases sindicales fuertes en el centro del país y los trabajadores metalúrgicos, que agrupaban sobretodo a los proletarios de las nuevas industrias metal mecánicas de la capital, se organizaron en federaciones sindicales específicas a su rama industrial a comienzos de los años setenta. Posteriormente se desarrolló en las ciudades un movimiento de "frentes de defensa", muchas veces dirigidos por las organizaciones sindicales denominadas "clasistas" que buscaban una radicalización de la lucha gremial y política.

El clasismo

Durante los años setenta, en cierta forma al amparo de la ideología nacionalista y anticapitalista propulsada por el gobierno militar en su primera fase, se inició en el movimiento sindical y estudiantil del país la perspectiva que algunos sociólogos peruanos han llamado el "clasismo". Inspirado por una ideología marxista leninista, el clasismo desplazó el antiguo sindicalismo dominado por el Apra, propugnando la unidad y la confrontación "de clase" contra el empresariado y "su" Estado, antes que el reclamo individualista y basado en la negociación, para la defensa y obtención de reivindicaciones. Los objetivos de mejoras en la organización de la producción y la posibilidad del ascenso laboral y la propia movilidad social de los obreros, fueron dejados de lado, en aras de reforzar la "identidad de clase", el igualitarismo en el trabajo y la búsqueda del socialismo y la dictadura del proletariado como modelo político.

El radicalismo en las formas de lucha (huelgas, sabotajes y marchas callejeras violentas) y el desprecio por "la legalidad" y la "democracia parlamentaria" caracterizaron al movimiento, que encontró en la CGTP, de inspiración moscovita, y la CCUSC (Coordinadora Central de Unificación Sindical Clasista), de inspiración maoísta, sus organizaciones acompañantes y promotoras. La vía de la insurrección armada, y no las elecciones, serían la manera de tomar el poder. El clasismo no sólo encontró eco en las fábricas, sino asimismo en los centros mineros y las Universidades. La transición a la democracia en 1980 no lo debilitó, sino que incluso fue en esta década cuando llegó a su apogeo. A finales de la misma, convergió con la prédica de Sendero Luminoso y el MRTA, cuya opción por la lucha armada terminó en cierta forma por polarizar el movimiento. El eclipse de los modelos políticos marxista leninistas en el mundo y la represión militar y policial provocarían poco después su debilitamiento.

Aunque el clasismo tuvo un impacto negativo para el crecimiento económico y la modernización política, al retraer la inversión, satanizar la figura del empresario y promover en cierta forma una cultura política poco democrática y tolerante, en el nivel social sirvió para cuestionar, y quizás hacer desaparecer, la sumisión servil y clientelista hacia los patrones y empresarios en el mundo laboral, rural y urbano, presentes en la época previa.

Jaqueados por izquierda y por derecha, los militares llamaron a elecciones para la formación de una Asamblea Constituyente en 1978. Ésta debía redactar una nueva Constitución y facilitar el retorno a la institucionalidad democrática, permitiendo a los militares un retiro digno y ordenado a los cuarteles.

Después de quince años sin elecciones generales, los escrutinios para escoger a cien constituyentes se llevaron a cabo aplicando por primera vez muchas novedades, como considerar a todo el país como un distrito electoral único, el uso del voto preferencial, la representación proporcional según el sistema de la

General Juan Velasco Alvarado, Presidente de la Junta Militar de Gobierno entre 1968 y 1975. Archivo Illa.

El pequeño camión D-300, ensamblado en el Perú por la Chrysler Corporation, se volvió parte del paisaje rural del país en los años setenta. Archivo Illa.

cifra repartidora (de acuerdo a los organizadores de estas elecciones, algunas de estas medidas estaban dirigidas a favorecer a las minorías al interior y exterior de los partidos dominantes, pero otros pensaron que era una manera de fragmentar el voto opositor y minar el liderazgo partidario tradicional).

Todo ello tenía que producir grandes sorpresas. La más notoria, aunque no dejaba de ser previsible, fue la alta votación lograda por el Apra, que obtuvo el 35 por ciento de los votos. Haya de la Torre, quien por entonces ya era un patriarca octogenario, logró la más alta votación. El resultado de la izquierda no dejó de ser sorpresivo. En general sacó una alta votación, producto de su apoyo a las movilizaciones sindicales y populares de la segunda mitad de la década de los años setenta. En el voto preferencial destacó Hugo Blanco, de orientación trotsquista, quien había estado varios años preso y exiliado a raíz del movimiento campesino de La Convención en el Cuzco, y ganó a los grupos marxistas de mayores recursos como el Partido Comunista del Perú, que contaba con el apoyo de la CGTP y de la Unión Soviética, o la Unión Democrática Popular, que incluía a partidos y líderes políticos importantes como Vanguardia Revolucionaria y Javier Diez Canseco.

Para las elecciones de la Asamblea Constituyente, Hugo Blanco formó parte del Frente Campesino, Estudiantil y Popular, FOCEP, una efímera coalición de diversos partidos de izquierda que poco después se disgregaron. La derecha estuvo representada por el nuevo Partido Popular Cristiano, PPC, formado básicamente por exdemócratas cristianos en 1966 y que después habían visto con alguna decepción cómo su antiguo líder, Héctor Cornejo Chávez, colaboró con el gobierno militar dirigiendo *El Comercio*, uno de los periódicos expropiados. El PPC estuvo encabezado por el abogado Luis Bedoya Reyes, quien había sido elegido Alcalde de Lima en 1966 y gozaba del prestigio de una eficiente labor edil. Ganó el 24 por ciento de la votación.

Acción Popular consideró que no existían las condiciones mínimas para unas elecciones limpias y un proceso normal de elaboración de una Carta Magna bajo la supervisión de los militares y decidió guardar sus fuerzas para las elecciones presidenciales, algo que jugó a su favor posteriormente. Algo parecido hicieron, pero sin buenos dividendos políticos, algunas organizaciones de izquierda, como el partido comunista de orientación maoísta, más conocido como Patria Roja, que tenían fuerte influencia entre los universitarios y el gremio de los maestros, más conocido como el Sindicato Único de Trabajadores de la Educación Peruana, SUTEP.

La Constitución de 1979, tuvo como una de sus novedades más importantes establecer los derechos, libertades y garantías de los ciudadanos peruanos. Un Haya de la Torre postrado en el hospital por una enfermedad terminal la alcanzó a firmar (murió en agosto de 1979), ya que fue elegido Presidente de la Asamblea Constituyente. El contenido de la Constitución representó una transacción entre el APRA y el PPC. Fijó el mandato presidencial en cinco años, fortaleció el poder presidencial, continuó con la costumbre parlamentarista de dos cámaras (una de senadores, de representación nacional, y otra de diputados, de representación lugareña) y defendió una serie de derechos democráticos que no habían existido hasta entonces. Asimismo, estableció la práctica de la "segunda vuelta" electoral si ningún candidato lograba una apreciable mayoría. Lo más importante fue, sin embargo, la concesión del voto a los analfabetos, que no había existido ni siquiera en las elecciones de 1978. Es importante destacar que en el Perú de entonces uno de cada cinco peruanos era analfabeto.

El sorpresivo resultado electoral de 1978 no presagiaba, empero, lo que ocurrió en las desconcertantes elecciones presidenciales de abril de 1980. Ganó con comodidad el mismo hombre que los militares habían sacado casi arrastrado de Palacio de Gobierno y cuyo régimen habían denigrado largamente desde 1968: el arquitecto Fernando Belaúnde Terry. Éste obtuvo un sorprendente 42 por ciento de los votos. El Apra, representado por Armando Villanueva, sólo llegó al 28 por ciento y el PPC recibió el 11 por ciento de los votos. La división de la izquierda desalentó el voto por esa tendencia y el partido que se presentó como heredero oficial del régimen militar, la OPRP, apenas obtuvo votos. Como si doce años hubieran pasado en vano. Se puede decir que ganó el candidato que durante la campaña pareció ofrecer con habilidad y tranquilidad una transición más pacífica en medio de un escenario de conflictos sociales vueltos cada vez más radicales e intensos.

Pero el Perú de 1980 no era el de 1968. Para empezar, la población del país había crecido y se había vuelto mucho más citadina. Según el VII Censo Nacional de Población y el III de Vivienda de 1981 los peruanos eran poco más de diecisiete millones de personas. La mayoría de ellos eran jóvenes; la relación hombre a mujer era relativamente igual, y la población era mayoritariamente urbana. Mientras que en 1940 apenas 28 por ciento de la población vivía en poblados de más de dos mil habitantes, en 1981 el 57 por ciento de la peruanos vivía en este tipo de asentamientos. Lima ya era una urbe de poco más de 4.700,000 habitantes, con los problemas de tráfico, contaminación, criminalidad, hacinamiento y servicios insuficientes, típicos de las urbes latinoamericanas. Entonces más que nunca empezó a hacerse evidente el desfase entre el crecimiento urbano y la provisión de servicios básicos de saneamiento, vivienda y educación que eran responsabilidad del Estado.

En el balance del gobierno militar debe contar el retroceso en la productividad agraria, la retracción de la inversión privada, un abultado endeudamiento externo y un exagerado gasto en armamento (en 1975 estuvo a punto de estallar una guerra con Chile, con la que los militares se habrían propuesto recuperar el territorio perdido un siglo atrás). Pero también fue el legado de los militares la práctica liquidación de la oligarquía latifundista que había sido una rémora para la reforma agraria y la adopción de políticas económicas desarrollistas. Asimismo, el énfasis en la planificación y la carrera pública y el establecimiento de una política independiente de los Estados Unidos en cuanto a las relaciones internacionales. Propició, sin tal vez proponérselo, la movilización social, desarrollando en tal sentido una suerte de "revolución cultural" que cuestionó el racismo y el estigma sobre el cual estaban basadas muchas relaciones interpersonales, y en cierta medida homogenizó las relaciones sociales en el país. En 1978 nadie discutió, por ejemplo, la extensión del voto a los analfabetos.

El "sentido social" que penetró los hábitos mentales de la población halló una expresión singular en varias telenovelas producidas por las empresas de televisión peruanas. Las más famosas fueron "Simplemente María" y "Natacha", dirigidas a un público urbano de clase media, lo que mostraba ya la difusión de los aparatos de televisión en este sector social. Ambas telenovelas tenían como trama la historia de bellas y humildes empleadas domésticas que lograban ascender socialmente, hasta integrarse en los círculos sociales de sus antiguos patrones. Manifestaban así la posibilidad y el anhelo del ascenso social y traslucían una crítica al régimen de la servidumbre en el hogar, por entonces muy frecuente en Lima y otras ciudades del país. El servicio doméstico había sido hasta entonces la forma más común de inserción de las migrantes serranas en la vida urbana.

4. EL SEGUNDO BELAUNDISMO

Tras jurar el cargo de Presidente ante el Congreso, según el ritual establecido, Belaúnde, sin bajarse del estrado, sacó el lapicero y firmó la ley que ordenaba la devolución de los diarios y medios de comunicación masiva a sus antiguos propietarios, restableciendo la libertad de prensa conculcada por el gobierno militar seis años antes. Quienes pensaron que esta medida, tan efectista como positiva, era el preludio de toda una desandanza de las expropiaciones del docenio militar, descubrieron, sin embargo, al poco tiempo su error. Otra medida que parecía restaurar el orden político de comienzos de los años sesenta fue la convocatoria a elecciones municipales. En 1980 se realizaron las primeras, donde Acción Popular ganó el mayor número de alcaldías y de votos, quedando sorprendentemente la izquierda, esta vez Izquierda Unida, en segundo lugar, ganando al Apra y al PPC.

La Izquierda Unida, IU, era en realidad un conglomerado de grupos marxistas y no marxistas unidos en torno a la entonces carismática figura del abogado independiente cajamarquino Alfonso Barrantes Lingán, quien llegó a ser en 1983 el primer alcalde marxista de Lima. Fuera de la IU existían otros partidos más y menos radicales, pero casi todos perdieron vigencia, se atomizaron y hasta dejaron de existir durante la década de los años noventa, cuando el país estuvo atravesado por las crisis combinadas del terrorismo, la inflación y el desgobierno y muchos quedaron desconcertados por los drásticos cambios internacionales en los países bajo la órbita soviética o china.

El segundo régimen belaundista optó por convivir con la mayor parte de las reformas heredadas del gobierno militar, aunque dejándolas libradas a su suerte. Una solitaria salvedad fue la nueva ley de minería y petróleo sancionada en 1981, que vino a reemplazar la de una década atrás, dictada por los militares, y que trató de atraer mayor inversión extranjera. En cuanto a lo demás, restauró sus programas de vivienda para la mesocracia y abrió moderamente el comercio de importación, alejándose del férreo proteccionismo anterior.

A su favor el gobierno tenía la posibilidad de contar con una mayoría significativa en el Congreso, gracias a su alianza con el PPC, y la simpatía de los procesos democratizadores que en ese momento atravesaban América Latina. Sin embargo, algunos hechos que restringieron el margen de maniobra del gobierno, fueron: la agobiante deuda externa, la descapitalización y la crisis de la producción agraria, el peso de las instituciones y la burocracia públicas, la falta de instituciones civiles en el Estado, y la aparición, al comienzo subestimada por el gobierno, de las acciones terroristas de Sendero Luminoso (SL) y el Movimiento Revolucionario Túpac Amaru (MRTA) (que aparecieron a la luz pública en 1980 y 1984 respectivamente).

Las tasas de interés se elevaron en los países acreedores, incrementando las cuotas de los países deudores. La escasez de divisas volvió a presentarse (la apertura de las importaciones tras varios años de rígido control provocó su avalancha) y la moneda nacional se devaluó aceleradamente, alimentando una inflación que llegó a superar los tres dígitos. Al finalizar el segundo mandato de Belaúnde, el dólar, que el gobierno militar había dejado en el valor de doscientos soles, se cotizaba a doce mil soles.

El Primer ministro del régimen fue el financista Manuel Ulloa, que tenía una conocida trayectoria internacional. Tanto él como otros (Pedro Pablo Kuczynski, Richard Webb, Carlos Rodríguez Pastor, Juan Carlos Hurtado Miller) que ocuparon entonces cargos importantes en el Estado, fueron destacados técnicos y empresarios peruanos que habían estudiado y a veces vivido largos años en el exterior, sobre todo en los Estados Unidos. En parte por ello, y en otra parte por

El "boom" universitario, (1950-1980)

Hasta mediados de la década de 1950, sólo existían cinco universidades en el país, la Universidad Nacional de San Marcos, la Universidad San Antonio de Abad en el Cusco, la Universidad de La Libertad, la Universidad de San Agustín en Arequipa y la Pontificia Universidad Católica, esta última privada pues las demás eran públicas. El mundo universitario era bastante reducido, pues además de ser pocas las universidades que funcionaban, el número de alumnos en ellas era también limitado. Sin embargo, hacia comienzos de la década de 1960 se fundaron nuevas universidades, tanto en el sector público como privado. Las Escuelas de Agricultura y de Ingeniería fueron transformadas en la Universidad Nacional Agraria La Molina (1960) y en la Universidad Nacional de Ingeniería (1955) respectivamente. Asimismo, en provincias empezaron a aparecer diversas universidades públicas como la Universidad San Cristóbal de Huamanga (clausurada en 1876 y reabierta en 1957), San Luis Gonzaga en Ica, (1955), la Nacional de Piura (1961), entre otras. En Lima se fundaron importantes universidades privadas como la Universidad Cayetano Heredia (1961), la Universidad del Pacífico (1962) y la Universidad de Lima (1962). Hacia 1985 existían 46 universidades en el país, con una población universitaria de aproximadamente 360,000 alumnos. El incremento fue una respuesta al crecimiento demográfico, a las migraciones del campo a la ciudad, al deseo de progreso de muchos sectores sociales que veían a la educación como la herramienta para lograrlo y a la preocupación política por fomentar la educación en todos sus niveles.

ALUMNOS EN UNIVERSIDADES PÚBLICAS Y PRIVADAS, 1940-1995

Año	Pública	Privada	Total
1940	2,324	1,046	3,370
1945	7,861	1,108	8,969
1950	13,154	1,515	14,669
1955	12,490	1,722	14,212
1960	27,040	3,207	30,247
1965	54,170	10,506	64,676
1970	81,486	27,744	109,590
1975	127,819	53,852	181,671
1980	183,317	73,903	257,220
1985	231,900	122,510	354,410
1990	233,625	81,173	314,798
1995	246,678	126,230	372,908

Fuente: Para los años 1940-1955: *Anuario Estadístico del Perú 1955*, p. 784; de 1960-1985: *Perú en números 1991*, Anuario Estadístico. Cuánto S.A. , 1991, p. 165; de 1990 y 1995: *Perú '96 en números*, Anuario Estadístico, p. 263.

un estilo de gobierno que no pensaba en el largo plazo, no tenían una idea clara de qué hacer con el legado de reformas que había dejado el régimen militar.

El segundo gobierno de Belaúnde acometió medidas orientadas a restablecer el orden económico y la estabilidad política perdidas. Así se dictaminó la austeridad del gasto fiscal, la reducción del rol del Estado en la economía (un tema que se convirtió en un asunto permanente de discusión pública era el futuro de la empresa PETROPERÚ), el fortalecimiento del sector privado a través de créditos, y la promoción de la inversión extranjera. Sin embargo, sea por la oposición de la izquierda, el Apra y la propia herencia del docenio, que empezaron a reorganizarse y a buscar una manifestación política unificada, o a la incoherencia del propio gobierno, estas medidas nunca fueron llevadas adelante con la suficiente decisión.

La clase empresarial, por su parte, yacía adormecida o sin reflejos tras la dictadura militar y no mostraba signos de reaccionar con algún entusiasmo frente a lo que parecía ser un entorno político más bien favorable. Una de las más importantes consecuencias de las reformas nacionalistas y corporativas del "docenio" militar, había sido el debilitamiento de la clase dominante. Apenas invertían, como sospechando lo que se venía. Las novelas de Jaime Bayly, publicadas en los años noventa, pero escenificadas en la década anterior, retratan ese clima de descomposición de la elite económica y social del país. *En Los últimos días de La Prensa*, una empresa periodística fundada con el inicio del siglo y mantenida por generaciones como un importante vocero del pensamiento liberal peruano, expropiada por el gobierno militar y devuelta a sus propietarios con el regreso de la democracia, se hunde en medio de la indiferencia y rapiña de quienes debían sacarla adelante: sus propietarios y trabajadores. Muchos empresarios habían emigrado durante los años setenta; otros sobrevivían como Quijotes desorientados, soñando con la devolución de sus haciendas expropiadas por la Reforma Agraria; sus descendientes ya no invertían; consumían en drogas y francachelas los restos de la vieja opulencia, siguiendo la atmósfera retratada por el novelista.

Al año de estar en el gobierno, Belaúnde tuvo que resolver una confrontación con el vecino país del Ecuador. Esta se produjo en 1981 en el sector limítrofe no definido de poco menos de cien kilómetros que estaba pendiente desde hacía décadas entre estos dos países. Ahí se encontraba la cordillera del Cóndor, que los soldados ecuatorianos ocuparon siguiendo las órdenes de un gobierno que había desconocido el Tratado de Paz de Río de Janeiro, que puso fin a la guerra de 1941, y por tanto la consideraba parte de su país. Una rápida acción del ejército peruano expulsó a los invasores ecuatorianos, en lo que se conoció como la guerra del "falso Paquisha". El Perú siguió exigiendo el respeto al Protocolo de Río, mientras el Ecuador insistió en su posición de obtener una salida hacia el río Amazonas a través del Marañón. La diferencia no iba a resolverse sino hasta casi veinte años después.

El fenómeno del "Niño" en 1983 ocasionó graves daños en la agricultura y la infraestructura vial, complicando el panorama económico. En la sierra la salida de los "señores" de la tierra dejó a las sociedades rurales descabezadas socialmente y sin nadie que ocupara su lugar ni reactivara la producción. La pobreza alcanzó ahí niveles que la difusión de la radio y la televisión volvía más clamorosos y evidentes. Era la agonía por consunción de una civilización rural que, fundada allá en el siglo XVI, no había recibido mayores cambios que el de la desaparición de las haciendas. A pesar de que su contraparte histórica había sido eliminada, las comunidades indígenas medraban como organizaciones de sobrevivencia y relictos culturales.

En ese escenario medioeval surgieron "caballeros andantes" que se lanzaron, dinamita en ristre, a enderezar entuertos. Estos eran intelectuales locales, maestros de escuela y universitarios que eran en varios casos hijos de la clase terrateniente empobrecida después de la Reforma Agraria de Velasco. Habían abrazado el maoísmo y querían hacer del Perú un país campesino colectivista. Ayacucho fue la cuna de Sendero Luminoso, grupo que había evolucionado de las sucesivas escisiones maoístas que atravesaron al Partido Comunista a fines de la década del sesenta y comienzos de la del setenta (véase recuadro "Diagrama de las divisiones del PC en el Perú"). Ahí empezó a crecer un culto personal en torno a un profesor arequipeño de filosofía de la Universidad San Cristóbal de Huamanga, llamado: Abimael Guzmán Reynoso, conocido entre sus adeptos más cercanos con el sobrenombre de "Presidente Gonzalo".

El nombre de Sendero provenía de una caprichosa interpretación de una frase de José Carlos Mariátegui (el nombre que reconocían sus partidarios era el de "Partido Comunista del Perú, por el Sendero Luminoso de José Carlos Mariátegui"). Los seguidores de Sendero buscaban una combinación de un país autocrático y autoritario, parecido a la China comunista de los años de la Revolución Cultural o a la Camboya dominada por los Khremer Rouge. Sus primeras acciones públicas fueron el "ajusticiamiento" de cuatro perros que amanecieron una mañana colgados de semáforos del centro de la capital, que representaban su condena a la "banda de los cuatro" jerarcas caídos en desgracia en Pekín en la transición que sucedió a la muerte de Mao Tse Tung, y la quema de las ánforas electorales en mayo de 1980 en el remoto pueblo de Chuschi, en Ayacucho, donde los campesinos de la localidad habían depositado lo que quizás eran sus primeros votos en una elección nacional. Entre 1980 y 1984 sus acciones terroristas fueron restringidas a ese departamento serrano, donde llegaron a construir efectivas bases de apoyo dentro de una población campesina

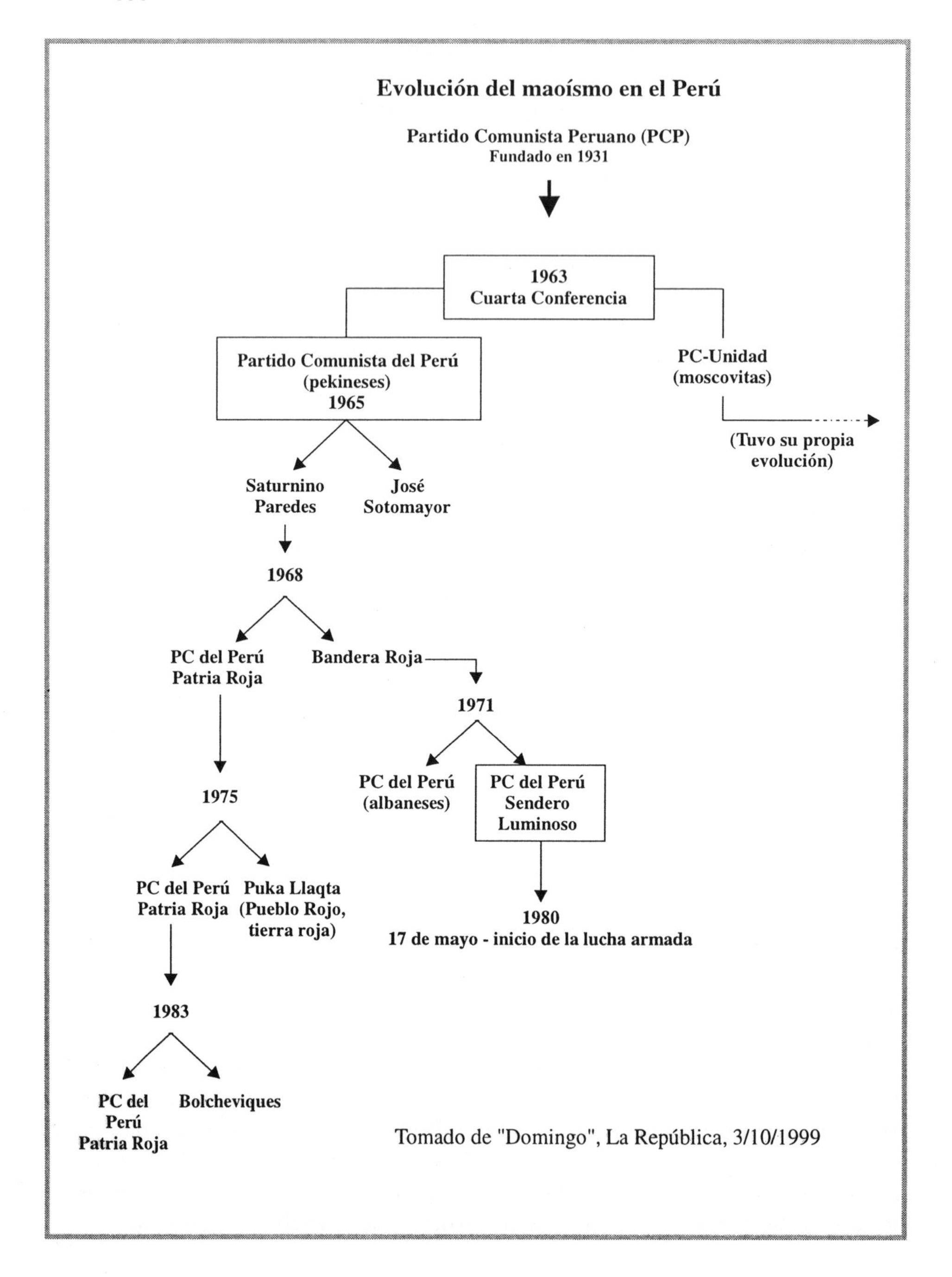

Tomado de "Domingo", La República, 3/10/1999

que estaba entre la población más miserable de un país pobre. Pero desde entonces se trasladaron a Lima, donde los apagones y bombazos se empezaron a convertir en hechos cotidianos de los limeños, y al mismo tiempo cobraron dimensión nacional. En 1981 se dio una primera ley que condenaba a diez o veinte años de cárcel a los terroristas convictos. En 1983 las Fuerzas Armadas fueron convocadas a combatir la subversión. Fue el inicio de una cruenta guerra civil de diez años que causó devastación y zozobra. Sólo en el departamento de Ayacucho se estima que entre 1980 y 1993 murieron 10,561 habitantes como producto de la violencia política.

5. EL APRA EN EL PODER Y LA GUERRA SENDERISTA

Las elecciones de 1985 fueron ganadas por el Apra, que por primera vez llegaba al poder sin intermediarios, de la mano de un orador joven y elocuente, que gustaba de repetir el lema parisino del 68, aquel de "la imaginación al poder": Alan García Pérez. Su campaña electoral fue impecable: prometió gobernar para todos los peruanos, mostró un Apra sin rencores históricos y ganosa de conjuntar esfuerzos. En el acto de transmisión de mando no pudo dejar de señalarse que habían corrido cuarenta años en el Perú desde que un Presidente legítimamente elegido entregaba el poder a otro elegido también de acuerdo a la Constitución.

El nuevo Presidente no había presentado, sin embargo, un plan de gobierno y permitió que se tejieran distintas imágenes sobre lo que sería su régimen. Tras el fracaso económico del reformismo belaundista y ante la división —y para algunos la amenaza— de la izquierda comunista, confundida por el fenómeno subversivo, el abogado y activista político García no tuvo rivales reales. Ganó las elecciones por una abrumadora mayoría de 46 por ciento de la votación emitida, y a sus treintiséis años se convirtió en el primer Presidente aprista del país y el más joven de la historia de la república peruana.

En segundo lugar quedó Barrantes, de la IU, quien renunció a su derecho a participar en una segunda vuelta, y que en los próximos años demostró poca capacidad para mantener unido y renovar las propuestas de su grupo político. Los candidatos de los partidos, considerados entonces como "tradicionales", parecieron rezagados de la contienda política. El líder Luis Bedoya Reyes del PPC, participó por última vez en una contienda electoral como candidato presidencial, representando a la Convergencia Democrática, y sólo llegó al 10 por ciento de la votación. El desprestigio del gobierno de Belaúnde, alimentado por las pugnas internas que atravesaron a Acción Popular en esos años, llevaron a que el candidato oficialista Luis Alva Orlandini, apenas alcanzara al 6 por ciento de los votos.

Desde el comienzo el nuevo Presidente mostró que le sobraba energía y elocuencia. Infatigable orador, García aprovechaba cuanta oportunidad se le presentaba —o a veces las creaba desde el balcón de Palacio de gobierno— para dirigir encendidos discursos, generalmente televisados, que parecían más los de un candidato que los de un gobernante. Domeñó a los militares, que aunque ya habían levantado su tradicional veto al Apra, seguían siendo una fuerza política deliberante. Dos Ministerios les fueron cerrados, reduciendo su presencia en el gabinete. Intentó, más que logró, moralizar a la policía, cuya corrupción era legendaria; consiguió forjar una alianza con la izquierda moderada, que entre el Apra y Sendero Luminoso, habíase quedado sin discurso. En todas sus primeras acciones parecía obsesionado con querer mostrar el poder de su estilo personal, tomando iniciativas que sorprendían a sus propios ministros.

La protección a la industria nacional fue incrementada con altos aranceles, controles de importación y prohibiciones. La inflación, que en los años finales del gobierno de Belaúnde había rondado el cien por ciento anual, trató de ser combatida de manera "heterodoxa", con controles de precios, devaluaciones selectivas y congelamiento del tipo oficial de cambio. Llegó a existir un abanico de más de media docena de tipos de cambio, según el uso que se diera a las divisas. Estas parecían entonces medidas intervencionistas permisibles, dada la fuerte presencia del Estado en la economía. El sol fue reemplazado como moneda nacional por el "inti" (mil soles se refundieron en un inti).

Al comienzo las políticas económicas denominadas heterodoxas, impulsadas por el Primer ministro y ministro de economía Luis Alva Castro, resultaron exitosas. La inflación se redujo a 60 por ciento; el producto bruto volvió a alcanzar tasas de crecimiento que recordaban las de los años cincuenta; la Shell dio con un yacimiento de gas en la selva del Cuzco: Camisea, lo que representaba solamente una promesa, pero también podía significar la suerte de los ganadores. Los salarios reales aumentaron, provocando el crecimiento del consumo. La popularidad del mandatario llegó a sus máximos niveles en esos primeros años. La política del control de precios y congelamiento del tipo de cambio se prolongó, sin embargo, más allá de lo recomendable. El déficil fiscal creció; Alva Castro renunció por discrepancias con el Presidente y se inició lo que se convertiría poco después en un descalabro económico.

En un afán más de protagonismo que de realismo político y económico, Alan García quiso enfrentarse de palabra y obra al capitalismo internacional. Para García el Perú debía ser nuevamente una nación líder en los foros tercermundistas. El pago de la deuda externa fue desafiante y unilateralmente reducido a

LA DEUDA EXTERNA TOTAL, 1970 -1991
(millones de dólares)

Año	Deuda externa total	Año	Deuda externa total
1970	3,681	1981	9,606
1971	3,692	1982	11,465
1972	3,832	1983	12,445
1973	4,133	1984	13,338
1974	5,238	1985	13,721
1975	6,257	1986	15,511
1976	7,384	1987	19,107
1977	8,567	1988	20,006
1978	9,325	1989	20,799
1979	9,334	1990	22,141
1980	9,595	1991	24,510

Fuente: Para 1970-1985: *Perú en números 1991*, Anuario Estadístico. Cuánto, S.A., 1991, p. 986; para 1986-1991: *Perú '96 en números*. Anuario Estadístico. Cuánto S.A., 1996, p. 1048.

una proporción del 10 por ciento de las exportaciones, lo que implicaba dejarla en gran parte impaga. El Perú dejó de ser sujeto de crédito internacional para importantes agencias de cooperación como el Banco Interamericano de Desarrollo y el Banco Mundial y muchas obras públicas que se habían aprobado en el gobierno anterior no se realizaron. En un primer momento muchos peruanos no se dieron cuenta de las implicancias de esta decisión, que acabó desatando el aislamiento internacional, un enfrentamiento del país con los acreedores extranjeros y una de las peores crisis económicas de su historia. Lo irónico y grave del caso es que hacia el final de su gobierno, cuando se agotaron las reservas del país, García comenzó a pagar nuevamente, en condiciones más desventajosas, la deuda del país con el Fondo Monetario Internacional. En ese momento se estimaba que la deuda externa peruana ascendía a unos veinte mil millones de dólares, más del doble del nivel alcanzado durante el gobierno militar.

La estatización frustrada

Al cumplirse dos años de su gobierno Alan García dio una medida que marcaría un antes y un después en la historia de su gobierno. El 28 de julio de 1987, en el tradicional mensaje a la nación que los mandatarios pronuncian en el Congreso al cumplirse un aniversario más de la patria, anunció una medida que tendría hondas repercusiones: la estatización de la banca. Según el Presidente, las entidades de crédito pertenecían a un grupo de familias adineradas que al restringir y monopolizar los préstamos detenían el desarrollo. La derecha rompió lanzas contra el régimen señalando que durante la campaña electoral él mismo había descartado la medida, mientras la izquierda aplaudía. Para aquella era el retorno al nefasto estatismo de los tiempos de Velasco; el copamiento de la economía por el Estado, que desde el control del crédito gobernaría por entero la actividad productiva.

Dicha medida fue anunciada más que cumplida. El dueño del relativamente pequeño Banco Mercantil, instaló una cama en su oficina, una medida comúnmente asociada a las protestas de trabajadores que ocupaban una fábrica, y la pintoresca noticia dio la vuelta al mundo. Los propietarios del principal banco peruano, el de Crédito, vendieron hábilmente sus acciones a sus propios trabajadores, que se convirtieron así en accionistas. A pesar de su disgusto García no pudo hacer nada para impedirlo. La derecha halló en el prestigioso escritor Mario Vargas Llosa, residente sólo por temporadas en el país, el líder eficaz del que carecía. Asimismo, los adversarios del régimen vieron en la medida un intento totalitario y corrupto que hacía renacer las tendencias sectarias de la agrupación aprista.

A la oposición política y económica de la derecha se sumó la cíclica escasez de divisas de la economía peruana, agudizada en esta ocasión por el aislamiento internacional. Reapareció la inflación, que en esta ocasión llegó a desbocarse hasta los inéditos cuatro dígitos. En los últimos meses del gobierno de García la inflación subía a un promedio de 2 por ciento cada día y 70 por ciento cada mes. La inflación, o mejor dicho la hiperinflación, acumulada que dejó el gobierno fue de más de dos millones por ciento. Con el dinero que en 1985 uno hubiera podido adquirir una lujosa residencia, en 1990 sólo alcanzaba para comprar un tubo de pasta dental. Con la hiperinflación desapareció el crédito de consumo, se retrajo el comercio, aumentó el desempleo y se extendió la pobreza crítica. La nueva unidad monetaria nacional, que había empezado su vida con un cambio de trece intis por dólar, bajó en julio de 1990 a un valor de 175 mil por dólar. El Estado trató de paliar la situación con subsidios selectivos y más controles de precios y aumentando el número de empleados públicos, que llegaron a superar el millón sin contar las Fuerzas Armadas, pero con sueldos bajísimos. Como producto de ello se extendió la recesión, la pobreza y el virtual colapso de los servicios del Estado. Por ejemplo, los gastos en salud en 1991 representaban apenas el 24 por ciento del nivel de 1980. El ingreso per cápita anual se redujo a

997 dólares en 1990, se volatilizaron las reservas internacionales netas a menos de 105 millones de dólares y se acentuó el aislamiento financiero, político y cultural del país con respecto al exterior.

La ofensiva final de Sendero Luminoso

Sendero Luminoso, tras cierto apaciguamiento de sus acciones, inició lo que consideraba su ofensiva final contra el "Estado fascista", llegando a controlar varias regiones del país. En las universidades públicas, colegios nacionales, fábricas y asentamientos humanos marginales logró reclutar jóvenes militantes que veían totalmente bloqueado su ascenso social y creían encontrar en SL una identidad política y una tarea mesiánica que los investía con un proyecto de futuro. Sendero Luminoso alióse con el narcotráfico en la selva, lo que le dotó de recursos económicos y logísticos bastantes para equiparse de moderno armamento ligero, incrementando su capacidad de fuego. Los empresarios privados debían pagar cupos para que sus fábricas o camiones no sean dinamitados; enviaron a sus familias al exterior, a fin de protegerlas de los secuestros que solía cometer el MRTA, y el oficio de guardaespaldas, agente de seguridad o "huachimán" fue uno de los pocos que creció en el país. La población económicamente activa podía ser dividida en tres tercios: el que tenía empleo, aquel que buscaba empleo, y aquel que cuidaba a los que tenían empleo. Vastas zonas populares de Lima eran controladas por las huestes de Sendero, desde donde se

EL CRECIMIENTO DEL EMPLEO PÚBLICO, 1950-1989

Año	**Total (miles)**
1950	104
1955	131
1960	167
1965	226
1970	289
1975	371
1980	468
1985	591
1989	750

Fuente: *Perú en números 1991*, Anuario Estadístico. Cuánto, S.A:, 1991, p. 305.

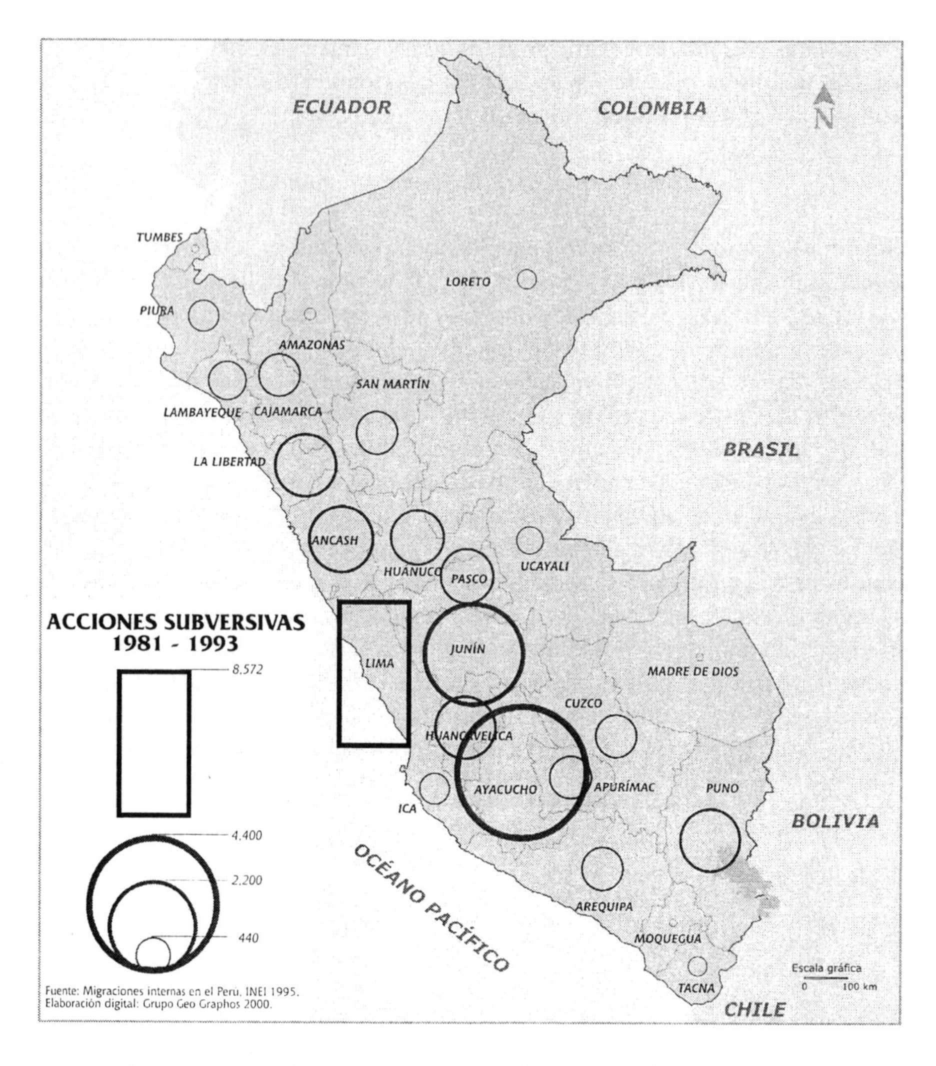

organizaban los "ajusticiamientos selectivos" en medio del terror de la mayoría de la población.

Las Fuerzas Armadas respondían muchas veces con palos de ciego, desencadenando una guerra sucia que dejó un saldo de veinte mil muertos. El poder judicial había perdido toda capacidad de juzgar y castigar a los terroristas, con jueces amedrentados que liberaban a los reos a la primera de bastos. No obstante, un plan que las Fuerzas Armadas echaron a andar tras muchas dudas y el temor de varios sectores, pero que a la larga se revelaría eficaz para combatir a Sendero, fue la entrega de rifles de retrocarga a los campesinos para que se organizaran en "rondas campesinas" de autodefensa, tuteladas por "licenciados" del ejército, que generalmente provenían de la misma región serrana. Las "rondas" contuvieron el avance de Sendero en el campo y aislaron a los rebeldes de lo que habían sido sus bases de apoyo. Los campesinos habían comenzado a oponerse fuertemente a Sendero, desde que éste se propuso prohibir sus actividades comerciales, a fin de "hambrear a la ciudad", intentó expulsar a la iglesia del campo, ejecutaba a las autoridades locales y alejaba a organizaciones de cooperación extranjera que trabajaban en favor de la economía local.

Por su parte, el MRTA se había robustecido económicamente sobre la base de secuestros y robos. Sus militantes eran de extracción más urbana que rural y su ideología más guevarista que maoísta. Pero sus "buenos modales" pronto se acabaron. Comenzaron a disputar con Sendero Luminoso el dinero del narcotráfico, en un momento en que, en la selva, la coca se convertía en uno de los principales cultivos de la agricultura peruana.

En la década de los años ochenta el país se había convertido en el mayor productor de coca del mundo y los intereses que estaban detrás de las avionetas colombianas que venían a recoger los macerados de la coca, principalmente en los valles del Huallaga, así como los de otros implicados en el tráfico, parecían extenderse a varias ramas del Estado. En la parte alta del curso del río Huallaga, entre Tingo María y Tarapoto, surgieron vertiginosamente poblaciones como Uchiza y Tocache, rodeadas de aeropuertos clandestinos desde los que se recogía la pasta básica que luego se transformaría en clorhidrato para la exportación a Europa y los Estados Unidos. Algo similar sucedía en el curso del río Ucayali, cerca de la ciudad de Pucallpa y en el valle del río Apurímac, en el límite entre los departamentos de Ayacucho y Cuzco.

La política del gobierno con respecto al terrorismo oscilaba entre la indolencia y la violencia desenfrenada. Esta última fue evidente en los lamentables sucesos de junio de 1986 cuando, al mismo tiempo que un congreso de la Internacional Socialista se desarrollaba en Lima, los presos terroristas de tres cárceles de Lima se amotinaron. Siguiendo las órdenes del gobierno las Fuerzas Armadas debelaron a sangre y fuego el motín, llegando —según varios testimonios fidedignos— al asesinato de terroristas rendidos. En este trágico incidente murieron cerca de 300 personas y a pesar de todo, tanto Sendero como el MRTA, continuaron sus acciones de violencia por diferentes zonas del país.

Uno de los programas en que el gobierno puso un énfasis, quizá tardío, fue el de la regionalización, dirigido a acabar con el histórico centralismo peruano. La ley de 1989 determinó la creación de doce regiones, resultado de la fusión de varios de los veinticuatro departamentos, que tendrían su propio gobierno y

Afiche de Sendero Luminoso, donde se representa al "Presidente Gonzalo" (Abimael Guzmán R.)

Capacitación de Ronderos en Cajamarca, 1985. Archivo Illa.

asamblea. Con las elecciones generales de 1990 debían elegirse los primeros gobiernos regionales, con un procedimiento complejo que incluía la elección directa y la de "instituciones sociales representativas". Sin embargo ni entonces ni después se resolvió el grave problema del centralismo peruano, puesto que éste padecía y padece de hondas raíces económicas y culturales, de modo que, aunque autónomos sobre el papel, los gobiernos regionales dependían en realidad fuertemente de las transferencias del presupuesto central de la república.

En 1989 el Perú parecía al borde del abismo. Terrorismo, inflación, narcotráfico y pobreza extrema eran como los cuatro jinetes de un apocalipsis bíblico. Las acciones subversivas registradas por la policía, que en 1980 habían sido 219 se incrementaron hasta 3,149 en 1989. Muchos peruanos decidieron emigrar a otros países: entre 1988 y 1994 se estima que emigraron alrededor de un millón de peruanos, la mayoría provenientes de la clase media. Estados Unidos fue el principal lugar de destino, pero aparecieron también otros como España, Argentina, Italia y Japón. Los gobiernos de las naciones vecinas comenzaron a tomar previsiones por si se producía el colapso del Estado y el triunfo del polpotiano Sendero Luminoso. Para las nuevas elecciones generales (el Congreso se renovaba junto con la Presidencia de la República) faltaba un trecho de varios meses, que se volvieron prolongados y tensos.

6. LA CAMPAÑA ELECTORAL DE 1990

La campaña electoral fue larga, puesto que se inició casi dos años antes, con los debates sobre la estatización de la banca. Mario Vargas Llosa fue el candidato de una alianza de partidos de la derecha y prometía una suerte de revolución cultural en el Perú: la implantación de un liberalismo radical. Los partidos que apoyaron a Vargas Llosa se organizaron en el FREDEMO, que incluía a su propio —y de corta vida— Movimiento Libertad, así como a Acción Popular y al Partido Popular Cristiano. Su programa modernizador pretendía hacer del Perú un país europeo, como los civilistas de un siglo atrás. La izquierda se veía afectada por el derrumbe mundial del socialismo en el bloque soviético y el Apra cargaba con el descrédito de un gobierno que resultaba lo más parecido al desastre.

En el último tramo de la campaña el Apra y la izquierda consiguieron intimidar a los sectores populares con los costos sociales que "el ajuste neoliberal" traería consigo. "El shock" sería dantesco. Las alianzas que había establecido Vargas Llosa parecían desfavorecerlo, porque lo pintaban como un aliado de los políticos tradicionales, interesado en lograr un balance de los privilegios del poder entre las dirigencias políticas que lo apoyaban. Quien sacó partido de esa confusa contienda fue un político prácticamente desconocido: el ingeniero agrónomo Alberto Fujimori, hijo de inmigrantes japoneses, ex rector de la Universidad Nacional Agraria, Presidente de la Asamblea Nacional de Rectores y conductor por algún tiempo de un programa de entrevistas en la televisión estatal, donde se había hecho medianamente conocido. Fujimori traslucía la imagen de un hombre de rectitud y eficiencia orientales, con independencia política, es decir sin compromisos con el orden político establecido. Lanzó una modesta pero efectiva campaña, montado sobre un tractor, con el lema de "Tecnología, honestidad y trabajo".

Otro factor que favoreció a Fujimori fue el desgaste de los partidos políticos. Estos habían sido fundamentales a comienzos de los años ochenta, pero al final de esa década aparecieron como incapaces de resolver los problemas del país y divididos por rencillas internas. Progresivamente, primero en las municipales y luego en las generales, los candidatos y frentes independientes ganaban las elecciones, en una tendencia que continuó durante los años noventa. Algunos acusaron al nuevo gobernante de incentivar el colapso de los partidos políticos como parte de una estrategia de desinstitucionalizar el país.

La colonia japonesa había iniciado su historia en el Perú en 1899, cuando desembarcaron en la costa central unos cuantos cientos de inmigrantes destinados al trabajo en las haciendas algodoneras y azucareras de la región. En las décadas siguientes prosiguió la inmigración, que llegó a completar más de veinte mil hombres. Algunos se establecieron en la sierra central, en la ciudad de Huancayo, e incluso en la selva, pero la mayoría lo hizo en las ciudades de la costa. Los propios padres de Fujimori llegaron en la década de 1930, desempeñándose como operarios en una hacienda de Surco, en lo que eran por entonces extramuros de la capital. La colonia japonesa prosperó, llegando en los años treinta a hacer sentir su presencia en la industria y el comercio. Durante la Segunda Guerra Mundial debió enfrentar la represión del gobierno de Manuel Prado, aliado de los norteamericanos en la guerra contra los países "del eje". Superado ese momento, los japoneses en el Perú prosiguieron su quehacer económico y alcanzaron a convertirse en una colonia respetada por su disciplina, eficiencia y honradez. A raíz de la campaña electoral emergieron, no obstante, algunos ataques de xenofobia.

Dos vueltas electorales fueron necesarias para dirimir quién sería Presidente. En la primera vuelta el FREDEMO llegó al 28% de los votos, mientras que Cambio 90 de Fujimori alcanzó el 25%. En la segunda elección Fujimori sumó a los suyos los votos del Apra y la izquierda y ganó con distancia: 57% de los votos. En su elección se mezcló una combinación de factores. Primero, la identificación de Fujimori con las víctimas del racismo, ya que para entonces el país era mayoritaria y orgullosamente mestizo y de origen provinciano, mientras que Vargas

Llosa era percibido como un prominente miembro de la elite blanca, de ascendencia europea y limeña, a pesar de haber nacido en Arequipa. Asimismo, existió un marcado temor, alentado por sus opositores, de que las políticas económicas de ajuste estructural de Vargas Llosa producirían mayor pobreza, por lo menos en términos inmediatos. Finalmente, el mismo Vargas Llosa ya no parecía interesado en la victoria electoral.

El programa de gobierno del nuevo Presidente era un enigma y para algunos materia de honda preocupación.

LECTURAS RECOMENDADAS

Carmen Rosa Balbi, *Identidad clasista en el sindicalismo. Su impacto en las fábricas*. Lima: DESCO, 1989.

Hernando de Soto, *El otro sendero. La revolución informal*. Lima: ILD, 1986.

Carlos Iván Degregori, *El surgimiento de Sendero Luminoso*. Ayacucho 1969-1979. Lima: IEP, 1990.

Carlos Iván Degregori y Romeo Grompone, *Demonios y redentores en el nuevo Perú*. Lima: IEP, 1991.

Alberto Flores-Galindo, *Buscando un Inca. Identidad y utopía en los Andes*. Lima: IAA, 1987. Caps. VII-VIII.

Sinesio López, *Ciudadanos reales e imaginarios. Concepciones, desarrollo y mapas de la ciudadanía en el Perú*. Lima: IDS, 1997. Cap. 5.

Abraham Lowenthal y Cinthia McClintock (eds.), *El gobierno militar. Una experiencia peruana 1968-1980*. Lima: IEP, 1985.

José Matos Mar, *Desborde popular y crisis del estado. El nuevo rostro del Perú en la década de 1980*. Lima: IEP, 1984.

José Matos Mar y José Manuel Mejía, *La reforma agraria en el Perú*. Lima: IEP, 1980.

Henry Pease, *El ocaso del poder oligárquico. Lucha política en la escena oficial, 1968-1975*. Lima: DESCO, 1977.

Steve Stein y Carlos Monge, *La crisis del estado patrimonial en el Perú*. Lima: IEP, 1988.

Capítulo 10
REFORMA DEL ESTADO Y ALIANZA MILITAR: EL FUJIMORATO

Resulta difícil enjuiciar la década de 1990 en términos históricos, puesto que se trata de un período aún en curso y que, por lo mismo, no ha cerrado su ciclo histórico. Las páginas que siguen deben considerarse por ello como un balance sólo muy preliminar.

A pesar de ello, puede adelantarse que los años noventa han significado una profunda transformación del Perú, al punto que podemos aventurarnos a señalar que la presente década ha venido a cerrar el ciclo abierto con los golpes militares de los años sesenta, que dieron paso al estado desarrollista. Dicha transformación ha significado la inserción del Perú en lo que se ha llamado "la revolución conservadora" en el mundo, puesta en marcha por líderes de las potencias mundiales, como Margaret Thatcher y Ronald Reagan en la década de los años ochenta. Esta significó el fin del paradigma del Estado redistributivo y el arribo del imperio de la economía de mercado como organizador de las relaciones sociales.

Tras la caída del muro de Berlín (1989) y el derrumbe de la Unión Soviética esta corriente se extendió incluso a los países del Tercer Mundo, especialmente en el ámbito asiático y latinoamericano. La (re)apertura a la economía mundial implicó la necesidad de profundas transformaciones del Estado y las relaciones sociales, a fin de adecuarlas a la nueva estrategia de desarrollo "hacia fuera". Por ello puede decirse que los cambios de los años noventa no fueron solamente un resultado de la política interna, sino que obedecieron también a las presiones externas en la nueva era, bautizada como la de la "globalización".

La década de 1990 estuvo marcada en términos políticos por el prolongado gobierno de Alberto Fujimori, quien aunque promovió la fundación de hasta cuatro agrupaciones políticas tras su régimen, encabezó una administración bastante personalizada en él mismo y un pequeño grupo de asesores. Una de las líneas de acción puestas en marcha fue una reorganización del Estado. Ésta se caracterizó por lo que, para algunos, fue un desmantelamiento de los servicios públicos, mientras que para otros fue una verdadera reforma que mejoró la eficiencia, la productividad y la calidad de los mismos. En cualquier caso, algunos rubros de estos servicios, como el de las comunicaciones y la salud, que prácticamente habían colapsado al terminar la década de los años ochenta, a causa de la crisis económica y el terrorismo, se recuperaron y mostraron incluso indicios de un importante crecimiento.

También es cierto que en las áreas de las políticas sociales, como salud y educación, y bajo la asesoría de organismos como el Banco Mundial, se llevaron adelante nuevas prácticas estatales, como el subsidio a la demanda, la focalización de los gastos en los grupos más necesitados, el cofinanciamiento o autofinanciamiento de los servicios públicos, la preocupación por los costos y la efectividad, la creación de seguros por grupos vulnerables (como la niñez), la privatización parcial y el financiamiento externo de proyectos.

Quedaron, no obstante, de lado, temas cruciales como la equidad en el acceso a los servicios, la eficiencia en el gasto y los asuntos más espinosos de control de la corrupción y la independencia de poderes. En parte por ello, el gobierno de Fujimori acabó creando un Estado, a su manera más grande y más fuerte del que existió en el país hasta la década anterior, lo que desde luego era una contradicción con el objetivo declarado de reducción del Estado que estaban persiguiendo.

Sin embargo, a pesar de este resultado surgió cierto consenso entre los líderes políticos en torno a que la acción del Estado por sí sola no aseguraba el desarrollo económico y el progreso social. Aunque ello parezca hoy una verdad de perogrullo, representó definitivamente un cambio con el clima político que existía en el Perú alrededor de 1970.

1. EL TEMIDO "SHOCK"

El enigma que supuso en el Perú la elección de Alberto Fujimori se fue disipando de a pocos. Primero, en el terreno económico se encargó de probar que el "shock" era duro, pero soportable, necesario y efectivo para reducir la inflación y el déficit fiscal, y ordenar la economía. Los precios se "sinceraron"; es decir, se alinearon con los de la economía internacional, lo que equivale a decir que se elevaron drásticamente, acabando con el régimen del control de precios y la aplicación de subsidios. Se eliminó los cambios de dólar diferenciados, que habían alcanzado brechas exageradas, que propiciaban la corrupción y la conducta especulativa, y se reinsertó al país en la comunidad financiera internacional, luego de celebrar acuerdos de renegociación de la deuda externa y del compromiso del nuevo gobierno de adoptar los lineamientos del llamado "Consenso de Washington" para la reforma económica y del aparato del Estado.

La deuda externa sumaba para 1991, año en que se reiniciaron los pagos, 25,444 millones de dólares (mdd); es decir, un poco más de mil dólares por habitante. Entre 1991 y 1997 se pagó un promedio de 1,329 millones de dólares anuales por el servicio de la deuda; más del 10 por ciento del presupuesto de la república. A pesar de estos pagos, en 1996 la deuda externa total había crecido hasta los 33,805 mdd; sin embargo, en 1997 se logró reducirla a 28,508 mdd, a través de una operación financiera de "recompra" de sus títulos.

Como parte del programa de estabilización, desde 1991 se abandonó el signo monetario creado en 1985, el "inti", por el "nuevo sol", que nació sobre la base de la equivalencia con un millón de intis. La nueva moneda se estabilizó y la inflación se contuvo, a partir de una fuerte restricción en la emisión del circulante.

Durante los años finales del gobierno de García, la población había reaccionado frente a la crónica devaluación de la moneda nacional, usando el dólar norteamericano para las transacciones comerciales, los contratos con pagos a futuro, y los ahorros. Incluso el propio Estado había comenzado a fijar algunos impuestos en dólares. Pero como la mayor parte de su recaudación era en moneda nacional, la hiperinflación evaporaba rápidamente los ingresos de la caja fiscal, creando un déficit en las cuentas nacionales, que, además de hacer del presupuesto de la república un documento totalmente ficticio, realimentaban la inflación, ya que el déficit fiscal era cubierto con la emisión de más billetes.

La estabilización del nuevo signo monetario fue, pues, fundamental para ordenar y mejorar las cuentas de la nación. De todos modos, como herencia de la hiperinflación de los años 1989-1990 ha permanecido hasta hoy en la economía una fuerte *dolarización*. La gente ahorra en dólares y los bancos, consecuentemente, realizan sus préstamos en la misma moneda. Los alquileres se fijan igualmente en dólares y muchos productos, sobre todo aquellos importados o con importantes componentes importados, tienen sus precios fijados en la moneda norteamericana. Pero como la mayor parte de la fuerza laboral gana en nuevos soles, esta *dolarización* de la economía vuelve muy peligrosa la situación financiera en el caso de producirse una devaluación, puesto que muchos deudores no podrían cumplir con sus pagos.

INFLACIÓN ANUAL 1980-1999

Año	Inflación %	Año	Inflación %
1980	60.8	1990	7,649.7
1981	72.7	1991	139.2
1982	72.9	1992	56.7
1983	125.1	1993	39.5
1984	111.5	1994	15.4
1985	158.3	1995	10.2
1986	62.9	1996	11.8
1987	114.5	1997	6.5
1988	1,722.3	1998	6.0
1989	2,775.3	1999	3.7

Fuente: Para 1980-1995, *Perú '96 en números. Anuario estadístico*. Lima: Cuánto, 1996; p. 517.

En términos generales, los primeros meses del gobierno de Fujimori no indicaban un rumbo totalmente definido, ya que en su gabinete se encontraban, además del Primer Ministro Juan Carlos Hurtado Miller, de las canteras de Acción Popular, quien aplicó el primer ajuste económico para reducir el déficit fiscal, ministros de orientación centro izquierdista como Carlos Vidal en Salud, Gloria Helfer en Educación y Fernando Sánchez Albavera en Energía y Minas. Posteriormente el régimen se caracterizó por nombrar en puestos claves del gobierno a miembros de la colonia japonesa de Lima, lo que llegó a provocar recelos nacionalistas y de racismo antioriental entre ciertos sectores de la población.

A comienzos de 1991 el gobierno tuvo que añadir un problema adicional a los que ya enfrentaba: una espantosa epidemia de cólera que afectó a más de 320,000 peruanos sólo en ese año y que perjudicó a las industrias pesqueras, turísticas, de restaurantes y de exportación. Gracias al esfuerzo del personal médico se pudo evitar una gran mortalidad por esta epidemia, que se presentaba en el país por primera vez en el siglo veinte. Sin embargo, la falta de decisión en la aplicación de medidas de saneamiento ambiental, hicieron que el cólera se convirtiera en endémico, siendo una realidad cotidiana, junto a otras enfermedades reemergentes, con que los peruanos conviven hoy en día.

Ni Hurtado Miller ni los ministros de orientación centro-izquierdista duraron mucho. Las tendencias neoliberales del gobierno se acentuaron cuando en

1991 se nombró como Ministro de Economía a un graduado de la Universidad de Oxford, Carlos Boloña, y se inició un programa de privatizaciones, reformas estructurales y de reducción del Estado que esta vez sí echaba a desandar el camino del velasquismo. En ese momento las alineaciones políticas y los desencantos y adhesiones con el gobierno de Fujimori se hicieron más claros. La derecha suspiró aliviada, mientras apristas y comunistas se consolaban pensando que por lo menos mejor con Fujimori que con Vargas Llosa.

En el transcurso de los años fueron delineándose los objetivos de Boloña: promoción de una política liberal, apertura a las importaciones, reducción de la intervención del Estado en la economía, y un estricto ajuste fiscal. Sus críticos señalaban que estas medidas suponían una confianza excesiva en la capacidad autorregulatoria del mercado (muchas veces inexistente en ciertas regiones del país) y buscaban un desmantelamiento de las políticas sociales del Estado, que hacían más vulnerables a los pobres y protegían la acumulación de los sectores más pudientes de la sociedad. En los inicios de 1993 Boloña dejó el cargo y fue sucedido por el ingeniero Jorge Camet, empresario de la construcción y de índole menos doctrinaria y más pragmática. Duró en el cargo cinco años, un lapso inusual en un puesto de rápido desgaste político.

2. EL AUTOGOLPE DE 1992

Fujimori había ganado la presidencia, pero el Congreso era un mosaico de posiciones contradictorias, a veces unidas para oponerse al régimen, entre los que se encontraban los parlamentarios elegidos en las listas del ahora desintegrado FREDEMO que acaudilló Vargas Llosa, y los del Apra; varios izquierdistas habían conseguido también conservar sus curules. Nuevamente comenzó a presentarse un impase entre Ejecutivo y Parlamento que podía atar de manos a un programa de reformas. La Constitución de 1979 no preveía una disolución del Congreso como remedio. Fujimori, quien en verdad carecía de organización partidaria, buscó el respaldo de los militares y procedió al "autogolpe" del 5 de abril de 1992. Congreso, Ministerio Público, Poder Judicial, gobiernos y parlamentos regionales y otros organismos fueron cerrados o intervenidos, haciendo más precarias las posibilidades de una sostenibilidad institucional del Estado y aun de los propios cambios que había aplicado el gobierno.

La presión internacional más que la interna (muy pocos salieron a la calle a defender a los congresistas, los jueces o los presidentes regionales) obligó al gobierno a celebrar en 1993 elecciones para un Congreso Constituyente Democrático, que sacó a luz una nueva Carta Magna (la décimosegunda en la historia

Presidente Fujimori disuelve el Congreso

El 5 de abril de 1992, el presidente Alberto Fujimori declaró en un mensaje televisivo, entre otras medidas, la disolución del Congreso de la República, por considerar que éste no le permitía gobernar al país. En las siguientes líneas se pueden apreciar extractos del mensaje pronunciado por Fujimori con tal ocasión. Tomado de *El Comercio*, 6 de abril de 1999.

Algunos resultados positivos e indiscutibles se aprecian ya en este tramo de mi gobierno, ellos son el resultado de la disciplina y el orden con que se han manejado los asuntos nacionales... pero algo nos impide continuar avanzando por la senda de la reconstrucción nacional y el progreso... El caos y la corrupción, la falta de identificación con los grandes intereses nacionales de algunas instituciones fundamentales, como el Poder Legislativo y el Poder Judicial, traban la acción de gobierno orientada al logro de los objetivos de la reconstrucción y el desarrollo nacional... el Perú se ha jugado en estos veinte meses su destino, pero se lo seguirá jugando en el futuro, pues la reconstrucción del país recién empieza. Como presidente de la República he constatado directamente todas estas anomalías y me he sentido en la responsabilidad de asumir una actitud de excepción, por lo que he decidido tomar las siguientes trascendentales medidas. 1- Disolver temporalmente el Congreso de la República. 2- Reorganizar totalmente el Poder Judicial, el Consejo Nacional de la Magistratura, el Tribunal de las Garantías Constitucionales y el Ministerio Público, para una honesta y eficiente administración de justicia. 3- Reestructurar la Contraloría General de la República, con el objeto de lograr una fiscalización adecuada y oportuna de la administración pública.

Alberto Fujimori, Lima 5 de abril de 1992.

de la república) que permitía una reelección presidencial, establecía para la votación nacional el distrito electoral único, creaba un Tribunal de Garantías Constitucionales y un Ministerio Público independientes y contenía un articulado más liberal en términos económicos y con respecto a las obligaciones del Estado hacia las políticas sociales. Luego se eligió un nuevo Congreso unicameral de 120 plazas.

El efecto combinado del autoritarismo del gobierno, la lucha antiterrorista y las reformas estructurales dejaron desconcertados a la los líderes políticos de la oposición, que no encontraron forma de mantener la organicidad de sus movimientos. El país entró entonces en una etapa donde en un régimen democrático formal, los partidos políticos tenían cada vez menos importancia. El propio Presidente no desperdiciaba oportunidad para atacarlos, ni se preocupaba él mismo de construir un partido propio que apoyase su programa de reformas.

3. LA DERROTA DEL TERRORISMO

A Fujimori lo acompañó poco después la suerte de los ganadores. Un efectivo y paciente trabajo de inteligencia de la Policía Nacional culminó el 12 de setiembre de 1992 con la captura de Abimael Guzmán, cabeza teocrática del senderismo. Para muchos éste fue el comienzo del fin de la lucha entre el gobierno y el terrorismo. La seguridad interna había sido remecida pocos meses antes, con el asesinato de María Elena Moyano, luchadora social en Villa El Salvador, el más gigantesco "pueblo joven" de Lima y con el sanguinario atentado terrorista en la calle Tarata, ubicada en el centro del distrito de Miraflores, tenido como sede del comercio burgués de la ciudad.

El impacto psicológico de la captura de Guzmán, el mítico e inubicable "Presidente Gonzalo", fue enorme. El crédito de la acción se le asigna a las acciones de inteligencia del general Antonio Ketín Vidal y a la Dirección Nacional contra el Terrorismo, DINCOTE, que detectaron la presencia de Guzmán en una residencia del sur de la ciudad. Guzmán cayó, además, con su "Estado Mayor" y a partir de ello se realizaron otras capturas que diezmaron las filas de la subversión. Las acciones terroristas disminuyeron. Inicialmente confinado en la Isla del Frontón, Guzmán fue condenado a cadena perpetua y recluido en una cárcel de máxima seguridad de la Marina de Guerra. Dos años después de la caída de Guzmán, Sendero Luminoso podía darse por casi extinguido. El mismo Guzmán salió en las pantallas de televisión pidiendo a sus seguidores un acuerdo de paz, que fue considerado públicamente como un reconocimiento de su derrota personal y política y que fue rápidamente desestimado por Fujimori. En 1999 fue capturado en la sierra central Óscar Ramírez Durand, "Feliciano", quien había asumido el mando de un grupo senderista radical que había permanecido activo.

Para entonces el gobierno había instalado tribunales militares "sin rostro" para juzgar a los terroristas, que generalmente no tenían la más mínima noción de lo que eran los derechos de los encausados o los derechos humanos en general, dejando una secuela de inocentes encarcelados que hasta ahora no acaba de resolverse. En 1996 se creó una comisión especial para la revisión de los juicios por terrorismo. Hasta agosto de 1999 ella había revisado el 80 por ciento de los internamientos por terrorismo, logrando la libertad de 469 detenidos, además de 531 absueltos por el Poder Judicial. En 1997 dejaron de funcionar los tribunales sin rostro, aunque se mantuvo el fuero militar para los casos de terrorismo. El mismo gobierno alentaba la irracionalidad de algunas penas en relación a los delitos cometidos, al propiciar la cadena perpetua y aplicar la acusación de "traición a la patria" casi a cualquiera, inclusive a extranjeros que habían militado en el Perú en las filas del terrorismo. Asimismo su falta de respeto por

Comisaría del Callao tras la explosión de un coche bomba de Sendero Luminoso, 1992. Fotografía de *El Peruano*.

13 de setiembre de 1992. Los periódicos informan de la "captura del siglo" producida en la víspera. Fotografía de *El Peruano*.

Constitución de 1993

Elaborada por el Congreso Constituyente Democrático (CCD), cuyo presidente fue el ingeniero Jaime Yoshiyama Tanaka. La Constitución fue sometida a Referéndum Constitucional en el año de 1993, y fue aprobada por sólo el 51% de la población, mientras que el 49% restante se opuso. Lo novedoso de la Constitución de 1993 con respecto a la de 1979, es que se introduce la figura del Tribunal Constitucional, órgano destinado a evitar la dación de leyes inconstitucionales; se establece una economía social de mercado, donde el Estado se asigna tan sólo un rol orientador en la economía; desaparece la Reforma Agraria y se garantiza la privatización de la tierra; y se introduce la figura de la pena de muerte por terrorismo. Asimismo, se crea el Consejo Nacional de la Magistratura, órgano encargado del nombramiento de jueces, que hasta entonces era facultad del Presidente de la República; en el plano laboral la constitución no garantiza plenamente la estabilidad laboral y solamente protege al trabajador contra el despido arbitrario. Otra reforma importante con respecto a la Constitución de 1979, es que se permite la reelección presidencial inmediata sólo para un período presidencial adicional.

Artículo 58. La iniciativa privada es libre. Se ejerce en una economía social de mercado. Bajo este régimen, el Estado orienta el desarrollo del país, y actúa principalmente en las áreas de promoción de empleo, salud, educación, seguridad, servicios públicos e infraestructura.

Artículo 112. El mandato presidencial es de cinco años. El presidente puede ser reelegido de inmediato para un período adicional. Transcurrido otro período constitucional, como mínimo, el ex-presidente puede volver a postular, sujeto a las mismas condiciones.

Artículo 150. El Consejo Nacional de la Magistratura se encarga de la selección, y el nombramiento de los jueces y fiscales salvo cuando estos provengan de elección popular. El Consejo Nacional de la Magistratura es independiente y se rige por su ley orgánica.

Artículo 201. El Tribunal Constitucional es el órgano de control de la Constitución. Es autónomo e independiente. Se compone de siete miembros elegidos por cinco años... Los miembros del Tribunal Constitucional gozan de la misma inmunidad y de las mismas prerrogativas de que gozan los congresistas...

instituciones constitucionales como el Tribunal de Garantías, hacían cuestionable la pureza democrática del régimen ante organismos y personalidades del país y del extranjero. En 1999 la sentencia dada por la Corte Interamericana de Derechos Humanos, con sede en Costa Rica, que ordenaba un nuevo juicio a presos chilenos del MRTA, fue motivo para que el gobierno dispusiese el retiro del Perú del ámbito contencioso de dicho foro internacional.

De todos modos es importante destacar que la derrota de Sendero no fue sólo conseguida por el Servicio de Inteligencia o las Fuerzas Armadas. Existieron miles de peruanos que se opusieron tenazmente al terror de diversas formas. Una de las más conocidas fueron los Comités de Autodefensa Civil o "rondas campesinas", armados con escopetas primitivas y que llegaron a generalizarse en varios departamentos de la sierra.

4. EL ÚLTIMO CENSO DEL SIGLO

El censo de 1993 estableció la cifra de 22.7 millones de habitantes, que para el fin del siglo se ha elevado en unos tres millones más. La costa cobija ya a más de la mitad de esta población, quedando la región de la sierra con sólo una tercera parte. Debe recordarse que en 1940 la sierra contenía un 65% de la población nacional, siendo llamada entonces "la reserva demográfica del país". El departamento de Ayacucho mostraba las heridas de la guerra senderista y su secuela de atraso y destrucción económica, ya que de acuerdo al nuevo censo, su población resultaba inferior a la del censo anterior (de 1981). Los departamentos serranos de Ancash, Apurímac, Huancavelica y Pasco, representaban, con su estancamiento demográfico, otros tantos casos de regiones profundamente postradas en su desarrollo económico.

El contraste lo daba, en cambio, la región de la selva. En 1940 ella representaba sólo un 4% de la población nacional, mientras que ahora sobrepasaba el 12%. Sus departamentos más característicos, como Ucayali, Loreto, Madre de Dios y San Martín mostraban un ritmo de crecimiento a veces superior al cinco por ciento anual, lo que reflejaba la llegada de numerosos inmigrantes, provenientes sobre todo de la decaída región de la sierra. De otra parte, el censo de 1993 ratificó la tendencia del norte del país como el espacio de mayor vitalidad demográfica. Después del de Lima, los tres departamentos más poblados del país, corresponden precisamente a la región del norte, a saber: Piura, Cajamarca y La Libertad. Continuando en este sentido un patrón en marcha ya desde épocas incluso anteriores a la independencia. El censo dio a Lima una población de 7.2 millones de habitantes; la cantidad de ciudades con más de medio millón incluyó ahora a Arequipa, Trujillo y Chiclayo. El analfabetismo había descendido al 11%, compuesto en su gran mayoría por población femenina rural.

El ritmo de crecimiento demográfico, que llegó a rozar el 3% anual en los años sesenta y setenta, ha bajado bruscamente a menos del 2%, en virtud de agresivas campañas de reducción de la fertilidad, basadas en parte en el método de la esterilización de las mujeres del campo. Varios casos de abusos han sido reportados, sin haber sido plenamente esclarecidos. El número de hijos por mujer ha descendido de siete a tres entre 1960 y 1999, lo que además de reflejar el uso de modernos métodos anticonceptivos, es resultado de la creciente integración de la mujer en el mundo laboral y en el sistema educativo. Esta disminución traerá consecuencias de largo plazo para el perfil típico de la familia en el Perú y sus patrones de consumo y uso del tiempo de ocio.

5. LA REACTIVACIÓN ECONÓMICA

Después de algunos años de resultados económicos ambiguos, 1994 pareció representar el inicio de una franca recuperación de la economía. Entre 1993 y 1995 la producción interna creció casi en 30 por ciento, recuperándose el nivel que se había alcanzado en 1987, durante la reactivación heterodoxa del gobierno de García Pérez. Los sectores más dinámicos de la reactivación fueron la construcción, el comercio, la pesca y la manufactura. Es decir, sectores distintos a los tradicionales, como la minería o la actividad agropecuaria. Fue digno de resaltar que aquella enérgica reactivación no vino acompañada de un proceso de inflación de precios, sino todo lo contrario: entre 1993 y 1998 la inflación bajó del 40 al 6 por ciento anual.

La privatización

En 1991 la gestión de Boloña había emprendido la privatización de los sectores productivos y de los servicios públicos, lo que llevó al reingreso de las compañías extranjeras a la minería, el comercio (se difundieron los grandes almacenes de consumo), la banca, la industria de alimentos e incluso a sectores como las comunicaciones y el transporte. Entre 1991 y 1998 se privatizó empresas (o acciones que el Estado tenía en empresas) por un valor de 8,650 millones de dólares. Sólo en minería, las ventas sumaron 1,233 mdd. Destacaron la venta de Tintaya (269 mdd), a un consorcio de EE.UU. y Australia, Quicay (203 mdd), comprada por una empresa canadiense, las refinerías de Cajamarquilla y de La Oroya (192 y 121.5 mdd respectivamente), Mahr Túnel y Hierro Perú, comprada esta última por una empresa china.

Entre 1994 y 1998 fueron también vendidas al capital privado las empresas de electricidad, por valor de 1,737 millones de dólares. Los compradores fueron firmas españolas, chilenas y peruanas. Sin duda la privatización más espectacular, por el monto involucrado en la transacción, fue la del servicio telefónico, en 1994. La empresa española que ganó la subasta pagó dos mil dos millones de dólares, en lo que llegó a ser llamado por el periodismo como la devolución del rescate de Atahualpa. Entre 1993 y 1997 el número de líneas telefónicas se

POBLACIÓN TOTAL DEPARTAMENTAL SEGÚN CENSO DE 1993
(miles)

Departamento	Población	Crecimiento anual en el período*		Porcentaje de la Población	
		1940-1993 %	1981-1993 %	Con NBI	En miseria
TOTAL	22,639	2.2	2.1	56.8	28.3
Amazonas	354	2.6	2.3	78.0	51.5
Ancash	984	1.4	1.1	64.1	29.9
Apurímac	396	0.7	1.2	83.2	47.9
Arequipa	939	2.4	2.0	43.3	18.6
Ayacucho	512	0.4	–0.2	83.3	50.8
Cajamarca	1,298	1.6	1.7	79.1	51.7
Cuzco	1,068	1.2	1.7	75.9	40.6
Huancavelica	400	0.8	0.8	92.2	51.0
Huánuco	678	1.7	2.6	79.0	47.8
Ica	579	2.6	2.2	44.3	15.3
Junín	1,093	2.0	1.7	66.1	29.4
La Libertad	1,287	2.1	2.0	50.6	22.1
Lambayeque	951	3.0	2.5	48.6	19.0
Lima**	7,119	3.9	2.3	34.5	11.9
Loreto	736	1.7	3.0	78.7	52.8
Madre de Dios	70	2.0	5.7	76.8	45.4
Moquegua	130	2.5	2.0	47.9	20.3
Pasco	239	1.3	0.3	81.2	44.6
Piura	1,409	2.3	1.7	70.3	41.1
Puno	1,104	1.0	1.6	73.5	33.7
San Martín	572	3.0	4.6	71.9	46.8
Tacna	224	3.4	3.5	38.7	13.9
Tumbes	159	3.5	3.3	61.6	30.8
Ucayali	332	4.9	5.3	73.3	43.9

Fuentes: *Perú en números 1994*, Anuario Estadístico, Cuánto, S.A., Lima 1994, p. 186.
Perú: Compendio Estadístico 1995-96, INEI, Lima 1996, p. 163.

* Estimación nuestra.

** Incluye Callao.

NBI = Necesidades básicas insatisfechas

triplicó, al crecer de 643 mil a 1.920 mil. El teléfono en el hogar alcanzó incluso a sectores urbanos pobres y se instaló puestos telefónicos en pueblos que antes habían estado aislados.

También fueron privatizadas empresas de gas doméstico, líneas aéreas y ferrocarriles. A pesar de sus buenos resultados, la enérgica política privatizadora despertó polémicas entre la opinión pública, ya que se perdía el sentido social que muchos servicios habían tenido hasta el momento. La entrega al capital privado extranjero de sectores antes considerados "claves" o "estratégicos" despertó comprensibles recelos nacionalistas. Una vez en manos de firmas privadas, vinieron, sin duda, mejoras en el servicio, pero también alzas en las tarifas y despidos en las planillas. El Estado tenía poca experiencia en controlar las tarifas de servicios que eran monopolios "naturales", como la electricidad o el teléfono, y tampoco existía en el país personal entrenado en ello. Se crearon nuevos organismos públicos, como OSIPTEL, OSINERG, y se reestructuró INDECOPI, a fin de ejercer una acción reguladora sobre estos servicios (véase recuadro "Estructura del stock de inversión extranjera").

Asimismo ocurrió una fuerte transformación en el sistema bancario. El Estado se desprendió de varios bancos, como el Continental e Interbanc, e hizo desaparecer la banca de fomento (Banco Industrial, Banco Agrario y Banco Minero). En adelante los empresarios tendrían que ir a buscar crédito a la banca privada, que se manejaba, desde luego, con criterios de mera rentabilidad y no era sensible a los objetivos de desarrollo a largo plazo. A través de COFIDE, que actúa como una banca de segundo piso (es decir, un banco de bancos) y que cuenta con fondos provenientes de la Corporación Andina de Fomento y otras entidades del exterior, el Estado ha tratado de apoyar al aparato productivo. De otra parte, aparecieron pequeños bancos para el crédito de consumo o las actividades de la micro empresa, que atendían a los sectores de clase media baja, que antes habían estado marginados de los préstamos; sin embargo, los intereses fueron en este ámbito sumamente onerosos.

Con la reaparición del crédito de consumo y la puesta en marcha de grandes reducciones arancelarias, las importaciones aumentaron y las familias de clase alta y media alta adoptaron un estilo de vida primermundista (teléfonos celulares, televisión por cable, auto propio con aire acondicionado, y vacaciones en Miami o en el Caribe). El Estado también vendió las estaciones de venta de combustibles, y el país vio surgir modernas gasolineras que representaban a los grandes carteles del mercado de combustibles del mundo.

El sector privado parece haber encontrado en las actividades culturales un medio de legitimación y un canal de socialización de sus valores, al patrocinar actividades artísticas, crear premios nacionales y auspiciar publicaciones y eventos

ESTRUCTURA DEL STOCK DE INVERSIÓN EXTRANJERA
(a diciembre de 1999 en millones de dólares)

País	%	Total / Sector	Monto
España	29.97%	US$ 2.398,02*	
		Comunicaciones	US$ 2,003.70
		Energía	US$ 201,82
		Finanzas	US$ 160.54
EE.UU.	20.98%	US$ 1.798,72*	
		Minería	US$ 511,08
		Energía	US$ 541.00
		Industria	US$ 236.01
		Finanzas	US$ 192.02
Reino Unido	17.05%	US$ 1.461.22*	
		Minería	US$ 595.50
		Finanzas	US$ 331.14
		Industria	US$ 208.42
Panamá	6.15%		US$ 527.05
Países Bajos	5.76%		US$ 493.76
Chile	3.97%		US$ 339.98
Canadá	3.43%		US$ 294.33
Suiza	2.21%		US$ 189.86

Fuente: *CONITE* / Elaboración: SNMPE

* Incluye inversiones en otros sectores

académicos. En esta área cultural, el sector público —con pocas excepciones— ha quedado rezagado.

La reforma laboral

Como parte de las medidas orientadas a "modernizar" la economía, el gobierno acometió la política de "flexibilización laboral". La estabilidad en el empleo, tal vez excesivamente protegida por la legislación anterior, fue dejada de lado, facilitándose a las empresas el despido de trabajadores y la contratación temporal. Este cambio se vio facilitado por el brusco aumento de la demanda de trabajo de la población que dejó como herencia la "explosión demográfica" de mediados

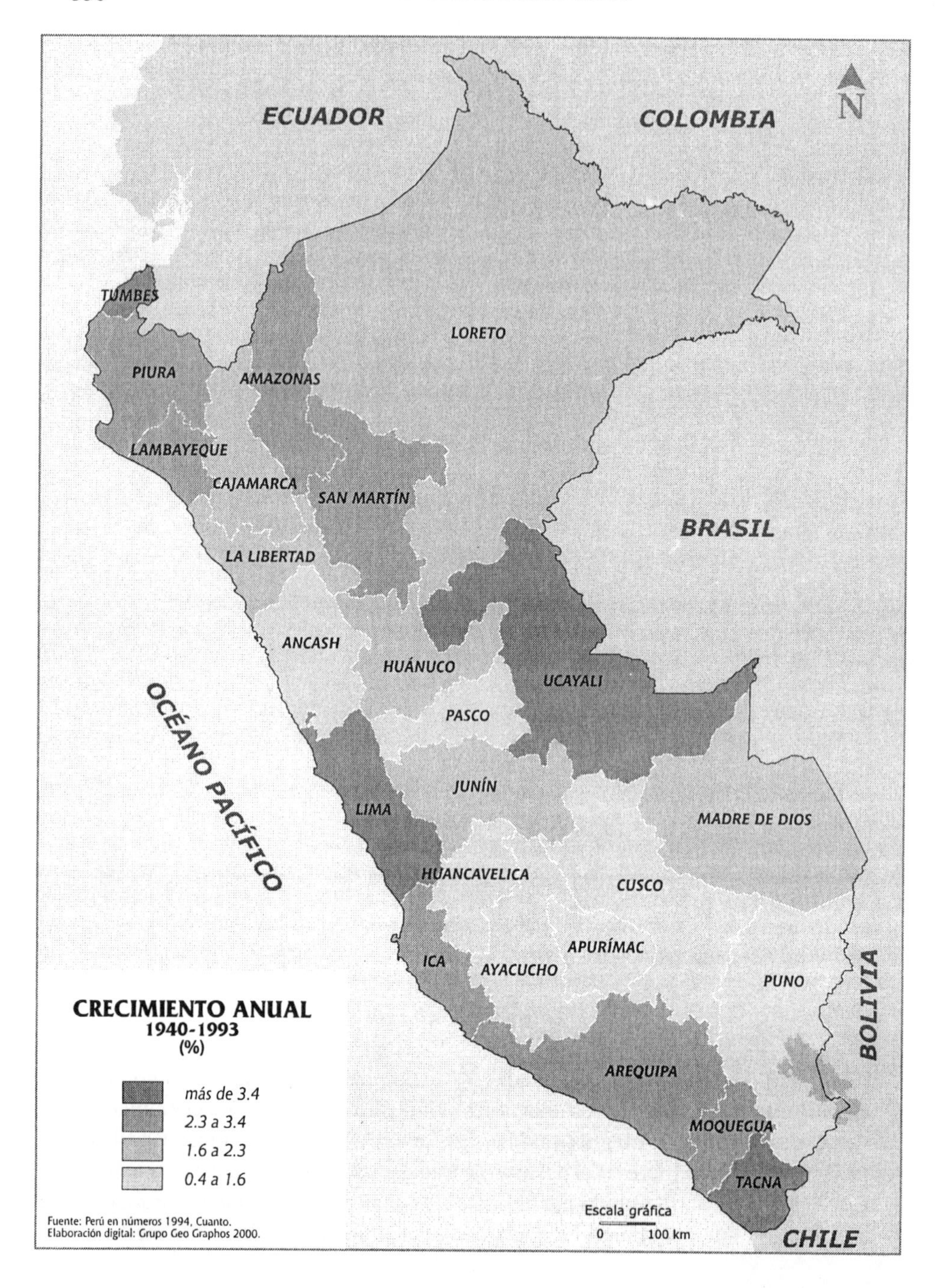
ECUADOR
COLOMBIA
N
TUMBES
LORETO
PIURA
AMAZONAS
LAMBAYEQUE
CAJAMARCA
SAN MARTÍN
BRASIL
LA LIBERTAD
ANCASH
HUÁNUCO
UCAYALI
OCÉANO PACÍFICO
PASCO
JUNÍN
LIMA
MADRE DE DIOS
HUANCAVELICA
CUSCO
APURÍMAC
ICA
AYACUCHO
PUNO
BOLIVIA
CRECIMIENTO ANUAL
1940-1993
(%)
AREQUIPA
más de 3.4
2.3 a 3.4
MOQUEGUA
1.6 a 2.3
0.4 a 1.6
TACNA
Escala gráfica
0 100 km
Fuente: Perú en números 1994, Cuanto.
Elaboración digital: Grupo Geo Graphos 2000.
CHILE

de siglo. Las altas tasas de natalidad de las décadas del cincuenta al setenta rebotaron veinte años después en un fuerte flujo de población que salió al mercado laboral. A esto se sumó el hecho de que en la segunda mitad del siglo veinte se produjo una importante incorporación a la economía de mercado por parte de la población campesina y rural proveniente de una economía de autosubsistencia; un fenómeno que fue alimentado por las mejoras en la educación y las migraciones internas hacia las ciudades. Tómese en cuenta que entre 1940 y 1993 el analfabetismo retrocedió del 58 al 11 por ciento. De otra parte, también colaboró con ello la incorporación de la mujer en el mundo laboral, asimismo en virtud de su participación en el sistema educativo, como también por los cambios culturales que propiciaron la equidad de género en diversos ámbitos de la sociedad.

Este masivo ingreso de millones de hombres y mujeres a la economía de mercado en un lapso relativamente breve, sin que el aparato productivo haya pasado por un pujante ciclo de inversiones que lo preparasen para recibir la nueva demanda de empleo de la población, fue un contexto permisible y perverso para el envilecimiento de las condiciones de trabajo. Este cambio fue especialmente traumático, porque hasta aproximadamente los mediados del siglo veinte el Perú fue un país que sufrió una crónica escasez de mano de obra, sobre todo de tipo calificado, al punto que quien gozara de un mínimo de educación formal, ya tenía virtualmente el empleo y el futuro asegurados.

Los trabajadores dependientes de un salario son hoy en el Perú una minoría, habiendo crecido en cambio el empleo temporal, el autoempleo y el empleo precario en pequeñas y microempresas (llamadas PYMES). Las empresas grandes y medianas, e incluso organismos públicos como los municipios, procuran tener la menor cantidad de trabajadores en "planilla", como empleados suyos, recurriendo a las agencias popularizadas como "services" para diversas tareas que décadas atrás eran realizadas por empleados normales de la empresa, como servicio de transporte, mensajería, limpieza, seguridad, etc. Los "services" vienen a ser como los agentes enganchadores de antaño, con la diferencia de que ya no tienen que ir a buscar a los campesinos a sus comarcas, ni ofrecerles atractivos regalos, como en el siglo diecinueve, sino que basta hoy un pequeño aviso en el periódico.

Como parte de la reforma laboral se modificó, asimismo, el sistema de pensiones para los jubilados. El Estado trató de desembarazarse del mismo, ante la larga experiencia de los déficits económicos que para él habían significado, a pesar de basarse en un descuento hecho sobre el sueldo de cada empleado a lo largo de toda su vida laboral. Aseguradoras privadas, vinculadas generalmente a los bancos, y compitiendo entre sí, se encargarían en adelante de recaudar los aportes de cada trabajador, que así se capitalizarían individualmente, y ya no como fondo colectivo, como en el sistema estatal.

Todo ello debilitó a los sindicatos y a las organizaciones de trabajadores, que durante las décadas anteriores habían sido una de las principales organizaciones de la sociedad civil. Hasta la década de 1980, los secretarios generales de las confederaciones de trabajadores solieron figurar en lugares prominentes en las encuestas acerca del poder en el Perú. Junto con el descrédito cargado por los partidos políticos, esto llevó al debilitamiento de la oposición.

Los nuevos sectores de la exportación

Las exportaciones crecieron, aunque no al ritmo de las importaciones. Las primeras pasaron de 3,321 millones de dólares (mdd) en 1990 a 6,814 mdd en 1997, mientras las segundas crecieron de 2,922 mdd a 8,552 en el mismo lapso. El déficit resultante fue absorbido por la llegada de inversión extranjera. Entre las exportaciones de desarrollo más dinámico destacó el oro entre las mineras, y el café entre las agrícolas. El caso del oro fue espectacular, puesto que se pasó de exportar 2.3 mdd en 1989, a 925 mdd en 1998. Junto con la harina de pescado y el cobre, el oro constituye hoy nuestro principal producto exportable. La mina de oro más importante ha sido la de Yanacocha, ubicada a pocos kilómetros de la ciudad de Cajamarca y que comenzó a operar en 1993 por un sindicato mixto extranjero y peruano. Poco después se ha sumado la mina Pierina, próxima a Huaraz, capital de Ancash. El cobre sigue teniendo su principal centro productor en Toquepala, explotada por la empresa Southern Peru, aunque también son

COMPOSICIÓN DE LAS EXPORTACIONES EN 1990, 1997 y 1999

Ramos	**1990**	**1997**	**1999**
Pesqueras	12.3	16.5	9.8
Agrícolas	4.9	6.9	4.6
Mineras	41.9	39.9	49.2
Petróleo y derivados	7.3	5.5	4.0
No tradicionales	28.0	30.0	30.6
Otras	5.6	1.2	1.8
Total en cifras absolutas (millones de dólares)	3,321	6,814	6,114

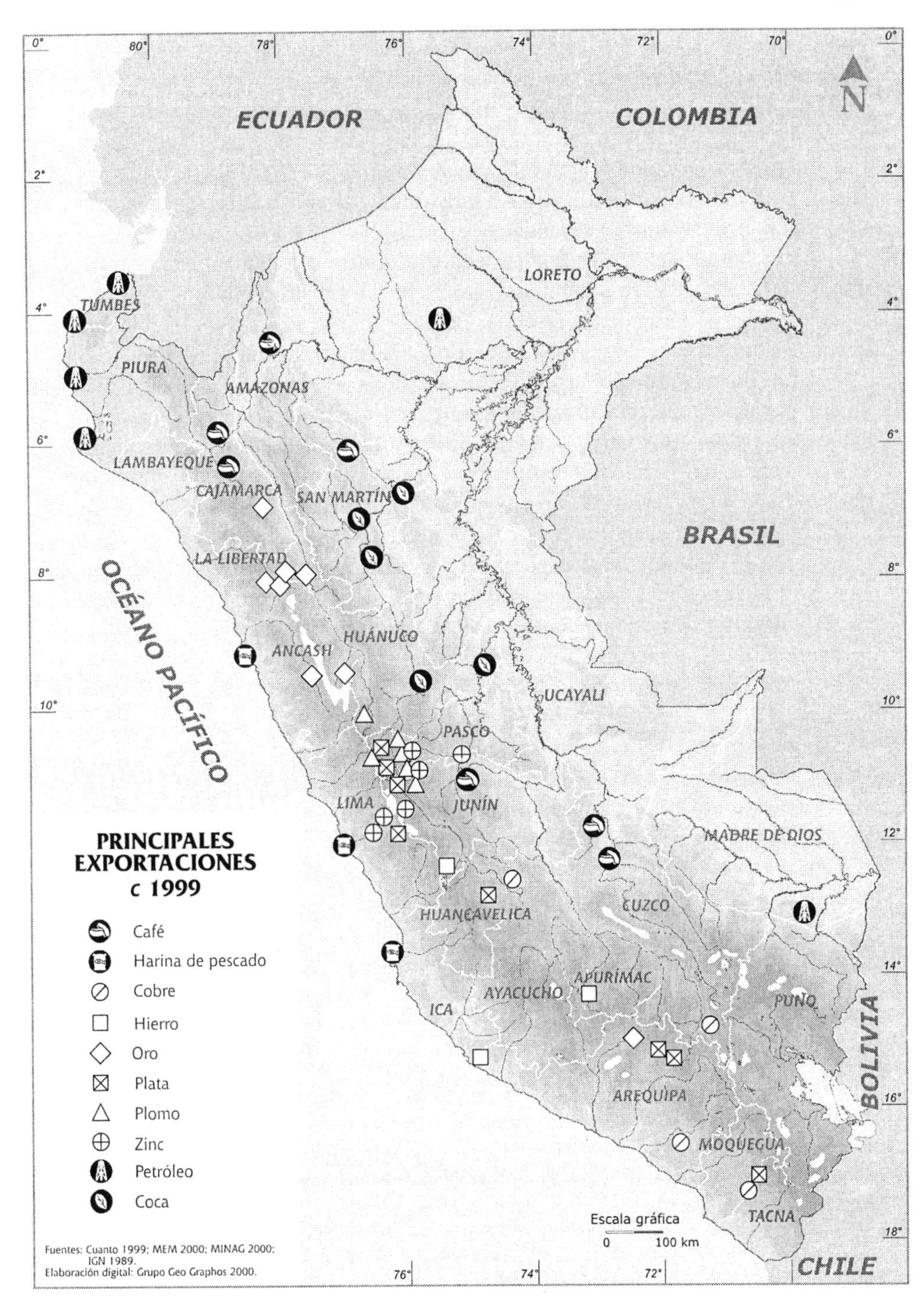
ECUADOR
COLOMBIA
BRASIL
BOLIVIA
CHILE
OCÉANO PACÍFICO
N
TUMBES
PIURA
AMAZONAS
LORETO
LAMBAYEQUE
CAJAMARCA
SAN MARTÍN
LA LIBERTAD
ANCASH
HUÁNUCO
UCAYALI
PASCO
LIMA
JUNÍN
MADRE DE DIOS
HUANCAVELICA
CUZCO
APURÍMAC
AYACUCHO
ICA
PUNO
AREQUIPA
MOQUEGUA
TACNA
PRINCIPALES EXPORTACIONES c 1999
Café
Harina de pescado
Cobre
Hierro
Oro
Plata
Plomo
Zinc
Petróleo
Coca
Escala gráfica
0 100 km
Fuentes: Cuanto 1999; MEM 2000; MINAG 2000; IGN 1989.
Elaboración digital: Grupo Geo Graphos 2000.

importantes los centros de Cerro Verde, en Arequipa, Tintaya, en el Cuzco, Cuajone, en Moquegua, y Cobriza, en Huancavelica.

También se desarrollaron nuevos rubros, como una agricultura y piscicultura altamente tecnificadas, productoras de café, espárragos, mangos y langostinos. Las antiguas exportaciones agrarias peruanas, como el azúcar, el algodón y las lanas, que fueran la base de la antigua oligarquía y el gamonalismo, tienen hoy una importancia solamente secundaria.

Sin embargo, los desarrollos agrícolas más modernos aún siguen concentrados en la costa. A fin de ampliar este sector el gobierno inició el desmantelamiento de la última de las reformas del militarismo de los años setenta que quedaba, sino intacta, al menos sí en el limbo: la reforma agraria.

La Ley para la Promoción y el Desarrollo de la Agricultura, de 1980, había abierto el paso a la parcelación de las empresas asociativas, proceso que avanzó sobre todo en las Cooperativas Agrarias de Producción de la costa. Sin embargo, la inexistencia de títulos de propiedad en manos de los parceleros, inhibió el desarrollo de un mercado de tierras, de modo que éstas siguieron en manos de los campesinos adjudicatarios de la reforma agraria del gobierno militar. En 1991 el gobierno de Fujimori decretó, por medio de la Ley para Promover la Inversión en el Sector Agrícola, el final del Decreto Ley 17716 con el que se efectuó aquella reforma. Otra disposición dada en 1995, la Ley de Tierras, apuntó a mejorar la seguridad de la propiedad agraria, eliminó límites para el tamaño de la posesión (aunque fijó impuestos altos para los fundos por encima de las tres mil hectáreas), dio amplia libertad para el uso de la tierra sin necesidad de permisos del Estado, y se propuso el desarrollo de un mercado de tierras que atraiga la inversión privada a la agricultura.

Las cooperativas de campesinos, que arrastraban una enorme deuda con el Estado, debían transformarse en sociedades anónimas o desaparecer. La tierra comenzaba a volver al mercado; aunque en este terreno (valga el término) todavía es muy poco lo avanzado; en parte, debido al costo y las dificultades con que ha avanzado el proceso de titulación. Según cálculos ofrecidos por Laureano del Castillo, para 1996 sólo 971 mil parcelas de un total de 5.718,000 (o sea sólo el 17%) contaba con títulos de propiedad inscritos en los Registros Públicos. La Ley de 1995 abrió, asimismo, el camino para la desaparición de las comunidades campesinas tradicionales, las que quedaban autorizadas a individualizar sus tierras y venderlas, previo acuerdo de la mitad de sus miembros si se trataba de comunidades de la costa, o de dos tercios, si se traba de comunidades de la sierra y selva. Para mediados de la década de 1990 se calculaba en 6,872 el número de comunidades campesinas y nativas existentes, con una posesión del 68% del total de la superficie explotada y 32.5% de las tierras agrícolas. Aunque no se trata de las tierras con mejor aptitud para la utilización comercial, es clara la intención del programa agrario del gobierno de conseguir la penetración del capitalismo en el campo.

6. CERRANDO LA ÚLTIMA FRONTERA

En enero de 1995 estalló una nueva guerra con Ecuador por la cuestión amazónica (la cuarta en la historia de la república), que después de mes y medio culminó sin un resultado militar claro en la Paz de Itamaraty. Bajo el auspicio de los países garantes del Protocolo de Río, las dos naciones retiraron sus tropas del teatro de operaciones en la cuenca del río Cenepa y se comprometieron a negociar la demarcación de la frontera. Este proceso culminó en octubre de 1998 con el Acuerdo de Brasilia, por el cual se impuso finalmente el texto del Protocolo de 1942, pero concediendo a Ecuador un simbólico terreno de un kilómetro cuadrado

Acuerdos de Brasilia entre Perú y Ecuador

Mediante la intervención como garantes de los Presidentes de Argentina, Brasil, Chile y los Estados Unidos, de acuerdo con el artículo séptimo del Protocolo de Paz, Amistad y Límites de Río de Janeiro (1942), se reunieron en la ciudad de Brasilia, el 26 de octubre de 1998, Jamil Mahuad Witt y Alberto Fujimori Fujimori, presidentes de Ecuador y Perú respectivamente, para dejar constancia formal de la conclusión definitiva de las diferencias y de los problemas que durante décadas separaron a nuestros países. Lo más importante del Acuerdo fue la demarcación definitiva de nuestra frontera con Ecuador; lo más polémico, el kilómetro cuadrado cedido en propiedad al Ecuador. Tomado de *Acuerdos de Brasilia entre el Perú y Ecuador*. Lima: Ministerio de Relaciones Exteriores, 1998.

Mediante el Acta Presidencial de Brasilia se llegó a los siguientes acuerdos:

· Tratado de Comercio y Navegación, en aplicación de lo dispuesto en el artículo VI del Protocolo de Paz, Amistad y Límites de Río de Janeiro.

· Acuerdo Amplio Peruano Ecuatoriano de Integración Fronteriza, Desarrollo y Vecindad.

· Intercambio de Notas sobre el Acuerdo de Bases respecto de la rehabilitación o reconstrucción de la bocatoma y obras conexas del Canal de Zarumilla, así como el Reglamento para la Administración del Canal de Zarumilla y la Utilización de sus Aguas.

· Intercambio de Notas con relación a los aspectos vinculados a la navegación en los sectores de los Cortes de los ríos y del Río Napo.

· Intercambio de Notas sobre el Acuerdo de Constitución de la Comisión Binacional Peruano-Ecuatoriana sobre medidas de Confianza Mutua y de Seguridad.

en el área de Tiwintza, en la zona del Cenepa. Ecuador también tendría derecho a gozar de la concesión de dos zonas francas en la ribera de los ríos Marañón y Amazonas, de 1.5 kilómetros cuadrados cada una. Los pobladores de Iquitos y algunas otras ciudades de la selva amazónica peruana rechazaron el acuerdo, obligando al Estado a sacar una Ley de Promoción de la Amazonía, que rebajaba los impuestos en esa región del país. En mayo de 1999 fue colocado el último hito de la frontera, entrando simultáneamente en vigor los demás puntos acordados. Culminaba así el largo proceso de demarcación territorial iniciado poco después de la independencia.

Ello se vio complementado con el Acta de Ejecución del Tratado de 1929 firmado entre los Cancilleres de Perú y Chile en noviembre de 1999. Según ese documento el gobierno de Chile entregaría en los próximos noventa días, después de setenta años, el malecón de desembarco, la estación del ferrocarril y un local para una oficina de aduana en Arica, que habían sido acordados, a fin de resolver el "enclaustramiento" de Tacna.

Además de este arreglo fronterizo, el reingreso del Perú al Pacto Andino en 1997, del que había permanecido alejado cinco años, mejoró nuestras relaciones comerciales con los países vecinos. Los progresos en la integración comercial de este bloque han sido, no obstante, bastante lentos; Estados Unidos y la Comunidad Europea continúan siendo nuestros socios comerciales más importantes.

7. LAS REELECCIONES DE FUJIMORI

El éxito en combatir la inflación (cuyo desborde creó a finales de los años ochenta una sensación asfixiante de incertidumbre en la población y de completa imposibilidad de planificar el futuro, incluso personal) y el terrorismo, así como el probablemente ficticio, pero al fin efectivo panorama de edificios nuevos, gasolineras elegantes, restoranes de cadenas internacionales y centros comerciales deslumbrantes, ayudaron a Fujimori a su reelección en 1995. En estas elecciones Fujimori ganó en primera vuelta por un margen mayor del que esperaban sus más entusiastas seguidores: 64 por ciento del voto, derrotando ampliamente al prestigioso diplomático Javier Pérez de Cuéllar, antiguo Secretario General de la Organización de Naciones Unidas.

Al poco de iniciado el segundo mandato de Fujimori, se produjo, en los mediados de diciembre de 1996, un serio rebrote terrorista por parte del MRTA: la toma de la residencia del embajador japonés con ochocientos invitados (posteriormente sólo quedaron en la residencia 72 personas, todos hombres, entre los que se encontraba un hermano del Presidente y el Ministro de Relaciones

Presidentes de Ecuador y Perú, Jamil Mahuad y Alberto Fujimori, junto al primer hito de la frontera demarcada. 1999. Fotografía de *El Peruano*.

Exteriores de Fujimori, Francisco Tudela). Un exlíder sindical, Néstor Cerpa Cartolini, dirigía el comando, que exigió una serie de concesiones para liberar a los rehenes, entre las que se encontraba básicamente la liberación de más de cuatrocientos emerretistas presos. Tras cuatro meses de enclaustramiento e infructuosas negociaciones registradas por canales de televisión del mundo entero, en las que participó el Arzobispo de Ayacucho y futuro Arzobispo de Lima, Monseñor Juan Luis Cipriani, un comando militar terminó violenta y casi impecablemente con la toma, en una operación conocida como "Chavín de Huantar", en alusión a los túneles que usaron los comandos para sorprender a los terroristas, con el resultado de un rehén, dos militares y los catorce terroristas muertos. El país volvía a respirar tranquilo pensando que la amenaza del terrorismo y la violencia política encarnecida eran cosa del pasado; que ya no amenazaba la estabilidad política, o que a lo sumo estaba reducida a algunas regiones del país donde eventualmente iría desapareciendo.

Una de las zonas de refugio del terrorismo fue la zona del Alto Huallaga, donde la actividad ilícita del narcotráfico había sentado sus reales desde los años ochenta. En 1992 el número de hectáreas de cultivos de coca llegó a las 129 mil, figurando ya, junto con el arroz, el café, la papa y el maíz, entre los cultivos más extendidos de nuestra agricultura. La expansión de los cocales puso en tensión las relaciones internacionales con los Estados Unidos, principal interesado en la erradicación de dicho cultivo. Este país condicionó la ayuda económica al Perú al compromiso del gobierno local por combatir los cocales. En 1997 éstos se habrían reducido a 69 mil hectáreas, casi la mitad de ellos en la región del Huallaga, en la selva nororiental. Las campañas de erradicación tropiezan, sin embargo, con la falta de cultivos alternativos para los campesinos cocaleros.

Al comienzo del segundo período del gobierno se mantuvo el ritmo del crecimiento económico, que logró elevar el ingreso per cápita a más de dos mil dólares anuales, pero el programa de privatización y reforma del aparato del Estado se detuvo en parte, por la resistencia de la población a ver desaparecer todo sentido nacionalista, social y redistributivo en lo que tradicionalmente fueron sectores estratégicos o servicios públicos esenciales. En 1998 las secuelas de "la crisis asiática" y de los problemas de la economía rusa tocaron las puertas de la economía peruana, deteniendo el flujo de inversiones y de capitales especulativos que habían estado entrando en los años anteriores. A ello se sumó el saldo negativo de un fuerte fenómeno del "Niño" de 1997-1998, que afectó severamente la actividad de la pesca y la agricultura y destruyó represas, carreteras y puentes. Ese año el crecimiento del producto bruto interno fue casi nulo y el país entró en un proceso, aún leve, de recesión. El crédito se contrajo y el desempleo aumentó.

En las elecciones municipales de 1998 se advirtió ya el desgaste del gobierno y las posibilidades de líderes alternativos, como el actual (y reelecto) Alcalde de Lima, Alberto Andrade, cuya organización "Somos Perú" fue adquiriendo dimensión nacional, aunque sin contar con un programa de gobierno conocido.

Nuevos organismos en la sociedad civil

Las décadas de los años ochenta y noventa han visto el declinar de muchas organizaciones de la sociedad civil, como los partidos políticos, los sindicatos, las asociaciones de las colonias extranjeras y de migrantes internos y la misma iglesia católica, como institución jerárquica, pero a la vez han aparecido nuevas organizaciones y nuevas iglesias. Entre estas últimas han gozado de desarrollo las de origen protestante y la secta israelita del "Nuevo pacto universal", sobre todo en el medio rural y popular. Contrarias al boato ceremonioso del catolicismo tradicional, los grupos evangélicos (uno de cuyos representantes llegó a ser Vicepresidente de la República con Fujimori) han conseguido una importante audiencia entre los campesinos, predicando la vida austera y la abstinencia de las bebidas alcohólicas y los platos picantes. El alcoholismo rural había sido durante la república uno de los vicios más difíciles de remover y contra el que se había librado más de una campaña sin resultados. En el nivel de la elite ha crecido, por su parte, el movimiento conservador católico del "Opus Dei", que ha logrado colocar a uno de los suyos como Primado de la Iglesia Católica Peruana y mantiene importantes representantes en el Congreso.

Igualmente ha sido espectacular el crecimiento de las "ONGs". Su nombre resulta hasta cierto punto curioso, ya que designa a la cosa por lo que "no es" (Organismos No Gubernamentales), y no por lo que "es". Se trata de instituciones civiles creadas generalmente por profesionales de las ciencias sociales, cuyo número creció aceleradamente desde los años setenta. En 1998 había 584 ONGs inscritas en la Secretaría de Cooperación Técnica Internacional, pero se estima que debe haber unas doscientas más. Apoyadas por donaciones y fondos de la cooperación de fundaciones y gobiernos extranjeros u organismos multinacionales, realizan tareas que en principio deberían ser propias del gobierno, sea éste nacional o local. Varios parlamentarios, a falta de partido político, han creado asimismo sus propias ONGs, como una forma de relacionarse con la población. Así tenemos ONGs a cargo de proyectos de desarrollo agropecuario, educación popular, comedores populares, proyectos de sanidad o medio ambiente, administración de justicia en zonas marginales, reformas educativas y programas de gobierno municipal. En los años ochenta el Estado llegó a verlas con recelo, pero ahora ha resuelto delegar en ellas tareas como las antes mencionadas. Sin

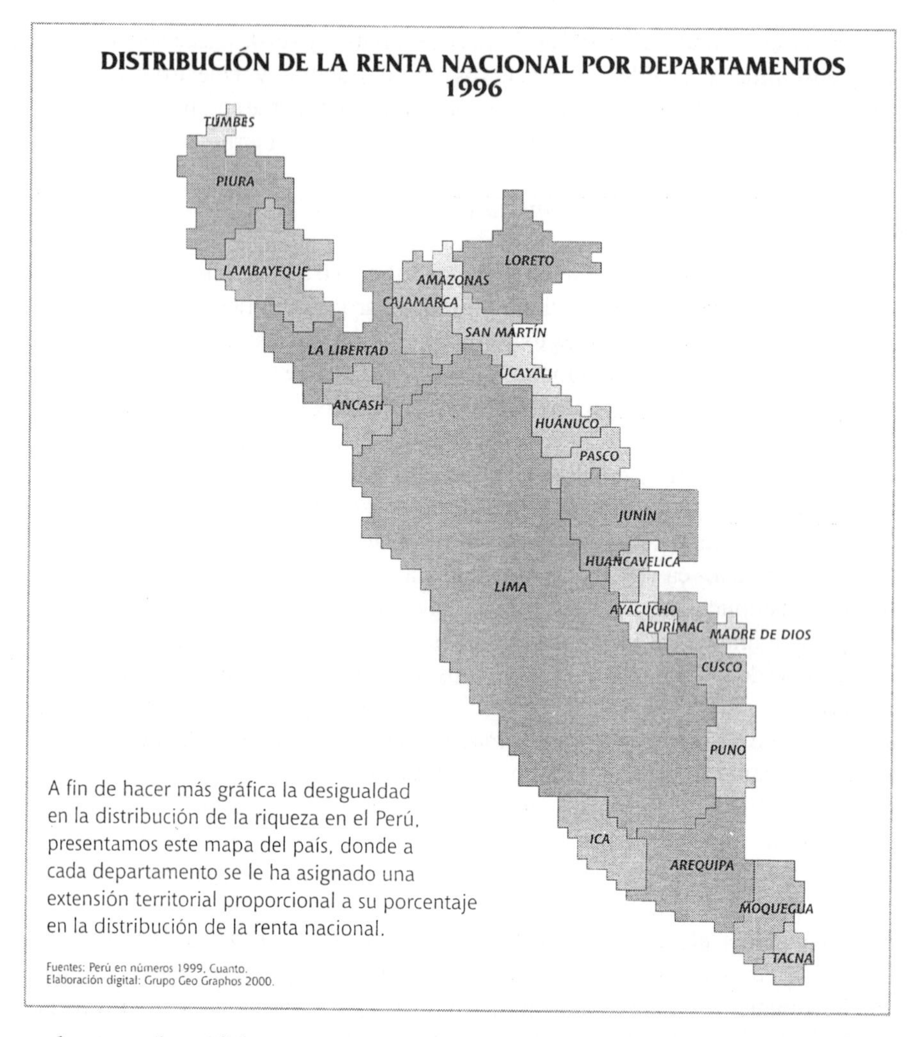

A fin de hacer más gráfica la desigualdad en la distribución de la riqueza en el Perú, presentamos este mapa del país, donde a cada departamento se le ha asignado una extensión territorial proporcional a su porcentaje en la distribución de la renta nacional.

Fuentes: Perú en números 1999. Cuanto.
Elaboración digital: Grupo Geo Graphos 2000.

embargo, en la medida que operan con fondos volátiles, como los de la cooperación extranjera, no podemos pensar en ellas como un soporte viable a largo plazo de la sociedad civil.

El copamiento del aparato del Estado

El apabullante triunfo del presidente Fujimori en las elecciones de 1995 y su evidente popularidad tras más de un lustro de gobierno (un fenómeno ciertamente extraño en la historia peruana de los últimos cincuenta años), junto con la cómoda mayoría que obtuvo en el Congreso, introdujo la idea en él mismo y su grupo de allegados de tentar una segunda reelección para el año 2000. Con vistas a ello en el Congreso lograron sacar adelante un proyecto de "interpretación auténtica" de la Constitución de 1993, según el cual la elección de 1995 debía considerarse como una primera elección, ya que la elección de 1990 se habría hecho con la anterior Carta Constitucional de 1979. El intento de la oposición de convocar a un referéndum que anule la interpretación del Congreso, no prosperó, en parte debido a las maniobras legales del gobierno. Así quedaba abierta la posibilidad para Fujimori de presentarse a una reelección en el año 2000. Según él, ello sería para "asegurar la continuidad" del modelo económico y proseguir con el programa de reformas.

Para hacer realidad el plan de la reelección el régimen debió desembarazarse previamente del Tribunal de Garantías Constitucionales, cuyos miembros no estuvieron todos dispuestos a allanarse frente al intento de prolongar a quince años el gobierno de Fujimori. Los miembros opositores del Tribunal fueron destituidos por el Congreso. De otra parte, hubo de removerse de la Presidencia del Comando Conjunto de las Fuerzas Armadas al general Nicolás Hermoza Ríos, quien se había mantenido en el cargo durante casi todo el gobierno, pero con quien las tensiones habían comenzado a crecer a lo largo de 1997 y 1998. La falta de un partido político que respaldara al régimen, había llevado a Fujimori a establecer una alianza con el cuerpo militar, la que, no obstante, amenazaba con entrar a una crisis, a raíz de los acuerdos de paz con Ecuador y la politización de los altos oficiales. Figura clave de estas operaciones fue el asesor del Servicio de Inteligencia, Vladimiro Montesinos, un antiguo capitán del ejército, quien funcionó como un eficaz nexo con el cuerpo militar.

La política del gobierno de 1996 en adelante se volcó al plan de la reelección. Los medios de comunicación, en especial la televisión, y todos los espacios que pudieran ser sedes de organización de alternativas de gobierno, como las universidades públicas, fueron copados o directamente intervenidos. El Ministerio de la Presidencia, creado durante el primer período, concentró crecientemente la mayor parte del gasto social y de inversión del Estado, en niveles que recordaban los peores momentos del centralismo en la historia de la república. Los líderes políticos alternativos, como el Alcalde de Lima, Alberto Andrade, y el ingeniero Luis Castañeda Lossio, quien había tenido una exitosa trayectoria a cargo del Instituto Peruano de Seguridad Social, y había creado una organización política llamada "Solidaridad Nacional", fueron combatidos por una prensa popular adicta al régimen y sostenida por él, de gran consumo entre la población de los que los sociólogos y encuestadores pasaron a llamar los sectores sociales "C" y "D" (pobres y extremadamente pobres, respectivamente). Los programas de privatización y de reformas que consolidasen las instituciones de una economía de mercado fueron suspendidos en la medida que alejasen las simpatías de la población por "el chino", como se llamaba popularmente al Presidente. A pocos meses de las elecciones, ante el fenómeno recurrente en vísperas electorales de las invasiones de tierras en el campo y en la ciudad, el gobierno, como en los mejores tiempos del populismo, prometió lotes de terrenos urbanos semi-gratuitos para quienes careciesen de vivienda, y la resurrección de un banco de fomento agrario para los pequeños agricultores, medidas que parecían en dirección opuesta a lo que hasta entonces había hecho y predicado.

Para las elecciones presidenciales y congresales del año 2000 Alberto Fujimori se enfrentó a una oposición dispersa en ocho candidaturas. El Presidente estaba respaldado por una alianza electoral denominada Perú 2000, que reunía a los varios grupos políticos que había ido creando a lo largo de su gestión para presentar siempre una imagen renovada. Cuando parecía que, igual que en 1995, tendría una victoria fácil, se produjo el despegue de Alejandro Toledo entre las candidaturas opositoras. Éste era un economista proveniente de una región indígena del departamento de Ancash, quien ya había probado suerte, y con poco éxito, en las elecciones anteriores. Al mando de su grupo político, Perú Posible, prometía mantener el programa económico liberal del gobierno, pero a la vez resolver lo que era la principal preocupación de la mayoría de los peruanos: el desempleo.

Uno de los más importantes atractivos de Toledo era que él encarnaba la demostración de que era posible lograr el ascenso social por medio de la educación, una aspiración que tenían muchos peruanos. Superando su origen social pobre, indígena y provinciano, que era como ser tres veces pobre, había logrado seguir estudios en la Universidad de Stanford en los Estados Unidos, labrándose una importante carrera profesional como consultor y profesor en la prestigiosa Escuela de Administración de Negocios, ESAN. Si las presidencias de la república de la segunda mitad del siglo veinte habían estado a cargo de arquitectos e ingenieros (lo que expresaba la idea de la "construcción" del Perú y la necesidad de la inversión en grandes obras de infraestructura civil), la entrada al siglo veintiuno debía hacerse de la mano de un economista, especialidad que en los últimos años había ganado el sitial de "profeta de los tiempos". Casado con una bella extranjera, Toledo encarnaba el sueño del "cholo" provinciano que gracias a su tesón y su talento, triunfaba y "se hacía a sí mismo".

En medio de graves denuncias de falsificación de firmas para la inscripción del movimiento Perú 2000 y del bloqueo de las empresas de televisión a los avisos de la oposición, y ante las escrupulosas miradas de diversos organismos internacionales, las elecciones del nueve de abril concluyeron en un resultado que dejó a Fujimori a un escaso décimo y medio porcentual de la victoria en pri-

Agenda para democratizar al Perú, según la OEA

La Misión de Alto Nivel de la OEA, compuesta por su Secretario General, César Gaviria, y el Canciller de Canadá, Lloyd Axworthy, visitó Lima en los últimos días de junio del 2000, a raíz de la crisis desatada por la segunda reelección del presidente Fujimori, y planteó la necesidad de un conjunto de reformas, orientadas a democratizar la vida política del país. Éstas son:

1. Reforma de la administración de Justicia. Orientada a lograr la independencia del Poder Judicial y la protección de los derechos humanos. Aunque esa independencia figura en la Constitución, en la práctica no es respetada por el Poder Ejecutivo, quien mediante el nombramiento de Comisiones Ejecutivas en el Poder Judicial y el Ministerio Público (supuestamente encargadas de su "reorganización" desde 1992) y un sistema de "provisionalidad" de los Jueces, mantiene virtualmente *intervenido* dicho Poder, usándolo como un arma contra sus opositores políticos.
2. Libertad de expresión y de sus medios. Pidiendo solucionar los casos de empresas de televisión con problemas judiciales, que las han llevado a perder su independencia de información y opinión frente al gobierno. Buscar el acceso equitativo de los partidos políticos a los medios y procurar que la publicidad estatal sea asignada con criterios verificables.
3. Reforma Electoral. Reunificación en un solo organismo de las entidades que forman el proceso electoral y garantía de su independencia. Creación de distritos electorales múltiples para la elección del Congreso.
4. Fiscalización y balance de poderes. Orientada a conseguir para el Congreso o Poder Legislativo un efectivo papel fiscalizador sobre el Ejecutivo y la administración pública; asimismo, el desarrollo de un programa de lucha contra la corrupción.
5. Gobierno civil y Fuerzas Armadas. Reformas orientadas a dar a la sociedad civil una información y control razonable sobre los servicios de inteligencia del gobierno y de los cuerpos militares. Organizar dentro de ellos sistemas de ascenso guiados por criterios profesionales y no políticos.

mera vuelta, mientras Toledo obtenía un sólido 40%. Fue importante la manera como se produjo la distribución del voto, consiguiendo Toledo la mayor parte de sus votos en los sectores sociales medios y de los jóvenes, mientras el Presidente destacó en los sectores populares. A nivel regional, podemos decir que el sur y el oriente apoyaron a Toledo, mientras Fujimori ganó en Lima y en el norte. Esta geografía electoral es de larga data en la historia republicana, puesto que el sur representó casi siempre la oposición a los gobiernos de Lima, ya con las banderas de la Confederación Perú Boliviana después de la independencia, las del pierolismo a finales del siglo XIX, o las del "sur rojo" en la segunda mitad del siglo XX.

Con tales resultados, debía procederse a una "segunda vuelta" electoral, mecanismo que ya se había usado en el país en 1990, pero con la particularidad que ahora ésta sería con uno de los contendores como Presidente en ejercicio, lo que, dado el control, o al menos la influencia, que un régimen que ya llevaba una década en el poder, tenía sobre los principales organismos del Estado, incluyendo los de la jurisdicción electoral, llenaba el acto de muchas suspicacias. A causa de esto y de la propia constatación de que las encuestas no lo favorecían, Alejandro Toledo, a pocos días de la elección, anunció el retiro de su candidatura, a menos de que las elecciones fuesen postergadas, lo que el jurado electoral se negó a hacer. Fujimori obtuvo así en la segunda vuelta el 51.2% de los votos, aunque con el rechazo de los sectores de la oposición y de la opinión internacional.

Las elecciones del 2000 y el fenómeno Toledo mostraron, en cualquier caso, las flaquezas del modelo político y económico seguido por el gobierno, manifestado en el abierto descontento de la población del sur, que ha visto casi desaparecer sus antiguas industrias y fuentes de trabajo, así como de los sectores medios, que enfrentan el problema del desempleo y subempleo y critican el copamiento y socave de instituciones como el Poder Judicial, las universidades, los canales de televisión abierta, los gobiernos regionales y los municipios, cuya autonomía garantizaría un reparto más descentralizado y equilibrado del poder del Estado. Igual que con ocasión de la crisis de 1992, no obstante, parece ser más fuerte y efectiva la presión internacional para que el gobierno encare esas tareas, que la presión interna. La Organización de Estados Americanos designó al canciller dominicano Eduardo Latorre, como su representante en Lima encargado de vigilar el cumplimiento del programa de democratización recomendado por dicho organismo.

Sea cual fuere el desenlace de esta crisis política, algunos de los grandes retos para el futuro del país pasan por el diseño y aplicación de un modelo de desarrollo económico que fortalezca las instituciones democráticas y pueda ser extensible al interior, más allá de esporádicos ciclos de bonanza exportadora, y de desarrollo social y político descentralizado, que transfiera con orden y, quizás hasta con cautela, pero asimismo con efectividad, cuotas de poder a las instituciones locales y de la propia sociedad civil. Asimismo, el mejoramiento de la gestión de calidad y equidad de los servicios educativos y de salud parecen metas urgentes ante la competencia internacional acentuada por la globalización. De otra parte, la reorganización, moralización, eficiencia y real autonomía del Poder Judicial es otra de las tareas necesarias y pendientes para sentar las bases de una democracia auténtica.

Aunque algunos han querido comparar a Fujimori con Leguía, el hombre del "Oncenio"; tal vez sería más propio hacerlo con Cáceres, el hombre de la "reconstrucción nacional" tras la guerra con Chile. Igual que él, parece querer perpetuarse en el poder, y además sin intermediarios. La esperanza en un líder que resuelva todos los problemas, o en una técnica moderna que trastoque el atraso del país, parecen ser las respuestas usuales de corto plazo y de cierta desesperación que caracterizan la historia republicana de la sociedad peruana, fragmentada, diversa y discontinua a pesar de haber renacido varias veces de sus propias cenizas.

* * *

El Perú forma parte de aquellos países que nuevas corrientes historiográficas han llamado "postcoloniales"; es decir, países que emergieron de un denso pasado colonial, que marcó profunda y largamente su estructura social y su desarrollo económico. Después de la proclamación de la independencia, la huella de dicho pasado ha parecido a veces más presente que nunca. En otros momentos, este legado, marcado más que por una dependencia del exterior, por la dominación social interna, pareció disminuir, o los esfuerzos políticos parecieron dirigidos a reducirla.

Entre los elementos claves de esa herencia colonial, término que discutimos en el inicio de este libro, figura sobre todo la fragmentación de la estructura social —lo que muchos especialistas reconocieron hace unos años como el dualismo de la sociedad peruana— expresado en una convivencia difícil y conflictiva, entre los herederos de la cultura colonizadora y los de la colonizada, a los que durante la república se sumaron nuevos inmigrantes provenientes de distintas partes del mundo.

En la experiencia reciente de la historia universal y del país, esta fragmentación ha probado ser una de las peores herencias con que una nación puede equiparse para abrir y sostener el camino del desarrollo económico y la integración social y política. Si a este antecedente le añadimos, en el caso del Perú, la dotación de un territorio escaso de tierras fértiles, sin ríos navegables o caminos llanos que faciliten la comunicación de los mercados y las poblaciones, y además alejado por su ubicación geográfica, de las principales corrientes del comercio, parecería que las perspectivas con que esta nación inició su vida independiente, eran muy difíciles o poco favorables.

Por ello es importante resaltar la riqueza de los proyectos de construcción y reconstrucción nacional que a lo largo de casi dos siglos hemos tenido en el Perú. Ellos nos demuestran que la población buscó constantemente caminos de superación en todos los niveles; con materiales e ideas a veces importadas de otros lugares, pero también con elementos internos o, en todo caso, adaptados y transformados internamente. Hemos querido poner énfasis en este aspecto, con el ánimo de contrapesar visiones anteriores sobre la historia del Perú, en las que se sugirió, por lo contrario, la carencia de elites dirigentes, o contraelites alternativas, y se retrató al país como un ente pasivo y simplemente receptor de las presiones y coyunturas internacionales.

Hoy estamos más dispuestos y preparados para aceptar que la descolonización de la sociedad peruana que nació a la vida independiente, fue un proceso, desde un inicio, bastante complicado, y por lo mismo, lento, sinuoso e intermitente. Los grandes proyectos de reforma que hemos descrito y evaluado en este libro, tuvieron, de una u otra manera, la mira puesta en esta meta descolonizadora. No la alcanzaron plenamente, en gran parte, a causa de debilidades y errores en su diseño, aplicación y capacidad de convocatoria y por avatares históricos diversos; pero cada nueva generación sacó lecciones de lo acontecido y pudo reajustar sus estrategias.

Cuando un siglo termina y otro comienza, es más oportuno que nunca un examen de nuestro proceso histórico como nación independiente, que permita comprender de qué manera los peruanos podríamos mantener la continuidad en los esfuerzos de desarrollo, la incorporación sin desventajas ni dependencias del resto del mundo, el impulso de la riqueza de nuestra diversidad cultural, el fortalecimiento de instituciones públicas y privadas, y la erradicación de todo tipo de prejuicios, exclusiones y estigmas sociales y étnicos. Esperamos que este libro sirva para poseer y mejorar una perspectiva de largo plazo sobre estos problemas cruciales para el Perú.

LECTURAS RECOMENDADAS

Carlos Boloña, *Cambio de rumbo: el programa económico para los 90*. Lima: Instituto de Economía de Libre Mercado, 1993.

John Crabtree y Jim Thomas (eds.), *El Perú de Fujimori, 1990-1998*. Lima: IEP y Universidad del Pacífico, 1999.

Carmen Diana Deere y Magdalena León, *Mujer rural y Desarrollo. Reforma agraria y contrarreforma en el Perú: hacia un análisis de género*. Lima: Ediciones Flora Tristán, 1998.

Francisco Durand, "Los doce apóstoles del Perú, 1986-1996". En *Incertidumbre y soledad. Reflexiones sobre los grandes empresarios en América Latina*. Lima: F. Ebert, 1996.

Efraín Gonzales de Olarte, *El neoliberalismo a la peruana. Economía política del ajuste estructural, 1990-1997*. Lima: IEP, 1998.

Nicolás Lynch, *Una tragedia sin héroes. La derrota de los partidos y el origen de los independientes. Perú 1980-1992*. Lima: Fondo Editorial de la UNMSM, 1999.

Henry Pease, *Los años de la langosta. La escena política del fujimorismo*. Lima: La Voz Editores, 1994.

Martín Tanaka, *El espejismo de la democracia. El colapso del sistema de partidos políticos en el Perú 1980-1995*. Lima: IEP, 1998.

Antonio Zapata y Juan Carlos Sueiro, *Naturaleza y política: el gobierno y el fenómeno del Niño en el Perú*. Lima: IEP, 1999.

ÍNDICE DE NOMBRES Y LUGARES

A

B

C

D

E

H

I

J

K

L

M

N

O

Q

R

S

T

U

V

W

Y

Z